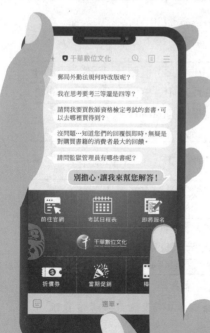

# 台灣電力(股)公司新進僱用人員甄試

## 壹、報名資訊

一、報名日期：2025年1月2日~15日

二、報名學歷資格：公立或立案之私立高中（職）畢業

完整考試資訊

http://goo.gl/GFbwSu

## 貳、考試資訊

一、筆試日期：2025年5月4日

二、考試科目：

(一) 共同科目：國文為測驗式試題及寫作一篇，英文採測驗式試題。

(二) 專業科目：專業科目A採測驗式試題；專業科目B採非測驗式試題。

| 類別 | | 專業科目 |
|---|---|---|
| 1.配電線路維護 | 國文(10%)<br>英文(10%) | A：物理(30%)、B：基本電學(50%) |
| 2.輸電線路維護 | | A：輸配電學(30%)<br>B：基本電學(50%) |
| 3.輸電線路工程 | | |
| 4.變電設備維護 | | |
| 5.變電工程 | | |
| 6.電機運轉維護 | | A：電工機械(40%)<br>B：基本電學(40%) |
| 7.電機修護 | | |
| 8.儀電運轉維護 | | A：電子學(40%)、B：基本電學(40%) |
| 9.機械運轉維護 | | A：物理(30%)、<br>B：機械原理(50%) |
| 10.機械修護 | | |
| 11.土木工程 | | A：工程力學概要(30%)<br>B：測量、土木、建築工程概要(50%) |
| 12.輸電土建工程 | | |
| 13.輸電土建勘測 | | |
| 14.起重技術 | | A：物理(30%)、B：機械及起重常識(50%) |
| 15.電銲技術 | | A：物理(30%)、B：機械及電銲常識(50%) |
| 16.化學 | | A：環境科學概論(30%)<br>B：化學(50%) |
| 17.保健物理 | | A：物理(30%)、B：化學(50%) |
| 18.綜合行政類 | 國文(20%)<br>英文(20%) | A：行政學概要、法律常識(30%)、<br>B：企業管理概論(30%) |
| 19.會計類 | 國文(10%)<br>英文(10%) | A：會計審計法規(含預算法、會計法、決算法與審計法)、採購法概要(30%)、<br>B：會計學概要(50%) |

詳細資訊以正式簡章為準

歡迎至千華官網(http://www.chienhua.com.tw/)查詢最新考情資訊

# 目次

## 第一章　軸及相關連結裝置

## 第二章　螺旋

## 第三章　彈簧

## 第十二章　機構學—凸輪機構

## 第十三章　近年試題及解析

# 本書緣起與特色

機械類國家考試中（四等考試），機械原理包含的範圍相當廣泛，其實內容不外乎是四技二專之機件原理＋機械元件設計＋部分機構學，由於範圍廣泛，可命題的重點也很多，考生準備時應將歷屆試題多加演練，熟讀各章機件名稱及機構定義，瞭解各機件功用、用途及特性，並搭配機械設計概要之相關內容有系統的整理與分類，更能收到事半功倍之效果。

本書的特點為內容依國考出題方向及重點分配章節編輯成冊，搭配詳細的解答與分析，並將機械元件設計與部份機構學有涵蓋到考試範圍的部分編進書本內容，一方面讓讀者能更全方位的準備並且了解各單元出題的比重，另一方面節省了讀者收集考題的時間，並能了解出題的方向，掌握重點，能更有效率的達到高分的效果，除此之外收錄近年試題及解析，提供給讀者參考及演練，並增加許多圖形，讓讀者能藉由圖解方式，對所有機件的特性，能更深入的了解。

本書之編輯與校對多在下班、假日之餘，雖經再三校對，然因學識疏淺，疏失之處在所難免，尚祈各位先進不吝指正，感激不盡，本書得以完成特別感謝千華數位文化有限公司鼎力促成，內人劉懿嫻小姐全力支持與鼓勵。

# 高分準備方法

機械類國家考試中（四等考試），機械原理包含的範圍相當廣泛，包含了機械力學、機件原理、機械設計概要、部分機構學，其中與機械設計概要有一半以上之內容重複，所以你會發現機械設計概要與機械原理的歷屆試題有很多地方觀念是相同的，所以在準備時這兩科可一起準備，機械原理之準備方法可分成兩方面來說明：

## 一、申論問答題

每年約有 40 ～ 50 分的申論問答題，考生在準備時應熟讀各章機件定義及特性，尤其是優缺點比較與各機件功用、用途及主要的特徵，在作答時以條列式的方式搭配圖示來作答，並配合機械設計概要之相關內容，補強不足的地方，有系統的整理與分類，更能收到事半功倍之效果。

## 二、計算題

可在機械力學（基本的材料力學及動力學）有點基礎後，再來熟讀本科。齒輪參數與輪系值的計算幾乎每年必考，其中常考題型為各元件之傳動功率、機件之速度分析及受力分析。一般而言，計算題型得分較容易掌握，很多都是代入公式即能求出答案，且範圍不會超出本書之所有章節，讀者應對各章節之計算題多加演練，才是本科能得到高分的重要關鍵。

# 第一章 軸及相關連結裝置

依據出題頻率區分，屬：**A** 頻率高

## 1-1 軸負載與功率

### 一、軸受單一負載之情況

| 軸負載 | 扭矩負載 | 彎曲負載 | 軸向負載 |
|---|---|---|---|
| 應力公式 | $\tau_{max}=\frac{Tr}{J}=\frac{16T}{\pi d^3}$ | $\sigma_{max}=\frac{My}{I}=\frac{32M}{\pi d^3}$<br>$\tau_{max}=\frac{1}{2}\sigma_{max}=\frac{16M}{\pi d^3}$ | $\sigma_{max}=\frac{F}{A}=\frac{4F}{\pi d^2}$<br>$\tau_{max}=\frac{1}{2}\sigma_{max}=\frac{2F}{\pi d^2}$ |

### 二、旋轉軸轉動功率

#### (一) 傳動功率之推導：

P(功率)＝T(扭矩)×w(角速度)

$$w(\text{角速度})=\frac{2\pi N(rpm)}{60}$$

#### (二) 旋轉軸轉動功率：

| 功率 P | 應用公式 | 常用單位 |
|---|---|---|
| 公制(kW) | $P(kW)=\frac{T\times 2\pi N}{60\times 1000}=\frac{T\times N}{9550}$ | T：扭矩(N-m)<br>N：轉速(rpm) |
| 英制馬力(HP) | $P(HP)=\frac{2\pi NT}{60\times 550}$ | T：扭矩(lb-ft)<br>N：轉速(rpm) |
| | $P(HP)=\frac{T\times N}{63025.4}$ | T：扭矩(lb-in)<br>N：轉速(rpm) |
| 公制馬力(PS) | $P(PS)=\frac{2\pi NT}{60\times 75}$ | T：扭矩(kg-m)<br>N：轉速(rpm) |

備註：1HP＝0.746kW、1PS＝0.736kW、1PS＝75(kg-m/s)、1HP＝550(ft-lb/s)

**觀念說明**

功率有時在公制馬力及英制馬力都寫成 HP，若題目出現 HP 時，則需判斷為公制馬力或英制馬力，由觀看力及力矩單位來決定，若力及力矩單位為 kg、kg-m 則此 HP 為公制馬力，力及力矩單位為 lb、ℓb-ft 則此 HP 為英制馬力。

## 三、實心軸與空心軸的比較

因為扭轉時剪應力在圓軸表面最大，而越靠軸心則剪應力越小，所以為了減少材料及減重，可採用空心軸。

| 實心軸 | 優點 | 1.承受相同的應力，實心軸可做更小的軸徑<br>2.可搭配鍵槽使用 |
|---|---|---|
| | 缺點 | 實心軸的軸徑比空心軸小，但相同應力下，實心軸較重 |
| 空心軸 | 優點 | 1.承受相同的應力，空心軸的重量較實心軸輕<br>2.同重量時，同樣扭力下空心軸較實心軸不易被破壞<br>3.空心部分可通過冷卻流體<br>4.可安裝同心軸 |
| | 缺點 | 因為應力考量，空心軸的軸徑不能太小，此外，不易搭配鍵槽使用 |

## 四、飛輪

(一)飛輪有大的極慣性矩，故利用飛輪可降低速度的變動量，它是以轉動動能之形態貯存能量，當需要時，可將此能量釋放出。

(二)飛輪也可用以改變系統之：1.質量；2.剛性；3.固有頻率。

(三)裝置飛輪能降低系統之扭振動。

(四)可用於沖壓機，因為沖壓之瞬間需要甚大的動能，使用飛輪可於沖壓之瞬間放出大量之能量，故僅須較小動力之馬達即可達到此目的。

(五)飛輪的動態均衡：

　1.若飛輪裝置於一軸上，而其質心並不在旋轉中心，當它旋轉時會發生離心力，此力作用於軸上而產生撓度，促使軸產生振動而使機件受損，故使用前須作適當的調整，以確保它能維持動態均衡。

　2.動態均衡為轉動時，作用於旋轉物體之力成平衡狀態而沒有振動現象之產生。

　3.它可由動態均衡試驗更正而平衡。

　4.因此經常可見到飛輪輪緣上有許多小孔或小洞。

## 範例 *1-1*

有一直徑 3 公分（cm）的實心圓鋼軸，在 900 rpm 之轉速下，能傳送多少動力？假設此鋼軸之容許剪應力為 400 牛頓/平方公分。【關務四等】

**解** $\tau = \dfrac{Tr}{J} = \dfrac{16T}{\pi d^3} \Rightarrow T = \dfrac{\tau \pi d^3}{16} = \dfrac{400 \times \pi \times 3^3}{16} = 2120.58\,(N-cm)$

$= 21.2058\,(N-m)$

$P = \dfrac{2\pi NT}{60 \times 1000} = \dfrac{2\pi \times 900 \times 21.2058}{60 \times 1000} = 2\,(KW)$

## 範例 *1-2*

當兩軸之材料相同，且其傳遞之功率亦相同時，試問轉速快者其軸徑是較大或較小？又二者成何種關係？此類承受扭矩之軸，若破裂時，其破裂方向與軸之中心線成何種角度？【普考】

**解** (1) 相同材料，所以剪應力相同

$\tau = \dfrac{16T_1}{\pi d_1^3} = \dfrac{16T_2}{\pi d_2^3} \Rightarrow \dfrac{T_1}{T_2} = \dfrac{d_1^3}{d_2^3}$

相同功率

$P = \dfrac{2\pi N_1 T_1}{60} = \dfrac{2\pi N_2 T_2}{60} \Rightarrow \dfrac{T_1}{T_2} = \dfrac{N_2}{N_1}$

$\therefore \dfrac{T_1}{T_2} = \dfrac{N_2}{N_1} = \dfrac{d_1^3}{d_2^3} \Rightarrow$ 轉速快軸徑較小

(2) 軸受純扭矩作用時，破裂方向與中心線成 45° 的剪應力破壞。

**範例1-3**

一直徑 100 mm 的實心圓軸，可傳達 $T_s$ 扭矩，而不超過其最大容許剪應力，若一空心軸壁厚為 20 mm，外徑為多少 mm 時截面積與實心圓軸相同？該空心軸可傳達扭矩為多少個 $T_s$？【地特四等機設】

**解** (1) 假設此空心軸外徑為 d，則內徑為（d－2×20）mm

$$\frac{\pi}{4} \times 100^2 = \frac{\pi}{4}[d^2 - (d-40)^2] \Rightarrow d = 145 \ (\text{mm})$$

(2) 實心軸

$$\tau = \frac{16T_s}{\pi \times (100)^3} = 5.093 \times 10^{-6} T_s$$

空心軸

$$\tau = \frac{T \times \dfrac{145}{2}}{\dfrac{\pi}{2} \times \left[\left(\dfrac{145}{2}\right)^4 - \left(\dfrac{105}{2}\right)^4\right]} = 2.3 \times 10^{-6} T = 5.093 \times 10^{-6} T_s$$

$$\Rightarrow T = 2.21 T_s$$

# ▼1-2　軸之相關零件─鍵與銷

## 一、鍵的功用

鍵為一連接機件，通常用於聯接軸與軸上旋轉零件與擺動零件，兩側面是工作面，部分嵌入軸上之鍵座，一部分嵌入機件的鍵槽中，靠鍵與鍵槽的側面擠壓來傳遞扭矩，於軸上使旋轉元件固定，主要是防止兩零件之間的相對迴轉，以傳遞動力，特別適用於傳遞較大動力且須經常拆裝修護之非永久性結合，如圖 1.1 所示。

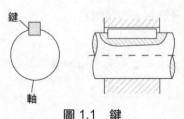

圖 1.1　鍵

## 二、鍵的種類及功用

### (一) 用於傳動小動力：

| 種類 | 說明 |
|---|---|
| 方鍵 | 1.最常用之鍵，斷面呈正方形，鍵寬與鍵高相等，約等於軸徑的 $\frac{1}{4}$，構造為兩側面為工作面，靠鍵與槽的擠壓和鍵的剪切傳遞扭矩。<br>2.最佳設計之鍵，缺點為鍵座會減少軸的強度，易軸向滑動。<br>3.規格表示法：寬（W）×高（H）×長（L）×端形。<br>例：方鍵 8×8×24 雙圓端。 |
| 平鍵 | 1.斷面呈長方形，鍵寬比鍵高大，厚度較方鍵小，構造為兩側面為工作面，靠鍵與槽的擠壓和鍵的剪切傳遞扭矩。<br>2.規格表示法：寬（W）×高（H）×長（L）×端形。<br>例：平鍵 12×8×30 單圓端。 |
| 斜鍵 | 又稱推拔鍵，上、下面為工作表面，公制斜度為 1：100，英制斜度為 1：96，工作時靠上下面摩擦傳遞扭矩，並可傳遞小部分單向軸向力，適用於低速輕載、精度要求不高。缺點：對中性較差，力有偏心，不宜高速和精度要求高的聯接，變載下易鬆動。 |
| 帶頭鍵 | 又稱勾頭斜鍵，將方鍵或平鍵之上方製成適當的斜度，於裝配時藉斜面確保緊密結合，且在鍵之較厚之一端增加長度製成勾頭，其勾頭主要作用為易於拆卸，斜度之公制為 1：100，即每公尺傾斜 1 公分；英制為 1：96，即每吋傾斜 1/8 吋。 |

| 種類 | 說明 |
|---|---|
| 半圓鍵 | 1.又稱半月鍵或伍德氏鍵。鍵寬=1/4 軸徑，鍵之直徑＝軸之直徑。裝配時，2/3 埋於鍵座，1/3 嵌於鍵槽。<br>2.用螺釘使鍵固定於軸內，可使套裝在軸上的機件作軸向滑動，鍵在槽中能繞其幾何中心擺動以適應轂上鍵槽的傾斜度，因此具備自動調整中心功能，常用於錐形軸。缺點是軸上的鍵槽較深，對軸的強度影響較大，適用於中輕級負載情況。<br>3.規格表示：<br>(1)公制：寬度×直徑半圓鍵。例如：5x20 半圓鍵。<br>(2)英制：以號碼表示，後二位數字乘以 $\frac{1}{8}$，表示直徑；前一位數字乘以 $\frac{1}{32}$，表示鍵寬，例如：半圓鍵 No.404，鍵直徑=04x$\frac{1}{8}=\frac{1}{2}$，鍵寬=4x$\frac{1}{32}=\frac{1}{8}$。<br> |
| 鞍鍵 | 底部圓弧狀，在裝配時不需在傳動軸上挖製鍵槽，是依靠摩擦力來傳送動力，所以只適合輕負載之傳動。<br>　斜度 1：100 |
| 滑鍵 | 又稱「羽鍵」，其形狀與方鍵相同，利用螺釘使鍵固定於軸內，除可與輪轂繞軸迴轉外，且可沿軸向移動，使另一個機件的鍵槽做軸向運動。<br> |

## (二) 用於傳動大動力：

| 種類 | 說明 |
|---|---|
| 圓形鍵 | 不易變形，不需緊密配合即可防止扭轉，且拆裝容易，可分為圓柱體或圓錐體，通常圓鍵的大端約為軸徑的 $\frac{1}{4}$，圓錐體的錐度公制為 1：50，英制為 1：48，小型的圓鍵多用於固定曲柄、手輪及其他輕負載的機件上。 |
| 路易氏鍵 | 亦稱「切線鍵」，用兩個斜鍵相對組合而成，鍵之對角線必須在剪力線，適用於承受衝擊性負載之輪轂配合件與軸，使用於傳動扭矩較大或具有衝擊負載的情況。 |
| 甘迺迪鍵 | 此種鍵包括兩個方形斜鍵組成，兩個鍵之對角線交於軸心，且互成 90 度，使用於傳動扭矩較大的情況。<br><br>1:100<br><br>$b = \frac{D}{4} \sim \frac{D}{5}$ |
| 斜角鍵 | 嵌於軸部分的兩側製成斜面，此種鍵亦可旋轉 180 度使用，即斜角部分裝於輪轂之鍵槽中。 |

| 種類 | 說明 |
|---|---|
| 栓槽鍵 | 1. 亦稱「裂式鍵」，將鍵與軸製成一體，即在軸之外圓周上等間隔銑成數條槽，稱之為「栓槽」，栓槽鍵之輪廓有平行式及漸開式。<br>　(1)漸開線栓槽鍵：是具有漸開齒面的鋸齒軸，用於軸與轂固定接的情況，其齒數一般在 6～40 齒之間，齒數取偶數值，壓力角為 20 度，齒形大小以模數為準，其優點為高強度、易安裝、空間準確、在齒上平均受應力、能自動對心，使用於傳動大扭矩的情況，常運用於汽車傳動軸。<br>　(2)平行式栓槽：基本上是多個方鍵以等間隔分佈於軸上並和軸作成一體者稱之，可以同時承受徑向負荷及傳導扭力矩，常被廣泛的應用在汽車上。<br>2. 一輪轂上製有許多對稱的栓槽，軸上則製有許多突出的「鍵」，當兩者配合在一起時，即可傳動較大的扭矩，此種軸稱為栓槽軸。<br> 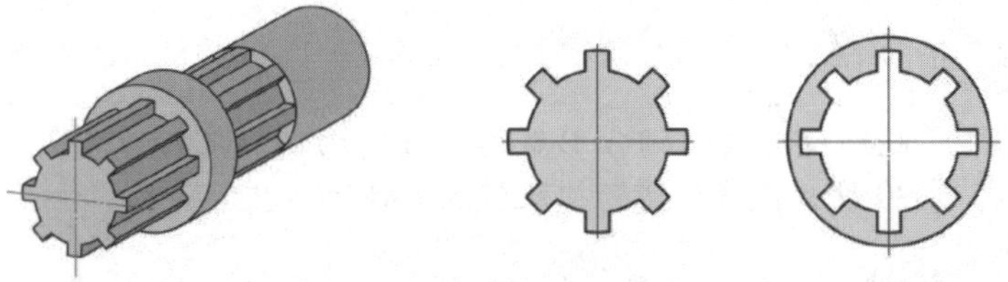<br>(a)鍵與鍵槽　　　(b)鍵座　　　(c)鍵槽 |

## 三、就鍵所使用的負荷程度

| 使用負荷 | 相當輕 | 輕 | 中 | 大 | 極大 |
|---|---|---|---|---|---|
| 類型 | 鞍形鍵 | 平鍵<br>半圓鍵 | 方鍵<br>斜度鍵 | 切線鍵 | 栓槽鍵 |

## 四、鍵的強度設計

如圖 1.2 所示若一連接機件之鍵元件的長×寬×高為 L×W×H，其軸受到的扭矩負載為 T、D 為軸徑、F 為鍵所受壓力，則鍵的強度分析如下所示：

| 鍵之強度分析 | 應力公式 |
|---|---|
| 傳達扭轉力矩(T) | $T = F \times \dfrac{D}{2} \Rightarrow F = \dfrac{2T}{D}$ |
| 鍵上所受的壓應力 | $\sigma_c = \dfrac{F}{A_c} = \dfrac{\dfrac{2T}{D}}{L \times \dfrac{H}{2}} = \dfrac{4T}{DLH}$ |
| 鍵上所受的剪應力 | $\tau = \dfrac{F}{A_s} = \dfrac{\dfrac{2T}{D}}{L \times W} = \dfrac{2T}{DLW}$ |
| 扭矩傳動馬力 | (1) $P(kW) = \dfrac{T \times 2\pi N}{60 \times 1000} = \dfrac{T \times N}{9550}$ （T：N-m、N：rpm）<br><br>(2) $P(HP) = \dfrac{2\pi N \times T}{33000 \times 12} = \dfrac{T \times N}{63025}$ （T：lb-in、N：rpm） |
| 鍵的最佳形狀 | 使鍵受壓及受剪具有相同之扭矩負載<br><br>$T = \dfrac{\sigma_c DHL}{4} = \dfrac{\tau DWL}{2} \Rightarrow \dfrac{H}{W} = \dfrac{2\tau}{\sigma_c}$<br><br>又 $\dfrac{\sigma_c}{2} = \tau \Rightarrow H = W \Rightarrow$ 方鍵 |

備註：在分析鍵之強度設計時，先計算其鍵上所受的壓應力及剪應力，再取
　　　較大的值帶入破壞理論計算安全係數。

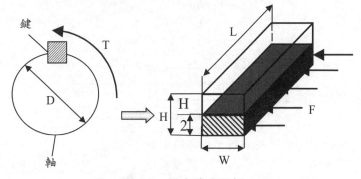

圖 1.2　鍵之強度分析

# 五、銷的種類及功用

## (一) 機械銷的種類及功用

| 種類 | 說明 |
|---|---|
| 定位銷 | 為兩端導角為 45°之圓柱體,功用在使兩機件中之其中一塊機件能夠圍繞著定位銷在另一塊上旋轉,需絕對精確的配合機件。<br><br> |
| 推拔銷 | 又稱錐形銷,在軸與轂之間傳達動力時,受雙剪力作用,其錐度值公制為 1:50,即每公尺直徑差 2cm,英制為 1:48,即每呎直徑差 1/4 吋,凡是承受軸向較大負載的機件,大多以錐形銷與軸配合。<br><br> |
| U 形鉤銷 | 又稱 T 形銷,用於關節接合,為一圓柱體一端為圓盤形,另一端有一小孔,備插入開口銷或其他類似保險裝置,使銷不至脫落,保護安全。<br><br> |
| 開口銷 | 開口銷兩腳一長一短,使用時需將其末端彎曲,可作為防止螺帽或螺釘等機件的鬆脫。<br><br> |

## (二) 徑向鎖緊銷的種類及功用

對振動及衝擊負荷具有相當的抵抗力，且容易裝配，費用低廉，依其形狀可分為：

| 種類 | 說明 |
|---|---|
| 彈簧銷 | 由具彈性之中空圓管製成，有開槽型及螺捲型兩種，當銷子打入孔內後，利用彈性可保持其與銷孔內鎖緊作用。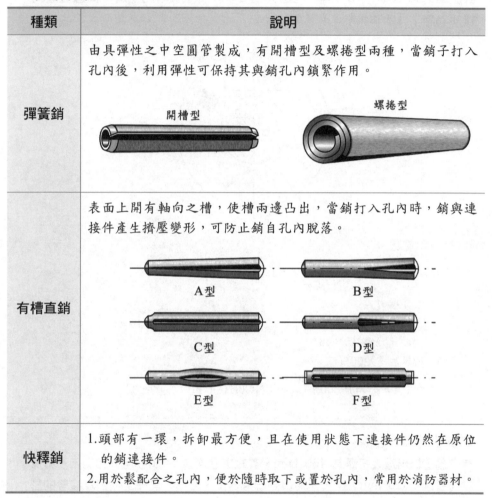 |
| 有槽直銷 | 表面上開有軸向之槽，使槽兩邊凸出，當銷打入孔內時，銷與連接件產生擠壓變形，可防止銷自孔內脫落。 |
| 快釋銷 | 1.頭部有一環，拆卸最方便，且在使用狀態下連接件仍然在原位的銷連接件。<br>2.用於鬆配合之孔內，便於隨時取下或置於孔內，常用於消防器材。 |

## 範例*1-4*

有一軸轂配合處以一平鍵傳遞動力，軸之外徑 d＝40 mm，平鍵之寬度 b
＝10 mm，平鍵之高度 h＝8 mm，平鍵之長度 L＝48 mm，平鍵材料之容
許壓應力為 100 MPa，容許剪應力為 50 MPa。試求此平鍵可傳遞之最大
扭矩為何？【原住民特考】

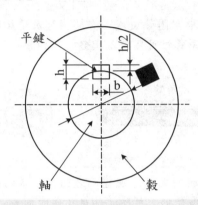

**解** (1) 鍵之壓應力：

$$\sigma = \frac{2F}{hL} \Rightarrow 100 = \frac{2F}{8 \times 48} \Rightarrow F = 19200N$$

(2) 鍵之剪應力：

$$\tau = \frac{F}{bL} \Rightarrow 50 = \frac{F}{10 \times 48} \Rightarrow F = 24000N$$

取 F 等於 19200N

扭矩 $T = F \times r = 19200 \times \frac{40}{2} = 384000(N-mm)$

## 範例*1-5*

有一馬達輸出最大扭矩為 150 N-m，其軸之直徑為 30 mm，此軸利用一方形
鍵（長度為 20 mm）來將扭矩傳到聯軸器上，若不考慮安全係數及疲勞的影
響，此鍵的寬度及高度要多少才可支持此扭矩？（軸與鍵材料之容許正向應
力為 250 Mpa 而容許剪力為 125 Mpa）【地特四等機設】

**解** (1) 鍵受壓應力

$$T = 150N - m \qquad F = \frac{T}{\frac{D}{2}} = \frac{2 \times 150}{30 \times 10^{-3}} = 10000N$$

假設此方鍵長×寬×高＝20×W×H

其中 W＝H

$$\sigma = \frac{F}{A} = \frac{F}{\frac{H}{2} \times 20} = \frac{10000}{10H} = \frac{1000}{H} \qquad n = 1 = \frac{S_y}{\sigma} = \frac{250}{\frac{1000}{H}} \Rightarrow H = 4mm$$

(2) 鍵受剪應力

$$\tau = \frac{F}{A} = \frac{10000}{W \times 20} = \frac{500}{W} \qquad n = \frac{S_y}{\tau} = \frac{125}{\frac{500}{W}} = 1 \Rightarrow W = 4mm$$

故 W＝H＝4mm

---

## 範例**1-6**

某圓軸直徑為 10 cm，該圓軸上設有一方鍵，該方鍵之寬度為圓軸直徑的四分之一，圓軸與方鍵具有相同的材料強度，降伏剪應力值等於降伏拉應力值的一半，試計算傳遞圓軸扭矩所需要的方鍵長度。【機設高考】

**解** (1) 軸的剪力負載 $\tau = \dfrac{16T}{\pi d^3}$

(2) 鍵之剪力負載

$$\tau = \frac{P}{A} = \frac{T/(\frac{d}{2})}{L \times (\frac{d}{4})} = \frac{8T}{L \times d^2}$$

若材料相同，應使鍵及軸之剪力負載相同

$$\frac{16T}{\pi d^3} = \frac{8T}{Ld^2} \Rightarrow L = \frac{\pi}{2}d = 15.7(cm)$$

# 1-3 軸之相關零件—聯軸器

兩種不同的機件需要傳遞動力，它們可能沒有共同的軸心，爲了使兩軸心固定於同一中心線而轉動，以期達到減少振動、改變系統之剛性與固有頻率，此時兩機件之軸需以聯結器聯結，採用聯結器另一優點爲因撓度允許量之增加而使負載能力增加，可預防過負載發生時，機件因不能承擔而破壞。

## 一、聯結器的種類及功用

### (一) 剛性聯結器：

| 種類 | 說明 |
|---|---|
| 筒形聯結器 | 主動與從動軸端裝上套筒，再用錐形銷固定，當扭矩過大時，錐形銷被剪斷，從動軸即停止運轉，以避免損傷機器。<br>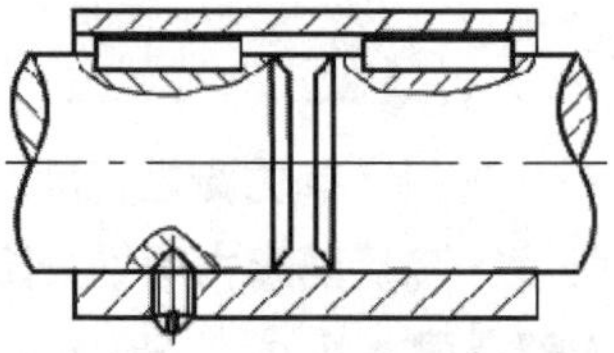 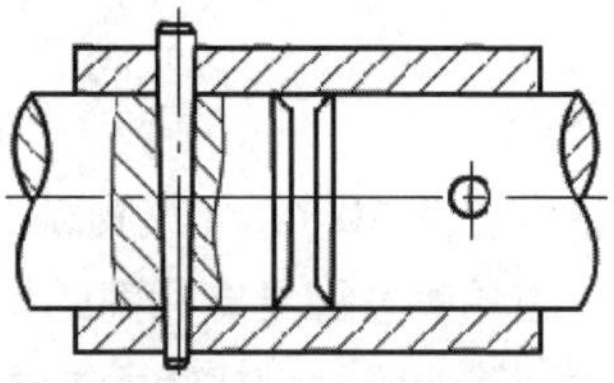 |
| 分筒聯結器 | 兩半圓筒對合以螺栓鎖緊，軸與筒間以鍵結合，兩軸必須成一直線，兩軸間不允許有夾角或是偏差。<br>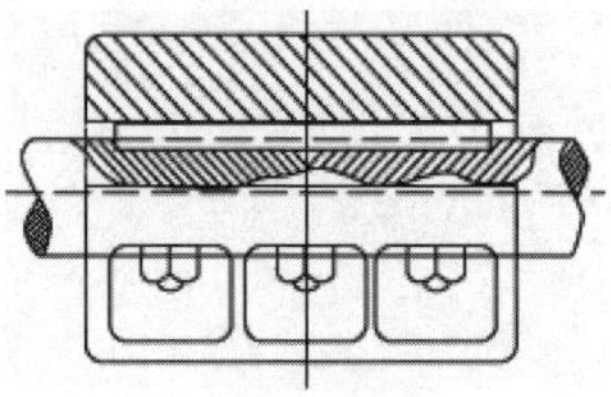 |
| 摩擦阻環聯結器 | 將欲連接的兩軸，分別置入兩端呈錐狀的分裂圓筒，再配合內孔呈錐形的圓環套緊，然後經由機件間的摩擦力來傳達動力。 |
| 凸緣聯結器 | 由兩個帶凸緣的半聯軸器和一組螺栓組成，是採用普通螺栓聯接，以通過分別具有凸槽和凹槽的兩個半聯軸器的相互嵌合來使軸心對準；另一種軸心對準方式為利用螺栓與孔的緊配合，當尺 |

| 種類 | 說明 |
|---|---|
| | 寸相同時後者傳遞的轉矩較大，且裝拆時軸不必作軸向移動，主動軸與從動軸分別與兩個凸緣，用鍵連結，通常兩凸緣用四支或六支螺栓結合。<br> |
| 賽勒氏聯結器 | 由製成適當錐度的內外推拔圓筒組合而成，並以鍵固定，再以貫穿螺栓鎖緊之。利用兩套筒錐部之間的摩擦力傳遞動力。 |

## (二)撓性聯結器：

| 種類 | 說明 |
|---|---|
| 歐丹聯結器 | 1. 橢圓機構的變形，亦即兩等邊連桿組之應用，由三部分組成，在兩軸端各裝置一個凸緣，且在凸緣之接觸面上各切一凹槽，而中間部分則為兩面成互相垂直之凸緣，傳動時，凸緣與凹槽可滑動；常用於互相平行但不在同一中心線上的兩軸，且軸心距離相差不大，兩軸的角速度又需絕對相等的情況下使用之。<br>2. 連接二旋轉軸時，用於二軸的中心線不在一直線上而可有小距離偏差，連接兩相平行軸最佳的撓性聯結器。<br> |

| 種類 | 說明 |
|---|---|
| 萬向接頭 | 1. 萬向接頭可以允許動力軸之間有角度與高度差，**可用於不相互平行且中心線相交於一點的主動軸與從動軸上。**<br>2. 兩個互成直角的 U 型塊所組成，並由相等長度的臂交叉連接。<br>3. 二軸中，主動軸作等角速度旋轉，則從動軸作非等角速度旋轉。<br>4. 萬向接頭二軸的交角在 5° 以內效果最佳。<br>5. 可將兩個軸心線相交且夾一角度，連接兩相平行軸最佳的撓性聯結器。<br>6. 使用一對萬向接頭是為了使原動軸與從動軸以相等之角速度旋轉，以達成同步化之目的，常用於汽車之傳動軸上。<br>7. 欲 $\frac{1}{2}$ **主動軸與從動軸角速度一致，須於二軸間另設一中間軸，並令連接相交之兩軸夾角相等。**<br>8. 從動軸角速度之比介於 $\cos\theta \sim \dfrac{1}{\cos\theta}$ 之間，角度愈小，速度變化愈小。<br> |
| 彈性材料膠合聯結器 | 為最簡單的可撓性聯結器，允許兩軸有微量的軸向偏差及扭矩的變化。 |
| 鏈條聯結器 | 由兩鏈輪組成，鏈輪上則環繞著可分離的雙重鏈條。應用於兩軸有微量的偏心或角度偏差時。 |
| 撓性齒輪聯結器 | 兩軸端各裝一外齒輪，然後用兩個相對應之環齒輪嚙合，再以螺栓鎖固之。應用於兩軸有微量的偏心或角度偏差時。<br> |

| 種類 | 說明 |
|------|------|
| 撓性彈簧環片聯結器 | 用一薄彈簧鋼片來回彎曲纏繞二軸上，應用於兩軸有微量的偏心或角度偏差時。  |

(三) **流體聯結器**：又稱為液壓聯結器，係利用流體之輸入與輸出產生壓力使兩軸結合，以傳達動力。當油輸入時，先由動葉輪得到動量而旋轉，此時動葉輪上之葉片，以油作媒介壓迫渦輪之葉片迴轉，再將動力傳出，例如汽車之自動排檔即使用此種聯結器。

## 二、凸緣聯結器之應力分析

凸緣聯軸器由兩個帶凸緣的半聯軸器和一組螺栓組成如圖 1.3 所示，此聯軸器是採用普通螺栓聯接，以通過分別具有凸槽和凹槽的兩個半聯軸器的相互嵌合來使軸心對準；另一種軸心對準方式為利用螺栓與孔的緊配合，當尺寸相同時後者傳遞的轉矩較大，且裝拆時軸不必作軸向移動，本書以此種聯軸器為例來進行破損強度分析，分析時應考慮鍵的破壞（1-2 已分析）、螺栓破壞、輪轂的破壞三種情形進行討論。

| 凸緣聯軸器 | 應力公式 |
|-----------|----------|
| 1. 螺栓受剪應力 | $\tau_c = \dfrac{F_c}{A_c} = \dfrac{8T}{D_c n \pi d^2}$ （n：螺栓數量） |
| 2. 螺栓壓應力 | $\sigma_c = \dfrac{F_c}{A_c} = \dfrac{2T}{ndtD_c}$ （n：螺栓數量） |
| 3. 輪轂凸緣根部之剪應力 | $\tau_w = \dfrac{F_w}{A_w} = \dfrac{2T}{\pi D_w^2 t}$ |

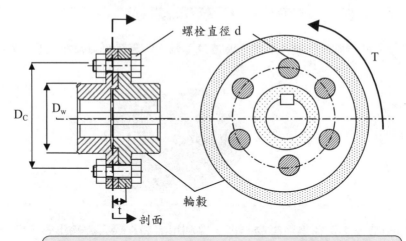

螺栓直徑：d　　　螺栓所圍直徑：$D_C$　　凸緣螺栓位置厚：t
凸緣根部直徑：$D_w$　　所受扭矩：T

圖 1.3　凸緣聯結器之強度分析

## 範例 1-7

一凸緣聯軸器連結兩直徑相同的傳動軸，軸的轉速為 900 rpm，傳動功率為 350 kW，試求傳動扭矩。【地特四等機設、交通港務升資機設】

**解** $P(kW) = \dfrac{T \times N(rpm)}{9550} \Rightarrow 350 = \dfrac{T \times 900}{9550} \Rightarrow T = 3713.89(N-m)$

## 範例 1-8

有一鋼製聯軸器用 5 支直徑為 19mm 螺栓拴住，於轉速 900rpm 下傳送 350kW 之動力，螺栓平均剪應力為 2kg/mm²，傳動軸容許剪應力 4.2 kg/mm²，試求：
(一)傳動軸之直徑 d；(二)螺栓所在位置直徑大小。【機械高考】

**解** $P(kW) = \dfrac{T \times N(rpm)}{9550}$

$\Rightarrow 350 = \dfrac{T \times 900}{9550}$

$\Rightarrow T = 3713.89(N-m)$

(1) 傳動軸所受之剪應力

$$\tau = \frac{T \times r}{J} = \frac{16T}{\pi d^3} = \frac{16 \times 3713.89}{\pi \times (d)^3} = 4.2 \times 9.81 \times 10^6 (Pa)$$

$$\Rightarrow d = 0.0771m$$

(2) 切線作用力 $F = \tau \times A \times n = 2 \times 9.81 \times 5 \times [\frac{\pi \times (19)^2}{4}] = 27814(N)$

$$T = \frac{FD}{2} \Rightarrow D = \frac{2 \times 3713.89}{27814} = 0.267m = 267mm$$

# ▼1-4　軸承的種類與功能

根據支承處相對運動表面的摩擦性質，軸承可分為滑動軸承與滾動軸承，功用為當其他機件裝於軸上，且彼此有相對運動時，用來保持軸的中心位置及控制其運動機件，可減少軸與固定件間的摩擦損失，增加傳動效率，若在軸承上適當加入潤滑劑，降低軸承溫度，延長機件壽命，其分類與功能如下所示。

## 一、滑動軸承

### (一)徑向滑動軸承（軸頸軸承）：

| 軸承 | 說明 | |
|------|------|---|
| 整體軸承 | 1.構造簡單，由一整塊材料中間製孔而成，其材料多以鑄鐵或鑄鋼等富有抗蝕性、高強度的材料製成。<br>2.此種軸承可以用鑄鐵殼本身經機械加工成光滑之磨面，亦可在孔內裝進以合金製成之襯套，以便磨損時，可隨時取出更換，不必將軸承全部換新。襯套材料須比軸之材料軟如青銅、磷青銅、白合金及砲銅。<br>3.只適用於低轉速傳動，缺點為當滑動表面磨損而間隙過大時，無法調整軸承間隙。軸頸只能從端部裝入，對於粗重的軸或具有中軸頸的軸安裝不便。 | 襯套 |

| 軸承 | 說明 |
|------|------|
| 對合<br>軸承 | 1.對合式軸承由軸承座、軸承蓋、剖分襯套、軸承蓋螺柱等組成，將軸承剖分製成上、下兩部，再以螺栓貫穿接合而成。<br>2.在接合時，於兩者之接合處墊以數層墊片，當軸承有磨損時，減少墊片數即可使軸與軸承仍密合，繼續使用。<br>3.剖分面最好與負載方向近於垂直，軸承蓋和軸承座的剖分面常作成階梯形，以便定位和防止工作時振動，如：工具機的主軸及汽車曲柄軸上之軸承等。<br><br>襯套　　　軸承蓋<br><br>軸承座 |
| 四部<br>軸承 | 1.軸承中間由四部分組合而成，可以作上下及左右之調整，如在軸承垂直方向下部產生磨損時，可在其底部加上墊片以調整之，若在水平方向產生磨損時，不論其在左側或右側，皆可利用二側部分背後之調節楔上升調整之。<br>2.軸頸不論在水平或垂直方向，均可保持固定位置，此種軸承常應用於大型汽車、發電機、電動機、蒸氣機等之主軸軸承。<br><br>調整左右<br><br>調整上下<br>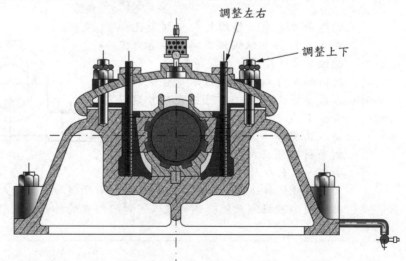 |

## (二) 滑動止推軸承：

| 軸承 | 說明 |
|------|------|
| 樞軸承 | 1.又稱為端軸承或階級軸承，係裝於軸端而用於支持垂直軸者，為了使軸承易於校正及摩擦部分磨損後能換裝，通常在軸之下端放置兩個或兩個以上的墊片，墊片可以是平面形或球面形，但為了能有自動的調整作用，最好為球面形。<br>2.軸承因外緣處之磨耗最大，使載荷集中於端部中央，引起過熱及潤滑失效，甚而使軸承破壞。所以一般大都用於轉動速度小、製造成本較低的機械上。<br> |
| 套環軸承 | 1.此種軸承之裝置，不限於軸端，而可裝置於二軸間之任意位置。<br>2.套環必須儘量置於靠近軸向負荷之處，以避免軸之彎曲，且此種軸承因負荷無法均勻分配於套環上，故套環所承受之壓力，必須較樞軸承略小。<br>3.此種軸承一般常用於高速度及重負荷上，並樞軸承須配合使用自動潤滑裝置。<br> |

| 軸承 | 說明 |
|---|---|
| 流體靜壓力軸承 | 1. 將外部加壓之潤滑油引入軸承與軸頸間形成薄膜，可防止軸與軸承在表面之間的相對運動而產生接觸以支撐負載。<br>2. 若改成空氣引入軸承與軸頸間，則稱為空氣軸承。 |

(三) 特殊軸承：

| 軸承 | 說明 |
|---|---|
| 多孔軸承 | 1. 係以粉末冶金法製造的軸承，完成後的軸承呈多孔性。<br>2. 軸承體積大約 25% 有是氣室或氣孔，孔隙間填充非膠質潤滑油，當該軸承內之軸迴轉時，可將孔隙內之油吸出潤滑，軸停止轉動時，潤滑油再靠毛細管作用而吸回孔隙內。<br>3. 一般使用於軸徑小、負荷輕之轉軸。 |

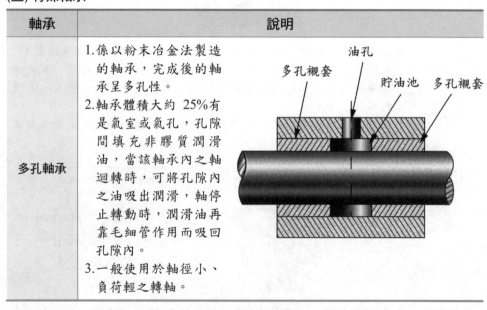

| 軸承 | 說明 | |
|------|------|---|
| 無油軸承 | 為充以石墨或其它固體潤滑劑作為襯套之軸承，如尼龍軸承即是無油式，因它擁有極佳的抗摩特性且只用於輕負荷設計，故不需潤滑劑。此種軸承一般使用於不可污染之轉軸，如食品機械。 | 石墨(固體潤滑劑) |

## 二、滾動軸承

滾動軸承組成：(一)外座圈：軸承的外環座圈；(二)內座圈：軸承的內環座圈；(三)鋼珠：或稱滾珠，為固定機件與迴轉機件的媒介物；(四)保持器：或稱滾珠籠，用來隔離滾珠，使滾珠各自滾動而不相接觸，以減少摩擦及噪音。內圈裝在軸頸上，外圈裝在機座或零件的軸承孔內，多數情況下，外圈不轉動，內圈與軸一起轉動，當內外圈之間相對旋轉時，滾動體沿著滾道滾動，保持架使滾動體均勻分佈在滾道上，並減少滾動體之間的碰撞和磨損。

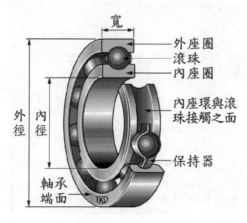

圖 1.4　滾動軸承

## (一) 滾珠軸承：

### 1. 承受單方向徑向或軸向負載之滾珠軸承

| 軸承 | 說明 | 圖示 |
|---|---|---|
| 深槽滾珠軸承 | 主要承受徑向負載，也可同時承受少量雙向軸向負載，摩擦阻力小，極限轉速高，結構簡單，價格便宜，應用最廣泛。 | 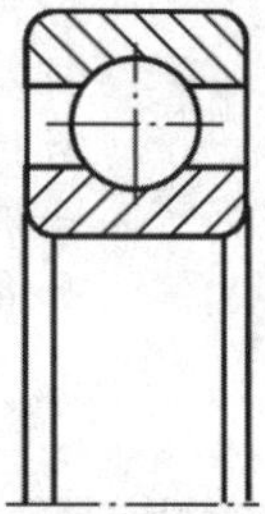 |
| 自動調心滾珠軸承 | 主要承受徑向負載，也可同時承受少量的雙向軸向負載，減輕軸及軸承產生之內力，外座圈的內面為球面，具有對準誤差自動調心的作用，適用於彎曲剛度小的軸。 | 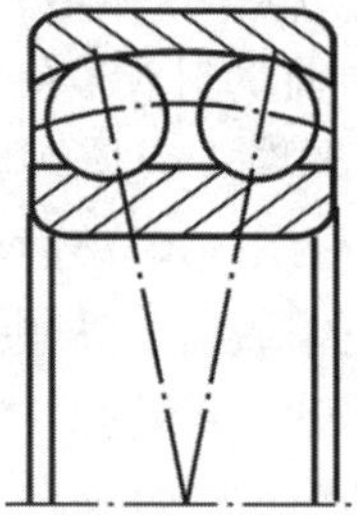 |
| 單列止推滾珠軸承 | 只能承受單向軸向負荷，不能承受徑向負載，不適於高速運轉。 | 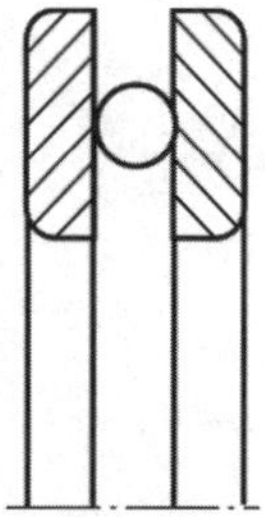 |
| 雙列止推滾珠軸承 | 主要承受雙方向之推力負荷，無法承受徑向負荷。 | 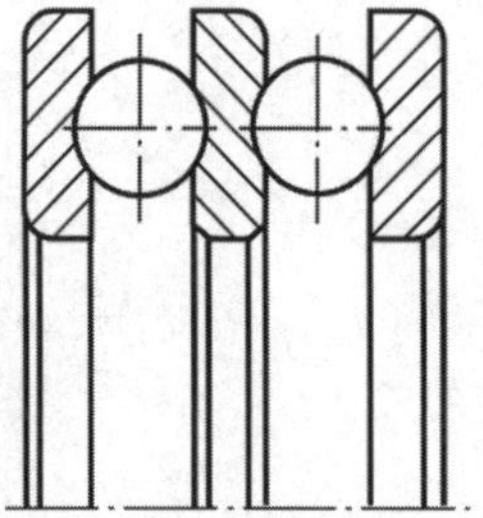 |

2.可承受徑向及軸向負載之滾珠軸承

| 軸　承 | 說明 | 圖示 |
|---|---|---|
| 單列斜角滾珠軸承 | 1.軸承的外環（外圈）可以從整個軸承中作軸向分離，且同時產生軸向與徑向支撐力，意即可承受徑向及軸向負荷。<br>2.轉軸和軸承之間運轉間隙可以調整，軸向與徑向支撐力的分配與接觸角有關，當接觸角 $\alpha$ 越大，軸承承受軸向載荷的能力越大。<br>3.可將兩個單列斜角滾珠軸承配對使用以承受雙向軸向推力，常用於小型工具機主軸。 | 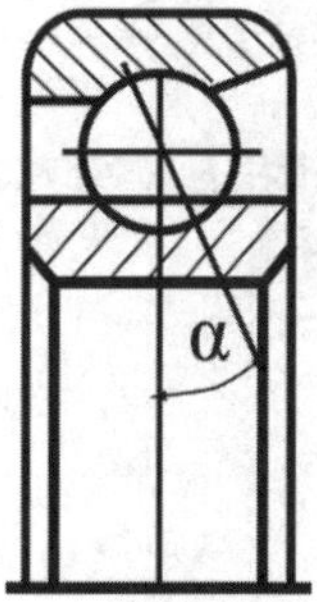 |
| 雙列斜角滾珠軸承 | 可承受較大之徑向負載及正反兩方向之軸向力。 | 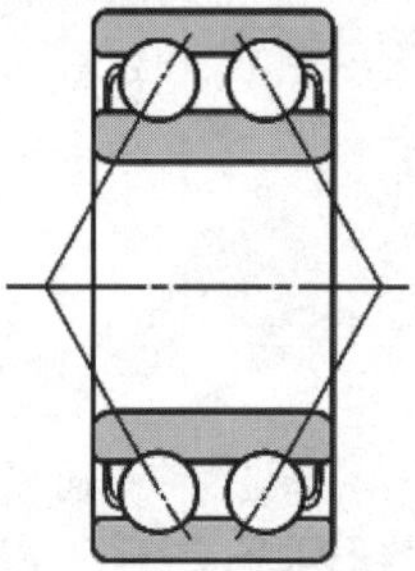 |
| 複合斜角滾珠軸承 | 可承受較大之徑向負載及正反兩方向之軸向力。<br> 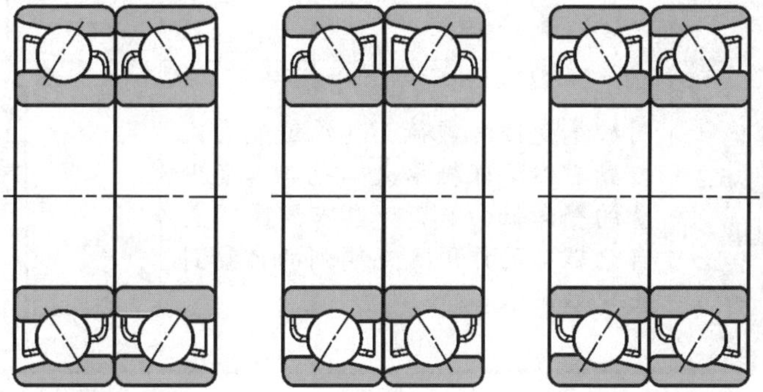<br>(a)背面組合(DB)　(b)正面組合(DF)　(c)並列組合(DT) | |

## (二)滾子軸承：

| 軸承 | 說明 | 圖示 |
|---|---|---|
| 圓筒滾子軸承 | 其滾子為等直徑圓柱體，適用於承受較大之徑向負荷，承受衝擊能力大，可高速旋轉，不能承受軸向載荷，如車床或銑床之主軸。 | 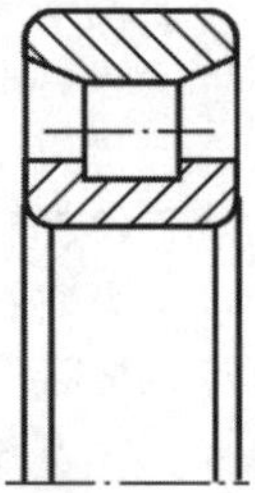 |
| 滾針軸承 | 常用於徑向體積較小之處，可藉增加軸承寬度來增加其負荷的能力。 | 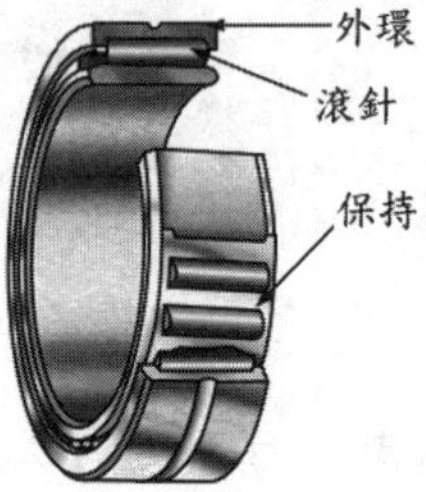 <br>外環<br>滾針<br>保持器 |
| 錐形滾子軸承 | 可同時承受較大徑向負荷與軸向負荷，內外圈可分離，故軸承軸隙可在安裝時調整，通常成對使用，對稱安裝。 | 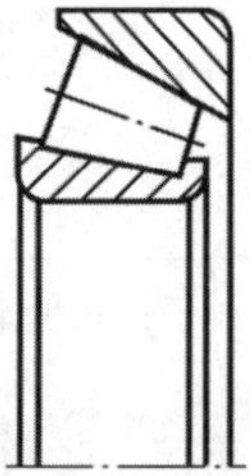 |
| 球面滾子軸承 | 用於承受徑向載荷，其承載能力比自動調心滾珠軸承大，也能承受少量的雙向軸向載荷，具有對準誤差自動調心的作用，為雙列的自動對正中心軸承。 | 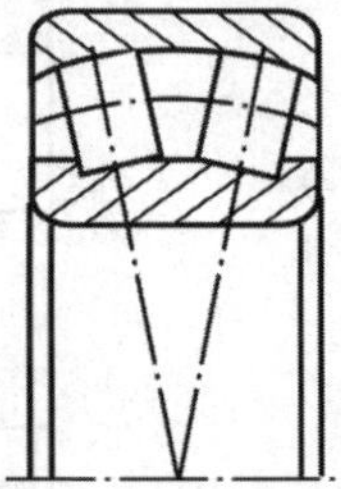 |

| 軸承 | 說明 | 圖示 |
|---|---|---|
| 圓筒滾子止推軸承 | 可承受較大軸向負載，不能承受軸向負載，常用於止推滾珠軸承無法使用之場合，適用於軸向負荷大而不需調心，不允許軸線偏移，亦稱直滾子止推軸承。 | 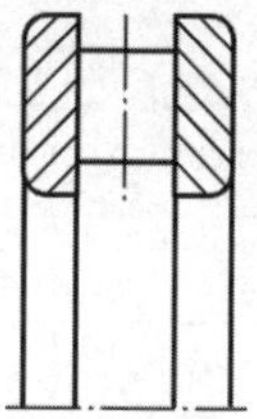 |
| 滾針止推軸承 | 與圓筒滾子止推軸承相同，將滾子改為滾針，可承受較大的負荷。 | 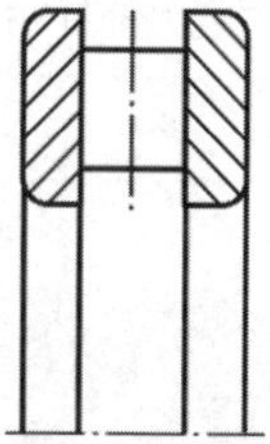 |

## (三) 滾動軸承的選擇

主要承受徑向負載時應選用深溝滾珠軸承；當軸向負載比徑向負載大很多時，常用止推軸承和深溝滾珠軸承的組合結構；同時承受徑向和軸向負載時應選擇角接觸之斜角滾珠或錐形滾子軸承；承受衝擊負載時宜選用滾子軸承。

負載較大時應選用線接觸的滾子軸承；當軸向尺寸受到限制時，宜選用窄或特窄的軸承；當徑向尺寸受到限制時，宜選用滾動體較小的軸承；如要求徑向尺寸小而徑向負荷又很大，可選用滾針軸承。若軸承的尺寸和精度相同，則滾珠軸承的極限轉速比滾子軸承高，所以當轉速較高且旋轉精度要求較高時，應選用滾珠軸承；止推軸承的極限轉速低，當工作轉速較高，而軸向載荷不大時，可採用斜角滾珠軸承或深溝滾珠軸承。

### (四)滾動軸承的規格

表 1.1 滾動軸承規格記號表示法

| 補助記號（附於基本記號之前） | |
|---|---|
| E | 表面硬化鋼 |
| EC | 膨脹補正 |
| F | 不鏽鋼 |
| TK | 高速鋼 |
| TS | 特殊耐熱處理 |

| 基本記號 | | | |
|---|---|---|---|
| 軸承系列記號 | 型式記號 | 1 | 自動調心滾珠軸承 |
| | | 2 | 自動調心滾子軸承 |
| | | 3 | 雙列斜角滾珠軸承 |
| | | | 錐型滾子軸承 |
| | | 4 | 雙列深槽滾珠軸承 |
| | | 5 | 雙列斜角滾珠軸承 |
| | | | 止推滾珠軸承 |
| | | 6 | 深槽滾珠軸承 |
| | | 7 | 斜角滾珠軸承 |
| | | N，NU<br>NF，NJ<br>NH，NN | 筒型滾子軸承 |
| | | UCP<br>UCFC<br>UCFL | 連座軸承 |
| | 尺寸級序 | | |
| | 內徑記號 | | |
| 接觸角記號 | | | |

| 補助記號（附於基本記號之後） | | |
|---|---|---|
| 保持器記號 | F1 | 鋼 |
| | L1 | 銅合金 |
| | PB | 磷青銅 |
| | Y | 黃銅 |
| 封閉板記號 | ZZ | 鋼板（非接觸型） |
| | LLB | 合金橡膠（非接觸型） |
| | LLC | 合成橡膠（接觸型） |
| | LLU | 合成橡膠（接觸型） |
| 軌道圈形狀記號 | K | 內徑 1/12 錐度 |
| | N | 圈溝 |
| | NR | 附止環 |
| 組合記號 | DB | 背面組合 |
| | DF | 正面組合 |
| | DT | 並列組合 |
| 間隙記號 | C1 | 比 C2 間隙小 |
| | C2 | 比普通間隙小 |
| | C3 | 比普通間隙大 |
| | C4 | 比 C3 間隙大 |
| 等級記號 | P6 | JIS6 級 |
| | P5 | JIS5 級 |
| | B5 | ABEC5、RBEC5 |
| | A7 | ABEC7 |

表 1.2　接觸角記號

| 軸承型式 | | | 接觸角記號 |
|---|---|---|---|
| 斜角滾珠軸承 | 公稱接觸角 | 逾 10 在 22 以下 | C |
| | | 逾 22 在 32 以下（普通 30） | A |
| | | 逾 32 在 45 以下（普通 40） | B |
| 單列錐形滾柱軸承 | 公稱接觸角 | 逾 24 在 32 以下 | C |

## (五) 滾動軸承的規格表示說明

滾動軸承內徑號碼規範：

1. 內徑尺寸在 500mm 以下者，以內徑號碼表示之，可分為下列三種：

    (1) 內徑在 9mm 以下者，直接以內徑尺寸用個位數之號碼表示。例如公稱號「605」之軸承，表示其內徑為 5mm。

    (2) 不規則之表示法：內徑尺寸為 10mm 以內徑號碼「00」表示；內徑尺寸為 12mm 以內徑號碼「01」表示；內徑尺寸為 15mm 以內徑號碼「02」表示；內徑尺寸為 17mm 以內徑號碼「03」表示。

    (3) 內徑尺寸在 20mm 至 480mm 以內徑號碼自 04~96 之表示，將號碼乘以 5 後即為內徑尺寸。例如「6212」之軸承，表示其內徑為 60mm（12×5=60mm）。

2. 內徑尺寸在 500mm 以上者，其內徑大小即為公稱號碼。

3. 內徑號碼有斜線之號碼，其號碼之數字即為內徑尺寸。例如/22，表示內徑 22mm。

**(六) 滾動軸承的規格表示法範例**

1. 軸承號碼：TK-7 2 06 C LI DB C2 P6

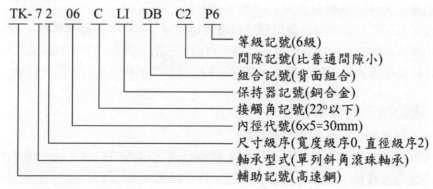

TK-7 2　06　C　LI　DB　C2　P6

等級記號(6級)
間隙記號(比普通間隙小)
組合記號(背面組合)
保持器記號(銅合金)
接觸角記號(22°以下)
內徑代號(6×5=30mm)
尺寸級序(寬度級序0, 直徑級序2)
軸承型式(單列斜角滾珠軸承)
輔助記號(高速鋼)

2. 軸承號碼：6 12 30 Z NR

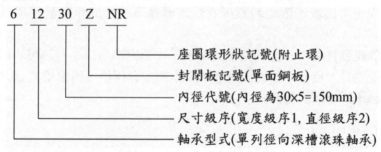

6　12　30　Z　NR

座圈環形狀記號(附止環)
封閉板記號(單面鋼板)
內徑代號(內徑為30×5=150mm)
尺寸級序(寬度級序1, 直徑級序2)
軸承型式(單列徑向深槽滾珠軸承)

3. 軸承號碼：2 32/520 K

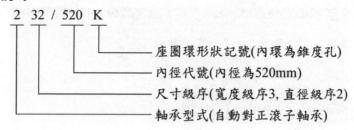

2　32 / 520　K

座圈環形狀記號(內環為錐度孔)
內徑代號(內徑為520mm)
尺寸級序(寬度級序3, 直徑級序2)
軸承型式(自動對正滾子軸承)

(七) 滾動軸承在應用上要注意哪些？

1. **保持軸承及有關附件之清潔**：因為軸承是精密機件，若有灰塵或其他雜物滲入內部，就會對其性能引起不良影響。
2. **軸承的配裝，必須符合設計目的以及使用條件**：錐形滾子軸承與斜角滾珠軸承須預留軸承向內間隙以作補償，否則可能招致燒焦，不得不注意。
3. **正確使用適合的安裝工具**：安裝時宜使用適合的工具，才不致傷及軸承。

## 三、滾動軸承的壽命計算

(一)**基本額定壽命與基本額定動負荷**：

1. **滾動軸承的壽命**：是指軸承的滾動體或套圈出現疲勞破壞之前，軸承所經歷的總轉數，或恒定轉速下的總工作小時數。
2. **基本額定壽命**：一批相同的軸承，在相同條件下運轉，其中 90%的軸承不出現疲勞破壞時的總轉數或在給定轉速下工作的小時數，用 $L_{10}$ 或 $L_{10(h)}$表示。
3. **基本額定動負荷**：一批同型號的軸承基本額定壽命為一百萬轉次時軸承所承受的最大負荷，稱為該軸承的基本額定負荷值，通常用 C 表示。

(二)**滾動軸承的壽命計算公式**：

$$\left[\frac{L_p(次數)}{L_{10}(次數)}\right]=\left(\frac{C}{P}\right)^k$$

其中 C：基本額定負荷值、$L_{10}$：基本額定壽命、P：軸承負荷值、$L_p$：軸承的壽命、滾珠軸承 k＝3、滾子軸承 $k=\frac{10}{3}$

又可表示為

$$\left[\frac{L_{ph}(小時)\times60\times N(rpm)}{L_{10}(次數)}\right]=\left(\frac{C}{P}\right)^k$$

其中 C：基本額定負荷值、$L_{10}$：基本額定壽命、P：軸承負荷值、$L_p$：軸承的壽命、滾珠軸承 k＝3、滾子軸承 $k=\frac{10}{3}$。

**觀念說明**

滾珠軸承的性能衰退程度最常用噪音變化量進行判定。

## 四、滑動軸承與滾動軸承之比較

### (一)優缺點比較：

| 軸承 | 優點 | 缺點 |
|---|---|---|
| 滾動軸承 | 1. 低摩擦。<br>2. 啟動阻力小、潤滑容易。<br>3. 可同時承受徑向與推力負載。<br>4. 規格統一具互換性。<br>5. 可長時間運轉、低磨耗。<br>6. 容易從製造廠商的目錄選擇。<br>7. 易維持精度且適於高轉速。 | 1. 裝設困難、成本較高。<br>2. 無法局部修理更換及承受大負荷。<br>3. 磨損後易產生噪音及震動。<br>4. 損壞時無預警。 |
| 滑動軸承 | 1. 構造簡單、拆卸容易。<br>2. 運轉安靜。<br>3. 可承受較大之衝擊負荷，適用於高速、重負荷、超載及斗震情形。<br>4. 所需徑向空間小。 | 1. 易腐蝕。<br>2. 潤滑、散熱困難。<br>3. 功之損失較大。 |

### (二)負載與摩擦係數之比較：

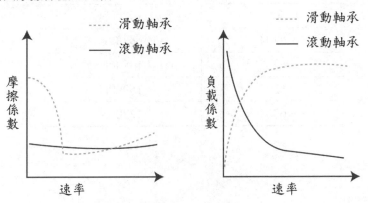

圖 1.4　負載與摩擦係數之比較

## 五、軸承的潤滑

軸承的潤滑方式為循環潤滑，循環潤滑有 4 種：撈取潤滑，吸上潤滑，飛濺潤滑，油浴潤滑。

(一)撈取潤滑是利用軸的旋轉，將潤滑油下部的機油撈到軸的上部、環圈法及軸環法為其例。

(二)吸上潤滑是利用毛細作用的吸上體。

(三)飛濺潤滑是利用軸的攪拌，打擊積油部的油，藉飛沫潤滑。

(四)油浴潤滑是潤滑部一部分或全部浸入積油部中。

### 範例 *1-10*

一滾珠軸承，承受徑向 770N 之負荷，預期壽命為 $2.15×10^9$ 轉。(一)試求其基本額定負荷值（C＝？）。(二)軸承內徑為 25 mm，試從下列滾珠軸承中，選出合適的滾珠軸承號碼。【鐵路特考三等機設】

| 滾珠軸承號碼 | 基本額定負荷值（C） |
|---|---|
| 6004 | 7200N |
| 6005 | 8650N |
| 6006 | 10200N |
| 6204 | 9800N |
| 6205 | 10800N |
| 6206 | 15999N |
| 6304 | 12200N |

**解** $(\dfrac{L_p}{L_{10}}) = (\dfrac{C}{P})^k$

$\Rightarrow \dfrac{2.15×10^9}{10^6} = (\dfrac{C}{770})^3$

$\Rightarrow C = 9938.1$ (N)

故選 6205

## ❮精選試題❯

### 一、選擇題型

( )　**1** 當一實心圓軸僅承受扭力作用，其圓軸直徑增加一倍，則圓軸所承受之最大剪應力變爲原來的 (A)$\frac{1}{16}$ (B)$\frac{1}{8}$ (C)$\frac{1}{4}$ (D)$\frac{1}{2}$ (E)不變。【台電】

( )　**2** 有一 15 cm 軸徑，長 10 cm 之滑動軸承，欲承受 3000 kg 的負載，則軸承材料的壓力強度需要多少？ (A)20 kg/cm$^2$ (B)200 kg/cm$^2$ (C)300 kg/cm$^2$ (D)6.36 kg/cm$^2$。【普考】

( )　**3** 某定位銷之公差爲 m6，而機件上的孔爲 H7，則這是屬於那一種配合？ (A)拆裝配合 (B)餘隙配合 (C)干涉配合 (D)過渡配合。【普考】

( )　**4** 一軸之直徑爲 D，傳遞之扭矩爲 T，安裝一鍵其高度爲 h，長度爲 L，寬度爲 W，則此鍵產生之剪應力爲： (A)T/(DhL) (B)T/(DWL) (C)2T/(DhL) (D)2T/(DWL)。【普考】

( )　**5** 有一軸之軸徑爲 80mm，承受 280N-m 之扭矩，安裝一寬爲 24mm，高爲 16mm，長爲 80mm 之平鍵，此鍵所受之壓應力爲： (A)7.29MPa (B)10.94MPa (C)24.31MPa (D)36.46MPa。【普考】

( )　**6** 一軸之直徑爲 D，傳遞之扭矩爲 T，安裝一鍵其高度爲 h，長度爲 L，寬度爲 W，則此鍵產生之壓應力爲： (A)2T/(DhL) (B)2T/(DWL) (C)4T/(DhL) (D)4T/(DWL)。【普考】

( )　**7** 鍵承受傳動力時，其承受之作用力可能爲下列何者？ (A)拉力與壓力 (B)拉力與剪力 (C)剪力與扭力 (D)壓力與剪力。【普考】

( )　**8** 方鍵的寬度或高度通常約爲軸徑的幾倍？ (A)$\frac{1}{6}$ (B)$\frac{1}{4}$ (C)$\frac{1}{2}$ (D)$\frac{2}{3}$。【普考】

( 　 ) 　**9** 半圓鍵 6×32 表示： (A)其長度為 32mm (B)其半徑為 6mm (C)其半徑為 16mm (D)其半徑為 32mm。【普考】

( 　 ) **10** 下列何種鍵可以傳送最大動力或重負荷？ (A)平鍵 (B)方鍵 (C)滑鍵 (D)斜鍵 (E)栓槽鍵。【台電、普考】

( 　 ) **11** 那一種鍵是依靠摩擦力來傳遞動力，因此只適合極輕負荷的傳動？ (A)圓鍵(round key) (B)平鍵(flat key) (C)鞍鍵(saddle key) (D)滑鍵(slide key)。【普考】

( 　 ) **12** 下列何種鍵只能適用於輕負荷的傳動？ (A)平鍵 (B)栓槽鍵 (C)鞍形鍵 (D)半圓鍵。【中油】

( 　 ) **13** 公制斜鍵，其斜度為： (A)1/10 (B)1/20 (C)1/50 (D)1/100。【中油】

( 　 ) **14** 定位銷（Dowel Pin）的功用在使兩塊機件 (A)夾緊在一起 (B)相對的位置能夠確定 (C)使一塊機件能圍繞著定位銷在另一塊上旋轉 (D)使一塊機件在另一塊上作正確的滑動 (E)能抗震動。【台電】

( 　 ) **15** 下列何種鍵僅依靠摩擦力來傳送動力，只適用於極輕負荷之傳動？ (A)平鍵 (B)切線鍵 (C)滑鍵 (D)鞍鍵。

( 　 ) **16** 下列何種銷於使用時需將其末端彎曲，以防脫落？ (A)開口銷 (B)快釋銷 (C)彈簧銷 (D)定位銷。

( 　 ) **17** 下列有關於鍵的敘述，何者不正確？ (A)鍵的功用是將齒輪、聯結器等與軸結合 (B)斜鍵的斜度為 1：10 (C)甘迺迪鍵是由兩個正方形斜鍵組成 (D)半圓鍵的鍵寬約為軸徑的 $\frac{1}{4}$。

( 　 ) **18** 在軸尺寸大小一樣的情況下，下列何者能傳遞較大的負載動力？ (A)方鍵 (B)平鍵 (C)半圓鍵 (D)栓槽鍵。

( 　 ) **19** 斜銷或稱錐形銷（tapeer pin），其錐度公制為： (A)1：50 (B)1：100 (C)1：48 (D)1：96。

( 　 ) **20** 若要將輪轂與軸連結成一體，使彼此間不發生相對迴轉運動，但允許軸與輪轂間有軸向的相對運動，則適合採用之機件為：(A)半圓鍵　(B)帶頭斜鍵　(C)栓槽鍵　(D)切線鍵。

( 　 ) **21** 有一平鍵（flat key），其規格之標註為 12×8×50 雙圓端，表示：(A)鍵寬 8 mm　(B)鍵寬 12 mm　(C)鍵高 50 mm　(D)鍵長 96 mm。

( 　 ) **22** 一圓軸承受轉矩 100kg-m，轉速為 300rpm，則圓軸能傳送的功率為　(A)42　(B)52　(C)88　(D)300　PS。

( 　 ) **23** 一鍵 2×2×10cm 裝於直徑 20cm 之軸上，該軸承受 800kg-m 之扭矩，則鍵承受之壓應力為　(A)200　(B)400　(C)600　(D)800　kg/cm²。

( 　 ) **24** 一鍵 5×5×10mm 裝於直徑 20mm 之軸上，該軸承受 1000N-mm 之扭矩，則鍵承受之壓應力為　(A)2　(B)4　(C)6　(D)8　MPa。

( 　 ) **25** 有一鍵 20mm×30mm×l00mm 裝於直徑 20cm 之軸，該軸承受 600N-m 之扭矩，求鍵承受之壓應力為　(A)1　(B)2　(C)3　(D)4　MPa。

( 　 ) **26** 一馬達轉速 1500rpm，扭矩 20kg-m，則其輸出功率為　(A)16PS　(B)20PS　(C)28PS　(D)42PS。

( 　 ) **27** 滑動軸承在軸向的潤滑油壓力分布以軸承何處壓力最大？　(A)兩端　(B)每一處均相同　(C)中央　(D)靠近端邊四分之一處。

( 　 ) **28** 軸承之潤滑方法中何者是利用離心力將潤滑油帶至軸承上：(A)手工加油法　(B)油環供油法　(C)溢潤法　(D)燈心吸油法。【普考】

( 　 ) **29** 下列何者不是滾子軸承的零件：　(A)外環　(B)內環　(C)襯套　(D)隔片。【普考】

( 　 ) **30** 下列何者不屬於滑動軸承？　(A)整體軸承　(B)自動對正軸承　(C)對合軸承　(D)多孔軸承。

( 　 ) **31** 下列何者不屬於撓性聯結器？　(A)分筒聯結器　(B)歐丹聯結器　(C)萬向接頭　(D)鏈條聯結器。

( ) **32** 一般而言,若以滾動軸承與滑動軸承互相比較,則下列何者不是滾動軸承之優點? (A)磨耗較小 (B)構造較簡單 (C)動力損失較少 (D)起動抵抗力較小。

( ) **33** 軸承所承受的負載與軸中心線垂直者稱為: (A)徑向軸承 (B)止推軸承 (C)空氣軸承 (D)負載軸承。

( ) **34** 適用於兩軸中心線不在同一直線上,或稍有軸向移動及角度偏差之軸,可防止扭歪與振動產生的聯軸器是: (A)凸緣聯軸器 (B)套筒聯軸器 (C)摩擦阻環聯軸器 (D)撓性聯軸器。

( ) **35** 有關軸承的敘述,下列何者正確? (A)軸承為傳動機件 (B)斜角滾珠軸承能承受徑向與軸向負荷 (C)軸承受力方向與軸中心線垂直者,稱為止推軸承 (D)軸承受力方向與軸中心線平行者,稱為徑向軸承。

( ) **36** 相對於滾動軸承而言,滑動軸承具有下列那一項特性? (A)可承受震動 (B)摩擦力較小 (C)適用於高轉速 (D)可以長時間連續運轉。

( ) **37** 兩軸中心線不平行且相交於一點時,應使用何種聯結器? (A)筒形聯結器 (B)凸緣聯結器 (C)萬向接頭聯結器 (D)歐丹聯結器。

( ) **38** 二只滾珠軸承之編號分別為 6210 與 6310,下列敘述何者正確? (A)兩軸承之外徑相同 (B)兩軸承之內徑相同 (C)兩軸承內之滾珠直徑相同 (D)兩軸承之寬度相同。

( ) **39** 下列滾珠軸承編號中,何者之內徑為 60 mm? (A)6006 (B)6060 (C)6210 (D)6212。

( ) **40** 對斜角滾珠軸承而言,下列那一個說明不正確? (A)可以同時產生軸向與徑向支撐力 (B)轉軸和軸承之間運轉間隙不可以調整 (C)軸向與徑向支撐力的分配與接觸角有關 (D)軸承的外環(外圈)可以從整個軸承中作軸向分離。

( ) **41** 滾珠軸承的滾珠若尺寸愈小則： (A)徑向負載容量愈大 (B)徑向負載容量愈小 (C)徑向剛性愈大 (D)徑向剛性愈小。

( ) **42** 軸承容許之軸壓力 P 與軸頸直徑 D，軸承有效長度 L 及軸承負荷 W 關係為何？ (A)$P = \dfrac{W}{L \times D}$ (B)$P = \dfrac{W \times L}{D}$ (C)$P = \dfrac{L}{W \times D}$ (D)$P = \dfrac{D}{L \times W}$。

( ) **43** 使用剛性聯結器時，二軸之中心線 (A)可有少量的角度偏差 (B)允許少量之中心偏差 (C)必須在一直線上 (D)允許軸向偏差。

( ) **44** 對撓性軸聯結器而言，下列那一個說明不正確？ (A)撓性軸聯結器允許連結軸之間有角度和距離的差異 (B)撓性的功能可來自於元件的彈性 (C)撓性的功能可來自於元件之間餘隙 (D)撓性軸聯結器不具備緩衝減振功能。

( ) **45** 下列何者不屬於撓性聯結器？ (A)分筒聯結器 (B)歐丹聯結器 (C)萬向接頭 (D)鏈條聯結器。

( ) **46** 針對具彈性回復力功能的撓性軸聯結器，下列那一個說明不正確？ (A)橡膠和金屬片是兩種提供彈性回復力功能的材料 (B)橡膠內分子摩擦使它具備緩衝減振功能 (C)金屬片型式的撓性軸聯結器不具備緩衝減振功能 (D)旋轉撓性軸聯結器的共振頻率低於固定式軸聯結器的共振頻率。

( ) **47** 若以萬向接頭作二軸之聯結，則下列敘述何者錯誤？ (A)從動軸角速度之比介於 $\cos\theta \sim \dfrac{1}{\cos\theta}$ 之間，角度愈小，速度變化愈小 (B)又稱虎克接頭 (C)從動軸的角速度每轉 $\dfrac{1}{3}$ 轉時，即發生週期性變化 (D)原動軸的角速度為定值。

( ) **48** 若以萬向接頭作二軸之聯結，則下列敘述何者不正確？ (A)萬向接頭二軸的交角在 5°以內效果最佳 (B)二軸中，主動軸作等角速度旋轉，則從動軸作非等角速度旋轉 (C)二軸心之角度愈大，則轉速比

愈小 (D)配合中間軸使用，且偏位角度相等，可使主動軸與從動軸轉速相等。

( ) **49** 針對連結傳動軸與後輪差速器間的萬向接頭，下列那一個說明不正確？ (A)萬向接頭可以允許動力軸之間有角度與高度差 (B)一個萬向接頭的輸出轉速變動與其夾角有關 (C)一個萬向接頭的運轉效率受到其夾角的影響 (D)使用一對萬向接頭是為了平衡一個萬向接頭的靜不平衡。

( ) **50** 使用萬向接頭時，常成對使用的主要目的是 (A)增加主動軸與從動軸的轉速比 (B)延長傳動距離 (C)使主動軸與從動軸的轉速相同 (D)減少振動和噪音。

( ) **51** 在凸緣聯結器中如何使連接的兩個軸正直且同心？ (A)將凸緣面做成圓形的凹凸面嵌合 (B)由固定螺栓接合對心 (C)以目視法對準接合軸心 (D)裝設彈性材料。

( ) **52** 對凸緣形固定軸聯結器而言，下列那一個說明不正確？ (A)軸聯結器的直徑影響可傳導的扭力 (B)固定螺絲中的上緊壓力直接影響軸聯結器中接觸面的摩擦力 (C)軸聯結器的左右圓盤必須具有對正圓心的肩部 (D)通常固定螺絲和螺絲孔之間有明顯間隙。

( ) **53** 比較凸緣形固定軸聯結器和組合式筒形軸聯結器，下列那一個說明是正確的？ (A)相同性能下，組合式筒形軸聯結器的旋轉慣量小於凸緣形固定軸聯結器的旋轉慣量 (B)凸緣形固定軸聯結器比組合式筒形軸聯結器適合用在大直徑轉軸上 (C)組合式筒形軸聯結器與凸緣形固定軸聯結器都有圓心對正肩部 (D)兩者都是利用摩擦力來傳導扭力矩。

( ) **54** 一套環軸承之內徑為 30mm，外徑為 50mm，若軸向力為 3140N，則軸承之壓力 P 為 (A)1 (B)2 (C)2.5 (D)4 MPa。

( ) **55** 一旋轉軸徑 10mm，承受 7000N 之負荷，軸承之容許壓力為 7MPa，則軸承之長度應為 (A)100 (B)200 (C)50 (D)300 mm。

( 　　) **56** 套筒聯結器左右的軸各用銷穿入連接以傳輸扭力，若軸徑爲 16cm，扭矩爲 2500πkg－cm，銷的工作剪應力爲 2500kg/cm²，則銷之直徑爲何？　(A)0.5cm　(B)1.0cm　(C)2.0cm　(D)3.0cm。

( 　　) **57** 同時具有軸向與徑向負荷時，宜選用軸承爲　(A)徑向軸承　(B)止推軸承　(C)錐形滾子軸承　(D)單列滾子軸承。【103 北捷】

( 　　) **58** 哪種「鍵」是由兩個斜度相同之斜鍵相對組合而成，組裝後的兩斜鍵之對角線必須在軸的周緣上，適合承受衝擊負荷？　(A)切線鍵　(B)半圓鍵　(C)平鍵　(D)鞍形鍵。【103 桃捷】

( 　　) **59** 滾動軸承編號 30208，請問其軸承內徑爲多少 mm？　(A)2　(B)8　(C)10　(D)40。【103 桃捷】

( 　　) **60** 下列何者爲歐丹聯結器之機構特色？　(A)是等腰連桿組的應用　(B)可用於兩軸中心線交於一點　(C)又稱爲虎克接頭（Hooke's Joint）　(D)當主動軸以「等角速度」旋轉時，從動軸則以「變角速度」旋轉。【103 桃捷】

( 　　) **61** 有一鍵 2210mm 裝於直徑 40mm 之軸上，該軸承受 20N-m 之扭矩，則鍵承受之壓應力爲：　(A)10MPa　(B)20MPa　(C)50MPa　(D)100MPa。【103 桃捷】

( 　　) **62** 關於軸承之敘述，下列何者錯誤？　(A)徑向滾珠軸承（Radial Ball Bearing）主要是以滾珠來承受軸向負荷　(B)無油軸承（Oilless Bearing）其內部充以石墨或其它固態潤滑劑不需外加潤滑劑即可使用　(C)錐形滾子軸承除了能承受徑向負荷之外也能承受軸向負荷　(D)整體軸承（Solid Bearing）中除了潤滑裝置外，並可在軸與軸承間加上青銅作爲襯套以延長軸承之壽命。【103 桃捷】

( 　　) **63** 下列何種銷主要用於連接叉型及圓眼形的機件，常用於關節之接合？　(A)開口銷　(B)定位銷　(C)U 形鉤銷　(D)快釋銷。【103 桃捷】

( 　　) **64** 關於滑動軸承與滾動軸承之比較，下列何者錯誤？　(A)滑動軸承運轉較安靜、耐衝擊負荷　(B)滾動軸承種類多、互換性大、

規格統一　(C)滑動軸承潤滑及散熱較困難　(D)滾動軸承裝卸容
易、損壞後能做部分處理。【103 桃捷】

(　　) **65** 以粉末冶金加工法製成，當軸承旋轉時可自行產生潤滑之軸承
名稱爲何？　(A)四部軸承　(B)滾珠軸承　(C)多孔軸承　(D)無
油軸承。【103 桃捷】

(　　) **66** 下列何種軸承最適合使用在同時具有較大軸向與徑向負荷處？
(A)單列徑向滾珠軸承　(B)雙列徑向滾珠軸承　(C)單列滾子軸
承　(D)錐形滾子軸承。【105 鐵路佐級】

---

### 解答與解析

**1 (B)**。實心軸的最大扭轉剪應力為 $\tau_{max} = \dfrac{Tr}{J} = \dfrac{16T}{\pi d^3} \Rightarrow \dfrac{\tau_2}{\tau_1} = \dfrac{d_1^3}{d_2^3} = \dfrac{1}{8}$ 。

所以答案為(B)。

**2 (A)**。承受負載的正向面積為 $15\text{cm} \cdot 10\text{cm} = 150\text{cm}^2$

$\sigma = \dfrac{3000}{150} = 20 \text{ kg/cm}^2$。所以答案為(A)。

**3 (D)**

**4 (D)**。先求出剪力 $F = \dfrac{T}{D/2} = \dfrac{2T}{D}$

受力面積= $L \cdot W$

剪應力為 $= \dfrac{F}{L \cdot W} = \dfrac{2T}{D \cdot L \cdot W}$ 。所以答案為(D)。

**5 (B)**。$\sigma_c = \dfrac{F}{A_c} = \dfrac{\dfrac{2T}{D}}{L \times \dfrac{H}{2}} = \dfrac{4T}{DLH} = \dfrac{4 \times 280 \times 10^3}{80 \times 80 \times 16} = 10.94(\text{MPa})$ 。

所以答案為(B)。

**6 (C)**。先從扭矩求出施力

$$F \times \frac{D}{2} = T$$

$$F = \frac{2T}{D}$$

$$壓應力 = \frac{F}{\frac{h}{2}L} = \frac{4T}{DhL}。所以答案為(C)。$$

**7 (D)**

**8 (B)**。方鍵的寬度通常是軸徑的 1/4。所以答案為(B)。

**9 (C)**。6：寬度＝6mm，32：直徑＝32mm。所以答案為(C)。

**10 (E)**。栓槽鍵可傳達極大扭矩。所以答案為(E)。

**11 (C)**。鞍形鍵並無鍵座，也就是軸不需開槽，主要以摩擦傳達動力，用於相當輕的負荷。所以答案為(C)。

**12 (C)**

**13 (D)**。斜度鍵可視為平鍵或方鍵的一端，從一鍵寬的距離開始呈傾斜狀，通常製成英制 1：96，公制 1：100 之斜度。所以答案為(D)。

**14 (C)**。銷(Pin)可做機件間之結合，定位、傳動等功用。所以答案為(C)。

**15 (D)**　**16 (A)**　**17 (B)**　**18 (D)**　**19 (A)**　**20 (C)**　**21 (B)**

**22 (A)**。$P = T \cdot \omega = 100 \times \frac{2\pi \times 300}{60} \times \frac{1}{75} = 41.88(Ps)$

**23 (D)**。$T = F \times r \Rightarrow 800 = F \times 0.1 \Rightarrow F = 8000(kg)$

$$\sigma_C = \frac{F}{A} = \frac{8000}{1 \times 10} = 800(kg/cm^2)$$

**24 (B)**。 T=F×r　⇒ 1000=F×10　⇒ F=100(N)　$\tau = \dfrac{F}{A} = \dfrac{100}{\dfrac{5}{2} \times 10} = 4(MPa)$

**25 (D)**。 T=F×r　⇒ 600=F×0.1　⇒ F=6000(N)　$\sigma_c = \dfrac{F}{A} = \dfrac{6000}{15 \times 100} = 4\ MPa$

**26 (D)**。 $P = T \cdot \omega = 20 \times \dfrac{2\pi \cdot 1500}{60} \times \dfrac{1}{75} = 42(PS)$

**27 (C)**　　**28 (B)**

**29 (C)**。 滾動軸承的構造為 4 個元件組成。外圈，滾動體，保持器，內圈。
　　　　其中保持器的功能為使滾動體保持一定間隔而不接觸，所以隔片的
　　　　作用為保持器。所以答案為(C)。

**30 (B)**

**31 (A)**。 分筒聯結器的兩軸必須成一直線，兩軸間不允許有夾角或是偏差，
　　　　為剛性的聯結器。

**32 (B)**。 滾動軸承包含滾珠、外座圈、內座圈、間隔器，構造較滑動軸承
　　　　複雜。

**33 (A)**　**34 (D)**　　　**35 (B)**　　　**36 (A)**　　　**37 (C)**　　　**38 (B)**

**39 (D)**。 內徑號碼自 04~96 之間者，將號碼乘以 5 後即為內徑尺寸。例如
　　　　「6212」之軸承，表示其內徑為 60 mm(12×5=60mm)

**40 (B)**　**41 (B)**　　　**42 (A)**　　　**43 (C)**　　　**44 (D)**

**45 (A)**。 可撓性聯結器可分為：
　　　　(1)彈性材料膠合聯結器。
　　　　(2)鏈條聯結器。
　　　　(3)撓性盤聯結器。

(4)撓性齒輪聯結器。

(5)撓性彈簧聯結器。

(6)膨脹接頭聯結器。

(7)彈性材料凸緣聯結器。

(8)歐丹聯結器。

(9)萬向接頭聯結器。

**46 (C)**

**47 (C)**。 從動軸的角速度每轉 $\dfrac{1}{4}$ 轉時，即發生週期性變化。

**48 (C)**　**49 (D)**　　**50 (C)**　　**51 (A)**　　**52 (B)**　　**53 (A)**

**54 (C)**。 $P = \dfrac{F}{A} = \dfrac{3.14 \times 1000}{\dfrac{\pi}{4}(50^2 - 30^2)} = 2.5\text{MPa}$

**55 (A)**。 $\sigma = \dfrac{P}{A} = 7 = \dfrac{7000}{10 \times L} = 100\text{(mm)}$

**56 (A)**。 $F = \dfrac{2500\pi}{16} = 490.87\text{(kg)} \Rightarrow \sigma = 2500 = \dfrac{F}{A} = \dfrac{490.87}{\dfrac{\pi}{4}d^2} \Rightarrow d = 0.5\text{(cm)}$

**57 (C)**　**58 (A)**

**59 (D)**。 $8 \times 5 = 40\text{(mm)}$。

**60 (A)**。 (B)兩中心軸平行且不交於一線。(C)不是虎克接頭。(D)主動軸與從動軸轉速相同。

**61 (D)**。

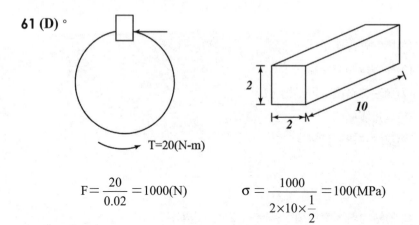

$$F = \frac{20}{0.02} = 1000(N)$$

$$\sigma = \frac{1000}{2 \times 10 \times \frac{1}{2}} = 100(MPa)$$

**62 (A)**。 (A)承受徑向負荷。

**63 (C)**

**64 (D)**。 (D)損壞後需直接更換。

**65 (C)**

**66 (D)**。 錐形滾子軸承：可同時承受雙軸向負載。

## 二、問答題型

1. 試回答下列問題：(一)敘述扣環（retaining ring）的用途。何謂外扣環及內扣環？(二)敘述一般鍵（key）的用途。何謂帶頭鍵？何謂半圓鍵？(三)敘述栓槽（spline）的用途。什麼是兩種基本的栓槽並比較其功能之特色。
【關務四等、地特三等機設】

解 (1)扣環常用於取代軸肩或套筒，於軸上或在外箱孔為元件軸向作定位。外扣環是用以固定軸上為元件軸向作定位；內扣環在外箱孔為元件軸向作定位。

(2)A.鍵為一連接機件，兩側面是工作面，部分嵌入軸上之鍵座，一部分嵌入機件的鍵槽中，靠鍵與鍵槽的側面擠壓來傳遞扭矩，於軸上使旋轉元件固定，主要是防止兩零件之間的相對迴轉，以傳遞動力。

B.帶頭鍵又稱勾頭斜鍵，是將斜鍵在較厚之一端增加長度且製成勾頭，以便於拆卸。

C.半圓鍵聯接是用螺釘使鍵固定於軸內，可使套裝在軸上的機件作軸向滑動，鍵在槽中能繞其幾何中心擺動以適應轂上鍵槽的傾斜度，因此具備自動調整中心功能，常用於錐形軸，缺點是軸上的鍵槽較深，對軸的強度影響較大，所以一般多用於輕載情況。

(3)栓槽：在軸上拉出數個槽，凸出部分當成鍵來使用，輪轂部分需配合軸拉出數個槽。

A.直線形栓槽：基本上是多個方鍵以等間隔分佈。於軸上並和軸作成一體者稱之，可以同時承受徑向負荷及傳導扭力矩，常被廣泛的應用在汽車上。

B.漸開線形栓槽：是具有漸開齒面的鋸齒軸，用於軸與轂固定接的情況，其齒數一般在 6~40 齒之間，齒數取偶數值，壓力角為 20°，齒形大小以模數為準，其優點為高強度、易安裝、空間準確、在齒上平均受應力、能自動對心，使用於傳動大扭矩的情況，常運用於汽車傳動軸。

2. 請說明有那些材料常使用於軸之設計，並加以評估其優劣點。【關務四等】

解 (1)一般最便宜之軸料常選用熱軋普通碳鋼，若想改善切削性，可以在經過正常化或退火處理。

(2)動力傳動之轉動軸材料，則選用普通碳鋼或合金鋼之冷拉桿。如內燃機或車輪用鍛製軸常使用 1045 之普通碳鋼；泵送特殊流體的轉

動機械所使用的轉動軸，則選用合金鋼如 4140 或 4340，而且加適當之熱處理，可以發揮合金元件之優點。

(3) 若是要抵抗磨損，常在軸的表面做硬化處理。如選用 4320 或 4820 之低碳合金鋼並加入滲碳處理，可以達到抵抗磨損的功能。

---

**3.** 請比較滾動軸承與滑動軸承之優缺點。【關務四等】

 解

| 軸承 | 優點 | 缺點 |
|---|---|---|
| 滾動軸承 | (1) 低摩擦。<br>(2) 啟動阻力小、潤滑容易。<br>(3) 可同時承受徑向與推力負載。<br>(4) 規格統一具互換性。<br>(5) 可長時間運轉、低磨耗。<br>(6) 容易從製造廠商的目錄選擇。<br>(7) 易維持精度且適於高轉速。 | (1) 裝設困難、成本較高。<br>(2) 無法局部修理更換及承受大負荷。<br>(3) 磨損後易產生噪音及震動。<br>(4) 損壞時無預警。 |
| 滑動軸承 | (1) 構造簡單、拆卸容易。<br>(2) 運轉安靜。<br>(3) 可承受較大之衝擊負荷，適用於高速、重負荷、超載及斗震情形。<br>(4) 所需徑向空間小。 | (1) 易腐蝕。<br>(2) 潤滑、散熱困難。<br>(3) 功之損失較大。 |

---

**4.** 試述銷（pin）之功用，銷（pin）常用之種類為何？【普考】

解 參考 1-2 章節

---

**5.** 軸所承受之主要負載有那些？分別以汽車軸、工具機軸、引擎曲柄軸及船舶螺旋槳軸為例說明之。【普考】

解 (1) 軸所承受之主要負載有，彎曲、扭曲、拉張、壓縮。
(2) 車軸：不傳達動力，主要是承受彎曲。
(3) 工具機軸：傳達動力，主要是承受扭曲。
(4) 引擎曲柄軸：傳達動力，同時承受彎曲、扭曲、拉張、壓縮。
(5) 船舶螺旋槳軸：傳達動力，同時承受彎曲、扭曲、拉張、壓縮。

**6. 何謂軸承的額定壽命及額定負載？【普考、普考機設】**

(解) (1)基本額定壽命：一批相同的軸承，在相同條件下運轉，其中 90%的
軸承不出現疲勞破壞時的總轉數或在給定轉速下工作的小時數。

(2)基本額定負載：一批同型號的軸承基本額定壽命爲一百萬轉次時軸
承所承受的最大負荷，稱爲該軸承的基本額定負荷値。

**7. 請說明軸之傳動功率與扭矩及轉速之關係。【普考】**

(解) 參考 1-1 內容

**8. 簡述鍵之功能與種類。並加以說明傳送小動力及傳送大動力，各應採用何
種類型的鍵？【普考】**

(解) (1)功能：

A.裝置於轉軸與輪轂間，作爲接合、固定、傳遞動力或防止元件脫落。

B.作爲抗剪及抗壓的機件。

(2)種類：

傳送小動力：方鍵、平鍵、斜鍵、半圓鍵、鞍型鍵、滑鍵、帶頭斜鍵。

傳送大動力：圓形鍵、斜角鍵、切線鍵、甘迺迪鍵、錐形鍵、栓槽鍵。

**9. 試述飛輪的用途，並舉二實例說明之。【普考】**

(解) (1)飛輪爲在機器中功能及作用如同能量儲存器的一個轉動質量。若機
器的速度增加，能量儲存於飛輪中，若速度降低，則能量由飛輪中
釋放出來。

(2)A.單缸四衝程的內燃機驅動的發電機，內燃機在兩個迴轉中只有一
個動力衝程，傳遞到發電機之力矩變化很大。發電機的電壓輸出
爲轉速的函數，且電壓的改變造成燈光閃爍不定，因此使用飛輪
可確保傳至發電機的速度及力矩十分均勻。

B.衝床在衝孔之瞬間需要很大的動力，若不使用飛輪，則所有的動
力都必須由馬達提供，因此需要很大的馬達。若使用飛輪，在實
際衝孔之間的空檔，馬達能量儲存於飛輪中，在實際衝孔時，將
此能量釋放，因此可使用較小的馬達。

10. 設計旋轉運動機器時，常用滾動接觸軸承（rolling contact bearing）來支撐旋轉軸，試請繪示意圖及文字說明：

(一) 深槽單排滾珠軸承（deep groove single row ball bearing）

(二) 斜角單排滾珠軸承（angular contact single row ball bearing）

(三) 自動對位雙排滾珠軸承（self-aligned double row ball bearing）

(四) 止推單排滾珠軸承（thrust single row ball bearing）

(五) 比較以上 4 種軸承功能，包括可承受負荷方向及其他功能等。

【104 地特四等】

解

| 軸承 | 說明 | 圖示 |
|---|---|---|
| 深槽滾珠軸承 | 主要承受徑向負載，也可同時承受少量雙軸向負載，摩擦阻力小，極限轉速高，結構簡單，價格便宜，應用最廣泛。 | |
| 自動調心滾珠軸承 | 主要承受徑向負載，也可同時承受少量的雙向軸向負載，減輕軸及軸承產生之內力，外座圈的內面為球面，具有對準誤差自動調心的作用，適用於彎曲剛度小的軸。 | |
| 單列止推滾珠軸承 | 只能承受單向軸向負荷，不能承受徑向負載，不適於高速運轉。 | |

| 軸承 | 說明 | 圖示 |
|---|---|---|
| 單列斜角滾珠軸承 | 1. 軸承的外環（外圈）可以從整個軸承中作軸向分離，且同時產生軸向與徑向支撐力，意即可承受徑向及軸向負荷。<br>2. 轉軸和軸承之間運轉間隙可以調整，軸向與徑向支撐力的分配與接觸角有關，當接觸角 $\alpha$ 越大，軸承承受軸向載荷的能力越大。<br>3. 可將兩個單列斜角滾珠軸承配對使用以承受雙向軸向推力，常用於小型工具機主軸。 | 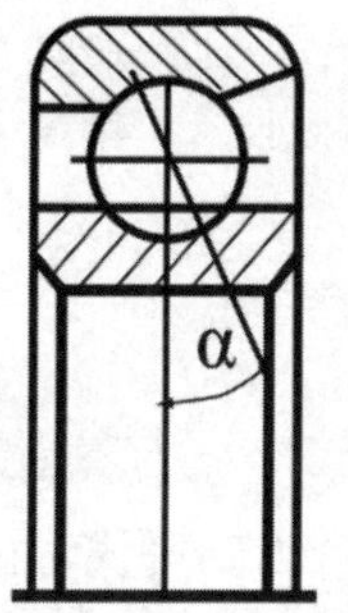 |

主要承受徑向負載時應選用深溝滾珠軸承；當軸向負載比徑向負載大很多時，常用止推軸承和深溝滾珠軸承的組合結構；同時承受徑向和軸向負載時應選擇角接觸之斜角滾珠或錐滾子軸承；承受衝擊負載時宜選用滾子軸承。

**11.** 撓性（軸）聯結器（或稱聯軸器）（flexible coupling）共有幾種？及試述其功用。【地方特考】

**解** 參考 1-3 章節。

**12.** 在滑動軸承與滾動軸承之選用上，試就起動摩擦、負載能力、運轉噪音及運轉精密度之考量，比較兩者之優劣，並說明一般汽車引擎之曲柄軸軸承為何較常採用滑動軸承，而較少採用滾珠或滾柱等滾動軸承。【104 鐵路員級】

**解** （一）

| 軸承 | 優點 | 缺點 |
|---|---|---|
| 滾動軸承 | 1. 低摩擦。<br>2. 啟動阻力小、潤滑容易。<br>3. 可同時承受徑向與推力負載。<br>4. 規格統一具互換性。<br>5. 可長時間運轉、低磨耗。<br>6. 容易從製造廠商的目錄選擇。<br>7. 易維持精度且適於高轉速。 | 1. 裝設困難、成本較高。<br>2. 無法局部修理更換及承受大負荷。<br>3. 磨損後易產生噪音及震動。<br>4. 損壞時無預警。 |

| 軸承 | 優點 | 缺點 |
|---|---|---|
| 滑動軸承 | 1. 構造簡單、拆卸容易。<br>2. 運轉安靜。<br>3. 可承受較大之衝擊負荷，適用於高速、重負荷、超載及斗震情形。<br>4. 所需徑向空間小。 | 1. 易腐蝕。<br>2. 潤滑、散熱困難。<br>3. 功之損失較大。 |

(二) 引擎曲柄軸：傳達動力，同時承受彎曲、扭曲、拉張、壓縮

　　1. 對合式軸承由軸承座、軸承蓋、部分襯套、軸承蓋螺柱等組成，將軸承部分製成上、下兩部，再以螺栓貫穿接合而成。

　　2. 在接合時，於兩者之接合處墊以數層墊片，當軸承有磨損時，減少墊片數即可使軸承能密合，繼續使用。

　　3. 部分面最好與負載方向近於垂直，軸承蓋和軸承座的部分面常作成階梯形，以便定位和防止工作時振動，如：工具機的主軸及汽車曲柄軸上之軸承等。

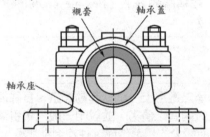

13. 軸承（Bearing）於機構運動中，係至為重要的零件，用於承受機件負荷，並維持機件於所需位置及必要的精度，請依序回答下述問題。

　　(一) 欲構成一完整滾珠軸承，除了內環、外環與鋼珠元件外，尚須包括何項必要元件？

　　(二) 軸承承受荷載可以是物體的軸向或徑向，何種軸承是專設計為承受物體軸向荷載者？

　　(三) 為使軸承具互換性，國際標準組織（ISO）已制定一套軸承尺寸規範。今若購置一市售軸承，其代號為「9100K」，則該軸承的內徑尺寸為若干 mm？

　　(四) 若所購置之市售軸承，其代號為「9104K」，則其內徑尺寸又為若干 mm？【103 中央印製廠】

解 (一) 保持架：功能為維持鋼珠之位置，使鋼珠不互相碰撞
(二) 止推軸承
(三) 內徑＝10mm
(四) $4 \times 5 = 20$(mm)

---

**14. 試論滾珠軸承、滾子軸承、針狀軸承、斜角滾子軸承之選用場合有何不同？各有何優劣點？【地特四等機設】**

解 軸承承受負荷的大小、方向和性質是選擇軸承類型的主要依據，如負荷小而又平穩時，可選滾珠軸承；負荷大又有衝擊時，宜選滾子軸承；如軸承僅受徑向負荷時，選徑向接觸滾珠軸承或圓柱滾子軸承；只受軸向負荷時，宜選推力軸承。軸承同時受徑向和軸向負荷時，選用角接觸軸承的斜角滾子軸承，軸向負荷越大，應選擇接觸角越大的軸承，必要時也可選用徑向軸承和推力軸承的組合結構，應該注意推力軸承不能承受徑向負荷，圓柱滾子軸承不能承受軸向負荷。當軸向尺寸受到限制時，宜選用窄或特窄的軸承。當徑向尺寸受到限制時，宜選用滾動體較小的軸承，如要求徑向尺寸小而徑向負荷又很大，可選用滾針軸承。

若軸承的尺寸和精度相同，則滾珠軸承的極限轉速比滾子軸承高，所以當轉速較高且旋轉精度要求較高時，應選用滾珠軸承，止推軸承的極限轉速低，當工作轉速較高，而軸向載荷不大時，可採用斜角滾珠軸承或深溝滾珠軸承。

---

**15. 試定義並且畫出所謂的雙背軸承 DB（Double back bearing）、雙前軸承 DF（Double front bearing）與止推軸承（Thrust bearing），其各別之功能為何？滾珠與滾柱軸承其負載與壽命如何計算？請寫下其公式。【高考三級機設】**

解 軸經常需要使用兩個或多個軸承，可得到額外的剛性及提高負載容量，如雙背軸承 DB（Double back bearing）、雙前軸承 DF（Double front bearing）。

(1) 雙背軸承 DB（Double back bearing）：背對背安裝具有最大對準剛性，也適用於大徑向負載與任一方向之推力負載。

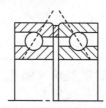

(2) 雙前軸承 DF（Double front bearing）：面對面安裝，將承受大徑向負載與任一方向之推力負載。

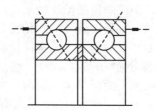

(3) 止推軸承（Thrust bearing）：用來承受與軸心平行之負荷，依滾動體的不同可分成滾珠止推軸承與滾子止推軸承，單列者可承受單一方向之推力，雙列者則可承受雙方向之推力。

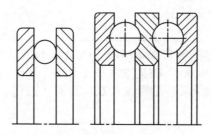

(4) 滾動軸承的壽命計算公式

$$[\frac{L_p(次數)}{L_{10}(次數)}]=\left(\frac{C}{P}\right)^k$$

其中 C：基本額定負荷值、$L_{10}$：基本額定壽命、P：軸承負荷值、$L_p$：軸承的壽命、滾珠軸承 k=3、滾子軸承 $k=\frac{10}{3}$

又可表示為

$$[\frac{L_{ph}(小時) \times 60 \times N(rpm)}{L_{10}(次數)}] = (\frac{C}{P})^{k}$$

其中　C：基本額定負荷值、$L_{10}$：基本額定壽命、P：軸承負荷值、

$L_p$：軸承的壽命、滾珠軸承 k=3、滾子軸承 k=$\frac{10}{3}$

**16. 敘述軸承之功用及其種類。【鐵四】**

 (一)功用：
  1. 當其他機件裝於軸上，且彼此有相對運動時，用來保持軸的
   中心位置及控制其運動機件。
  2. 減少軸與固定件間的摩擦損失，增加傳動效率，延長機件壽命。
 (二)種類：可分為滑動軸承與滾動軸承
  1. 依運動方式分：
   (1)滑動軸承：軸與軸承為面接觸，相對運動為滑動。
   (2)滾動軸承：軸與軸成為點接觸，分為滾珠軸承及滾子軸承。
  2. 依受負載方向分：
   (1)徑向軸承：軸承所受負荷與軸中心線垂直方向。
   (2)止推（軸向）軸承：軸承所受負荷與軸中心線成平行方向。
  3. 特殊軸承：
   (1)多孔軸承：係以粉末冶金法製造的軸承，完成後的軸承呈
    多孔性。
   (2)無油軸承：為充以石墨或其它固體潤滑劑作為襯套之軸承。

**17. 說明萬向接頭屬於何種機構及它的用途，並指出在實務應用上常採用成對的萬向接頭之原因。【鐵四】**

 1.萬向接頭可以允許動力軸之間有角度與高度差，可用於不相互平行
 且中心線相交於一點的主動軸與從動軸上。
 2.兩個互成直角的 U 型塊所組成，並由相等長度的臂交叉連接。
 3.二軸中，主動軸作等角速度旋轉，則從動軸作非等角速度旋轉。
 4.萬向接頭二軸的交角在 5°以內效果最佳。
 5.可將兩個軸心線相交且夾一角度，連接兩相交軸最佳的撓性聯結器。

6.使用一對萬向接頭是爲了使原動軸與從動軸以相等之角速度旋轉，以達成同步化之目的，常用於汽車之傳動軸上。

7.欲使主動軸與從動軸角速度一致，須於二軸間另設一中間軸，並令連接相交之兩軸夾角相等。

8.從動軸角速度之比介於 $\cos\theta \sim \dfrac{1}{\cos\theta}$ 之間，角度愈小，速度變化愈小。

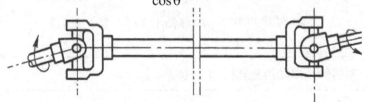

## 三、計算題型

1. 有一軸轉速 300 rpm，傳送 90 馬力(hp)，可視爲僅受扭力作用。軸材料之極限抗剪強度爲 G＝32 kg/mm²，假設安全係數爲 5，求軸之直徑爲若干？
   【普考機設】

解 $90\text{Hp}=90 \times 0.736 = 66.24\text{kw}$

$\dfrac{T \times 300}{9550} = 66.24$

$T = 2108.64\,(N-m)$

$\tau = \dfrac{T \times r}{J}\dfrac{2108.64 \times \dfrac{d}{2}}{\dfrac{\pi}{2} \times (\dfrac{d}{2})^4} = \dfrac{10739.21}{d^3}$

$n = \dfrac{S_y}{\tau}$

$\Rightarrow 5 = \dfrac{32 \times 9.81 \times 10^6}{\dfrac{10739.21}{d^3}}$

$\Rightarrow d = 0.0555\text{m}$

**2.** 一馬達之輸出最大扭矩為 50 N-m，經過一 4：1 的減速機來帶動一個輪軸，若此輪軸的材料之抗剪降伏強度為 125 MPa，若不考慮疲勞的影響，求輪軸在安全係數為 3 的情況下輪軸之直徑為何？【地方四等機設】

解　$T = 50 \times 4 = 200 (N\text{-}m)$

$$\tau = \frac{Tr}{J} = \frac{16T}{\pi d^3} = \frac{16 \times 200}{\pi d^3} = \frac{1018.6}{d^3}$$

$$n = \frac{S_y}{\tau} \Rightarrow 3 = \frac{125 \times 10^6}{\dfrac{1018.6}{d^3}} \Rightarrow d = 0.02902m$$

**3.** 一實心圓軸之直徑為 15 mm，轉速為 1800 rpm，若軸的允許工作剪應力為 $\tau_{all} = 50 N/mm^2$，試求該軸所能傳遞的動力。【原住民特考四等機設】

解　$\tau = \dfrac{Tr}{J} = \dfrac{16T}{\pi d^3} \Rightarrow 50 \times 10^6 = \dfrac{16 \times T}{\pi \times (0.015)^3}$

$T = 33.134 (N-m)$

$P = \dfrac{T \times N}{9550} = \dfrac{33134 \times 1800}{9550} = 6.245 (kW)$

**4.** 有一直徑為 100mm 之圓軸，承受 250N-m 之扭矩，轉速為 1200rpm，請回答下列問題：（請列出算式，並請四捨五入至小數點第二位）

(一) 試求此圓軸之傳輸功率？

(二) 若此軸上有一方鍵，規格為 6×6×40(mm)，試求該方鍵所承受之壓應力及剪應力？【103 中央造幣廠】

解　(一) $P = \dfrac{250 \times 1200}{9550} = 31.41$（KN）

(二) $F = \dfrac{250}{\dfrac{0.1}{2}} = 5000 (N)$

250(N-m)

$$\sigma = \frac{5000}{3 \times 40} = 41.67 \text{(MPa)}$$

$$\tau = \frac{5000}{6 \times 40} = 20.83 \text{(MPa)}$$

**5.** 有一馬達在額定 1500 rpm 轉速下的輸出功率為 3.7 kW，其輸出軸直徑為 38 mm，其上之方鍵（square key）尺寸為 10mm × 10 mm × 58 mm。使用運轉時，動力是完全藉由方鍵與其對應之裝配件傳送，試求鍵上所受之剪應力（shear stress）與承壓應力（bearing stress）分別為多少？【104 鐵路員級】

**解** $\dfrac{T \times 1500}{9550} = 3.7 \Rightarrow T = 23.56 \text{(N-m)}$

$F = \dfrac{23.56}{\dfrac{0.038}{2}} = 1240 \text{(N)}$ $\qquad \tau = \dfrac{1240}{10 \times 58} = 2.138 \text{(MPa)}$

$\sigma = \dfrac{1240}{5 \times 58} = 4.276 \text{(MPa)}$。

**6.** 一滾珠軸承之基本額定負載為 10800N，若受到一個徑向 700N 之負載，則其預期壽命為何？並說明在相同的壽命下，如果想要增加負載有何作法。【107 關四】

**解** (一) $\dfrac{L}{10^6} = \left(\dfrac{C}{700}\right)^3 \Rightarrow L = 10^6 \times \left(\dfrac{10800}{700}\right)^3 = 3672629738 = 3.6726 \times 10^9$

(二)相同壽命若要增加負載需增加基本額定負載。

**7.** 何謂滾動軸承的「額定壽命(rating life)」與「基本動態負荷率(basic dynamic load rating)」？若有兩組相同型號的滾珠軸承，但承受不同的徑向負荷，其中承受徑向負荷 $P_1$=2000kg 的軸承額定壽命為 1,000,000 轉，請問另一個承受徑向負荷 $P_2$=1800kg 的軸承額定壽命為多少？【109 鐵路員級】

(一) 額定壽命：90%承軸不出現破壞，所歷經之轉數，以 $L_{10} = 10^6$ 表示。

基本動態負荷率：$L_{10} = 10^6$ 時，所能承受的最大負荷，以 C 表示。

(二) $\left(\dfrac{L}{L_{10}}\right) = \left(\dfrac{C}{P}\right)^k$

$\left(\dfrac{L}{1000000}\right) = \left(\dfrac{2000}{1800}\right)^3$（轉）

---

8. (一) 除圓鍵外，試再列舉六種鍵的種類。

(二) 有一圓鍵（直徑 d=6mm，允許剪應力為 360MPa）裝置於軸（直徑 D=50 mm）和滑輪之間，若其承受一扭力矩 T=2400N-m，試求此圓鍵之長度 L 需為多少 mm。【108 關四】

---

 (一) 1. 方鍵：寬與高等長之鍵

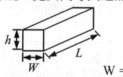

W = h

2. 平鍵：寬比高還長之鍵

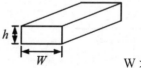

W > h

3. 半圓鍵：有自動調心之功能

4. 鞍鍵：利用摩擦力傳遞動力之鍵

5. 路易士鍵：由二個相同斜度的斜鍵組合而成

6. 甘洒迪鍵：安裝時將二個方形鍵之對角線，交於軸中心成 90°

(二)

$$F \times \frac{0.05}{2} = 2400$$

$$F = 96000 \, (N)$$

$$\tau = 360 = \frac{96000}{6 \times L} \Rightarrow L = 44.44 \, (mm)$$

---

**9.** 如圖所示之軸環連結器，所連接之二根直徑 30 mm 軸各以一根直徑 5 mm 之圓銷固定在軸環上，圓銷材料之容許剪應力為 100 MPa，試求此連結器所能傳遞之最大扭矩。【關四】

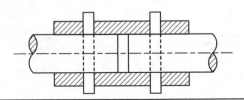

**解** $\tau = \dfrac{F}{A} = \dfrac{F}{2 \times \dfrac{\pi}{2} \times 5^2} = 100 \Rightarrow F = 3923 \, (N)$

$T = F \times \dfrac{D}{2} = 3923 \times \dfrac{0.03}{2} = 58.9 \, (N - m)$

**10.** 一軸轉速 400rpm，扭矩 T=200N-m，則此軸傳送的功率為若干瓦(watt)？

解 $\dfrac{T \times N}{9550} = \dfrac{200 \times 400}{9550} = 8.38\text{(kw)}$

**11.** 有一方形鍵（square key）用來固定位於直徑 3.65 cm 軸上的一個齒輪。齒輪的輪轂長（hub length）為 6.35 cm。軸與鍵皆用同一種材料製成，其允許剪應力（allowable shear stress）為 4200 N/cm²。如果該齒輪要傳送 40,290 N-cm 的扭矩，則鍵的邊長最小應為多少？【關四】

解 $T = 40290\text{(N-cm)} = F \times \dfrac{D}{2} = F \times \dfrac{3.65}{2} \Rightarrow F = 22076.71\text{(N)}$

$\tau = \dfrac{F}{W \times 6.35} = 4200 \Rightarrow W = 0.828\text{(cm)}$

**12.** 有一實心鋼製圓形長軸（直徑為 d mm），其允許強度為 S N/m²，軸由間距 L mm 之二軸承支撐，已知軸所受最大彎矩為 M N·m，若只考慮彎曲正應力，而不計入剪應力，試求本設計的安全係數（factor of safety）N 為何？【關四】

解 $\sigma = \dfrac{M_y}{I} = \dfrac{M \times \left(\dfrac{d}{2} \times 10^{-3}\right)}{\dfrac{\pi}{4} \times \left(\dfrac{d}{2}\right)^4 \times 10^{-2}} = \dfrac{1.019M \times 10^{10}}{d^3}$

$N = \dfrac{S}{\sigma} = \dfrac{Sd^3}{1.019 \times 10^{10} \times M}$

**13.** 如下圖所示之樑（beam）其彈性係數（Modulus of Elasticity）為 E，橫截面的慣性矩（Moment of Inertia）為 I，密度為 5 kg/m，該樑之垂直方向支撐為 $R_1$ 與 $R_2$，試求取其位於 $R_1$ 與 $R_2$ 之間 x 處之位移量 y。【鐵四】

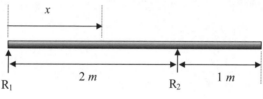

解

(一)

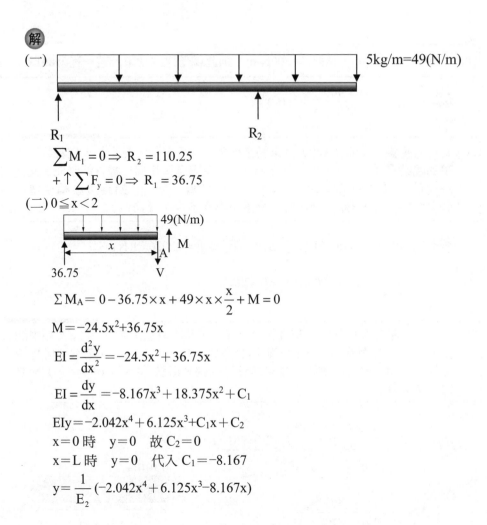

$$\sum M_1 = 0 \Rightarrow R_2 = 110.25$$

$$+\uparrow \sum F_y = 0 \Rightarrow R_1 = 36.75$$

(二) $0 \leqq x < 2$

$$\sum M_A = 0 - 36.75 \times x + 49 \times x \times \frac{x}{2} + M = 0$$

$$M = -24.5x^2 + 36.75x$$

$$EI = \frac{d^2y}{dx^2} = -24.5x^2 + 36.75x$$

$$EI = \frac{dy}{dx} = -8.167x^3 + 18.375x^2 + C_1$$

$$EIy = -2.042x^4 + 6.125x^3 + C_1x + C_2$$

$x = 0$ 時　$y = 0$　故 $C_2 = 0$

$x = L$ 時　$y = 0$　代入 $C_1 = -8.167$

$$y = \frac{1}{E_2}(-2.042x^4 + 6.125x^3 - 8.167x)$$

# 第二章 螺旋

◎依據出題頻率區分，屬：B 頻率中

## ▼2-1 螺旋基本原理

### 一、螺旋原理

如圖 2.1 螺旋為斜面原理之應用，將一直角三角形圍繞圓柱體，則斜邊為螺旋線(Helix)，螺旋線為一理論之曲線，若以車刀在圓柱上依螺旋線路徑切削成凹槽，即為螺紋，直股為螺旋之導程 L、節圓直徑 $d_1$，而斜面的傾斜角為導程角 $\alpha$，$\beta$ 為螺旋角則 $\tan\beta = \dfrac{\pi d_1}{L}$、$\tan\alpha = \dfrac{L}{\pi d_1}$。

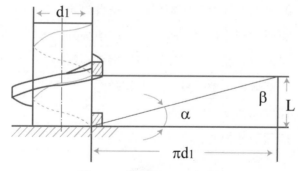

圖 2.1　螺旋為斜面之應用

### 二、螺紋各部位名稱

| 名稱 | 說明 |
|---|---|
| 陽螺紋 | 又稱「外螺紋」，在圓柱或圓錐機件外表面製成之螺紋。 |
| 陰螺紋 | 又稱「內螺紋」，機件內孔之螺紋。 |
| 大徑 $d_0$ | 又稱「公稱直徑」，外螺紋牙頂相重合的假想圓柱面直徑，螺紋之最大直徑，陽螺紋時稱為「外徑」，陰螺紋時稱為「全徑」。 |

| 名稱 | 說　明 |
|---|---|
| 小徑 $d_i$ | 又稱「根徑」，與外螺紋牙底相重合的假想圓柱面直徑，螺紋最小直徑，在強度計算中作危險剖面的計算直徑，陽螺紋時稱爲「底徑」，陰螺紋時稱爲「內徑」。 |
| 節圓直徑 $d_m$ | 簡稱「節徑」，大徑與小徑間的假想直徑，爲螺紋配合時，接觸點所形成的直徑，約略等於螺紋平均直徑。 |
| 螺峰 | 螺紋之頂部。 |
| 螺距(節距) | 螺紋牙上任一點到相鄰螺牙上之同對應點在軸上的距離，以 P 表示。 |
| 導程 | 螺紋旋轉一圈，沿軸線所移動的螺距=螺紋線數×節距。 |
| 螺紋角 | 又稱牙角，是螺紋兩邊的夾角。 |
| 導程角 | 節徑上螺旋線之切線與軸心垂直線所夾的角。 |
| 螺旋角 | 節徑上螺旋線之切線與軸心線所夾的角。 |
| 螺紋深度 | 又稱爲牙深，牙頂到牙底的垂直距離。 |
| 牙頂 | 又稱牙峰，螺紋外徑上之螺紋面。 |
| 牙根 | 螺紋底徑上之螺紋面。 |
| 牙腹 | 牙頂與牙根連結之牙面。 |

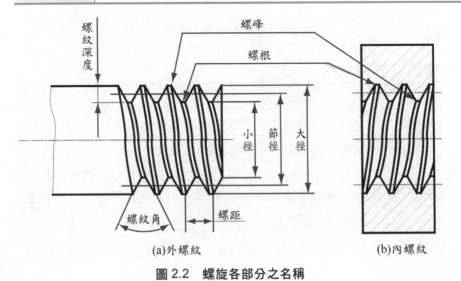

圖 2.2　螺旋各部分之名稱

## 三、螺紋的分類與標註

### (一) 螺紋的種類：

| 螺紋的種類 | 說　　明 | 圖　示 |
|---|---|---|
| 依螺紋繞軸方向 | 右旋螺紋：以「R」表示，由側面看，螺紋自右向左下傾斜者，或螺桿依順時針方向旋轉向下者。(若未特別註明，即為右旋螺紋) | |
| | 左旋螺紋：以「L」表示，由側面看，螺紋自左向右下傾斜者，或螺桿依逆時針方向旋轉向下者。 | |
| 依螺紋線數 | 單線螺紋：螺紋旋轉一周，軸線前進或後退一個螺距，導程等於螺距。 | |
| | 複線螺紋：螺紋旋轉一周，軸線前進或後退 n 個螺距(n 表螺線數)，導程與螺距關係 L＝nP，螺旋線相隔角度 $\theta = \dfrac{360^\circ}{n}$。 | |

## (二) 連接用螺紋：

| 螺紋 | 說明 | 圖示 |
|---|---|---|
| 尖V型螺紋 | 1.螺峰及螺根呈尖V形，螺紋角60，強度差，容易損壞。<br>2.不易使用螺絲攻及螺絲模製造。<br>3.僅用於永久接合、防漏接合及機件精密調節時使用。 | 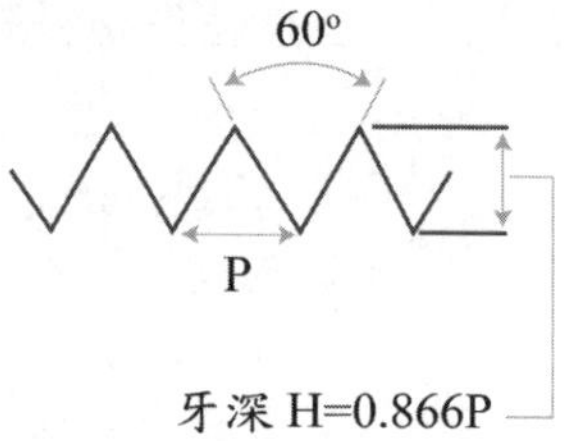 <br>牙深 H=0.866P |
| 美國標準螺紋 | 1.尖V型螺紋之改良，螺紋峰與根均製成$\frac{1}{8}$P寬的平面。<br>2.製造容易，螺紋角60°，牙深= $H - \frac{H}{8}$=0.6495P。<br>3.分為粗螺紋（NC）、細螺紋（NF）及特細螺紋（NEF）三級。 | 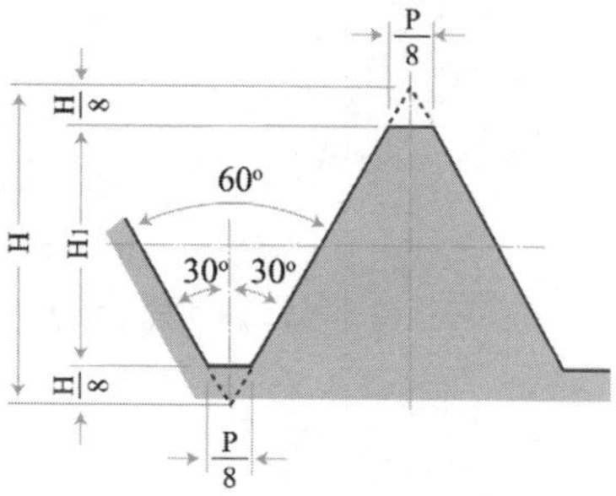 |
| 統一標準螺紋 | 1.基本上由美國螺紋所構成，牙根製成圓弧以增加螺紋強度。<br>2.牙峰製成平面或圓弧，螺紋角為60°，分為粗螺紋（UNC）、細螺紋（UNF）及特細螺紋（UNEF）三級。<br>3.外螺紋牙深=0.6134P，內螺紋牙深= 0.54125P | 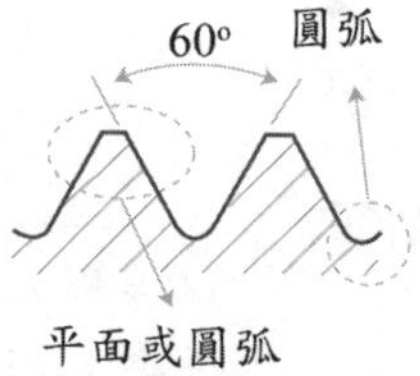 <br>60° 圓弧<br>平面或圓弧 |
| 國際公制標準(SI螺紋) | 1.我國訂此制為CNS標準，牙根製成圓弧以增加螺紋強度。<br>2.螺峰為平面，寬度為$\frac{1}{8}$P，以mm為單位，易於車削，螺紋角為60°。 | 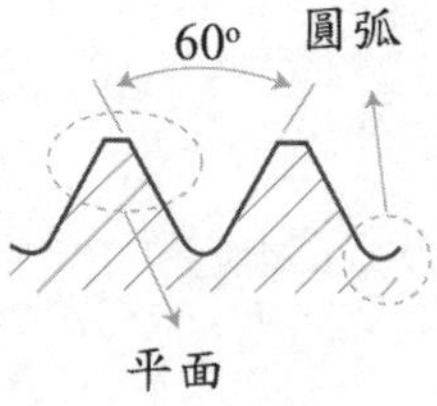 <br>60° 圓弧<br>平面 |

| | |
|---|---|
| 國際公制標準<br>(SI 螺紋) | 3.分粗螺紋系（粗牙）與細螺紋系（細牙）兩種，其螺紋之外徑與螺紋角均相同，僅螺距不同，粗螺紋用於一般用途上，細螺紋用於汽車及飛機等精密機械上。<br>4.外螺紋牙深＝0.65P，內螺紋牙深＝0.54125P | |
| 圓螺紋 | 峰與根呈半圓形，用於較粗糙之連結，如燈泡頭及橡皮管連接螺紋，不適於一般機件間之連接、鎖緊或動力傳送。 | 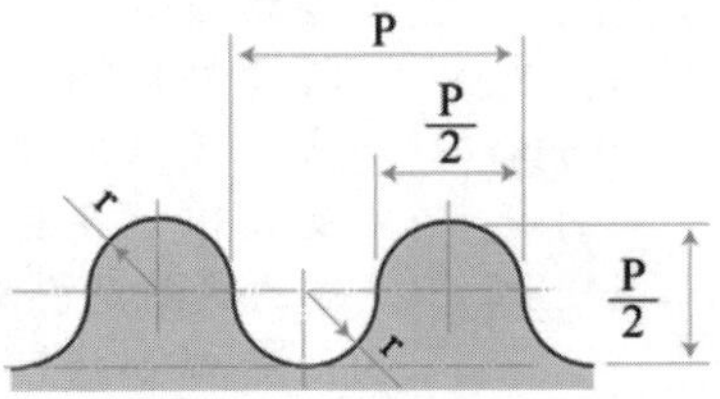 |

## (三) 傳動用之螺紋：

| 螺紋 | 說明 | 圖示 |
|---|---|---|
| 方螺紋 | 1.慢速較大動力之傳達，磨損較大，傳動效率僅次於滾珠螺紋。<br>2.僅能用車製或磨製，製造成本較高，如虎鉗螺桿。 | 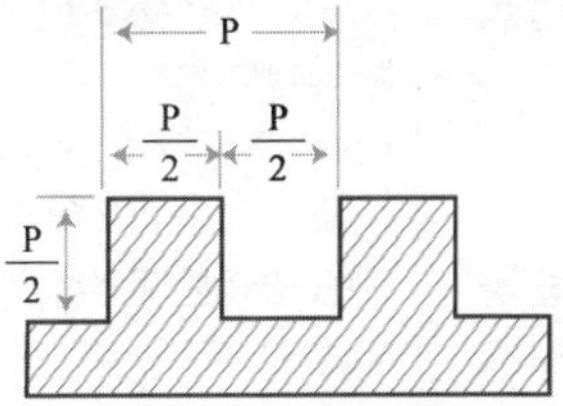 |
| 斜方螺紋 | 又稱鋸齒形螺紋，螺紋角為45°，斷面呈斜方形，多用於單方向動力的傳送，如螺旋千斤頂之螺桿。 | 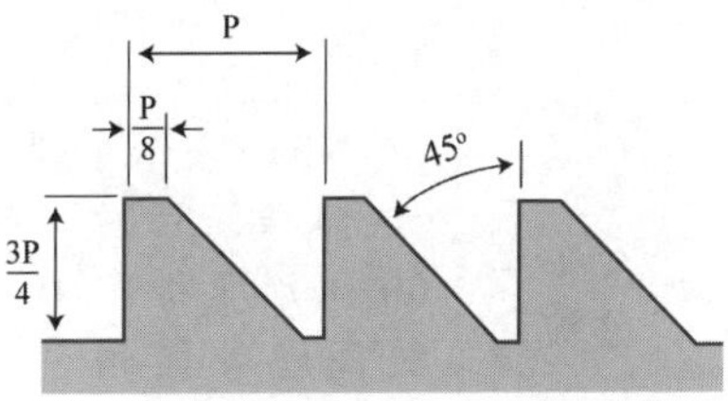 |
| 梯形螺紋 | 1.又稱愛克姆螺紋，用於輕、中動力的傳達工作，磨損後可藉對合螺帽來調整貼合，斷面呈梯形，分為公制（螺紋角30°）與英制（螺紋角29°）。 | 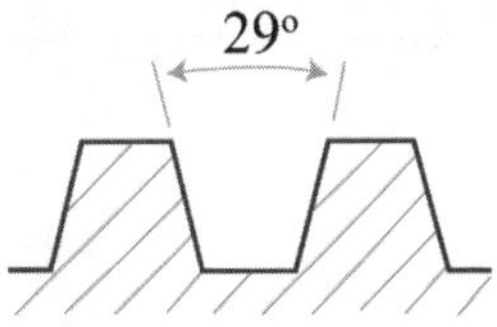 |

| | | |
|---|---|---|
| 梯形螺紋 | 2.效率較方螺紋稍低，但根部強度較大，較不易磨損，用於車床導螺桿。 | 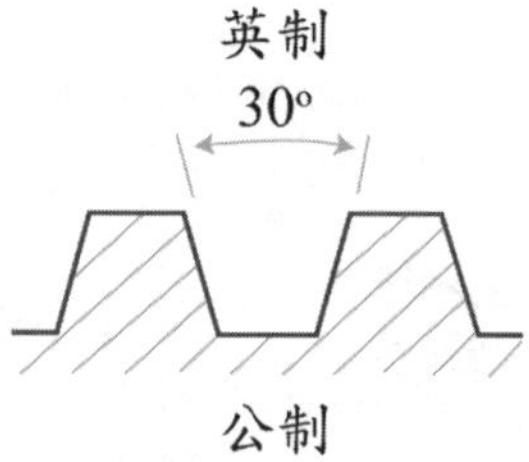英制<br>30°<br>公制 |
| 滾珠螺紋 | 1.由螺桿、螺帽、鋼珠、導螺管組成，又稱球承鋼珠螺紋。<br>2.作動方式為改變螺桿與螺帽間滑動接觸成為滾動接觸，具有較高的傳動精度、速度及效率，為目前工業上傳達動力最好的螺紋。<br>3.用於傳動精度要求甚高之數控工具機及機械手臂。 | 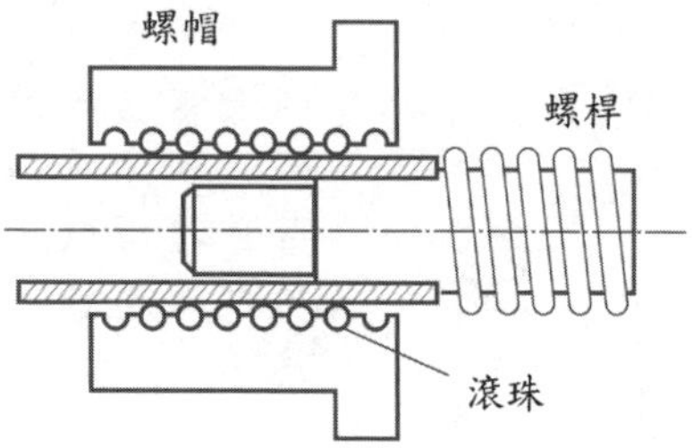螺帽<br>螺桿<br>滾珠 |

**(四) 管用螺紋：**

| 種類 | 說明 | 圖示 |
|---|---|---|
| 直管螺紋 | 以 NPS 表示，螺紋角為 55°，螺距較同直徑的普通螺紋較小，用於低壓管接頭或機油杯固定端，又稱為平行管螺紋。 | 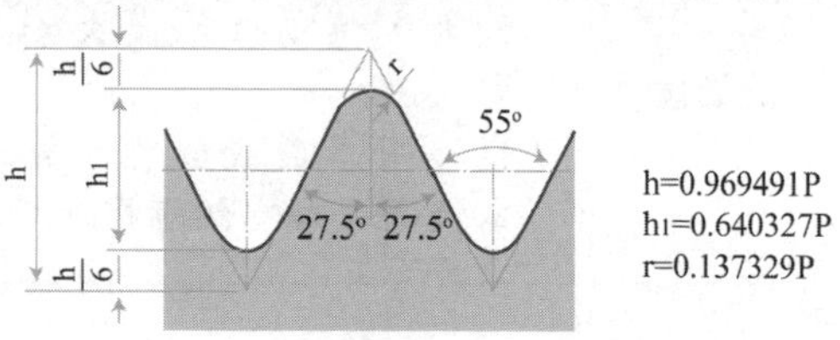h/6<br>r<br>55°<br>h<br>h1<br>27.5° 27.5°<br>h/6<br>h=0.969491P<br>h1=0.640327P<br>r=0.137329P |
| 斜管螺紋 | 以 NPT 表示，螺紋角大都為 55°，亦有 60°，錐度為 1：16，用於高壓管接頭，又稱錐形管螺紋。 | 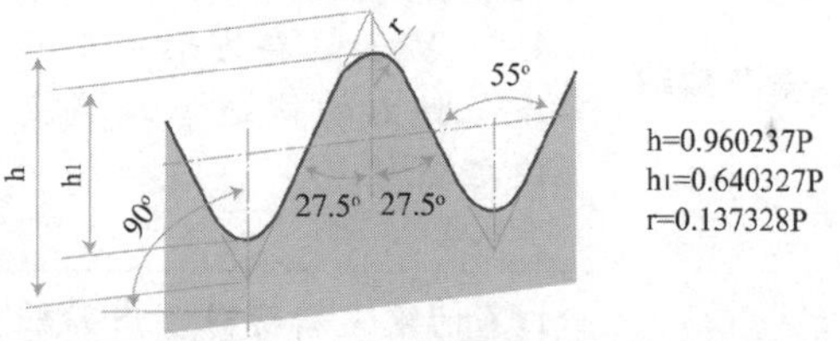r<br>55°<br>h<br>h1<br>90°<br>27.5° 27.5°<br>h=0.960237P<br>h1=0.640327P<br>r=0.137328P |

**(五) 公制螺紋表示法：** 公制螺紋之大小，以螺距(P)的大小表示，其單位為mm，公制螺紋之表示法如下：

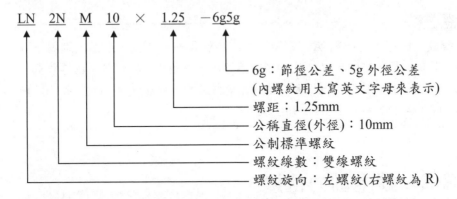

LN　2N　M　10　×　1.25　－6g5g

6g：節徑公差、5g 外徑公差
(內螺紋用大寫英文字母來表示)
螺距：1.25mm
公稱直徑(外徑)：10mm
公制標準螺紋
螺紋線數：雙線螺紋
螺紋旋向：左螺紋(右螺紋為 R)

**(六) 英制螺紋表示法：** 英制螺紋之大小，通常以螺紋上每吋長度有若干螺紋數表示，簡稱為「每吋牙數」，英制螺紋之表示法如下：

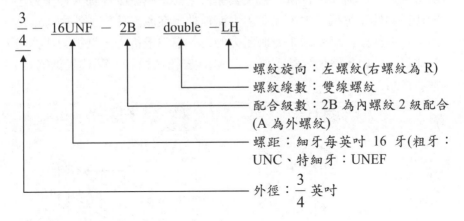

$\frac{3}{4}$ － 16UNF － 2B － double －LH

螺紋旋向：左螺紋(右螺紋為 R)
螺紋線數：雙線螺紋
配合級數：2B 為內螺紋 2 級配合
(A 為外螺紋)
螺距：細牙每英吋 16 牙(粗牙：UNC、特細牙：UNEF
外徑：$\frac{3}{4}$ 英吋

## 四、螺紋的功用

**(一) 連接及固定機件：** 用於連接兩個或兩個以上的機件，使其緊密接合，此類螺紋具有高強度、低效率，故大都用 V 型螺紋。

**(二) 傳達運動或動力：** 利用螺旋來傳達運動或動力，採用之螺旋效率越高越好，才能使機械利益增大，一般以滾珠螺紋效率最佳，方螺紋其次，斜方、梯形螺紋再次之。

**(三) 調整機件位置：** 利用螺紋來調整位置，改變效果，如機車利用螺旋調整鍊條之鬆緊，車床之刀座利用螺旋來調整進刀量之大小。

**(四)尺寸量測**：如螺旋測微器（分厘卡），利用精確之螺桿，使其旋轉一周即前進一個導程，藉以測定尺寸。

---

觀念說明

單螺紋：由螺紋上一點 A，同時平行旋繞於同一基柱上，沿螺紋旋轉一週後，其軸向移動的位置 AC 的距離，恰等於一螺距 P；複螺紋：由螺紋上一點 A，同時平行旋繞於同一基柱上，沿螺紋旋轉一週後，其軸向移動的位置 AC 的距離，恰等於兩螺距 P 以上者。

---

# ▼2-2 螺旋動力傳遞

## 一、機械利益與機械效率

**(一)機械利益**：任何一部機械，欲使其運轉，必須由原動件加入作用力，才能使從動件產生抵抗力，克服阻力而作功，在原動件施加的力，稱為作用力；在從動件產生用來克服阻力的力，稱為抵抗力，抵抗力與作用力的比值，則稱為機械利益，假設以 M 代表機械利益，W 代表抵抗力，F 代表作用力，則：

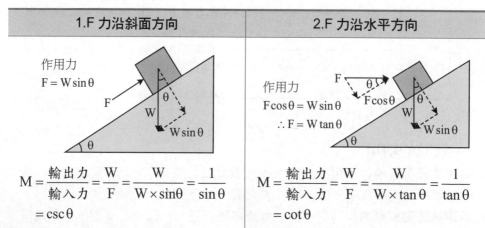

| 1.F 力沿斜面方向 | 2.F 力沿水平方向 |
|---|---|
| 作用力 $F = W\sin\theta$ | 作用力 $F\cos\theta = W\sin\theta$ $\therefore F = W\tan\theta$ |
| $M = \dfrac{輸出力}{輸入力} = \dfrac{W}{F} = \dfrac{W}{W \times \sin\theta} = \dfrac{1}{\sin\theta}$ $= \csc\theta$ | $M = \dfrac{輸出力}{輸入力} = \dfrac{W}{F} = \dfrac{W}{W \times \tan\theta} = \dfrac{1}{\tan\theta}$ $= \cot\theta$ |

**(二)機械效率：**一部機器，其能量功率利用的高低，一般以機械效率表示，
假設有一機械，輸入主動件的能量為 $E_F$，由從動件輸出的能量為 $E_W$，
其中由於摩擦所造成的能量損失為 $E_E$，若 $\eta$ 代表機械效率，則：

$$\eta = \frac{輸出功}{輸入功} = \frac{E_w}{E_F} = \frac{E_F - E_E}{E_F}$$

如圖 2.3(a)所示設以 $\eta$ 代表機械效率，W 代表抵抗力，F 代表作用力，則：

$$\eta = \frac{輸出功}{輸入功} = \frac{W \times L}{F \times \pi D}$$

**觀念說明**

1. 機械利益與機械效率不同，機械效率可判斷該機構能源損失，其值必小於
   1。機械利益可判斷該機構是否省力，當 M＞1 則：省力、費時，如螺旋
   起重機、滑車組；當 M＝1 則：不省時不省力，其目的為方便作功；當 M
   ＜1 則：費力、省時。
2. 數個機械組合使用時，其總機械利益等於個各機械利益連乘積；而總機械
   效率等於各機械效率連乘積，亦即：
   $$M = M_1 \times M_2 \times M_3 \times ... \times M_n$$
   $$\eta = \eta_1 \times \eta_2 \times \eta_3 \times ... \times \eta_n$$

## 二、螺旋傳動斜面原理

螺紋利用斜面分力原理達到省力效果，

**(一)方螺紋傳動之升高重物：**如圖 2.3(a)所示，一重為 W 的滑塊放在傾角為$\alpha$
的固定斜面上，已知滑塊與斜面間的靜摩擦係數 f，水平推力 F 可推動重
為 W 的重物上升，故其受力自由體圖如圖 2.3(a)所示，由平衡方程式

$$\sum F_x = 0 \quad \Rightarrow F\cos\alpha - W\sin\alpha - F_2 = 0$$
$$\sum F_y = 0 \quad \Rightarrow -F\sin\alpha - W\cos\alpha + N_2 = 0$$

若為方螺紋傳動，令 $\tan\beta = f$（其中 $\beta$ 表示摩擦角）

$$\Rightarrow F_2 = fN_2 = N_2 \tan\beta$$

$$\Rightarrow 解得 \quad F = W\frac{\sin\alpha + f\cos\alpha}{\cos\alpha - f\sin\alpha} = W \times \frac{\tan\alpha + \tan\beta}{1 - \tan\alpha\tan\beta} = W\tan(\alpha + \beta)$$

則扭矩 $T = F \times r_t = W \times r_t \times \tan(\alpha + \beta) = W \times r_t \times \dfrac{\tan\alpha + f}{1 - f\tan\alpha}$

**(二)方螺紋傳動之降下重物：** 如圖 2.3(b)所示，一重爲 W 的滑塊放在傾角爲 α的固定斜面上，已知滑塊與斜面間的靜摩擦係數 f，水平推力 F 可推動重爲 W 的重物上升，故其受力自由體圖如圖 2.3(b)所示，由平衡方程式

$$\sum F_x = 0 \Rightarrow F\cos\alpha + F_1 = W\sin\alpha$$

$$\sum F_y = 0 \Rightarrow -F\sin\alpha - W\cos\alpha + N_1 = 0$$

又因爲 $\tan\beta = f$（其中 $\beta$ 表示摩擦角）

$$\Rightarrow F_1 = fN = N\tan\beta$$

$\Rightarrow$解得 $(\alpha < \beta)$（方螺紋推重物下降）

扭矩 $T = F \times r_t = W \times r_t \tan(\alpha - \beta) = W \times r_t \times \dfrac{\tan\alpha - f}{1 + f\tan\alpha}$（方螺紋推重物下降）

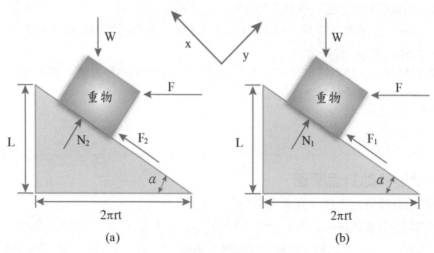

圖 2.3　螺旋動力傳遞斜面原理

**觀念說明**

傳動螺旋的自鎖條件，通常使用於在傳動螺紋之降下重物時 $(\alpha < \beta)$，以方螺紋爲例若 $f \le \tan\alpha$ 時，則 $T = W \times r_t \times \dfrac{\tan\alpha - f}{1 + f\tan\alpha} \le 0$，即扭矩 T 成爲零或負值，此時重物 W 會使螺紋自動旋轉而滑下，若欲使螺紋具有自鎖作用以避免重物下滑，螺紋表面之摩擦係數需要求爲 $f > \tan\alpha$。

## 三、螺旋之應用

| 螺旋之應用 | 公式 | 圖式 |
|---|---|---|
| 起重機 | 1.不計摩擦損耗：（輸入功＝輸出功）<br>$F \times 2\pi R = W \times L$<br>$$M = \frac{輸出力}{輸入力} = \frac{W}{F} = \frac{2\pi R}{L}$$<br>$F$ 旋轉一圈$= 2\pi R$<br>$W$ 所行之距離為一導程 $L$<br>2.考慮摩擦損耗<br>$$M = \frac{2\pi R}{L} \times (機械效率\eta)$$ | |
| 差動螺旋 | 螺旋機構中，螺旋方向相同且導程不同，稱之為差動螺旋，用於微量移動機構，機械利益(M)大<br>1.不考慮摩擦損失：<br>$$M = \frac{2\pi R}{\Delta L(導程差)} = \frac{2\pi R}{L_1 - L_2}$$<br>2.考慮摩擦損失：<br>$$M = \frac{2\pi R}{\Delta L(導程差)} \times \eta = \frac{2\pi R}{L_1 - L_2} \times \eta$$ | |
| 複式螺旋 | 螺旋機構中，螺旋方向相反且導程相同或不同，稱之為複式螺旋，用於需要快速移動之機構。<br>1.不考慮摩擦損失：<br>$$M = \frac{2\pi R}{\Delta L(導程和)} = \frac{2\pi R}{L_1 + L_2}$$<br>2.考慮摩擦損失：<br>$$M = \frac{2\pi R}{\Delta L(導程和)} \times \eta = \frac{2\pi R}{L_1 + L_2} \times \eta$$ | |

### 範例 2-1

有一螺旋千斤頂，手柄半徑為 200mm，螺桿導程為 10mm，若機械損失為 20%，當施力為 98N 時，可升起質量為多少之物體？（重力加速度為 9.8 m/sec²）【普考】

解 $\eta = (1-0.2) = \dfrac{W \times L}{F\pi d} = \dfrac{W \times L}{2\pi \times T} \Rightarrow 0.8 = \dfrac{W \times 10}{2\pi \times (98 \times 200)}$

$\Rightarrow W = 9852(N) = 1004.3(kg)$

---

### 範例 *2-2*

設某螺旋起重機之螺旋係一雙線螺旋,螺距為 5mm。如柄長為 50cm,設加於柄端上之外力為 20kg,則可起重若干?

解 $L = 2 \times P = 2 \times 5 = 10mm = 1cm$ , $R = 50cm$ , $F = 20kg$

$Ma = \dfrac{W}{F} = \dfrac{2\pi R}{L}$ , $\dfrac{W}{20} = \dfrac{2 \times 3.14 \times 50}{1}$

$\therefore W = \dfrac{20 \times 2 \times 3.14 \times 50}{1} = 6280\,kg$

---

### 範例 *2-3*

螺旋為斜面原理的應用,又稱為螺紋,請回答下列問題:

(一)L-3N-M40×2-1為螺紋之標註方法,請寫出各標註之詳細涵義。

(二)假設螺紋之導程角表示為 α,螺桿直徑表示為 D,請寫出導程 L 與 α 及 D 的關係式?

(三)一個 M10×1.5 之雙線螺紋,當每轉一圈則螺紋導程為多少 mm?

(四)如圖所示的螺桿機構,假設 L1、L2 分別為導程 10mm 和 5mm 之右螺旋,可使滑板 S 上下運動,欲使滑板下降 15mm,試求手輪需迴轉的圈數及方向?【103 中央造幣廠】

解 (一) L-3N-M40×2.0-1

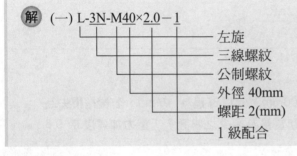

左旋

三線螺紋

公制螺紋

外徑 40mm

螺距 2(mm)

1 級配合

(二) $\tan\alpha = \dfrac{L}{\pi D}$

(三) $1.5\times2 = 3(mm)$

(四) $\dfrac{15}{L_1 - L_2} = 3$（圈）向右

## 範例 2-4

有一方牙之螺旋起重機，螺桿之節圓直徑為 40mm、導程為 8mm、手柄施力臂長 200mm，若重物重 3000N，螺牙面之摩擦係數為 0.2，試求舉升時所需之最小施力、機械利益，以及機械效率。

**解** $L = 2\times P = 2\times5 = 10mm = 1cm$，$R = 50cm$，$F = 20kg$

導程角 $\lambda = \tan^{-1}\dfrac{L}{\pi\cdot d_m} = \tan^{-1}\dfrac{8}{\pi\cdot40} = 0.063\,(rad)$

$T = F\times R = P\times\dfrac{d_m}{2} = W\tan(\lambda+\phi)\times\dfrac{d_m}{2} = F\times200 = 3000\tan(0.197+0.063)\times\dfrac{40}{2}$

最小施力 F=79.8(N)

機械利益 $M = \dfrac{W}{P} = 3.76$

機械效率 $\eta = \dfrac{\tan(0.063)}{\tan(0.197+0.063)} = 23.72\%$

# ▼2-3　螺栓與螺釘

## 一、螺栓與螺釘的差異

| | 螺栓 | 螺釘 |
|---|---|---|
| 直徑 | 6.35mm 以上 | 6.35mm 以下 |
| 螺桿 | 部分不具螺紋 | 整體皆具螺紋 |
| 承受負載 | 大 | 小 |
| 應用 | 常須與螺帽配合鎖緊 | 不須與螺帽配合鎖緊，具備有螺釘頭施以扭矩 |

## 二、螺栓的種類與用途

| 種類 | 用途 | 圖示 |
|---|---|---|
| 貫穿螺栓 | 適用於二機件鑽有通孔且螺帽可留在機件外端,用於常需拆卸之處,可不需在連接件上製螺紋。 | 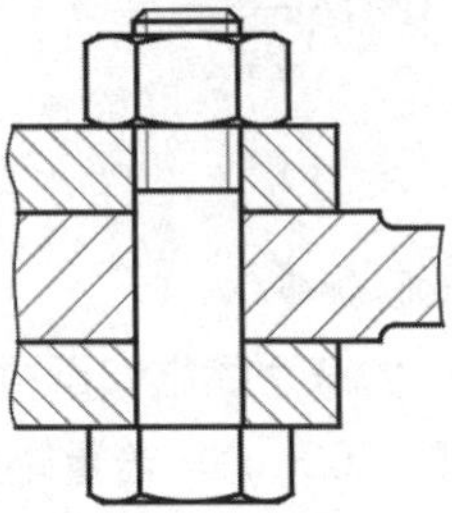 |
| 帶頭螺栓 | 不需螺帽,安裝時穿過薄機件而旋入厚機件,不宜時常拆裝,適合用於薄件不常拆卸處。 | 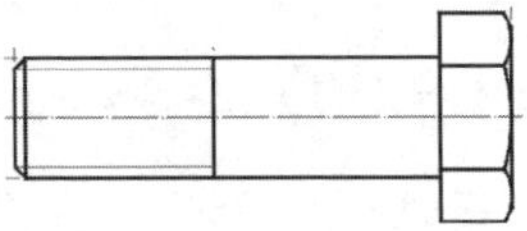 |
| 柱頭螺栓 (螺椿) | 螺桿的兩端皆有螺紋,其中一端鎖固於機件的陰螺孔中,另一端則貫穿配合件,再以螺帽鎖緊,用於不適宜用貫穿螺栓處,如汽缸蓋。 | 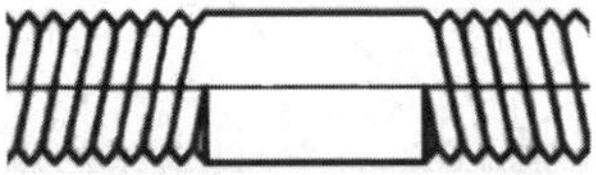 |
| 環首螺栓 | 用於需吊起機械的場合。 | 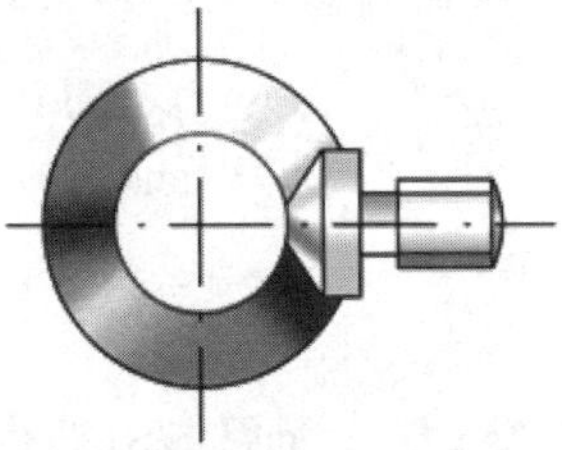 |
| T型螺栓 | 頭部四角的螺栓,頭部深入於槽中,鎖緊螺帽,常用於銑床虎鉗、鉋床虎鉗與床台之固定螺栓。 | 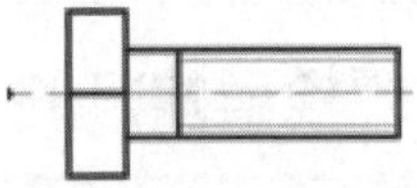 |

## 三、螺釘的種類與用途

| 種類 | 用途 | 圖示 |
|------|------|------|
| 帽螺釘 | 用於較輕機件接合，不需使用螺帽，用以固定機件時，該機件上須備有螺紋孔。 | 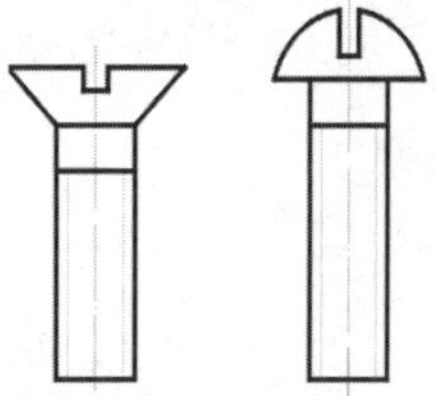 |
| 自攻螺釘 | 硬化鋼製成，螺釘的前端具有斜度，於旋緊時可自動攻出孔螺紋，因此較為經濟，適用於軟金屬、塑膠以及薄鐵板之連接工作。 | 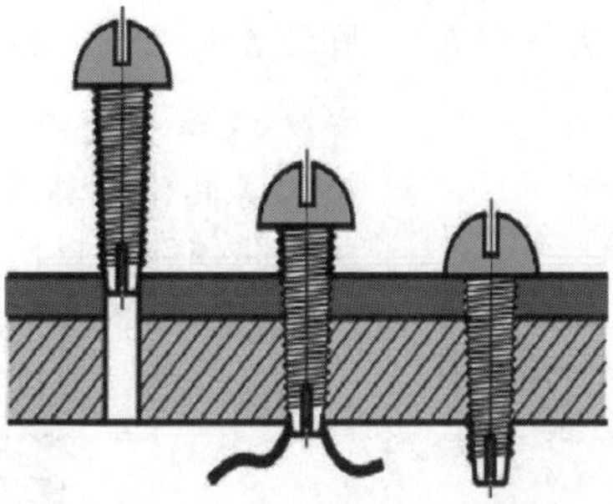 |
| 固定螺釘(定位螺釘) | 硬化鋼製成，阻止兩機件間的相對運動，避免圓形機件與孔發生相對的滑動。 | 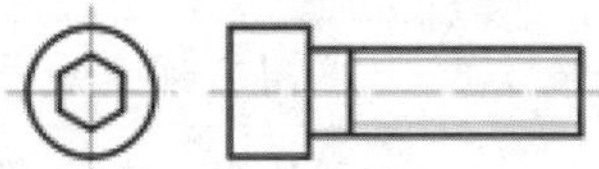 |
| 肩頭螺釘 | 僅在螺釘的前端比圓柱直徑略小處有螺紋而已，常用於鉋床、衝床之拍擊箱。 | 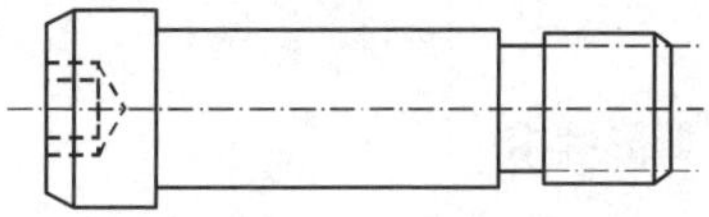 |
| 木螺釘 | 用於機械零件與木質體的連接，螺釘的前端為尖形可產生自攻的作用。 | 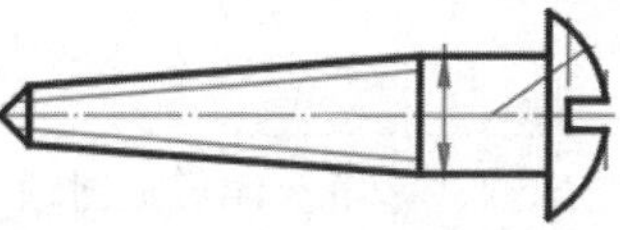 |

## 四、螺帽的種類與用途

(一) **螺帽種類**：螺旋連接的機件，如果持續處於振動的情況，或是承受反覆變動的負載時，常會有鬆脫的現象，因此需要一個鎖緊裝置，以確保螺旋扣接件能發揮連接機件之功能，因此需要螺帽鎖緊裝置。

| 種類 | 用途 |
|---|---|
| 六角螺帽 | 使用最多之螺帽，螺帽外觀成六角形，依負荷之大小分成一般級與重力級兩種。一般級：螺帽厚度 H＝0.8D，對邊寬度 B＝1.5D。重力級：螺帽厚度 H＝D，對邊寬度 B＝1.5D+3.2mm。 |
| 方形螺帽 | 製造容易，用於輕負荷小螺釘之固定。 |
| 堡形螺帽（有槽螺帽） | 有防鬆的功效外型如皇冠，螺帽上開數條槽孔以配合安裝開口銷，當其鎖在具有銷孔之螺栓後，使槽孔對準銷孔，插過開口銷並彎開銷腳，以防止螺帽因震動而鬆脫。 |
| 凸緣螺帽 | 螺帽底部製成凸緣，可增加接觸面積而增大鎖緊力。 |
| 翼形螺帽 | 可快速拆卸，常用於較輕負載螺栓接合。 |
| 蓋頭螺帽 | 其一端製成圓頭，成為封閉形，常用於防止水和油的洩漏或滲入處。 |

(二)**螺帽鎖緊的方法（防止螺栓連接鬆動的方法）**：螺帽鎖緊的方法主要分
為摩擦阻力鎖緊裝置及確閉鎖緊裝置兩種類：

1. **摩擦阻力鎖緊裝置**：靠著機件間的摩擦力使螺帽不鬆脫，用於小負荷螺
   旋連接的場合。

| 種類 | 說明 | 圖示 |
|------|------|------|
| 鎖緊<br>螺帽 | 在原有的螺帽上再加裝一螺帽，然後旋緊，上方的螺帽通常較下方的螺帽厚，$T = \dfrac{7}{8}D$，$T_1 = \dfrac{1}{2}D \sim \dfrac{7}{8}D$。 | 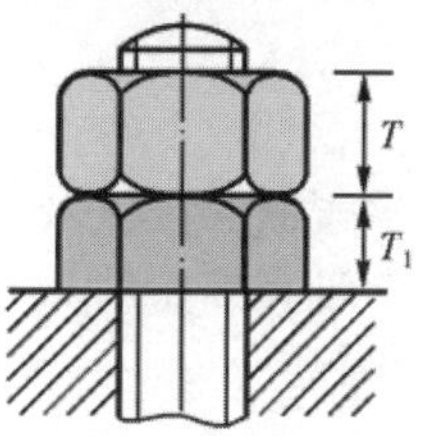 |
| 彈簧鎖<br>緊墊圈 | 在螺帽下方墊一彈簧墊圈，當螺帽鎖緊時，利用它的彈力把螺帽頂住，而增加鎖緊力量。 | 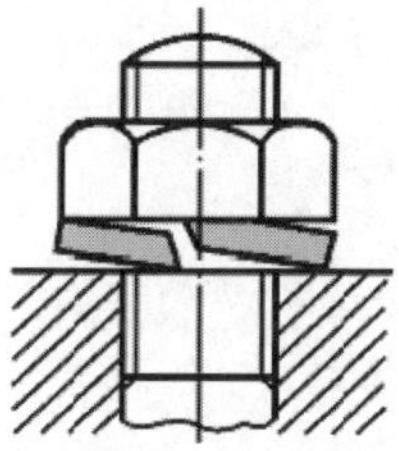 |
| 槽縫<br>螺帽 | 先在螺帽頂端攻一小螺紋孔，並製有內螺紋，於小孔側邊鋸一槽，再使用固定螺釘旋緊。 | 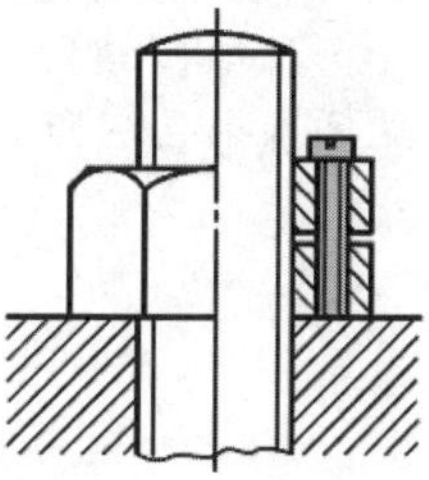 |
| 鎖緊<br>螺釘 | 在螺帽一側使用固定螺釘壓入一銅片，以防止螺紋受損，並增加其摩擦阻力。 | 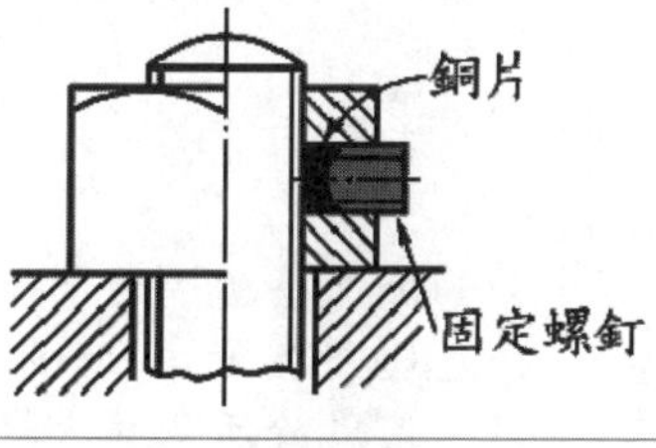 |
| 彈性鎖<br>緊螺帽 | 將一纖維環套入螺帽內處，當螺帽鎖緊時，便藉其彈性增加螺紋間的阻力，不致鬆脫。 | 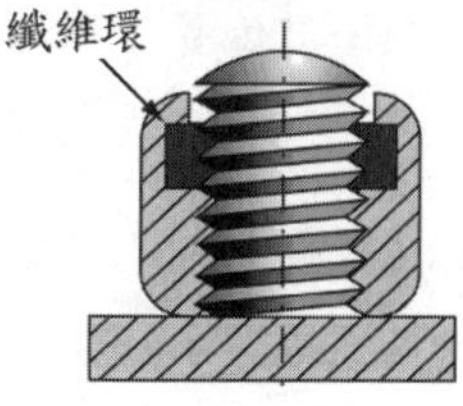 |

## 2. 確閉鎖緊裝置：

| 種類 | 說明 | 圖示 |
|------|------|------|
| 開口銷 | 螺帽鎖緊後，於螺栓上鑽一孔，以銷穿入阻止螺帽的鬆脫。 | 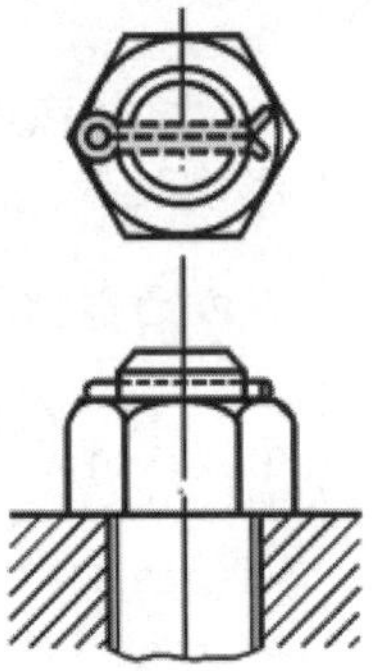 |
| 彈簧線鎖緊 | 在螺帽上製成圓形槽，並需鑽六個小孔，當螺帽鎖緊後將彈簧線套入圓槽，並插入小孔內阻止螺帽的鬆脫。 | 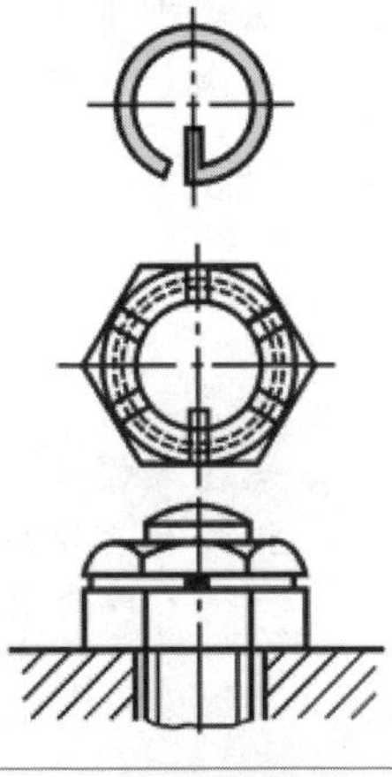 |
| 上彎墊圈 | 又稱翻上墊圈、舌形墊圈，當螺帽鎖緊後，將墊圈彎成 N 形，以阻止螺帽鬆退，使用於活塞等大螺帽，螺帽可固定於任何位置，螺栓不會減少強度。 | 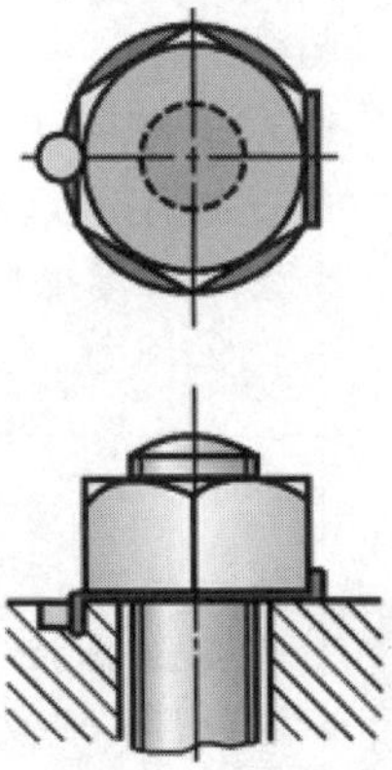 |

## 五、螺栓與螺帽各部分名稱及尺寸

| 名稱 | 正級螺栓及螺帽 | 重級螺栓及螺帽 |
|---|---|---|
| 螺栓頭及螺帽對邊的寬度(W) | $\frac{3}{2}D$ | $\frac{3}{2}D+3mm$ |
| 螺栓高度(厚度) | $\frac{2}{3}D$ | $\frac{3}{4}D$ |
| 螺帽厚度 | $\frac{7}{8}D$ | $D$ |

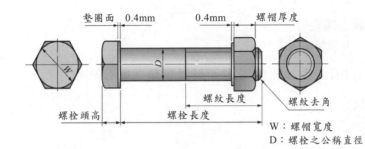

圖 2.4　螺栓與螺帽各部分名稱

## 六、螺栓規格標註

### (一)公制標註

　頭部形狀　級制　加工類型　螺紋規範　配合等級

1. 六角螺栓　重級　加工　M6×1.5×30－2　黃銅

　　(1)M6×1.5×30：M6×1.5 表示公制細螺紋，螺栓外徑（公稱直徑）
　　　6mm，螺距 1.5mm，30 表示螺栓長度 30mm

　　(2)2：表示 2 級配合。

2. 方形螺栓　不加工　M10×40　六角螺帽

　　(1)M10×40：M10 表示公制粗螺紋，螺栓公稱直徑 10mm，40 表示螺栓
　　　長度 30mm。

　　(2)未標註級制表示為正級。

### (二)英制標註

螺紋規範　配合等級　螺紋長度　級制　加工類型　頭部形狀

1. $\frac{1}{2}$×3－13 UNC－1　重級　加工　六角螺栓

(1) $\frac{1}{2}$：表示英制螺紋，螺栓外徑（公稱直徑）$\frac{1}{2}$吋。

(2) 3：表示螺栓長度 3 吋。

(3) 13：表示每吋牙數，即每吋 13 牙（螺距為$\frac{1}{13}$吋）。

(4) UNC：表示粗螺紋。

(5) 1：表示 1 級配合。

2. 左　　2 條　　$\frac{1}{2}$－13NC－2A×1$\frac{1}{2}$　　正級　　半加工　　六角螺栓

(1) 左：表示螺旋方向。

(2) 2 條：表示雙線螺紋。

(3) $\frac{1}{2}$－13NC：表示螺紋規範，英制螺紋，螺栓外徑$\frac{1}{2}$吋，每吋 13
牙，粗牙。

(4) 2A：外螺紋 2 級配合。

(5) 1$\frac{1}{2}$：表示螺紋長度 1$\frac{1}{2}$吋。

## 七、螺栓鎖緊方法

(一) 圓型排列螺栓鎖緊，採對角鎖緊。鎖緊順序為 1-4-2-5-3-6，並分次鎖
緊，如圖(a)所示。

(二) 線型排列螺栓鎖緊，應由中央向外兩側交替鎖緊並分次鎖緊。鎖緊順序
為 4-3-5-2-6-1-7，如圖(b)所示。

(三) 機件上有大小不同之螺栓鎖緊時，應先鎖大螺栓，再鎖小螺栓。

(四) 機件上有大小不同之螺栓拆卸時，應先拆小螺栓，再拆大螺栓。

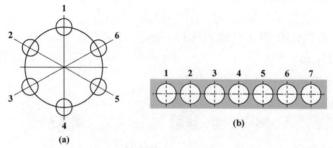
(a)　　(b)

## ▼2-4　墊圈

### 一、墊圈功用

墊圈又叫華司，當機件連接時，在螺帽下加裝一金屬或非金屬薄片者稱爲墊圈。墊圈的功用如下：

(一)當連結材料較軟，而不能承受過大的壓力時，可用墊圈來增加適當的承面，並減少單位面積上所受的壓力。

(二)可增加摩擦面減少鬆動。

(三)釘孔太大時，可用墊圈來補救。

(四)在表面粗糙或傾斜時，可用墊圈作承面。

### 二、墊圈的種類與用途

| 種類 | 用途 |
|---|---|
| 普通墊圈 | 又稱**平墊圈**，圓形最常用。<br>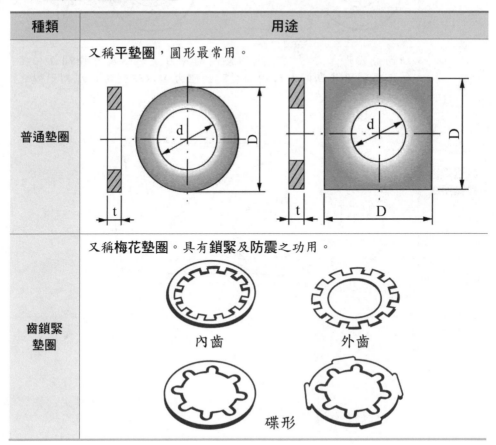 |
| 齒鎖緊墊圈 | 又稱**梅花墊圈**。具有**鎖緊**及**防震**之功用。<br>內齒　　　　外齒<br>碟形 |

| 種類 | 用途 |
|------|------|
| 彈簧墊圈 | 利用彈簧之彈性力來增加螺帽回鬆阻力以防止螺帽鬆脫。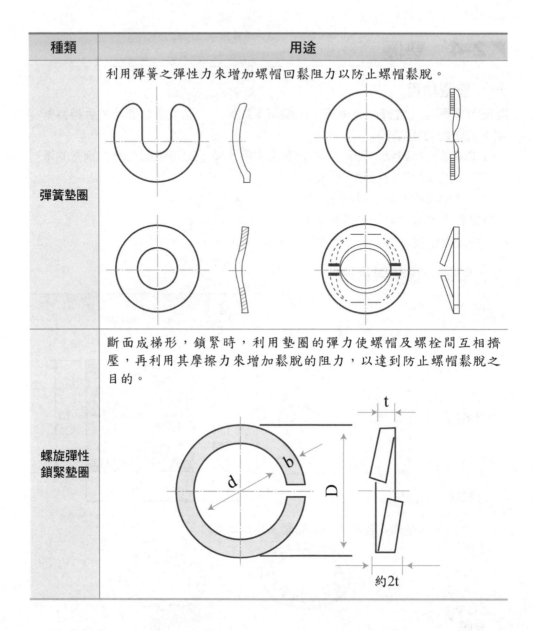 |
| 螺旋彈性鎖緊墊圈 | 斷面成梯形，鎖緊時，利用墊圈的彈力使螺帽及螺栓間互相擠壓，再利用其摩擦力來增加鬆脫的阻力，以達到防止螺帽鬆脫之目的。 |

# ❖精選試題❖

## 一、選擇題型

( ) **1** 在常需鬆卸之處所用的螺帽為： (A)堡形螺帽 (B)環首螺帽 (C)翼形螺帽 (D)蓋頭螺帽。【普考】

( ) **2** 螺紋基本上與下列何種機械原理的功能類似？ (A)槓桿 (B)滾動 (C)斜面 (D)摩擦。【普考】

( ) **3** 下列何者不是螺旋的主要功用？ (A)鎖緊機件 (B)調整機件的距離 (C)緩和衝擊 (D)傳達動力。

( ) **4** 一螺旋線旋繞於一圓柱表面，此圓柱之直徑為 D，此螺旋線之導程為 L，導程角（leadangle）為 30°，螺旋角（helix angle）為 60°，則下列何者正確？

(A)$\tan30° = \dfrac{L}{\pi D}$ (B)$\tan60° = \dfrac{L}{\pi D}$

(C)$L = \pi D\cot30°$ (D)$L = \pi D\cos30°$。

( ) **5** 一螺栓標註 M15×1.5×30，其中 "30" 代表 (A)螺栓高度 30mm (B)螺距 30mm (C)螺栓公稱直徑 30mm (D)螺栓長度 30mm。

( ) **6** 螺紋為 L－2N－M8×1－1，則下列何者正確？ (A)左螺紋 (B)英制螺紋 (C)三螺線 (D)螺紋大徑為 1mm。

( ) **7** 雙紋螺旋旋轉一圈時，其前進之距離為節距(pitch)之： (A)四分之一 (B)一半 (C)兩倍 (D)四倍。【普考】

( ) **8** ISO 公制螺紋之螺紋角，其角度為何？ (A)50° (B)55° (C)60° (D)65°。【普考】

( ) **9** 下列螺栓中，何者為兩端均有螺紋之桿狀螺栓？ (A)鍵式螺栓 (B)貫穿螺栓 (C)柱頭螺栓 (D)環首螺栓 (E)地腳螺栓。

( ) **10** 下列何種螺帽常使用在需拆卸之處？ (A)堡形螺帽 (B)環首螺帽 (C)蓋頭螺帽 (D)翼形螺帽。

(　　) **11** 螺桿之節圓柱直徑為 D，導程為 L，則其導程角為：

(A)$\tan^{-1}(\pi D/L)$　　　(B)$\sin^{-1}(\pi D/L)$

(C)$\cos^{-1}(\pi D/L)$　　　(D)$\tan^{-1}(L/\pi D)$。【普考】

(　　) **12** 若某雙線螺紋之導程為 L，螺距為 P，則 L 與 P 之關係為：
(A)$L=\dfrac{P}{2}$　(B)$L=P$　(C)$L=2P$　(D)$L=3P$。

(　　) **13** 一般電燈泡頭上的螺紋為：　(A)圓(形)螺紋　(B)方(形)螺紋
(C)梯形螺紋　(D)V 形螺紋。

(　　) **14** 螺旋導程(lead)之定義為：　(A)螺旋牙頂到牙底之距離　(B)螺
旋旋轉一圈時其前進之距離　(C)螺旋之最大直徑　(D)螺旋線之
總長度。【普考】

(　　) **15** 有一 L，3，M12×1.75×100 之公制螺栓，則下列何者正確？
(A)外徑為 12mm　(B)牙深為 1.75mm　(C)螺紋線總長為 100mm
(D)右旋螺栓。【普考】

(　　) **16** 螺紋記號 M10×1.5 表示螺距為：　(A)M　(B)10　(C)1.5
(D)X。【普考】

(　　) **17** 下列何者不是防螺帽鬆脫的方法？　(A)螺帽穿銷鎖固定　(B)
使用翼形螺帽　(C)使用螺旋彈性鎖緊墊圈　(D)在螺帽上鎖一
螺帽。【普考】

(　　) **18** 如圖所示，螺旋之導程為 10mm，迴轉半
徑 R 為 25cm，摩擦的損失為 20%，則以
20N 之力 F 能旋起懸於 B 螺旋套上之重物
W 多少 N？（註：$\pi \fallingdotseq 3.14$）　(A)3140
(B)2512　(C)3000　(D)3500。

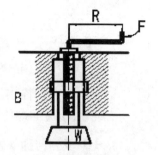

(　　) **19** 下列有關螺旋功用的敘述，何者不正確？　(A)連接機件　(B)傳
達運動或動力　(C)減少摩擦　(D)可作尺寸量測之用。

（　）**20** 有一四線螺紋，其螺距為 2mm，設導程角（lead angle）為 $\alpha$，已知 $\tan\alpha = \dfrac{1}{3\pi}$，則節圓直徑為多少 mm？　(A)8　(B)12　(C)16　(D)24。

（　）**21** 螺距為 3mm 之三線螺紋，當螺桿轉動半圈時，螺帽前進 (A)0.5　(B)1.5　(C)3　(D)4.5　mm。

（　）**22** 有一雙線螺紋，螺距為 2mm，節圓直徑為 20mm，導程角為 θ，則 $\tan\theta=$？　(A)$\dfrac{5}{\pi}$　(B)$\dfrac{4}{\pi}$　(C)$\dfrac{1}{5\pi}$　(D)$\dfrac{1}{10\pi}$。

（　）**23** 一螺栓規格之標註為 M10×1.5×40，表示：　(A)外徑為 10mm　(B)公稱直徑為 40mm　(C)螺栓長度為 10mm　(D)螺距為 10mm。

（　）**24** 有一螺旋起重機，螺旋之導程為 10mm，手柄作用之力臂為 300mm，摩擦損失為 20%，則此起重機之機械利益為多少？ (A)12π　(B)24π　(C)36π　(D)48π。

（　）**25** 三線螺紋每轉一周可前進 12mm，則螺距為多少 mm？　(A)3　(B)4　(C)6　(D)12　mm。

（　）**26** 下列標註何者屬於統一螺紋細牙？　(A)M10×1.5×60　(B)$\dfrac{7''}{8}-$14NF　(C)$\dfrac{7''}{8}-$14UNF　(D)$\dfrac{7''}{8}-$14UNC。

（　）**27** 統一標準螺紋「1/2－13UNC－2A－LH」以下何者正確？　(A)每 1/2 吋 13 牙粗牙　(B)雙線外螺紋　(C)外徑 2 吋　(D)左螺紋。

（　）**28** 欲將上下兩片各 12mm 厚之鋼板以貫穿螺栓（through bolt）及螺帽鎖緊，已知螺栓之規格為 M12×1.75，螺帽厚度 12mm，則螺栓長度最少應為多少 mm？　(A)12　(B)16　(C)24　(D)36。

（　）**29** 當零件的孔較大而螺帽接觸面較小時，或者連結材料較軟，不能承受過大的壓力時，應該以何法增加鎖緊力？　(A)加上墊圈　(B)加入銅絲於螺絲間　(C)有槽螺帽鎖緊　(D)以上皆可。

(　　) **30** 註記 1/2 重級平墊圈，其中 1/2 係指墊圈之　(A)內徑　(B)厚度　(C)外徑　(D)重量。

(　　) **31** 墊圈底座螺帽（公制凸緣螺帽），於螺帽底有較大承座，其目的爲　(A)便利東西勾住　(B)自動對準中心　(C)使螺帽易於拆卸　(D)鎖緊時增加鎖緊力。

(　　) **32** 下列有關墊圈之敘述，何者錯誤？　(A)普通墊圈可增加受力面積　(B)齒鎖緊墊圈具有防鬆作用　(C)彈簧墊圈又稱爲梅花墊圈　(D)普通墊圈又稱爲平墊圈。

(　　) **33** 下列螺紋中，何者具有較高的傳動精度、速度及效率？　(A)V形螺紋　(B)梯形螺紋　(C)滾珠螺紋　(D)圓螺紋。

(　　) **34** 下列何者不是應用於傳達運動的機件？　(A)皮帶　(B)墊圈　(C)齒輪　(D)凸輪。

(　　) **35** 一螺栓標註 $\frac{5"}{8} \times 3 - 11UNC - 2$，下列註解何者正確？　(A)$\frac{5}{8}$ 表公稱內徑 $\frac{5}{8}$ 吋　(B)「3」表螺栓長度爲 3 吋　(C)「11」表表公稱外徑　(D)「UNC」表統一細牙螺紋。

(　　) **36** 蓋頭螺帽的特性爲？　(A)自動對準中心　(B)防止水和油的洩漏或滲入　(C)便利東西勾住　(D)增加鎖緊。

(　　) **37** 下列何種螺帽具有防鬆的功效　(A)槽形螺帽　(B)環首螺帽　(C)蓋頭螺帽　(D)翼形螺帽。

(　　) **38** 衝床刮屑板處常用的螺釘爲　(A)帽螺釘　(B)肩頭螺釘　(C)自攻螺釘　(D)固定螺釘。

(　　) **39** 有一螺旋千斤頂，其螺桿爲雙螺紋，螺距爲 10mm，手柄作用之力臂爲 200mm，已知此千斤頂之機械利益爲 12π，則其機械效率爲多少%？　(A)40　(B)50　(C)60　(D)75。

(　　) **40** 螺旋起重機之手柄半徑爲 R，螺紋導程 P，假設摩擦不計，則其機械利益約爲　(A)$\frac{\pi R}{P}$　(B)$\frac{2\pi R}{P}$　(C)$\frac{P}{2\pi R}$　(D)$\frac{P}{\pi R}$。

( ) **41** 設某螺旋起重機之螺旋係一雙線螺旋，螺距爲 5mm、柄長爲 30cm，設加於柄端上之外力爲 10kg，則可起重若干？ (A)1884　(B)942　(C)300　(D)600　kg。

( ) **42** 螺旋起重機槓桿臂長 200cm，今欲以 20kg 的力舉起 6280kg 之重物，則導程爲若干公分？　(A)1　(B)2　(C)3　(D)4。

( ) **43** 螺旋起重機之導程爲 L＝1cm，手柄長爲 100cm，求其機械利益爲 (A)1　(B)100　(C)628　(D)528。

( ) **44** 螺旋起重機之導程爲 L、曲柄半徑爲 R，機械效率爲 50%，則機械利益爲 (A)$\frac{R}{L}$　(B)$\frac{\pi R}{L}$　(C)$\frac{2\pi R}{L}$　(D)$\frac{L}{\pi R}$。

( ) **45** 一螺旋之導程爲 1.5cm，若加於手柄端之力爲 10kg，手柄長爲 60cm，摩擦損失 20%，則此螺旋起重機能承受若干公斤之負荷？　(A)2010　(B)6028　(C)4020　(D)2513。

( ) **46** 一馬達驅動一引擎系統，若是引擎的機械效率爲 85%，馬達的機械效率爲 90%，則二者在一起使用時機械效率爲 (A)100　(B)1.5　(C)76.5　(D)85.5　%。

( ) **47** 有一複式螺旋，其導程 $L_1$=8mm 右旋螺紋，$L_2$=6mm 左旋螺紋，若此複式螺旋迴轉一周，則螺帽移動多少 mm？　(A)2mm　(B)4mm　(C)6mm　(D)14mm。

( ) **48** 若有一螺旋裝置，導程 $L_1$=12mm、$L_2$=8mm 同爲右旋螺紋，若工作者立於手柄端順時針方向旋轉一周時，從動件移動的距離爲 (A)12　(B)8　(C)4　(D)2　mm。

( ) **49** M12×1.75 ISO 4.8 Hex head bolt，關於此一螺絲哪一個描述不對？　(A)公制螺絲　(B)材料等級爲 4.8　(C)螺絲內徑 12mm　(D)螺紋間距 1.75mm。【103 北捷】

( ) **50** 螺絲鎖付裝置如右圖所示，如果螺帽多鎖緊一圈，該螺絲內部承受何種應力爲何？
(A)壓應力　　　　(B)拉與壓應力
(C)拉應力　　　　(D)熱應力。【103 北捷】

( ) **51** 若一機械之機械效率 82%，今欲將一 100kg 之物體以機器升高 40m，需作功若干 kg・m？ (A)5000 (B)4878 (C)4706 (D)4000。【103 北捷】

( ) **52** 一螺栓標註 M16×1.5×50-1，式中 16 表示 (A)螺栓長 16mm (B)螺栓公稱直徑 16mm (C)螺紋長度 16mm (D)螺距 16mm。【103 北捷】

( ) **53** 如右圖之螺旋起重機，已知導程 為 12 公釐，R=120 公分，假設在 把手上加力 50 公斤，若無摩擦損 失，試問能舉起重物 W 為若干公 斤？

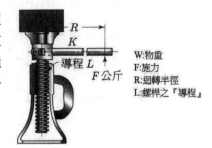

(A)31400 (B)3140
(C)37680 (D)3768。【103 北捷】

( ) **54** 一螺紋之標示為「L-2N M10×1.25-2」，請問其中 1.25 所代表的 是： (A)螺紋外徑 (B)螺紋節徑 (C)螺紋深度 (D)螺紋螺 距。【103 桃捷】

( ) **55** 以吊車吊起銑床時，可將何種螺栓鎖於銑床上方以利作業？ (A)環首螺栓 (B)貫穿螺栓 (C)帶頭螺栓 (D)柱頭螺栓。【103 桃捷】

( ) **56** 以螺栓將兩模具模板鎖緊固定一起時，若需達到準確的相對位 置時，可於鑽孔後打入什麼樣的「銷」？ (A)彈簧銷 (B)定位 銷 (C)開口銷 (D)快釋銷。【103 桃捷】

( ) **57** 一螺旋起重機之導程為 20mm，手柄長（力臂）為 20cm，作用 於手柄上的力為 50N，不計摩擦損失，則能舉起之重量為若 干？ (A)314N (B)628N (C)3140N (D)6280N。【103 桃捷】

( ) **58** 適合用於防止油及水洩漏為何種螺帽？ (A)環首螺帽 (B)翼形 螺帽 (C)四角螺帽 (D)蓋頭螺帽。【103 桃捷】

( ) **59** 關於螺旋之敘述，下列何者錯誤？ (A)螺旋為斜面之運用，又稱 螺紋 (B)導程角為節徑上螺旋線之切線與軸心線所夾之角度 (C)

　　　　在工廠中所稱之螺紋直徑是指螺紋的外徑　(D)統一標準螺紋分為
　　　　粗螺紋（UNC）、細螺紋（UNF）、特細螺紋（UNEF）三級。【103
　　　　桃捷】

( 　 ) **60** 下列何種螺紋用於虎鉗的螺桿應用？　(A)方螺紋　(B)梯形螺紋
　　　　(C)滾珠螺紋　(D)鋸齒形螺紋。【103 桃捷】

( 　 ) **61** 關於墊圈之功用，下列何者錯誤？　(A)增加承壓面積　(B)獲得適
　　　　當接觸面　(C)接合或封閉機件　(D)保護機件表面不受損。【103
　　　　桃捷】

( 　 ) **62** 連接用之惠氏螺紋螺紋角為幾度？　(A)30　(B)45　(C)55
　　　　(D)60。【103 桃捷】

( 　 ) **63** 適合用於固定機器底座於地面上之螺栓為何？　(A)地腳螺栓
　　　　(B)帶頭螺栓　(C)環首螺栓　(D)膨脹螺栓。【103 桃捷】

---

**┃解答與解析┃**━━━━━━━━━━━━━━━━━━━━━━━━━

**1 (C)**

**2 (C)**。螺旋為斜面的應用。所以答案為(C)。

**3 (C)**。螺紋的主要功用有連接機件、傳達運動或動力、調整機件的距離、
　　　精密測量。

**4 (A)**。螺旋線之導程為螺旋旋轉一周 πD 所前進的距離 L 故：$\tan 30° = \dfrac{L}{\pi D}$。

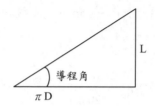

**5 (D)**。M15×1.5×30 中，15 代表外徑，1.5 代表螺距，30 代表螺栓長度。

**6 (A)**。L−2N−M8×1−1 ⇒ 公制螺紋；「L」表左螺紋；2N 表雙螺線；螺
　　　紋大徑為 8mm；「1」表示配合及數。

**7 (C)**。雙螺紋的導程 L=2P。所以答案為(C)。

**8 (C)**。國際公制標準螺規格。

螺紋角 60º，峰為平面，根為弧形，峰寬為 1/8 螺距。

所以答案為(C)。

**9 (C)**。柱頭螺栓（Stud Bolt）又名雙頭螺栓或螺樁，兩端均製有螺紋之螺桿，其中一端鎖固於機件的陰螺孔中，另一端則貫穿配合件，再以螺帽鎖緊。

**10 (D)**。堡形螺帽：螺帽上開數條槽孔以配合安裝開口銷，防止螺帽鬆脫之形式；蓋頭螺帽：防止水和油的洩漏或滲入處。

**11 (D)**

**12 (C)**。螺旋線之導程＝螺距為×螺紋線數⇒L=2P。

**13 (A)**。燈泡頭上之螺紋是由鈑金滾製而成，是由精度較低之圓形螺紋所製成。

**14 (B)**。(A)螺旋牙頂到牙底之距離為螺距(Pitch)。(B)螺旋旋轉一圈時其前進之距離為導程(Lead)。所以答案為(B)。

**15 (A)**。L，3，M12×1.75×100 為左旋公制螺紋外徑 12mm 螺距 1.75mm 螺紋長度 100mm 而非螺紋線總長。所以答案為(A)。

**16 (C)**。M10×1.5

M 代表公制，10 代表外徑，1.5mm 代表螺距，所以答案為(C)。

**17 (B)**

**18 (B)**。$\dfrac{W}{F}=\dfrac{2\pi R}{L}\times$機械效率$\eta \Rightarrow \dfrac{W}{20}=\dfrac{2\pi \times 250}{10}\times(1-20\%)\Rightarrow W=2513(N)$

**19 (C)**

**20 (D)**。$\tan\alpha=\dfrac{L}{\pi D}=\dfrac{1}{3\pi}=\dfrac{2\times 4}{D\pi}\Rightarrow D=24mm$。

**21 (D)**。 L=nP　$L=\dfrac{1}{2}\times(3\times3)=4.5(mm)$

**22 (C)**。 $\tan\theta=\dfrac{L}{\pi D}=\dfrac{2P}{\pi D}=\dfrac{4}{20\pi}=\dfrac{1}{5\pi}$

**23 (A)**

**24 (D)**。 機械利益 $M=\dfrac{W}{F}=\dfrac{2\pi R}{L}\times$機械效率 $\eta\Rightarrow M=\dfrac{2\pi\times300}{10}\times0.8$

　　　$=48\pi$

**25 (B)**。 L＝nP　12=3 · P　⇒P=4(mm)

**26 (C)**。 UNF 表示統一標準螺紋細牙、UNC 為統一標準螺紋粗牙。

**27 (D)**。 統一標準螺紋:「1/2」外徑 1/2 吋;「13 UNC」每吋 13 牙粗牙。

**28 (D)**。 12+12+12＝36。

**29 (A)**　**30 (A)**　　**31 (D)**　　**32 (C)**　　**33 (C)**　　**34 (B)**

**35 (B)**　$\dfrac{5}{8}\times3-11UNC-2\Rightarrow\dfrac{5}{8}$ 表公稱外徑 $\dfrac{5}{8}$ 吋;「3」表螺栓長度為 3

　　　吋;「11」表每吋為 11 牙;「UNC」表統一粗牙螺紋。

**36 (B)**　**37 (A)**

**38 (B)**。 自攻螺釘:具有斜度,用於鎖緊數張薄板,能自己產生攻螺絲的作
　　　用;固定螺釘:使圓柱機件在孔中不易滑動或轉動。

**39 (C)**。 機械利益 $M=\dfrac{W}{F}=\dfrac{2\pi R}{L}\times$機械效率 $\eta\Rightarrow\eta=0.6$

**40 (B)**。 $W_{入}=W_{出}\Rightarrow F\times2\pi R=W\times P$　$\dfrac{W}{F}=\dfrac{2\pi R}{P}=M$

**41 (A)**。 $L = 2 \times P = 2 \times 5 = 10mm = 1cm$ ， $R = 30cm$ ， $F = 10kg$

$$Ma = \frac{W}{F} = \frac{2\pi R}{L} \ , \ \frac{W}{10} = \frac{2 \times 3.14 \times 30}{1}$$

$$\therefore W = \frac{10 \times 2 \times 3.14 \times 30}{1} = 1884kg$$

**42 (D)**。 $Ma = \frac{W}{F} = \frac{6280}{200} = 314 \Rightarrow Ma = 314 = \frac{2\pi R}{L}$

$$\Rightarrow L = \frac{2\pi \times 200}{314} = 4(cm)$$

**43 (C)**。 機械利益 $Ma = \frac{2\pi R}{L} = \frac{2 \times 3.14 \times 100}{1} = 628$

**44 (B)**。 $M = \frac{2\pi R}{L} \times 50\% = \frac{\pi R}{L}$ 。

**45 (A)**。 $W = \frac{F \times 2\pi R \times (1-0.2)}{L} = \frac{10 \times 2\pi \times 60 \times (1-0.2)}{1.5} = 2010.6$

**46 (C)**。 若由數個機械組合在一起，則其總效率為 $\eta_T = \eta_1 \times \eta_2 \times \eta_3 \times \cdots\cdots$
$\Rightarrow \eta = 85\% \times 90\% = 76.5\%$

**47 (D)**。 $L = L_1 + L_2 = 8 + 6 = 14(mm)$

**48 (C)**。 $L = 12 - 8 = 4(mm)$ 。

**49 (C)**。 螺旋外徑 12mm。

**50 (C)**。 拉應力。

**51 (B)**。 $\frac{100 \times 40}{0.82} = 4878$

**52 (B)**。 $\underline{M16}-\underline{1.5}\times\underline{50}-\underline{1}$

外徑 16mm
螺距 1.5mm
螺栓長度 50mm

**53 (A)**。 $1=\dfrac{W\times 12}{2\pi\times 50\times 1200}$　$W=31400(kg)$

**54 (D)**。 $L-\underline{2N}\ M\ \underline{10}\times\underline{1.25}-\underline{2}$

左旋
雙螺旋紋
公制螺紋
外徑 10mm
螺距 1.25mm
螺紋 2 級配合

**55 (A)**。 環首螺栓功用：吊車吊起重物。

**56 (B)**

**57 (C)**。 $1=\dfrac{W\times 2(cm)}{2\pi\times 50\times 20}$　$W=3140(N)$

**58 (D)**

**59 (B)**。 λ：導程角
dm：節圓直徑
α：螺旋角

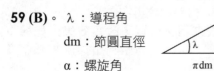

**60 (A)**　**61 (C)**　　**62 (C)**　　**63 (A)**

## 二、問答題型

**1.** (1)常用的三角螺紋有那幾種？並說明各螺紋之用途。(2)試舉兩例說明螺栓之公制表示法。【關務特考】

**解** (1) A.三角螺紋：

(A) 尖V型螺紋：螺紋之牙峰及牙底均呈尖銳形，及兩斜面之夾角為60度，強度較低容易損壞，需緊密而無間隙之配合時，常使用此種螺紋。如鍋爐爐板之接合、洩水塞等。

(B) 美國標準螺紋：螺紋角為60度，頂部與根部為平面，寬度1/8螺距，其餘與尖V型相同，強度稍有增加。分4種系列，即粗牙（NC）、細牙（NF）、特細牙（NEF）及節距牙。

(C) 統一標準螺紋：螺紋角為60度，由美、英、加拿大三國協商制定。

(D) 國際公制標準螺紋：螺紋角60度，為歐洲許多公制國家如英、法、瑞士等所制定採用，即ISO制螺紋，我國CNS亦採用此制。公制螺紋分粗牙、細牙兩級，日常應用上以粗牙較為廣泛，細牙常用於汽車及飛機上。

B.螺紋功用：

(A) 連接及固定機件：用於連接兩個或兩個以上的機件，使其緊密接合，此類螺紋具有高強度、低效率，故大都用V型螺紋。

(B) 傳達運動或動力：利用螺旋來傳達運動或動力，採用之螺旋效率越高越好，才能使機械利益增大，一般以滾珠螺紋效率最佳，方螺紋其次，斜方、梯形螺紋再次之。

(C) 調整機件位置：利用螺紋來調整位置，改變效果，如機車利用螺旋調整鍊條之鬆緊，車床之刀座利用螺旋來調整進刀量之大小。

(D) 尺寸量測：如螺旋測微器（分厘卡），利用精確之螺桿，使其旋轉一周即前進一個導程，藉以測定尺寸。

(2) A. 3N－M30×1.75×25－2
　　　(A) 3N：3 線螺紋。
　　　(B) M30：公制螺紋外徑 30mm。
　　　(C) 1.75：螺距 1.75mm。
　　　(D) 25：螺栓長度 25mm。
　　　(E) 2：2 級配合。
　　B. L－2N M16×2×50－2
　　　(A) L：左螺絲。
　　　(B) M16：公制螺紋外徑 16mm。
　　　(C) 2：螺距 2mm。
　　　(D) 50：螺栓長度 50mm。
　　　(E) 2：2 級配合。

**2. 試述六角螺帽、方（四方）螺帽與有槽（堡形或冠形）螺帽的特性。**
【地方特考】

解 (1) 六角螺帽：使用最多之螺帽，螺帽外觀成六角形，依負荷之大小
　　　分成一般級與重力級兩種。一般級：螺帽厚度 H＝0.8D，對邊寬
　　　度 B＝1.5D。重力級：螺帽厚度 H＝D，對邊寬度 B＝1.5D＋
　　　3.2mm。
(2) 方（四方）螺帽：即螺帽外形成四方形，製造容易，常用於輕負荷
　　小螺栓的固定上。
(3) 有槽（堡形或冠形）螺帽：有防鬆的功效外型如皇冠，螺帽上開
　　數條槽孔以配合安裝開口銷，當其鎖在具有銷孔之螺栓後，使槽
　　孔對準銷孔，插過開口銷並彎開銷腳，以防止螺帽因震動而鬆
　　脫。

**3. 簡述常用防止螺栓連接鬆動的方法。**【普考】

解 (1) 摩擦阻力鎖緊裝置：
　　A. 鎖緊螺帽：在原有螺帽上加裝一螺帽旋緊。
　　B. 螺旋彈性鎖緊墊圈：斷面成梯形，鎖緊時利用墊圈的彈力使螺帽
　　　及螺栓間互相擠壓，再利用其摩擦力來增加鬆脫的阻力，以達到
　　　防止螺帽鬆脫之目的。
　　C. 鎖緊螺釘：在螺帽一側使用固定螺釘 S 壓入一銅片或纖維片 T，
　　　以防止螺紋受損，並增加其摩擦阻力。

D.有槽螺帽：在螺帽頂攻一小螺紋孔，並鋸一槽，以小螺釘來增加
螺紋的軸向壓力，產生鎖緊作用。

E.彈性鎖緊螺帽：將一纖維環套入螺帽內處，藉其彈力增加螺紋阻
力，阻止鬆脫。

F.使用特殊墊圈法：利用一對楔入固定的特殊墊圈，可將螺栓固定
在接合點上不會鬆脫。

(2) 確閉鎖緊裝置：

A.開口銷：在螺帽鎖緊後，在螺栓上鑽一孔，插入銷以阻止螺帽鬆
脫。

B.彈簧線鎖緊：螺帽上端製成圓形槽，鑽六小孔，鎖緊後將彈簧套
入圓槽。

---

**4. 螺紋繞軸的方式可分為右及左螺旋：(1)請說明什麼樣的螺旋屬於右螺旋？(2)通常在螺旋表示法中，右螺旋或左螺旋的標示何者可以省略？【關務四等】**

**解** 右旋螺紋：以「R」表示，由側面看，螺紋自右向左下傾斜者，或螺桿依順時針方向旋轉向下者，若未特別註明，即為右旋螺紋。

---

**5. 使用方螺紋或愛克姆（ACME）螺紋所製作而成的螺桿的主要應用為何？（本題只寫答案即可）【台灣菸酒】**

**解** (1) 方螺紋傳動效率高，機械利益大，用於：慢速較大動力之傳達，例如：虎鉗之螺桿、起重機之螺紋。

(2) 愛克姆（ACME）螺紋傳達運動或動力用螺紋用於：輕、中動力的傳達工作，磨損後可藉對合螺帽來調整貼合。

---

**6. 請解釋動力螺桿（Power screw）之自鎖（Self-locking）條件。【高考】**

**解** 傳動螺旋的自鎖條件，通常使用於在傳動螺紋之降下重物時，以方螺紋為例若 $f \leq \tan\alpha$ 時，則 $T = W \times r_t \times \dfrac{\tan\alpha - f}{1 + f\tan\alpha} \leq 0$，即扭矩 T 成為零或負值，此時重物 W 會使螺紋自動旋轉而滑下，若欲使螺紋具有自鎖作用以避免重物下滑，螺紋表面之摩擦係數需要求為 $f > \tan\alpha$。

**7. 請說明以下圖形之螺栓標註**

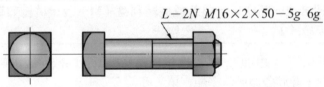

$$L-2N\ M16\times2\times50-5g\ 6g$$

解 L：或標註「L.H.」表示螺旋方向為「左螺紋」，如未標註則表「右螺紋」。

2N：螺旋線數為「雙線螺紋」。

M：公制螺紋。

16：螺栓之公稱直徑為 16mm。

2：螺距為 2mm。

50：螺栓長度為 50mm。

5g6g：外螺紋公差等級，5g 節徑公差等級，6g 表示外徑公差等級。

**8. 說明下圖螺栓部位 1 至 8 的名稱：【地方特考】**

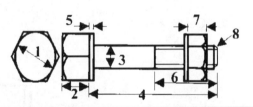

解
1. 螺栓頭及螺帽對邊寬度。　　2. 螺栓頭高。
3. 螺栓直徑。　　　　　　　　4. 螺栓長度。
5. 墊圈面。　　　　　　　　　6. 螺紋長度。
7. 螺帽厚度。　　　　　　　　8. 螺紋去角，形狀有錐形，圓形等。

**9. 公制螺紋的規格表示法如下，請說明代碼 1-10 各代表的涵意：【地方特考】**

| 六角螺栓 | 加工 | M | 30 | × | 1.5 | × | 45 | 5g | S20C | 鍍鋅 |
|---|---|---|---|---|---|---|---|---|---|---|
| 1 | 2 | 3 | 4 | | 5 | | 6 | 7 | 8 | 9 |
| | | | | 10 | | | | | | |

解
1. 頭部形狀。　　　　　　　　2. 加工類型。
3. 螺紋符號，M 代表公制。　　4. 外徑。
5. 螺距。　　　　　　　　　　6. 螺紋長度。
7. 外螺紋節徑公差。　　　　　8. 材料性質。
9. 鍍層。　　　　　　　　　　10. 螺紋規範。

**10.** 二件機械之機械利益分別為 $M_1$、$M_2$，機械效率為$\eta_1$、$\eta_2$，請問將這二件機械串連組合成一新機械，該新機械總利益（M）及機械總效率（$\eta$）為何？【地方特考】

解 數個機械組合使用時，其總機械利益等於個各機械利益連乘積；而總機械效率等於各機械效率連乘積，亦即：

$M = M_1 \times M_2$

$\eta = \eta_1 \times \eta_2$

**11.** (一)有一公制螺栓，其螺栓公稱直徑為 20 mm，螺紋節距為 2.5 mm，螺栓長度為 30 mm，請以符號表示其規格。

(二)有一英制標準粗牙螺紋每吋有 10 牙，螺栓公稱直徑為 1/2 吋，螺栓長度為 3 吋，且為一級配合及左旋螺紋，請以符號表示其規格。

(三)試列舉兩種螺帽防鬆裝置，並繪圖說明其特徵。【關四】

解 (一) $M20 \times 2.5 \times 30$

(二) $LH\dfrac{1}{2} - 10UNC - 1A \times 3$

(三)

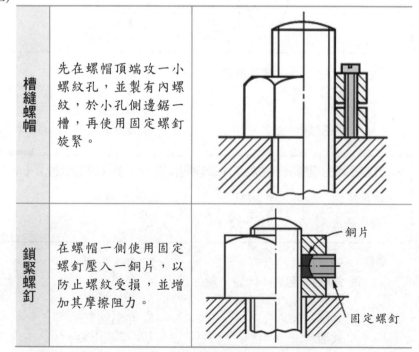

| | | |
|---|---|---|
| 槽縫螺帽 | 先在螺帽頂端攻一小螺紋孔，並製有內螺紋，於小孔側邊鋸一槽，再使用固定螺釘旋緊。 | |
| 鎖緊螺釘 | 在螺帽一側使用固定螺釘壓入一銅片，以防止螺紋受損，並增加其摩擦阻力。 | |

**12.** 就尺寸大小、材料、使用情形及工作負載說明螺釘（screw）與螺栓（bolt）的差異。【普考】

**解**

|  | 螺栓 | 螺釘 |
|---|---|---|
| 尺寸大小 | 6.35mm 以上 | 6.35mm 以下 |
| 工作負載 | 大 | 小 |
| 應用 | 常須與螺帽配合鎖緊 | 不須與螺帽配合鎖緊，具備有螺釘頭施以扭矩 |
| 材料 | 軟鋼、合金鋼 | 軟鋼 |

**13.** 螺紋的規格表示法如下，請說明各代表的內容。
3 條 M 5×1.5×20-2▽▽ 【關四】

**解** 3 條：螺旋線數 3
5：公稱外徑 5mm
M：公制螺紋
1.5：螺距 1.5mm
20：螺栓長度 20mm
2：配合公差等級
▽▽：光製程度

**14.** 螺旋扣件常使用墊圈，試舉三例說明使用之場合與功用。【地四】

**解** 墊圈的功用如下：
(一) 當連結材料較軟，而不能承受過大的壓力時，可用墊圈來增加適當的承面，並減少單位面積上所受的壓力。
(二) 可增加摩擦面減少鬆動。
(三) 釘孔太大時，可用墊圈來補救。
(四) 在表面粗糙或傾斜時，可用墊圈作承面。
(五) 舉例如下：
　1. 螺旋彈性鎖緊墊圈：斷面成梯形，鎖緊時，利用墊圈的彈力使螺帽及螺栓間互相擠壓，再利用其摩擦力來增加鬆脫的阻力，以達到防止螺帽鬆脫之目的。
　2. 彈簧墊圈：利用彈簧之彈性力來增加螺帽回鬆阻力以防止螺帽鬆脫。
　3. 齒鎖緊墊圈：又稱「梅花墊圈」。具有「鎖緊」及「防震」之功用。

# 三、計算題型

**1.** 一物體重 W 放在角度為 θ 的斜坡上，物體和斜坡的摩擦係數為 μ，在斜坡方向向上施以力量 F，剛好足以將物體向上推移，請畫出力的平衡圖，並算出力量 F 和其他參數的關係。【關務特考】

 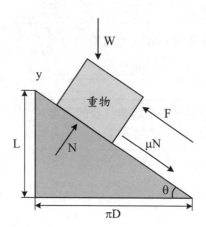

一重為 W 的滑塊放在傾角為θ的固定斜面上，已知滑塊與斜面間的靜摩擦因數 μ，推力 F 可推動重為 W 的重物上升，故其受力自由體圖如圖所示，由平衡方程式

$\sum F_x = 0 \quad \Rightarrow \quad F - W\sin\theta - \mu N = 0$

$\sum F_y = 0 \quad \Rightarrow \quad -W\cos\theta + N = 0$

$\Rightarrow$ 解得 $F = W(\mu\cos\theta + \sin\theta)$

---

**2.** 設有一複線方型螺紋之螺旋昇高裝置，螺距為 1 cm，加在長 60 公分之手柄之力為 20 kg，若摩擦不計，則能載重多少？若此裝置之機械效率為 0.8，則能載重多少？【原住民特考】

**解** (1) 導程 L＝n(螺旋數)×P(螺距)＝2×1＝2

機械利益＝$\dfrac{抗力}{施力}$ ⇒ $M = \dfrac{W}{F} = \dfrac{2\pi R}{L}$

$W = 20 \times \dfrac{2\pi \times 60}{2} = 3770 (Kg)$

(2) $\dfrac{W}{F} = \dfrac{2\pi R}{L} \times \eta \Rightarrow W = 20 \times \dfrac{2\pi \times 60}{2} \times 0.8 = 3016 (Kg)$

3. 一螺旋下端施以一扭矩 T。該扭矩作用後，引起固定於導管內之螺帽上的反作用力 W 為 1290lb（見下圖）。假設滾珠軸承的摩擦不計，螺旋外徑為 2″，每一英吋有三條螺紋，且螺紋深度均為 0.18″，螺紋摩擦係數為 0.15，試求螺旋與螺帽接觸間之螺紋表面的平均軸承壓力（psi）。【普考】

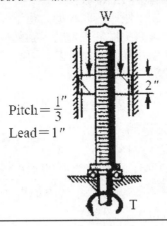

$$Pitch = \frac{1}{3}″$$
$$Lead = 1″$$

W

2″

T

**解** 螺旋內徑$=2-0.18\times2=1.64″$

$$\sigma = \frac{W}{N \times A} = \frac{1290}{\frac{\pi}{4}\left[(2)^2 - (1.65)^2\right] \times 6} = 208.9(Psi)$$

4. (1)A.鉚釘常用什麼材料來製成？B.目前常用什麼方式，來取代鉚釘的固定方式？C.鉚釘與螺紋扣件的比較，其優、缺點為何？(2)有一螺旋彈簧，受軸向力 100N（牛頓），彈簧外徑為 4.5cm，線之直徑為 5mm，求彈簧所受最大應力為多少（N/cm²）？【原住民特考】

註：若彈簧線為圓形線，扭矩所產生的剪應力為 $\tau = \frac{Tr}{J_0} = \frac{16T}{\pi d^3} = \frac{8FD}{\pi d^3}$，但

依Wahl氏修正之最大剪應力為 $\tau_{max} = K\frac{8FD}{\pi d^3}$，其中T：扭矩；r：扭轉

力與旋轉中心之距離；$J_0$：圓形截面積的慣性矩（$\frac{\pi d^4}{32}$）；F：彈簧軸向

力；d：彈簧線之直徑；D：彈簧的平均直徑；K：Wahl氏的應力集中

係數（$K = \frac{4C-1}{4C-4} + \frac{0.615}{C}$），C=D/d。

解 (1) A. 鉚釘可用韌性材料製成，鍛鐵或軟鋼製成之鉚釘用於大部分之應用上，若考慮防腐蝕和輕重量時，則採用銅、鋁及其合金或其他材料。

　　B. 近來已漸漸被焊接與螺接取代。

　　C. 鉚接的優點：加工快速、成本低、重量輕、適用於損耗件。

　　　　缺點：維修更換耗工費時，對鎖件。

　　螺紋扣件的優點：維修方便拆裝，可調整。

　　　　缺點：是質量重成本高。

(2) $C = \dfrac{D}{d} = \dfrac{45-5}{5} = 8$

　　$K = \dfrac{4C-1}{4C-4} + \dfrac{0.615}{C} = \dfrac{4\times8-1}{4\times8+4} + \dfrac{0.615}{8} = 1.184$

　　$\tau_{max} = K \times \dfrac{8\times F(D-d)}{\pi d^3} = 1.184 \times \dfrac{8\times100\times(4.5-0.5)}{\pi\times(0.5)^3}$

　　　　$= 9648.1(N/cm^2)$

---

**5.** 一單螺紋 25mm 直徑之方牙傳力螺紋，節距 5mm，若承受一 5KN 之負荷，試求上升一負荷作用於節圓圓周上所需之力 $F_{up}$。設螺紋之摩擦係數為 0.08，而套環之摩擦不計。

解 節徑 $d = d_0 - \dfrac{p}{2} = 25 - \dfrac{5}{2} = 22.5mm$

　　導程角 $\alpha = \tan^{-1}(\dfrac{p}{\pi d}) = 4.05°$，摩擦角 $\beta = \tan^{-1}(0.08) = 4.57°$

　　推動負荷上升所需之力 $F_{up} = W \times \tan(\alpha+\beta) = 758N$

---

**6.** 螺旋起重機槓桿臂長 200cm，今欲以 20kg 的力舉起 6280kg 之重物，則(1)機械利益為若干？(2)導程為若干公分？

解 (1) $Ma = \dfrac{2\pi R}{L} = \dfrac{\omega}{F} = \dfrac{6280}{20} = 314$

　　(2) $L = \dfrac{2\pi R}{Ma} = \dfrac{2\pi\times200}{314} = 4(cm)$

7. (一) 指出螺旋在機器應用上的三個主要功用。

   (二) 已知螺旋起重機的螺紋導程為 10 mm，手輪的作用臂長為 500 mm，其端點有作用力 100 N，如摩擦損失為 30%，試求其能舉起的最大荷重。【109 關四】

解 (一) 1. 傳達運動 or 動力
        2. 調整機件的距離
        3. 測量尺寸

   (二) $\eta = 0.7 = \dfrac{W \times 10}{100 \times 500 \times 2\pi} \Rightarrow W = 7000(N)$

8. 如果要設計一個轉動徑為 33 mm 之方螺旋千斤頂，使其能將一個物體以 60 mm/min 的速率上昇。若螺旋為雙螺紋，並以 10 rpm 的轉速旋轉，試問此螺旋之節距為多少？若其載重量為 10 kN，且舉昇載重之效率為 0.4，則輸入功率為多少？【關四】

解 (1) $V = N \times n \times P \Rightarrow 60 = 10 \times 2 \times P \Rightarrow P = 3(mm)$

   (2) $W = \dfrac{F \times V}{\eta} = \dfrac{10 \times 60 \times 10^{-3}}{0.4 \times 60} = 0.025(kw)$

      $= 25(w)$

9. 螺旋起重機之螺桿係方螺紋雙線螺旋，螺紋之厚度為 6mm，如柄長 50cm，則(1)起重機之機械利益為若干？(2)設加於柄端之力為 50kg，則可舉起重物為若干？

解 P=12mm=1.2cm，R=50cm，F=50kg

   ∴L=2P=2×1.2=2.4cm

   (1) $Ma = \dfrac{\omega}{F} = \dfrac{2\pi R}{L} = \dfrac{2\pi \times 50}{2.4} = 130.83 \doteqdot 131$

   (2) $\omega = Ma \cdot F = 130.83 \times 50 = 6541.67 \doteqdot 6542(kg)$

10. 設有一螺旋之導程為 12mm，若加於手柄之力為 200N，手柄長為 500mm，若機械效率為 60%，則能承受之負載為若干 kN？

**解** 由題中知，L=12mm，F=200N，R=500mm， $\eta$ =60％

$$\because \frac{W}{F}=\frac{2\pi R}{L}\times \eta$$

$$\therefore W=\frac{F\times 2\pi R\times \eta}{L}=\frac{200(2\times 3.14\times 500)\times 60\%}{12}=31400N=31.4kN$$

---

**11.** 機械效率 40％之螺旋起重機，其螺桿為雙線螺紋，螺距為 P，曲柄半徑為 R，則其機械利益為若干？(以 P、R 表示)

**解** $\because \dfrac{\omega}{0.4F}=\dfrac{2\pi R}{2P}$

$\therefore Ma=\dfrac{\omega}{F}=\dfrac{0.4\pi R}{P}=\dfrac{0.4\pi R}{P}=\dfrac{1.256R}{P}$

---

**12.** 如下圖所示之單螺線螺栓係鎖入一板中，且呈現力平衡狀態，螺栓之節距（pitch）為 P，螺面角度（helix angle）為 $\phi$ ，螺栓面之平均半徑為 r，設螺栓面與板間之摩擦係數為 $\mu$ ，試求：

(一) 將螺栓進一步向左鎖入板中所需之扭矩。

(二) 該螺栓向右自板退出所需之扭矩。【鐵四】

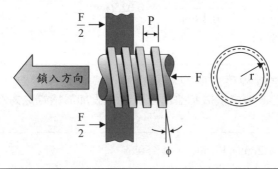

（一）

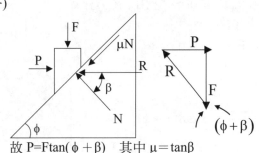

故 P=Ftan(φ+β)　其中 μ＝tanβ

$$T = P \times r = F \times r \times \tan(\phi + \beta) = F \times r \times \frac{\tan\phi + \tan\beta}{1 - \tan\phi\tan\beta} = F \times r \times \frac{\tan\phi + \mu}{1 - \tan\phi\mu}$$

（二）P=Ftan(β−φ)

$$T = P \times r = F \times r \times \tan(\beta - \phi) = F \times r \times \frac{\tan\beta - \tan\phi}{1 - \tan\beta\tan\phi} = F \times r \times \frac{\mu - \tan\phi}{1 - \mu\tan\phi}$$

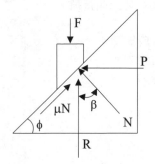

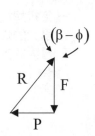

**13.** 一千斤頂承受 F 重量，其導螺桿之平均直徑為 $d_m$、節距 p、導程角 λ、摩擦係數 f 及螺旋角 φ 的單紋方牙傳動螺旋，請推導出上升所需扭轉公式？【普考】

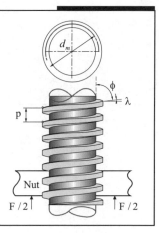

**解** 已知滑塊與斜面間的靜摩擦因數 $f$，水平推力 $P$ 可推動重為 $F$ 的重物上升，故其受力自由體圖如圖所示，由平衡方程式

$\sum F_y = 0 \Rightarrow -P\sin\lambda - F\cos\lambda + N_2 = 0$

$\sum F_x = 0 \Rightarrow P\cos\lambda - F\sin\lambda - F_2 = 0$

若為方螺紋傳動令 $\tan\phi = f$

$\Rightarrow F_2 = fN_2 = N_2\tan\phi$

$\Rightarrow$ 解得 $P = F\dfrac{\sin\lambda + f\cos\lambda}{\cos\lambda - f\sin\lambda} = F\tan(\lambda+\phi)$

則扭矩 $T = F \times \dfrac{d_m}{2} \times \tan(\lambda+\phi) = F \times \dfrac{d_m}{2} \times \dfrac{\tan\lambda + f}{1 - f\tan\lambda}$

14. 如圖所示，有一鋼棒其矩形斷面為 15 mm×200 mm，用四根螺栓懸於 250 mm 寬的槽鋼上，若其外側端承受 16 kN 之外加負荷，試求：

(一)每根螺栓的合成負荷。

(二)最大的螺栓剪應力。

(三)最大的支承應力。

【普考】

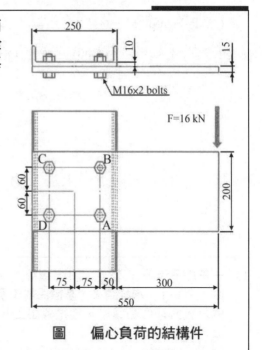

圖　偏心負荷的結構件

解 (一)

(1) 如圖所示，螺栓群之形心為 O，則反作
用力 V 將通過 O，反作用力矩對 O
V=16kN，M=16×(425)=6800N−m
從形心到各螺栓距離為 r

$r=\sqrt{(60)^2+(75)^2}$ =96mm

$F_A^{'}=F_B^{'}=F_C^{'}=F_D^{'}=\dfrac{16\times10^3}{4}$ =4000(N)

$F_A^{"}=F_B^{"}=F_C^{"}=F_D^{"}=\dfrac{M}{4r}=\dfrac{6800\times10^3}{4\times96}$ =17700

(2) 取 B 處 $F_B=\sqrt{(F_B^{'}+F_B^{"}\times\dfrac{75}{r})^2+(F_B^{"}\times\dfrac{60}{r})^2}$

$=\sqrt{(4000+17700\times\dfrac{75}{96})^2+(17700\times\dfrac{60}{96})^2}$ =20981.4(N)

$\tau_B=\dfrac{20981.4}{\dfrac{\pi}{4}\times(16)^2}$ =104.35(MPa)

取 D 處

$F_C=F_D=\sqrt{(F_D^{'}-F_D^{"}\times\dfrac{75}{r})^2+(F_D^{"}\times\dfrac{60}{r})^2}$

$=\sqrt{(4000-17700\times\dfrac{75}{96})^2+(17700\times\dfrac{60}{96})^2}$ =14797.67(N)

$\tau_C=\tau_D=\dfrac{14797.67}{201.06}$ =73.6(MPa)

故最大剪應力位於 AB 處

$\tau_{max}$=104.35(MPa)

(二)　$\sigma=-\dfrac{F}{A_b}=-\dfrac{21.0(10)^3}{160}=-131MPa$

15. 有一長方形截面之橫樑,其一端被二支螺栓,另一端被另二支螺栓固定於直立柱上,此一橫樑及二直立柱構成一 H 字形。若橫樑中央位置承受一集中力 W,該施力是與立柱平行的,二支螺栓以間距 2b 置於樑的長度方向中心線上,假設直立柱是固定的剛體,施力點至二支螺栓中心位置距離為 d,試說明其中任一螺栓承受的剪力有那二類?並計算該二類剪力與最大剪力?【關四】

解 直接剪力$=\dfrac{W}{4}$

扭轉剪力$\Rightarrow \tau'=\dfrac{M}{2b}=\dfrac{Wd}{4b}$

故最大剪力在 B 點$=\dfrac{W}{4}+\dfrac{Wd}{4b}$

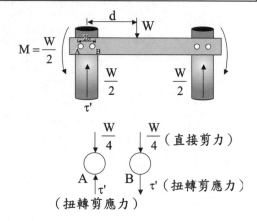

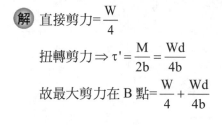

16. 如圖所示,使用兩支相同的螺栓(bolt),將一個鋼板固定於牆壁上,鋼板的自由端受到集中力 $F_1 = 10$ kN,已知螺栓的降伏強度是 420 N/mm$^2$,剪降伏強度 $S_{sy}$ 是降伏強度的一半,假設設計的安全係數 SF 是 5。

(一) 試問螺栓最小的直徑?

(二) 試問此時螺栓承受的應力?

(三) 若負荷的施力位置移到 $F_2$,垂直於鋼板長度的方向,此時螺栓最小的直徑應該是增大、減少、或相等?【104 地特四等】

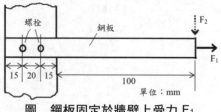

圖　鋼板固定於牆壁上受力 $F_1$

解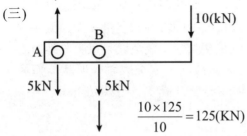

(一) $\tau = \dfrac{5\times10^3}{\dfrac{\pi}{4}d^2}$ 又 $\dfrac{S_{sy}}{\sigma}=5 \Rightarrow \dfrac{420\times0.5}{\dfrac{5\times10^3}{\dfrac{\pi}{4}d^2}}=5 \Rightarrow d=12.31mm$

(二) $\tau = \dfrac{5\times10^3}{\dfrac{\pi}{4}\times(12.31)^2}=42.01(MP_a)$

(三)

∵螺栓 B 所受作用力變大
∴螺栓直徑需增大

$\dfrac{10\times125}{10}=125(KN)$

# 第三章　彈簧

◎依據出題頻率區分，屬：**C** 頻率低

## ▼3-1　彈簧基本原理

### 一、彈簧種類

彈簧為利用彈性材料製造成特種形狀之機件，其功用為受外力作用時可產生伸長或縮短或其他不同方式的變形，吸收機械瞬間震動的能量，調節機件的位置或保持機件的接觸，保持機械元件的接觸彈性，避免鬆脫以吸收外力而儲存於本體內，等到外力除去將儲存之能量放出，恢復成原來形狀，彈簧若發生鬆弛現象，主要因素為負荷增加或溫度升高，其分類如下所示：

### (一)線狀彈簧

| 彈簧名稱 | 說明 | 圖示 |
|---|---|---|
| 螺旋壓縮彈簧 | 1.各圈之間有間隙，承受軸向壓力而產生縮短變形，外力消失又可恢復原長度。<br>2.為了使承受壓力之接觸面增加，常把兩端約有 3/4 圈磨平，常使用在安全閥或汽車上之汽門彈簧。<br>3.螺旋彈簧多以受塑性加工成型，並以珠擊法改善其抗疲勞強度。 | |
| 拉伸彈簧 | 又稱為拉力彈簧，彈簧每一圈都緊靠在一起，受外力拉伸後伸長，外力消失恢復原狀，其各圈之間沒有間隙，而互相貼緊，兩端製成環狀或鉤狀，以利掛鉤物品。 | |

| 彈簧名稱 | 說明 | 圖示 |
|---|---|---|
| 扭力彈簧 | 1.螺旋扭力彈簧：<br>(1)扭轉彈簧的繞法跟彈簧一樣，除了在末端的形狀隨各種應用不同而異，線圈呈螺旋狀。<br>(2)受力時對軸中心線產生一扭轉力，常使用在能自動關閉之紗門、家電用品、書夾、曬衣夾等。 | 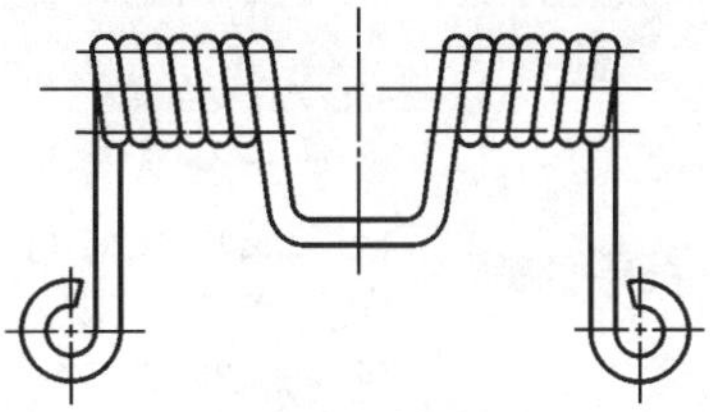 |
|  | 2.蝸旋扭轉彈簧：用薄鋼片繞成蝸線形狀，且各圈在同一平面上，用於鐘錶及動力玩具之發條。 | 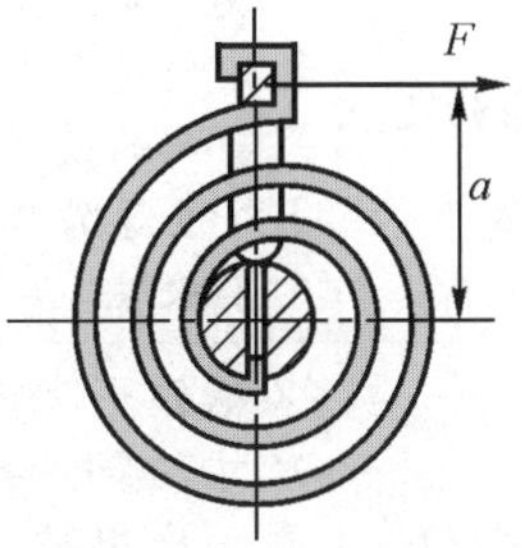 |
| 錐形彈簧 | 1.繞成錐形的螺旋圈，可承受壓力，其優點為壓力大時大直徑變形較大，可將彈簧壓至最低點而成為一圓形板狀，彈簧線圈會縮小進入大圈之平面內，通常隨著壓縮量增加而增加。<br>2.多用於小空間，或短距離彈性範圍內的機件上，壓縮時，大直徑先變形且彈簧常數通常隨著壓縮量增加而增加。<br>3.常用於手電筒後蓋；兩端大中間小之錐形彈簧用於沙發之彈簧；兩端小中間大之錐形彈簧用於修剪花木之剪刀。 | 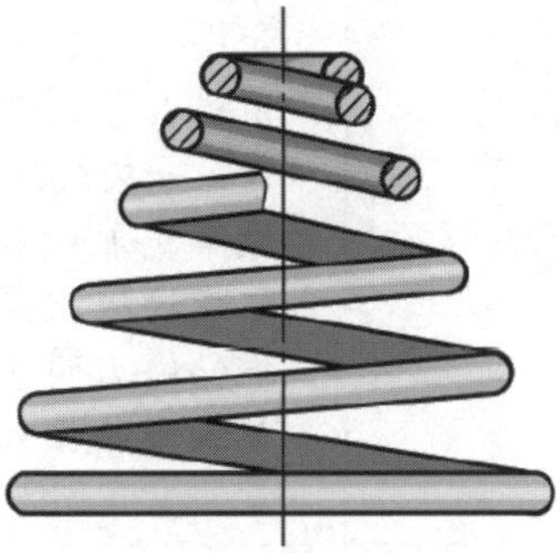 |

## (二)板片彈簧

| 彈簧名稱 | 說明 | 圖示 |
|---|---|---|
| 簡易平彈簧 | 由單一金屬薄片製成之彈簧,用平的金屬板製成用於負荷較小的場合,為節省材料常製成三角形。常用於電器開關、機槍彈匣、指甲剪。 | 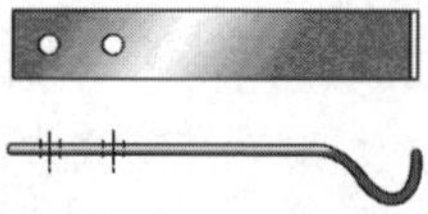 |
| 皿形彈簧 | 1.圓盤或碟形彈簧,常用於大負荷,空間狹小受到限制的場合。<br>2.有一變形區域是屬於非線性表現,在相當大的撓度下可使負荷維持定值。<br>3.外徑等於二倍孔徑時,具有最佳彈性及柔軟性。 | 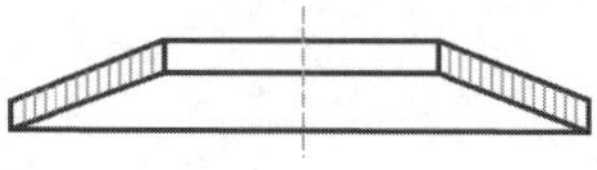 |
| 渦形彈簧 | 又稱錐形渦漩彈簧,由具有平行軸線長尺寸的鋼片捲製而成,有自行減震的效應,應用於一般機械加工之鑽床,其進刀把手在鑽孔完成後手一放開,把手即自動彈回。 | 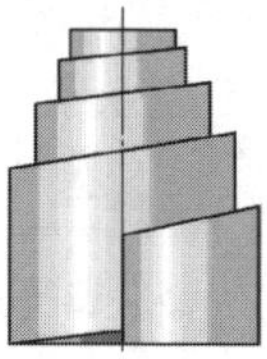 |
| 疊片彈簧 | 1.疊成的板狀彈簧片屬於一種串聯式彈簧組合,又稱葉片彈簧。<br>2.用數片長度不同具有曲度之彈簧鋼片組成,一般設計為三角形或梯形,其目的係讓彈簧每一個斷面的彎曲應力都相等。<br>3.疊成的板狀彈簧片運作時會互相摩擦,承受壓力時,彈簧即逐漸變形而儲存能量或吸收振動,於中央區域有最大變形量。常用於汽車、火車之底盤彈簧。 | 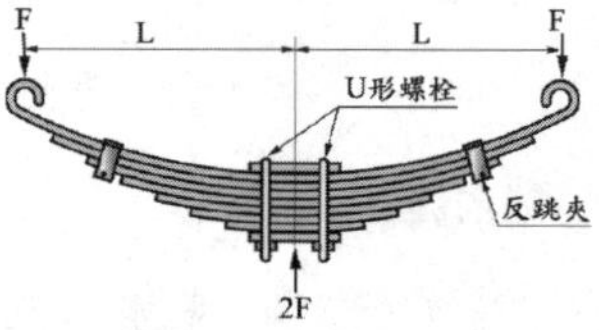 |
| 扣環 | 1.扣環常用於取代軸肩或套筒,於軸上或在外箱孔為元件軸向作定位,可作為軸端或其他機件之固定,可防止機件發生軸向之運動。<br>2.可分 C 型扣環及 E 型扣環,C 型扣環須使用「C 型扣環卡鉗」,方可將扣環裝入軸中。 | 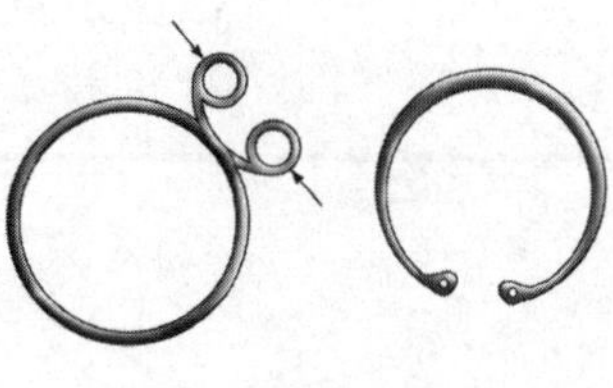 |

## 二、彈簧的相關名詞

| 名稱 | 說明 | 圖式 |
|---|---|---|
| 1.線直徑(d) | 使用鋼線之大小。 | |
| 2.外徑($D_o$) | 彈簧線圈的最大直徑,即 $D_o=D_m+d$。 | |
| 3.內徑($D_i$) | 彈簧線圈的最小直徑,即 $D_i=D_m-d$。 | |
| 4.平均直徑($D_m$) | 外徑與內徑的平均值 $D_m = \dfrac{D_o + D_i}{2} = D_o - d$。 | |
| 5.彈簧指數(C) | 平均直徑與線直徑之比值,值越大越容易變形 $\Rightarrow C = \dfrac{D_m}{d}$ | |
| 6.自由長度(L) | 彈簧在完全無負荷下的長度。 | |
| 7.壓實長度 | 壓縮彈簧被壓至各圈緊密時的長度。 | |
| 8.變形量($\delta$) | 彈簧受外力後伸長或縮短的長度。 | |
| 9.彈簧常數(K) | 彈簧受外力時,負荷(F)與變形量($\delta$)之比值。 | |
| 10.彈簧圈數 | 有效圈數:彈簧受負荷產生伸長或縮短之有用圈數 | |
| | 無效圈數:彈簧受負荷產生伸長或縮短之無用圈數 | |
| | 總圈數=有效圈數+無效圈數 | |

## 三、彈簧組合

### (一)彈簧串聯與並聯：

| 彈簧組合 | 公式 | 圖示 |
|---|---|---|
| 彈簧串聯 | 在一特定負載下有更大撓度 <br> $\delta = \delta_1 + \delta_2 + \ldots\ldots + \delta_n$ <br> $K = \dfrac{1}{\dfrac{1}{K_1} + \dfrac{1}{K_2} + \ldots\ldots\ldots + \dfrac{1}{K_n}} = \dfrac{1}{\sum\limits_{i=1}^{n} \dfrac{1}{K_i}}$ | 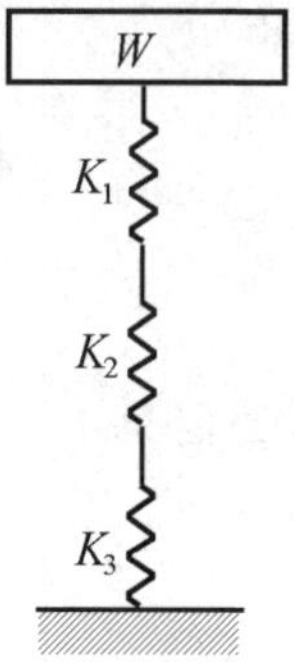 |
| 彈簧並聯 | 在一特定空間或限制空間裡，可改良負載容量 <br> $K = K_1 + K_2 + \ldots\ldots\ldots K_n = \sum\limits_{i=1}^{n} K_i$ | 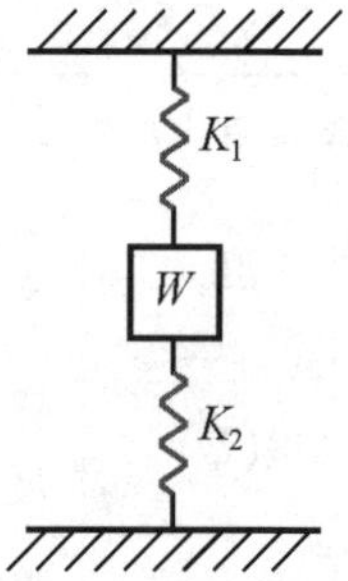 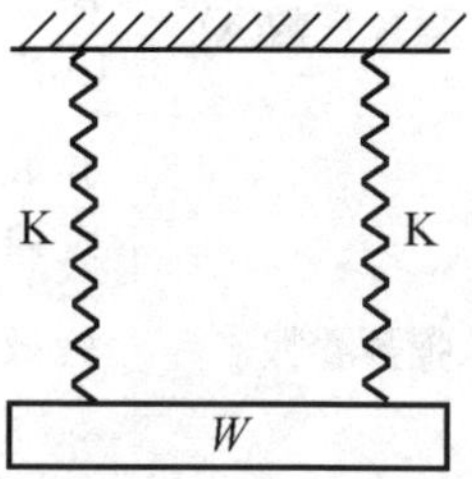 |

(二)**彈簧振動週期**：物體的簡諧運動是由作用在物體的重力或彈性恢復力所引起的，由於這些力是保守的，故可能用能量守值方程式來獲得彈簧的自然頻率或振動週期，如圖 3.1 當方塊從其平衡位置產生了任意的位移量 x，則其動能為 $T = \frac{1}{2}mv^2 = \frac{1}{2}m\dot{x}^2$，而位能為 $V = \frac{1}{2}kx^2$，利用能量守恆方程式：

$T + V =$ 常數 $\Rightarrow \frac{1}{2}kx^2 + \frac{1}{2}m\dot{x}^2 =$ 常數

對時間微分： $m\dot{x}\ddot{x} + kx\dot{x} = 0$

運動過程中 $\dot{x}$ 不全為零，故可消去 $\Rightarrow m\ddot{x} + kx = 0$

$\Rightarrow$ 令 $w^2 = \dfrac{k}{m}$

得 $\ddot{x} + w^2x = 0$

其解為： $x = A\sin(wt + \varphi)$

1. 周期 T： $T = \dfrac{2\pi}{w} \Rightarrow w = \sqrt{\dfrac{k}{m}} \Rightarrow T = 2\pi\sqrt{\dfrac{m}{k}}$ (w：固有頻率)

2. 振動頻率 f： $f = \dfrac{1}{T} \Rightarrow f = \dfrac{1}{2\pi}\sqrt{\dfrac{k}{m}}$

當負載消失時，彈簧儲存的位能被釋放而變成動能，持續在某固有頻率下振動之效應稱之為彈簧顫動，若有一外來負載的頻率跟彈簧的固有頻率很接近，它會引致振動幅度增大，稱之為共振，彈簧容易振動幅度過大而損壞。

(三)**彈簧臨界頻率**：

1. 對於一個裝置於兩平行板間（兩端固定）之彈簧，由彈簧本身重量引起之自然振動頻率：

$W_n = n\pi\sqrt{\dfrac{k}{m}}(\text{rad} / \sec)$ ； $n = 1, 2, 3, ...$

$n = 1$ 時為基本自然頻率，故 $W_n = \pi\sqrt{\dfrac{k}{m}}$ 或 $f = \dfrac{1}{2}\sqrt{\dfrac{k}{m}}$

2. 彈簧位於一端固定端，一端為自由端，其基本自然頻率：

$f = \dfrac{1}{4}\sqrt{\dfrac{k}{m}}(\text{cycle} / \sec)$

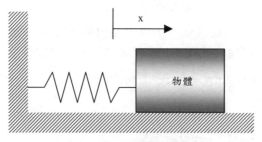

圖 3.1　彈簧振動週期

### 範例 *3-1*

(1)如請寫出使用彈簧構件在機械應用上的三種主要功用。

(2)如圖所示之彈簧組合，已知彈簧常數 $K_1$=1N/mm、
$K_2$=2N/mm、$K_3$=3N/mm，試求該彈簧組合之彈簧常數。

【107 地四】

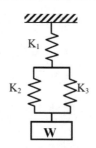

**解** (1)A.吸收震動時的能量

　　B.儲存能量

　　C.保持機件之間接觸

(2)$K_2$ 與 $K_3$ 為並聯，其等效彈簧常數 K′為：

K′=$K_2$+$K_3$=2+3=5(N/mm)

總彈簧常數 $K_t$ 為 K'與 $K_1$ 串聯：

$$\frac{1}{K_t} = \frac{1}{K'} + \frac{1}{K_1} = \frac{1}{5} + \frac{1}{1} = \frac{6}{5}(N/mm)$$

$$K_t = \frac{5}{6}(N/mm)$$

**範例 3-2**

圖中各彈簧常數分別為 $K_1 = 4N/m$、$K_2 = 5N/m$、$K_3 = 8N/m$、$K_4 = 10N/m$，當質量 M = 2kg 時：(1)系統之等效彈簧常數為何？ (2)系統之自然頻率為何？【機設普考】

**解** (1)

$$\frac{1}{K} = \frac{1}{K_1 + K_3} + \frac{1}{K_2 + K_4} = \frac{K_1 + K_2 + K_3 + K_4}{(K_1 + K_3)(K_2 + K_4)}$$

$$= \frac{4 + 5 + 8 + 10}{(4 + 8)(5 + 10)} = 0.15 \Rightarrow K = 6.67$$

(2) $f = \dfrac{1}{2\pi}\sqrt{\dfrac{K}{M}} = \dfrac{1}{2\pi}\sqrt{\dfrac{6.67}{2}} = 0.291$

**範例 3-3**

有一由六個圓盤形彈簧片所組合而成之彈簧裝置，如圖所示，若每一彈簧片之單獨彈簧常數皆為 k，試求此組合後裝置之彈簧常數並說明此種盤形彈簧之受力-變形曲線特徵。【107 普】

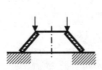

單一圓盤形彈簧片

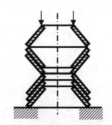

六個圓盤形彈簧片組合

**解** (1)變形區為非線性。

(2)大撓度下使負荷維持定值。

(3)適用於定壓結構，如：離合器之來令彈簧。

原彈簧組等效為：

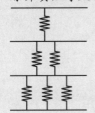

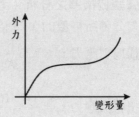

$\dfrac{1}{k_t} = \dfrac{1}{k} + \dfrac{1}{2k} + \dfrac{1}{3k}$ ； $k_t = \dfrac{6}{11}k$

## ▾3-2　螺旋彈簧靜態強度分析

### 一、彈簧所受剪應力

螺旋彈簧的靜態負荷如圖 3.2 所示，一螺旋彈簧受一軸向之壓力 F，其截面實際所受之剪應力，以內側 B 點所受之剪應力為最大，其所受之剪應力為扭轉剪應力及橫向剪應力之和，其分析如下：

#### (一) 橫向剪應力考慮成平均剪應力(不計曲率效應)：

$$橫向剪應力\ \tau_F = \frac{F}{A} = \frac{4F}{\pi d^2} = \frac{4F \times (D_m)}{\pi d^3} \times \frac{d}{D_m} = \frac{4F \times (D_m)}{\pi d^3} \times (\frac{1}{C})$$

$$(其中彈簧指數\ C = \frac{D_m}{d})$$

$$扭轉剪應力\ \tau_T = \frac{Tr}{J} = \frac{16T}{\pi d^3} = \frac{16F \times (\frac{D_m}{2})}{\pi d^3}$$

$$總剪應力\ \tau = \tau_F + \tau_T = \frac{4F \times (D_m)}{\pi d^3} \times (\frac{1}{C}) + \frac{16F \times (\frac{D_m}{2})}{\pi d^3}$$

$$= \frac{16F \times (\frac{D_m}{2})}{\pi d^3}(1 + \frac{0.5}{C})$$

$$\Rightarrow \tau = K_s \frac{16F \times (\frac{D_m}{2})}{\pi d^3} \Rightarrow K_s = (1 + \frac{0.5}{C})$$

#### (二) 彈簧較精準之分析（考慮曲率效應）：在內徑處的橫向剪應力為假設均勻分佈所得值的 1.23 倍

$$橫向剪應力\ \tau_F = 1.23 \frac{F}{A} = 1.23 \frac{4F}{\pi d^2} = 1.23 \times \frac{4F \times (D_m)}{\pi d^3} \times (\frac{1}{C})$$

$$扭轉剪應力\ \tau_T = \frac{Tr}{J} = \frac{16T}{\pi d^3} = \frac{16F \times (\frac{D_m}{2})}{\pi d^3}$$

總剪應力 $\tau = \tau_F + \tau_T = \dfrac{16F \times (\dfrac{D_m}{2})}{\pi d^3}(1 + \dfrac{0.615}{C})$

$$\tau = K_s \dfrac{16F \times (\dfrac{D_m}{2})}{\pi d^3} \Rightarrow K_s = (1 + \dfrac{0.615}{C})$$

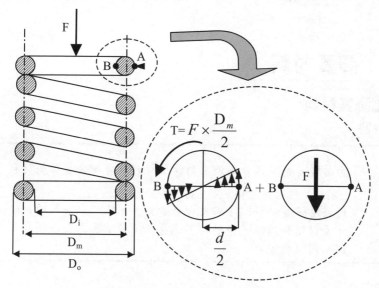

**圖 3.2　彈簧截面受力狀況**

## 二、彈簧變形量與彈簧常數

當螺旋壓縮彈簧承受一負載，此彈簧的線圈會扭曲及彈簧產生撓度，欲求螺旋彈簧之撓度可用能量法，其分析如下所示：

外力作的功=材料之應變能 $\Rightarrow \dfrac{1}{2}F\delta = \dfrac{1}{2}T\theta = \dfrac{1}{2}T \times (\dfrac{TL}{GJ})$

$$\Rightarrow F\delta = T \times (\dfrac{TL}{GJ}) = \dfrac{(F \times \dfrac{D_m}{2})^2 L}{\dfrac{1}{32}\pi d^4 G}$$

其中 $L=\pi D_m N_{有效}$ ($N_{有效}$ 為彈簧之有效圈數)

$$\Rightarrow \quad \delta = \frac{8FD_m^3 \times N_{有效}}{d^4 G}$$

$$\Rightarrow \quad K = \frac{F}{\delta} = \frac{d^4 G}{8D_m^3 N_{有效}}$$

# ▼3-3 彈簧材料

## 一、金屬彈簧材料

### (一) 彈簧材料：

| 金屬<br>彈簧材料 | 金屬彈簧材料又分為鐵金屬彈簧材料及非鐵金屬彈簧材料。 |
|---|---|
| 鐵金屬<br>彈簧材料 | 鐵金屬彈簧材料以碳鋼及合金鋼為主，除了以加入矽、錳、鉻等元素以增加彈性疲勞限外，還有使用熱間加工及冷間加工方式得到不同性能。 |

### (二) 材料加工：

1. **熱間加工**：熱間加工為用於淬火回火而得出必要性能的彈簧，若淬火回火適當，會得到大致相同的彈簧特性，幾乎與鋼的成份及種類無關。
2. **冷間加工**：利用冷間成形的方式得出必要性能，常見的鐵金屬彈簧介紹如下：
   (1) 鋼琴線：一抽線操作賦予冷間加工，具高彈性限度，為小形彈簧最佳材料。
   (2) 油回火線：藉淬火回火的高彈性限度，用於螺旋彈簧。
   (3) 矽錳鋼：用於葉片彈簧。

## 二、非金屬彈簧材料

| | |
|---|---|
| 非鐵金屬彈簧材料 | 1. 銅合金材料：其電傳導度好，耐蝕性好，不適用高溫，主要有磷青銅，鈹銅，黃銅等材料。<br>2. 鎳合金材料：可得非磁性材料，耐蝕性佳，適用高低溫，可作恆彈性率。<br>3. 鈷合金材料：耐蝕性佳，疲勞限度高，可作恆彈性率，常用鐘錶等精密組件。 |
| 非金屬彈簧材料 | 非金屬彈簧材料主要為橡膠，橡膠彈簧是利用橡膠具有的彈性及內部摩擦。<br>特性：<br>1. 可與金屬接著，容易安裝。<br>2. 具有適當內部摩擦，故不會激變。<br>3. 防音效果好。<br>※橡膠彈簧有幾種形狀：壓縮形、剪斷形、複合形、扭轉形。 |

### 範例 *3-4*

某螺旋彈簧的彈簧常數為 k，在未受力時，其長度為 L。若將此彈簧截去一半，長度只剩 L/2，但螺距與螺旋半徑皆保持不變，試求所剩半截彈簧之彈簧常數。請詳述理由或詳列計算過程。【機設普考】

**解** (1) 外力作的功＝材料之應變能

$$\frac{1}{2}F\delta = \frac{1}{2}T\theta = \frac{1}{2}T \times (\frac{T \times L}{GJ})$$

$$\Rightarrow F \times \delta = T \times (\frac{TL}{GJ}) = \frac{(F \times \frac{D_m}{2})^2 L}{\frac{1}{32}\pi d^4 G}$$

$$\Rightarrow \delta = \frac{8FD_m^2 \times L}{\pi d^4 G} \quad , \quad k = \frac{F}{\delta} = \frac{\pi d^4 G}{8D_m^2 \times L}$$

(2) 又 $L \to \frac{L}{2}$ ，$k_1 = 2 \times (\frac{\pi d^4 G}{8D_m^2 \times L}) = 2k$

# ❮精選試題❯

## 一、選擇題型

( )　**1** 兩螺旋拉伸彈簧之彈簧常數分別爲 20N/cm 及 30N/cm。將它們串聯後，總彈簧常數應爲多少 N/cm？　(A)$\frac{1}{50}$　(B)$\frac{1}{12}$　(C)12　(D)50。

( )　**2** 下列有關彈簧功用的敘述，何者不正確？　(A)吸收機械瞬間震動的能量　(B)利用彈簧產生的作用力，調節機件的位置或保持機件的接觸　(C)力量的量度　(D)保持機械元件的接觸彈性，避免鬆脫。

( )　**3** 有一個螺栓固定於支架上，承受負荷 P 之作用力，如圖所示，如螺栓之彈簧常數爲 $k_b$，支座之彈簧常數爲 $k_p$，則螺栓內之拉力爲：
(A)$k_b P / k_p$　(B)$k_p P / k_b$　(C)$k_b P /(k_b + k_p)$
(D)$k_p P /(k_b + k_p)$。【普考】

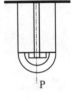

( )　**4** 一圓形截面之扭力桿，其直徑爲 8mm，距離固定端 500mm 處承受 600N-mm 之扭矩，若材料之剪力模數 G＝2500MPa，則此扭力桿之彈簧率爲：　(A)$320\pi$N-mm/rad　(B)$480\pi$N-mm/rad　(C)$640\pi$N-mm/rad　(D)$960\pi$N-mm/rad。【普考】

( )　**5** 一彈簧率爲 30N/mm 之螺旋彈簧，承受負載 P=600N，則彈簧儲存之能量爲：
(A)3,000N-mm　(B)6,000N-mm　(C)9,000N-mm　(D)12,000N-mm。【普考】

( )　**6** 兩彈簧 $K_1$ 與 $K_2$ 串聯後，再與第三根彈簧 $K_3$ 並聯之彈簧係數爲
(A)$\frac{K_1 K_2}{K_1 + K_2} + K_3$　　　　(B)$K_1 + K_2 + K_3$
(C)$(K_1 + K_2)K_3$　　　　(D)$\frac{(K_1 + K_2)K_3}{K_1 + K_2 + K_3}$。【台電】

（　）　**7** 兩條拉伸彈簧，彈簧常數分別爲 10N/cm 及 40N/cm，將其串聯在一起，當總撓曲量伸長 10cm 時，其荷重爲多少？　(A)80N (B)100N　(C)400N　(D)500N。

（　）　**8** 兩條壓縮彈簧，其彈簧常數皆爲 5N/mm，將其並聯在一起，當承受荷重 100N 時，其壓縮量爲多少 mm？　(A)5　(B)10　(C)15 (D)20。

（　）　**9** 二螺旋彈簧之彈簧率分別爲 $k_1$ 及 $k_2$，將此二彈簧並聯成一彈簧，則其彈簧率爲：　(A)$k_1 + k_2$　(B)$k_1 - k_2$　(C)$k_1 k_2 / (k_1 + k_1)$ (D)$k_1 k_2 / (k_1 - k_1)$。【普考】

（　）　**10** 虎克定律成立之最大極限值爲：　(A)降伏限　(B)極限強度　(C)比例限　(D)疲勞強度。【普考】

（　）　**11** 一圓形螺旋彈簧之線絲直徑爲 d，彈簧指數爲 c，作用圈數爲 n，材料之剪力模數爲 G，則其彈簧率爲：　(A)$Gd/(8C^3 n)$ (B)$Gd/(4C^3 n)$　(C)$Gd/(2C^3 n)$　(D)$Gd/(C^3 n)$。【普考】

（　）　**12** 三個等長彈簧串聯時，彈簧常數分別爲 $K_1$、$K_2$、$K_3$，則總彈簧常數 K 爲　(A)$K=K_1+K_2+K_3$　(B)$\dfrac{1}{K}=K_1+K_2+K_3$　(C)$\dfrac{1}{K}=\dfrac{1}{K_1}+\dfrac{1}{K_2}+\dfrac{1}{K_3}$ (D)$K=\dfrac{1}{K_1}+\dfrac{1}{K_2}+\dfrac{1}{K_3}$。

（　）　**13** 有一螺旋彈簧受到彈簧軸向負載 F，若以 $\tau$ 表剪應力，T 表扭力矩，$D_m$ 表線圈平均直徑，d 表線直徑，J 表扭轉慣性矩，G 表剪力彈性係數，則螺旋彈簧之剪應力計算式可表示爲 (A)$\tau=\dfrac{8FD_m}{\pi d^3}$　(B)$\tau=\dfrac{16FD_m}{d^4}$　(C)$\tau=\dfrac{8FD_m^3}{Gd}$　(D)$\tau=\dfrac{TD_m}{2J}$。

（　）　**14** 一懸臂單葉片彈簧，在其末端承受負載 P，若彈簧之長度爲 L，其斷面之二次慣性矩爲 I，材料之楊氏係數爲 E，則其彈簧率 k 爲：　(A)$EI/L^3$　(B)$3EI/(2L^3)$　(C)$3EI/L^3$　(D)$6EI/L^3$。 【普考】

( ) **15** 大貨車常用疊片彈簧做爲其底盤輪軸的振動緩衝裝置，此類疊片彈簧所受壓力是集中在： (A)最短板片之兩端 (B)最短板片之中央 (C)最長板片之兩端 (D)最長板片之中央。【普考】

( ) **16** 彈簧鋼的彈性強度可用下列何法增加？ (A)熱處理 (B)珠擊法 (C)冷拉法 (D)鑄造法。【普考】

( ) **17** 壓縮彈簧的頂端常被磨平，因爲可： (A)增加美觀 (B)增加接觸面積 (C)降低製造成本 (D)減少接觸面的摩擦。【普考】

( ) **18** 兩彈簧並聯承受 75kg 之負載，彈簧常數一爲 50kg/cm，一爲 25kg/cm，則總變形量爲： (A)1cm (B)4.5cm (C)3cm (D)1.5cm。【普考】

( ) **19** 小型彈簧大多用何種材料？ (A)彈簧鋼 (B)青銅 (C)鋼琴線 (D)矽錳鋼。【普考】

( ) **20** 橡膠彈簧應避免承受那一種負荷？ (A)壓力 (B)拉力 (C)剪力 (D)接觸力。【普考】

( ) **21** 下列何者不是彈簧的主要功用？ (A)機件之定位 (B)吸收震動 (C)儲存能量 (D)測定力及重量之大小。

( ) **22** 一螺旋彈簧之外徑爲 50mm，線直徑爲 5mm，則其彈簧指數爲： (A)8 (B)9 (C)10 (D)11。

( ) **23** 有一螺旋壓縮彈簧，施以 100N 之壓力時，量得彈簧長度爲 90mm；施以 250N 之壓力時，量得彈簧長度爲 60mm；則施以 300N 之壓力時，此彈簧之長度應爲多少 mm？ (A)40 (B)45 (C)50 (D)55。

( ) **24** 下列何者材料製成的彈簧抗拉強度高及壽命精度最優良 (A)琴鋼線 (B)鋁合金線 (C)不鏽鋼線 (D)油回火鋼線。

( ) **25** 下列何種材質製作的彈簧，不需常加防蝕層處理 (A)黃銅 (B)彈簧鋼 (C)蒙納合金 (D)音樂鋼絲。

( ) **26** 欲製造高應力及高疲勞負荷之彈簧，增加彈簧鋼的疲勞限度，可用何種加工法 (A)鑄造法 (B)冷拉法 (C)珠擊法 (D)熱拉加工法。

( ) **27** 將螺旋壓縮彈簧的兩端磨平，主要目的爲增加接觸面積，每端約磨去 (A)$\frac{1}{2}$ (B)$\frac{1}{4}$ (C)$\frac{1}{8}$ (D)$\frac{3}{4}$ 圈。

( ) **28** 有一壓縮彈簧的總圈數爲 10 圈，若允許彈簧稍有彎曲，則其有效圈數爲 (A)8.5 (B)9 (C)9.5 (D)10 圈。

( ) **29** 錐形彈簧常使用在沙發椅及彈簧床，當錐形彈簧壓縮時，最初壓縮變形較大的部分是 (A)大直徑 (B)中直徑 (C)小直徑 (D)大中小直徑皆相同。

( ) **30** 一彈簧置於兩平板間，若一負載作用於平板，位於彈簧中心線上，則彈簧線圈之截面上那一點承受最大之剪應力？ (A)外徑處 A 點 (B)中心點 O 點 (C)內徑處 C 點 (D)外徑處底端 D 點。

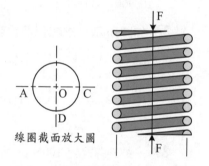

線圈截面放大圖

( ) **31** 長度相同的 A、B 兩拉伸彈簧，A 的彈簧係數爲 30N/cm，B 的彈簧係數爲 20N/cm，若忽略本身重量，則下列敍述何者正確？ (A)A 彈簧受 120N 軸向荷重時伸長量爲 3cm (B)兩彈簧並聯後，彈簧的組合總彈簧係數爲 12N/cm (C)兩彈簧串聯後，承受 60N 荷重時總伸長量爲 5cm (D)承受相同荷重時，A 彈簧的伸長量爲 B 彈簧的 1.5 倍。

( ) **32** 彈簧若具有相同形狀、線徑、平均直徑、有效圈數及彈簧密度，則彈簧使用較大之剛性模數 G 者，會造成其伸縮自然頻爲 (A)昇高 (B)降低 (C)不變 (D)不一定。【普考】

( ) **33** 一平台用以承受負載，作用於平台中點，四支柱之剛性各別皆爲 K，則平台之總剛性應爲多少？ (A)0.25K (B)0.5K (C)1K (D)4K。

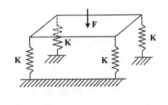

( ) **34** 一鋼製壓縮彈簧，受壓縮力由 20kg 增至 30kg 時，彈簧長度由 70mm 被壓縮至 50mm，則彈簧的常數 (A)0.5(kg/mm) (B)1(kg/mm) (C)1.5(kg/mm) (D)2(kg/mm)。

( ) **35** 有一螺旋壓縮彈簧，施以 200N 之壓力時，量得彈簧長度爲 90mm；施以 350N 之壓力時，量得彈簧長度爲 60mm；則施以 300N 之壓力時，此彈簧之長度應爲多少 mm？ (A)130 (B)45 (C)60 (D)70。

( ) **36** 如圖所示，求總彈簧常數 k？

(A) $k = k_1 + k_2 + k_3$ (B) $\dfrac{1}{k} = \dfrac{1}{k_1} + \dfrac{1}{k_2} + \dfrac{1}{k_3}$

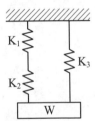

(C) $k = \dfrac{k_1 k_2}{k_1 + k_2} + k_3$ (D) $\dfrac{1}{k} = \dfrac{1}{k_3} + \dfrac{1}{k_1 k_2}$。

( ) **37** 一螺旋彈簧受 100N 之軸向負荷，其線圈平均直徑爲 5cm，彈簧線爲圓線，直徑爲 0.5cm，則彈簧所受之剪應力爲： (A)10186 N/cm$^2$ (B)5096 N/cm$^2$ (C)15288 N/cm$^2$s (D)3200 N/cm$^2$。

( ) **38** A 的彈簧係數爲 20N/mm，B 的彈簧係數爲 30N/mm 且兩拉伸彈簧長度相同，若忽略本身重量，則下列敘述何者正確？ (A)A 彈簧受 600N 軸向荷重時，伸長量爲 20mm (B)兩彈簧串聯互鉤後，彈簧的組合總彈簧係數爲 50N/mm (C)兩彈簧串聯後承受 600N 荷重時，總伸長量爲 50mm (D)承受相同荷重時，B 彈簧的伸長量爲 A 彈簧的 1.5 倍。

( ) **39** 何種機件能儲存能量？ (A)齒輪 (B)凸輪 (C)鍵 (D)彈簧。
【103 北捷】

( ) **40** 如右圖拉伸彈簧並聯與串聯合併使用，若
K₁=40kg/cm，K₂=30kg/cm，K₃=30kg/cm，
K₄=25kg/cm，K₅=25kg/cm，K₆=25kg/cm，
當承受 100kg 負荷時，求伸長量多少？
(A)10cm
(B)5.5cm
(C)0.57cm
(D)3.5cm。【103 北捷】

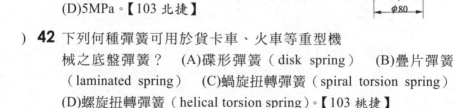

( ) **41** 如右圖所示之油壓機構，活塞直徑為 80 公
厘，手輪直徑為 100 公厘，螺懸導程為 10 公
厘，假設摩擦損失為 60%，今施加 2kN 之力
於手輪上，則活塞承受多少 MPa 之壓力？
(A)25MPa
(B)20MPa
(C)10MPa
(D)5MPa。【103 北捷】

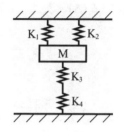

( ) **42** 下列何種彈簧可用於貨卡車、火車等重型機
械之底盤彈簧？　(A)碟形彈簧（disk spring）　(B)疊片彈簧
（laminated spring）　(C)蝸旋扭轉彈簧（spiral torsion spring）
(D)螺旋扭轉彈簧（helical torsion spring）。【103 桃捷】

( ) **43** 有一彈簧之線圈平均直徑為 30mm，彈簧線直徑為 5mm，試求
彈簧指數（index）為何？　(A)3　(B)6　(C)9　(D)12。【103 桃
捷】

( ) **44** 如圖所示為彈簧系統，假設 K₁＝5N/mm，K₂
＝15N/mm，K₃＝10N/mm，K₄＝10N/mm，試
求組合後總彈簧常數為多少 N/mm？
(A)15
(B)20
(C)25
(D)30。【103 桃捷】

## 解答與解析

**1 (A)**。串聯 $\Rightarrow \dfrac{1}{K} = \dfrac{1}{K_1} + \dfrac{1}{K_2} = \dfrac{1}{20} + \dfrac{1}{30} \Rightarrow K = 12$ (N/cm)

**2 (D)**

**3 (C)**。此可視為彈簧並聯的形式，所以整個系統的彈簧常數為 $k = k_b + k_p$

螺栓與支座的變形量相等，皆為 $x = \dfrac{P}{k_b + k_p}$

所以螺栓受力為 $x \cdot k_b = \dfrac{P}{k_b + k_p} \cdot k_b$。所以答案為(C)。

**4 (C)**。總扭轉角公式如右：$\phi = \dfrac{TL}{GJ}$

T：為扭矩，J 為極慣性矩，G 為剪彈力係數，而 GJ 又可稱為扭轉剛度

$k = \dfrac{GJ}{L} = \dfrac{2500Mpa \cdot (\frac{\pi}{32} 0.008^4)}{0.5m} = 640\pi N - mm / rad$。

所以答案為(C)。

**5 (B)**。 $P = kx$

$x = \dfrac{600N}{30N / mm} = 20mm$

$E = \dfrac{1}{2}kx^2 = \dfrac{1}{2} \times 30 \times 20^2 = 6000N - mm$。所以答案為(B)。

**6 (A)**。先求出串聯彈簧的彈簧常數 $k = \dfrac{k_2 \cdot k_1}{k_2 + k_1}$

與 $k_1$ 並聯後得 $K = k + k_3 = \dfrac{k_1 k_2}{k_1 + k_2} + k_3$。所以答案為(A)。

**7 (A)**。串聯 $\Rightarrow \dfrac{1}{K} = \dfrac{1}{K_1} + \dfrac{1}{K_2} = \dfrac{1}{10} + \dfrac{1}{40} \Rightarrow K = 8$(N/cm)

$F = Kx = 8 \times 10 = 80$

**8 (B)**。並聯 $\Rightarrow K=K_1+K_2=5+5=10$，$x=\dfrac{F}{K}=\dfrac{100}{10}=10$

**9 (A)**。得到並聯組合的彈簧常數 $K=k_1+k_2$，所以答案為(A)。

**10 (C)**

**11 (A)**。彈簧指數為彈簧徑比 $C=D/d$

　　　圓形螺旋彈簧的彈簧常數為 $k=\dfrac{Gd^4}{8D^3n}=\dfrac{Gd}{8C^3n}$

　　　所以答案為(A)。

**12 (C)**。彈簧串聯後的彈簧常數為各彈簧常數倒數的和之倒數，

　　　即 $\dfrac{1}{K}=\dfrac{1}{K_1}+\dfrac{1}{K_2}+\dfrac{1}{K_3}$

**13 (A)**。$\tau=\dfrac{TR}{J}=\dfrac{(F\times\frac{d}{2})(\frac{D_m}{2})}{\frac{\pi d^4}{32}}=\dfrac{8FD_m}{\pi d^3}$

**14 (C)**。懸臂單葉片彈簧的彈簧常數為 $k=\dfrac{Ebh^3}{4L^3}$

　　　b 為寬度，L 為長度，h 為板厚

　　　其二次慣性矩為 $I=\dfrac{bh^3}{12}$

　　　所以彈簧常數為 $k=\dfrac{Ebh^3}{4L^3}=\dfrac{3EI}{L^3}$。所以答案為(C)。

**15 (C)**。支點在最長板片之兩端處，所以壓力集中在此。所以答案為(C)。

**16 (A)**。(A)熱處理的中溫回火其目的是獲得高的降伏強度，彈性極限和較高
　　　　的韌性，其主要用於各種彈簧的處理。
　　　(B)鑄造法為製造法，而非材料性質處理。
　　　(C)冷拉法：用於拉伸成形，甚少用在材料性質處理。
　　　(D)珠擊法：將金屬表面用珠粒噴擊使它的表面受衝擊力量而塑性變形
　　　　產生加工硬化，增加金屬的疲勞強度。所以答案為(A)。

**17 (B)**。為了增加接觸面面積，壓縮彈簧的端面常被磨平。所以答案為(B)。

**18 (A)**。 $N = (k_1 + k_2)x$

$75kg = (50 + 25)kg / cm \cdot x$

$x = 1cm$ 。所以答案為(A)。

**19 (C)**。小型彈簧大多用鋼琴線。所以答案為(C)。

**20 (B)**。橡膠彈簧有幾種形狀：壓縮形、剪斷形、複合形、扭轉形。
所以可知其不適用在拉力場合，所以答案為(B)。

**21 (A)**

**22 (B)**。 彈簧指數 $= \dfrac{彈簧平均直徑}{彈簧線徑} = \dfrac{D_m}{d} = \dfrac{50-5}{5} = 9$

**23 (C)**。 $F = Kx \Rightarrow (250 - 100) = K(90 - 60) \Rightarrow K = 5(N/mm)$

$x = \dfrac{(300 - 250)}{5} = 10(mm) \Rightarrow$ 故彈簧原長 $= 60 - 10 = 50(mm)$

**24 (A)**

**25 (C)**。高鎳銅合金謂之蒙納合金，耐蝕性佳。

**26 (C)**。螺旋彈簧多以受塑性加工成型，並以珠擊法改善其抗疲勞強度。

**27 (D)**

**28 (A)**。將螺旋壓縮彈簧的兩端磨平，主要目的為增加接觸面積，每端約磨

去 $\dfrac{3}{4}$ 圈

$10 - \dfrac{3}{4} \times 2 = 8.5$（圈）

**29 (A)**。錐形彈簧的彈簧常數通常隨著壓縮量增加而增加，當錐形彈簧壓縮
時，最初壓縮時大直徑會先變形。

**30 (C)**

**31 (C)**。(A)彈簧受 90 N 軸向荷重時伸長量為 3 cm。

(B)兩彈簧串聯互鉤後，彈簧的組合總彈簧係數為 12N/cm。

(D)承受相同荷重時，B 彈簧的伸長量為 A 彈簧的 1.5 倍。

**32 (A)**。彈簧的伸縮自然振頻為 $f_{res} = \dfrac{d}{9D^2 n_t} \sqrt{\dfrac{G}{\rho}}$

d 為線徑，D 為螺旋平均直徑，$n_t$ 為有效圈數，$\rho$ 為彈簧密度
則彈簧使用較大之剛性模數 G 者，會造成其伸縮自然振頻昇高。所以
答案為(A)。

**33 (D)**。看成四個彈簧並聯 $K_{th} = K + K + K + K = 4K$

**34 (A)**。$K = \dfrac{\Delta F}{\Delta x} = \dfrac{30 - 20}{70 - 50} = 0.5 (kg/mm)$

**35 (D)**。$F = Kx \Rightarrow (350 - 200) = K(90 - 60) \Rightarrow K = 5 (N/mm)$

$\dfrac{(200)}{5} = 40 (mm)$ $\Rightarrow$ 故彈簧原長 $= 40 + 90 = 130 (mm)$

$x = \dfrac{(300)}{5} = 60 (mm)$ $\Rightarrow$ 故彈簧長度 $= 130 - 60 = 70 (mm)$

**36 (C)**。$k = \dfrac{1}{\dfrac{1}{k_1} + \dfrac{1}{k_2}} + k_3 = \dfrac{k_1 k_2}{k_1 + k_2} + k_3$

**37 (A)**。$\tau = \dfrac{TR}{J} = \dfrac{(F \times \frac{d}{2})(\frac{D_m}{2})}{\dfrac{\pi d^4}{32}} = \dfrac{8FD_m}{\pi d^3} = \dfrac{8 \times 100 \times 5}{\pi \times (0.5)^3} = 10186$

**38 (C)**。(A) $\delta_A = \dfrac{F}{K_A} = \dfrac{600}{20} = 30mm$

(B) $K = \dfrac{K_A \times K_B}{K_A + K_B} = \dfrac{20 \times 30}{20 + 30} = 12N/mm$

(C) $\delta = \dfrac{F}{K} = \dfrac{600}{12} = 50mm$

(D) $\dfrac{\delta_B}{\delta_A} = \dfrac{K_A}{K_B} = \dfrac{20}{30} = \dfrac{2}{3}$ 倍。

**39 (D)**

**40 (B)**。$\dfrac{1}{k}=\dfrac{1}{40}+\dfrac{1}{60}+\dfrac{1}{75}\Rightarrow k=118.18\left(\dfrac{kg}{cm}\right)$

$\quad\quad\delta=\dfrac{100}{18.18}=5.5(cm)$

**41 (A)**。$\eta=0.4=\dfrac{W\times10}{2\pi\times2\times10^3\times50}\quad\quad W=8000\,\pi\,(N)$

$\quad\quad\sigma=\dfrac{8000\pi}{\dfrac{\pi}{4}\times80^2}=5(MPa)$

**42 (B)**。疊片彈簧又稱葉片彈簧，常使用於卡車底盤當避震器使用。

**43 (B)**。$C=\dfrac{30}{5}=6$

**44 (C)**。$\dfrac{1}{k'}=\dfrac{1}{10}+\dfrac{1}{10}=\dfrac{1}{5}\Rightarrow k'=5$

$\quad\quad k=5+15+5=25\left(\dfrac{N}{mm}\right)$

## 二、問答題型

**1. 請說明彈簧的功能？【關務四等】**

解 功用為受外力作用時可產生伸長或縮短或其他不同方式的變形，吸收機械瞬間震動的能量，調節機件的位置或保持機件的接觸，保持機械元件的接觸彈性，避免鬆脫以吸收外力而儲存於本體內，等到外力除去將儲存之能量放出，恢復成原來狀態。

**2. 常用彈簧的截面為圓形、方形或矩形，為什麼工程上需要使用方形或矩形截面的彈簧？【關務四等】**

解 需要使用方形或矩形截面的原因為：
(1) 用於在比圓形截面場合更小的空間。
(2) 其提供比圓形截面彈簧更強的力量。

**3. (1)一般家用的彈簧床及彈簧沙發椅中，常採用錐形彈簧，其理由為何？(2)上述彈簧在受力壓縮過程中，彈簧力量呈何種形式變化？(3)在一般螺紋中，為何其螺紋牙頂為平面，牙底為圓弧形？【關務四等】**

解 (1) 錐形彈簧多用於小空間，或短距離彈性範圍內的機件上，壓縮時，各圈可縮進大圈之平面內，以節省空間，兩端大中間小之錐形彈簧用於沙發之彈簧。
(2) 錐形彈簧是用在固定負載而想減少撓度時之應用，它由一個不同直徑之線圈製成，壓力大時大直徑變形較大，可將彈簧壓至最低點而成為一圓形板狀。
(3) 當構件受到高頻之變動負載時，其螺紋結合件之螺紋牙頂為平面，牙底為圓弧形，可承受較高之疲勞負載。

**4. (1)請回答下列有關螺旋壓縮彈簧（helical compression spring）的問題：A.端面磨平的目的為何？B.每端磨去約幾匝？C.每端約幾匝無效？D.磨平後，可增加多少百分比（％）的接觸面？(2)試敘述螺旋壓縮彈簧的原理及功用？【關務四等】**

解 (1) A.承受軸向壓力而產生縮短變形，為了使承受壓力之接觸面增加。
B.每端約磨去 3/4 圈。
C.約 1 圈無效圈。
D.可增加 50%～85%的接觸面。

(2)螺旋壓縮彈簧在其彈性限度內可籍撓度而吸收外來的能量，承受軸
向壓力而產生縮短變形，其功用為：
A.它可吸收由外來負載所造成的衝擊或陡震所產生的能量。
B.可裝在系統上用以改變其固有頻率及降低由外負載所產生的振動。
C.可控制系統的運作，如應用於閥門。
D.可操作系統儲存能量。
E.可測量物體的重量。

5. 橡皮彈簧從其負載可分伸長、壓縮及扭轉三種類型，請問橡皮彈簧的主要
功用及共同缺點為何？【地方特考】

解 橡皮彈簧具有吸收震動能與緩和衝擊力的作用，缺點是不耐蝕、不耐
疲勞、不耐高溫。

6. (1)汽車的避震系統中，常用的彈簧有哪幾種？
(2)一般使用的指甲剪，所使用的彈簧屬於哪一種？【地方特考】

解 參考 3-1 章節

7. 在什麼設計情況下要考慮彈簧的自然頻率(natural frequency)？【普考機設】

解 當負載消失時，彈簧儲存的位能被釋放而變成動能，持續在某固有頻
率下振動之效應稱之為彈簧顫動，若有一外來負載的頻率跟彈簧的固
有頻率很接近，它會引致振動幅度增大而產生共振，彈簧容易振動幅
度過大而損壞，因此在設計時考慮彈簧的自然頻率(natural
frequency)，其固有頻率跟外加負載頻率的比值不能等於或接近 1，此
比值常建議大於 20，以避免共振情況發生。

8. 壓縮彈簧（compression spring）及扭力彈簧（torsion spring）的線圈
（coils）所承受之應力（stress）是何種形式（正應力或剪應力）？請分別
說明。【鐵路特考四等機設】

解 (1)壓縮彈簧（compression spring）：螺旋彈簧的靜態負荷如圖所示，
一螺旋彈簧受一軸向之壓力 F，其截面實際所受之應力為剪應力，
以內側 B 點所受之剪應力為最大，其所受之剪應力為扭轉剪應力
及橫向剪應力之和。

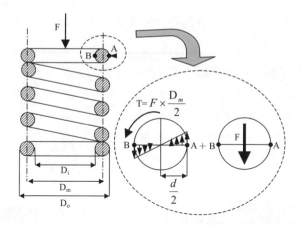

(2)扭力彈簧（torsion spring）：扭力彈簧的靜態負荷如圖所示，一扭力彈簧受負載 F，承受一彎曲力矩而在彈簧線圈上形成一抗彎應力產生彎曲應力，其彎曲角度 $\theta = \dfrac{ML}{EI} = \dfrac{FhL}{EI}$，彎曲正應力 $\sigma = K\dfrac{M \times \dfrac{d}{2}}{I}$

其中 K 為應力集中因數。

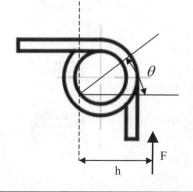

線徑：d、平均直徑 $D_m$、

彈簧指數：$C = \dfrac{D_m}{d}$

---

**9. 試以與彈簧的彈性係數 k 有關的四種參數分別說明增大彈性係數的方法。**
【原住民特考四等機設】

**解** 彈簧的彈性係數 $K = \dfrac{F}{\delta} = \dfrac{d^4 G}{8D_m^3 N_{有效}}$，若要增大彈簧係數有以下方法：

(1) 可增加彈簧線徑 d。

(2) 使用彈簧剪彈性模數 G 較大之材料。

(3) 減小彈簧平均直徑。

(4) 減少彈簧有效圈數。

**10.** 螺旋彈簧（helical spring）依其受力的型式，可分為那幾種？作用力是如何傳送的？【關四】

（解）螺旋彈簧又稱為線狀彈簧，其分類與受力方式如下所述：

| 彈簧名稱 | 說明 | 圖示 |
|---|---|---|
| 1. 壓縮彈簧 | 承受軸向壓力而產生縮短變形，為了使承受壓力之接觸面增加，常把兩端磨平。 | 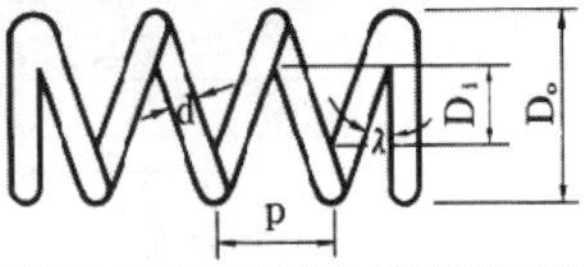 |
| 2. 拉伸彈簧 | 受外力拉伸後伸長，外力消失恢復原狀，兩端各有一環圈，以供鉤掛。 | 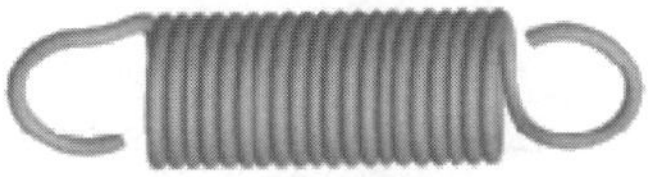 |
| 3. 螺旋扭力彈簧 | 扭轉彈簧的繞法跟彈簧一樣，除了在末端的形狀隨各種應用不同而異，線圈呈螺旋狀，受力時對軸中心線產生一扭轉力。 | 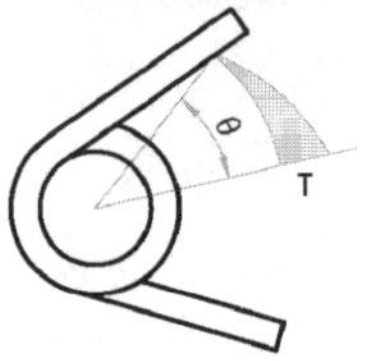 |
| 4. 錐形彈簧 | 繞成錐形的螺旋圈，可承受壓力，其優點為壓力大時大直徑變形較大，可將彈簧壓至最低點而成為一圓形板狀，彈簧線圈會縮小進入大圈之平面內，通常隨著壓縮量增加而增加，當錐形彈簧壓縮時，最初壓縮時大直徑會先變形。 |  |

**11.** (一) 扣環是彈簧種類中的重要元件，請說明其功用。
　　(二) 一般機械式鐘錶的發條，選用那一種彈簧？【普考】

（解）(一) 扣環常用於取代軸肩或套筒，於軸上或在外箱孔為元件軸向作定位。外扣環是用以固定軸上為元件軸向作定位；內扣環在外箱孔為元件軸向作定位。
　　(二) 鐘錶的發條是蝸旋扭力彈簧。

**13. 常見扭轉彈簧（torsion spring）的規格表內，通常會具備那些項目（請至少列出五項）？【普考】**

**解** 彈簧線徑、彈簧圈數、彈簧材料、彈簧抗拉強度、彈簧平均直徑。

**13. 製造螺旋彈簧的圓形線材，通常可分成冷拉（或硬拉）材料及退火材料兩類。請說明此兩類材料分別在什麼情況下可成形而製成彈簧，以及製成後之處理方法，並請就此兩類型材料各舉一個實例。【普考】**

**解** (一) 冷拉材料：利用冷間成形的方式得出必要性能，常見的鐵金屬彈簧介紹如下：

1. 鋼琴線：一抽線操作賦予冷間加工，具高彈性限度，為小型彈簧最佳材料。
2. 油回火線：藉淬火回火的高彈性限度，用於螺旋彈簧。
3. 矽錳鋼：用於葉片彈簧。

(二) 退火材料：以直徑 3/8in.或更大的鋼棒製成的彈簧，通常須加熱繞成，避免以冷作成形導致高殘餘應力。成形後彈簧應施以淬火及回火等熱處理，以得到希望的性能。普通碳鋼與合金鋼均用於熱作成形。

## 三、計算題型

**1. 由彈簧常數 $k_1$, $k_2$, $k_3$, $k_4$, $k_5$, $k_6$ 的 6 個彈簧，形成圖 4 的彈簧組，求其合成之彈簧常數。【關務特考】**

**解** 先求 $k_4, k_5, k_6$ 串，並聯組合的彈簧常數

$$K = k_5 + \frac{k_4 k_6}{k_4 + k_6}$$

再求 $k_2, k_3$ 並聯組合的彈簧常數

$$k = k_2 + k_3$$

合成之彈簧常數為 $k_1, k, K$ 串聯組合的彈簧常數

$k, K$ 串聯組合的彈簧常數為 $\dfrac{kK}{k + K}$

$k_1, k, K$ 串聯組合的彈簧常數爲 $\dfrac{\dfrac{kK}{k+K}k_1}{\dfrac{kK}{k+K}+k_1}$

其中 $K = k_5 + \dfrac{k_4 k_6}{k_4 + k_6}$          $k = k_2 + k_3$

2. 設有一質量爲 m 的物體,與彈簧上端之距離爲 h,由靜止掉落與彈簧接觸,彈簧的彈簧常數(spring constant)爲 k。(1)試推導彈簧變形量 δ 與質量(m)、重力加速度(g)、高度(h)及彈簧常數(k)的關係式。(2)假設彈簧靜態的位移量 $\delta_{st} = mg/k$,試推導變形量 δ 與彈簧靜態的位移量($\delta_{st}$)及高度(h)的關係式。【關務特考】

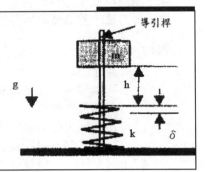

解 (1) 利用功能原理:

$$mg(h+\delta) = \frac{1}{2}k\delta^2 \Rightarrow \frac{1}{2}k\delta^2 - mg\delta - mg\delta = 0$$

解方程式得

$$\delta = \frac{mg \pm \sqrt{(mg)^2 + 2kmgh}}{k} (負不合)$$

$$\delta = \frac{mg + \sqrt{(mg)^2 + 2kmgh}}{k}$$

(2) 因 $\delta_{st} = \dfrac{mg}{k}$ 代入上式

$$\delta = \frac{mg}{k} + \sqrt{\frac{(mg)^2 + 2kmgh}{k^2}} = \delta_{st} + \sqrt{\delta_{st}^2 + 2\delta_{st}h}$$

3. 以四根彈簧組成的彈簧組支撐一平板,重量爲 4N(牛頓),如下圖其中三根彈簧的彈簧係數各爲 $k_1 = 20$ N/cm、$k_2 = 30$ N/cm 及 $k_3 = 5$ N/cm。$k_2$ 與 $k_4$ 彈簧的一端與物體上連結,其連結點分別距離物體的質量中心爲 40mm 與 120mm。試問:(1)物體如果要保持水平,彈簧係數 $k_4$ 應爲多少?(2)物體在變形後在垂直的方向移動了多少?【普考】

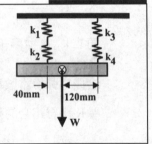

**解** (1) $N = \dfrac{k_1 k_2}{k_1 + k_2} x_1 + \dfrac{k_3 k_4}{k_3 + k_4} x_2$

因為要保持水平，所以 $x_1 = x_2$

$\dfrac{k_1 k_2}{k_1 + k_2} \cdot 40mm = \dfrac{k_3 k_4}{k_3 + k_4} \cdot 120mm$

可得 $k_4 (k_3 - \dfrac{1}{3} \dfrac{k_1 k_2}{k_1 + k_2}) = k_3 \dfrac{1}{3} \dfrac{k_1 k_2}{k_1 + k_2}$ ， $k_4 = 20N / cm$

(2) $4 = \dfrac{20 \times 30}{20 + 30} x_1 + \dfrac{5 \times 20}{5 + 20} x_2 \Rightarrow x_1 = x_2 = 0.25(cm)$

---

**4.** 兩螺旋拉伸彈簧（helical tension spring）的彈簧常數（spring constant）分別為 40N /cm 與 60N /cm，兩彈簧串聯後在其下方懸吊 48N 之負荷，求該組彈簧之總伸長量？若改為並聯，則彈簧之伸長量為何？

**解** (1) 串聯後等效彈簧常數 K

$\dfrac{1}{K} = \dfrac{1}{40} + \dfrac{1}{60} \Rightarrow K = 24 (N / cm)$

總伸長量 $\delta = \dfrac{F}{K} = \dfrac{48}{24} = 2cm$

(2) 並聯後等效彈簧常數 K

$K = 60 + 40 = 100$

總伸長量 $\delta = \dfrac{F}{K} = \dfrac{48}{100} = 0.48cm$

---

**5.** 如圖所示之彈簧系統，K 代表彈簧常數，$K_1$=12N/m，$K_2$=8N/m，$K_3$=10N/m，試求組合的彈簧常數？

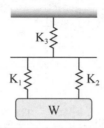

**解** $K_1$、$K_2$ 並聯 $\Rightarrow K_1 + K_2 = 12 + 8 = 20$ (N/m)

$K_3$ 與 $K_1$、$K_2$ 串聯 $\dfrac{1}{K} = \dfrac{1}{K_1 + K_2} + \dfrac{1}{K_3} = \dfrac{1}{20} + \dfrac{1}{10} \Rightarrow K = \dfrac{20}{3}$ (N/m)

**6.** 有一螺旋壓縮彈簧係以線徑為 3.0 mm 之琴鋼絲所捲成，有效圈數為 7 圈，其外徑為 28 mm，自由長度為 60 mm，琴鋼絲的剛性模數 G 為 79.3× $10^3$ MPa，試求壓縮彈簧的彈性係數 k。【地方特考四等機械、原住民特考四等機械】

**解** $D_m = D_o - d = 28 - 3 = 25(mm)$

$$k = \frac{d^4 G}{8 D_m^3 N} = \frac{(3)^4 \times 79.3 \times 10^3}{8 \times (25)^3 \times 7} = 7.34(N/mm)$$

**7.** 一彈簧受到 50kg 之軸向負載，其線圈直徑為 3cm，線直徑 0.3cm，求(1)彈簧指數？(2)彈簧之剪應力為若干？（應力係數為 1.15）

**解** 令 F=50kg，d=0.3cm，$D_m = 3cm$，K=1.15

(1) $C = \dfrac{D_m}{d} = \dfrac{3}{0.3} = 10\,dd$

(2) $S_s = K \dfrac{8FD_m}{\pi d^3} = 1.15 \times \dfrac{8 \times 50 \times 3}{3.14 \times (0.3)^3} = 16277.4 kg/cm^2$

**8.** 如圖所示，某個用於汽車行李箱蓋上的鋼製的扭轉桿，當左右兩端的角度旋轉相差 80° 時，計算(1)所需要的扭力。(2)所產生的剪應力值。已知：L = 1.25 m，d = 8 mm，G = 79 GPa。

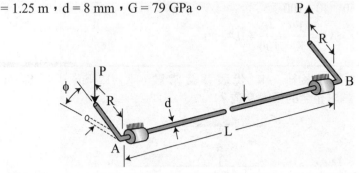

**解** (1) $J = \dfrac{\pi}{32}(8)^4 = 402.124\,mm^2$

$\phi = \dfrac{TL}{GJ}$ ; $80^o = 1.396\,rad = \dfrac{T(1.25)}{79(10^9)(402.124 \times 10^{-12})}$ or $T = 35.48\,N \cdot m$

(2) $\tau = \dfrac{16T}{\pi d^3} = \dfrac{16(35.48)}{\pi(8 \times 10^{-3})^3} = 353\,MPa$

**9.** (1)試列舉五種非線圈型的彈簧種類。

(2)一螺旋壓縮彈簧（節徑 D = 40 mm，線絲直徑 d = 5 mm），若其承受一靜態壓負荷 P = 500 N，試求線絲上之組合應力為多少(MPa)。【108 關務四等】

**解** (1) A. 皿型彈簧：由薄片材料衝壓而成

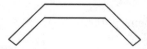

B. 枚片彈簧：由數片不同彈簧板組成

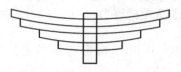

C. 扣環：具有彈性之開口圈環，用以防止機件發生軸向運動

D. 扭桿彈簧：由桿狀物製成

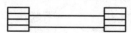

E. 單片彈簧：由金屬薄片製成

(2) $\tau = \dfrac{Tr}{J} + \dfrac{F}{\dfrac{\pi}{4}d^2} = \dfrac{16T}{\pi d^3} + \dfrac{F}{\dfrac{\pi}{4}d^2} = \dfrac{16 \times 500 \times 20}{\pi \times 5^3} + \dfrac{500}{\dfrac{\pi}{4} \times 5^2} = 432.9$ (MPa)

**10.** 一彈簧受到 200kg 之軸向負載，線直徑為 3mm，剪應力為 86000 kg/cm²，彈簧因數為 1.15，求彈簧線圈直徑為若干 mm？

**解** $\because S_s = K\dfrac{8FD_m}{\pi d^3}$

$\therefore D_m = \dfrac{86000 \times 3.14 \times (0.3)^3}{8 \times 200 \times 1.15} = 3.96\text{cm} \fallingdotseq 40\text{mm}$

**11.** 若有一鋼材的碟形（皿形或圓盤）彈簧，如下圖所示，其中 h/t＝1.5，R/r＝2，負荷（F）為 1,000 lb，在最大壓縮應力 200,000 psi（壓平）時，求碟形彈簧的 R 及 h 各為多少？
其中鋼材的楊氏模數 E＝3 × 10⁷ lb/in²，碟形彈簧的最大壓縮應力為

$\sigma = K_1\dfrac{Et^2}{R^2}$

當 h/t＝1.5 碟形彈簧的係數表如下：

| R/r | $K_1$ | $R\sigma/F^{1/2}$ |
|------|---------|---------|
| 1.25 | −8.83 | −22,090 |
| 1.50 | −6.29 | −19,430 |
| 1.75 | −5.63 | −19,050 |
| 2.00 | −5.44 | −19,350 |
| 2.50 | −5.54 | −20,630 |

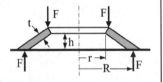

【關四】

**解** $\dfrac{R}{r} = 2$ 查表得 $K_1 = -5.44$，$\dfrac{R\sigma}{F^{1/2}} = -19350$

$\sigma = 200000$，F＝1000 代入 $\dfrac{R\sigma}{F^{1/2}} = -19350$

$\dfrac{R \times (-200000)}{1000^{1/2}} = -19350 \Rightarrow R = 3.06(\text{in})$

$\sigma = K_1\dfrac{Et^2}{R^2} \Rightarrow -200000 = -5.44 \times \dfrac{3 \times 10^7 \times t^2}{3.06^2} \Rightarrow t = 0.107$

$\dfrac{h}{t} = 1.5 \Rightarrow h = 0.16(\text{in})$

12. 有直徑 d 之彈簧線組成之螺旋壓縮彈簧（helical compression spring），承受一軸向變動壓縮負荷 P，大小從 2.0 kN 到 4.0 kN，此時彈簧變形 5 mm，假設彈簧材料之抗張強度為 1040 N/mm$^2$，允許抗剪強度為 520 N/mm$^2$，彈簧指數 c（Spring index 為平均彈簧直徑除以線徑）為 5，彈簧應力因數（stress factor）k 之定義式如下，彈簧線所承受的應力 τ 之計算式列於下：

(一) 試問彈簧線所承受的應力，包括那二種應力？

(二) 試計算彈簧線的最小直徑。

彈簧應力因數 $k = \dfrac{4c-1}{4c-4} + \dfrac{0.615}{c}$

彈簧線所承受的應力 $\tau = k\dfrac{8Pc}{\pi d^2}$ 【104 地特四等】

解　C=5

$$k = \frac{4\times 5\text{-}1}{4\times 5\text{-}4} + \frac{0.615}{5} = 1.31$$

(一) 靜態

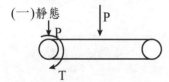

彈簧受扭轉剪應力+直接剪應力
動態
彈簧受平均應力+交變應力

(二) $\tau = 1.31 \times \dfrac{8\times 4\times 10^3 \times 5}{\pi \times d^2} = 520$

$\Rightarrow d = 11.33 \text{(mm)}$

# 第四章 撓性傳動裝置

鏈條機構和皮帶機構均屬於撓性傳動機構，撓性傳動機構之工作原理即爲利用張力或拉力進行動力傳送。

## ▼4-1 皮帶之基本原理

### 一、皮帶的簡述

當主動軸與從動軸間的距離較長不適合使用摩擦輪或齒輪等直接傳動方式，可使用撓性中間連接物藉其拉力來傳達運動，安裝帶傳動時，須將環形帶緊套在兩個帶輪的輪緣上，使帶和帶輪輪緣接觸面間產生壓緊力（由於預緊，靜止時已受到預拉力），當主動輪回轉時，靠帶與帶輪接觸面間的摩擦力拖動從動輪一起回轉。

| 皮帶傳動優點 | 皮帶傳動缺點 |
| --- | --- |
| 1.可用於兩軸距離較遠之傳動<br>2.不需潤滑即可傳動<br>3.運轉平穩、安靜，能承受突然振動及過度負荷<br>4.可使用惰輪或張力輪來調整皮帶張力值<br>5.裝置簡單、成本低<br>6.超載時，帶在帶輪上打滑，不至於損壞其他零件，起安全保護作用 | 1.易發生皮帶滑動，傳動效率變小，滑動損失一般約 2~3%<br>2.速比不正確<br>3.摩擦係數變大<br>4.皮帶的壽命較短，有時需張緊裝置<br>5.傳遞同樣大的圓周力時，輪廓尺寸和軸上壓力都比嚙合傳動大 |

## 二、輪緣的構造

| 平輪緣 | 凸輪緣 |
|---|---|
| 平輪緣表面平坦，用於：<br>(1) 交叉皮帶場合。<br>(2) 有必要以移帶叉在皮帶輪上移動平皮帶時的場合。<br>(3) 兩傳動軸以某角度配置時。<br>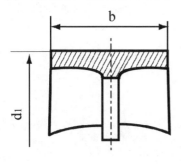 | 當平皮帶輪使用中凸輪緣時，當平皮帶偏往皮帶輪一側時，由於中央隆起的關係，造成平皮帶靠中央部分與周緣部分皮帶速度不同，所以皮帶中心線彎曲，皮帶自然復歸中央而不脫落，但是當中凸量過多時，大張力加於平皮帶中央部分，平皮帶壽命將減短。<br>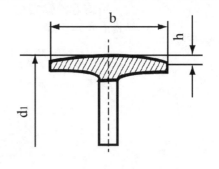 |

## 三、皮帶的種類

| 種類 | 說明 |
|---|---|
| 平皮帶 | 1.截面為扁平矩形，軸間距離 5~10 公尺。<br>2.工作面是與輪面相接觸的內表面皮帶，寬度約為輪面寬度的 85%為宜。<br>3.皮帶與帶輪之接觸角以不小於 120°為準，最大速比為 1：6，傳動線速度高達 25m/s。<br>4.皮帶厚度與皮帶輪直徑之比須大於 $\frac{1}{50}$ ，以 $\frac{1}{20} \sim \frac{1}{30}$ 為佳。 |

| | |
|---|---|
| V 型皮帶 | 1. 截面為梯形,工作面是與輪槽相接觸的兩側面,但 V 帶與底槽不接觸,由於輪槽的楔形效應,預拉力相同時,V 帶傳動較平帶傳動能產生更大的摩擦力,故可傳遞較大功率,應用更廣,常用於車床、銑床、鑽床。<br>2. 其優點:(1)適用於兩軸距離短且轉速較快者;(2)旋轉方向可以任意改變;(3)摩擦力大,滑動損失小,可以吸收衝擊,轉動較平穩,噪音小;(4)若數條使用時,其中一條折斷,仍可繼續傳動;(5)裝置簡單,價格低廉,萬一損壞可立即購買更換。<br>3. **V 型皮帶有 M、A、B、C、D、E 六種形式,愈後面斷面積愈大,可傳遞的動力也愈大。**<br>4. 規格表示法:型別×帶長。例:B×40<br>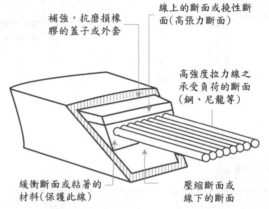<br>補強,抗磨損橡膠的蓋子或外套　　線上的斷面或撓性斷面(高張力斷面)<br>高強度拉力線之承受負荷的斷面(鋼、尼龍等)<br>緩衝斷面或粘著的材料(保護此線)　　壓縮斷面或線下的斷面 |
| 圓形皮帶 | 斷面呈圓形,使用在輕負荷傳動,其帶輪需製程凹面半圓槽,以利配合,只能用於低速輕載的儀器或家用機械,如縫紉機。<br> |
| 確動皮帶(定時皮帶) | 又稱為正時皮帶或定時皮帶,皮帶與帶輪的接觸面製成齒狀與相對應之齒面帶輪相嚙合,以達到確動同步的目的。優點:速比正確,無滑動現象且動力損失小,常用於同步傳動或定時傳動。<br>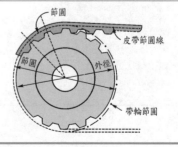<br>節圓　皮帶節圓線　節圓　外徑　帶輪節圓 |

**觀念說明**

平皮帶與 V 型皮帶之比較：

1. 平皮帶機構的運轉速度可以比 V 型皮帶機構運轉速度高。
2. 在相同的預拉力下，V 型皮帶比平皮帶有較少的滑動。
3. 相同的皮帶輪直徑上，V 型皮帶比平皮帶有較大的彎曲變形。
4. V 型皮帶由於兩側的楔形夾持之力，皮帶之拉力毋須太大；而平皮帶需要較大之拉力產生摩擦力以防止滑移。

## 四、皮帶的材料

(一) **皮革帶**：是用牛皮製造的，富有彈性，摩擦係數大。可分為單層、雙層、三層及四層帶，以單層及雙層帶最常用。

(二) **織物帶**：用棉紗、麻或其他人造纖維製成的。
1. 優點：具有高度防潮、防熱、防動物油及不易硬化。
2. 缺點：由於纏繞於帶輪之緊密度較皮帶差其傳動效率亦較差。改進方式：常摺疊數層，以樹膠浸潤後使用之。

(三) **橡膠帶**：是用橡膠所製成的。
1. 優點：具有防潮、抗酸、抗拉強度大、不易磨損、不易伸長且價格低廉。
2. 缺點：對熱、油不易適應，若傳動時間久，皮帶容易損壞。應用：一般之三角皮帶即為此種帶。

(四) **鋼帶**：係用薄鋼片所製成，厚度約 0.3~1.1mm，寬度約 15~250mm。
1. 優點：不受氣候影響、洗滌方便、抗拉強度高、不易伸縮、經久耐用，適合高速轉動精密機械使用。
2. 缺點：摩擦係數小，接合不易，容易受傷。

## 五、防止皮帶脫落的方法

當皮帶在帶輪上傳動時，由於皮帶兩側受張力之不同，若速度較高時，皮帶較鬆測及產生跳動，因而有脫落之慮，防止方法常見有下列三種：

(一) **凸緣約束**：帶輪兩側製成凸緣狀，可約束帶輪之脫落，但會影響皮帶之裝卸，除長期裝置或不常裝卸之皮帶者外，一般甚少採用。

(二) **使用帶叉**：利用帶叉裝置在皮帶進輪處而約束皮帶之跳動，因皮帶亦為摩擦作用磨損，故不常採用。

(三) **輪面隆起**：在帶輪之輪面中央部分做成隆起狀，使帶與隆面帶輪緊密接觸防止皮帶脫落，其隆面高度約為輪寬的 1/50~1/100。目前皮帶輪大部分均用此種方法約束皮帶脫落。

## 六、皮帶裝置的型式

### (一) 開口皮帶：

1. 小皮帶輪與皮帶之接觸角：$\theta_A = \pi - 2\alpha$

2. 大皮帶輪與皮帶之接觸角：$\theta_B = \pi + 2\alpha$

其中 $\alpha = \sin^{-1}\left(\dfrac{D_B - D_A}{2C}\right)$

3. 開口皮帶近似長度：$L = \dfrac{\pi}{2}(D_A + D_B) + 2C + \dfrac{(D_B - D_A)^2}{4C}$

4. 皮帶之寬度：$W = \dfrac{F_1}{F_e} = \dfrac{皮帶之有效張力}{每單位寬度之拉力}$

### (二) 交叉皮帶：

1. 大、小皮帶輪與皮帶之接觸角：$\theta_A = \theta_B = \theta = \pi + 2\alpha$

其中 $\alpha = \sin^{-1}\left(\dfrac{D_B + D_A}{2C}\right)$

2. 交叉皮帶近似長度：$L = \dfrac{\pi}{2}(D_A + D_B) + 2C + \dfrac{(D_B + D_A)^2}{4C}$

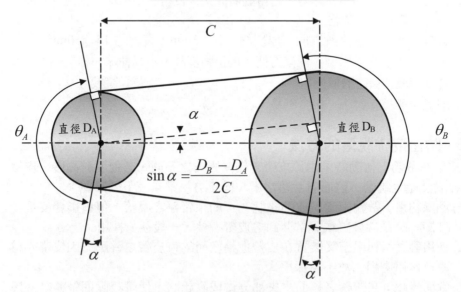

圖 4.1　開口皮帶

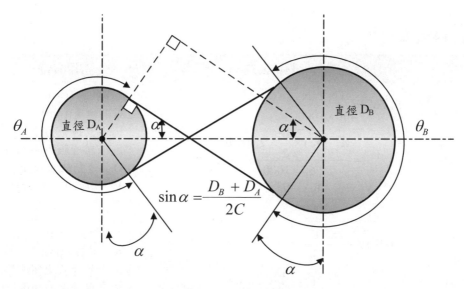

圖 4.2 交叉皮帶

## 七、皮帶傳動

### (一) 皮帶有效力：

1. 皮帶初拉力： $F_0 = \dfrac{1}{2}(F_1 + F_2)$

2. 皮帶有效拉力： $F_e = F_1 - F_2$

3. $\dfrac{F_1(緊邊張力)}{F_2(鬆邊張力)} = e^{\mu\beta}$ （β：接觸角）

### (二) 傳動速比：

| 考慮因素 | 速　比 | 符號定義 |
|---|---|---|
| 忽略皮帶厚度及滑動損失時 | 速比 $= \dfrac{N_2}{N_1} = \dfrac{D_1}{D_2}$ | N：轉速<br>D：輪直徑<br>t：皮帶厚度<br>S：滑動率 |
| 只考慮皮帶厚度時 | 速比 $= \dfrac{N_2}{N_1} = \dfrac{D_1 + t}{D_2 + t}$ | |
| 考慮皮帶厚度及滑動損失時 | 速比 $= \dfrac{N_2}{N_1} = \dfrac{D_1 + t}{D_2 + t} \times (1 - S)$ | |

## (三) 傳動功率：

| 功率 P | 應用公式 | 常用單位 |
|---|---|---|
| 公制<br>(kW) | $P(kW) = \dfrac{T \times 2\pi N}{60 \times 1000}$<br><br>$= \dfrac{(F_1 - F_2) \times \dfrac{D}{2} \times 2\pi \times N}{60 \times 1000}$<br><br>$= \dfrac{(F_1 - F_2) \times V}{1000}$ | T：扭矩(N-m)<br>N：轉速(rpm)<br>$F_1$：緊邊張力(N)<br>$F_2$：鬆邊張力(N)<br>D：傳動輪直徑(m)<br>V：切向速度(m/s) |
| 英制馬力<br>(HP) | $P(HP) = \dfrac{2\pi NT}{60 \times 550}$<br><br>$= \dfrac{(F_1 - F_2) \times \dfrac{D}{2} \times 2\pi \times N}{60 \times 550}$<br><br>$= \dfrac{(F_1 - F_2) \times V}{550}$ | T：扭矩(lb-ft)<br>N：轉速(rpm)<br>$F_1$：緊邊張力(lb)<br>$F_2$：鬆邊張力(lb)<br>D：傳動輪直徑(ft)<br>V：切向速度(ft/s) |
| 公制馬力<br>(PS) | $P(PS) = \dfrac{2\pi NT}{60 \times 75} = \dfrac{2\pi N(F_1 - F_2) \times \dfrac{D}{2}}{60 \times 75}$ | T：扭矩(kg-m)<br>N：轉速(rpm)<br>$F_1$：緊邊張力(kg)<br>$F_2$：鬆邊張力(kg)<br>D：傳動輪直徑(m) |
| 備註：1HP＝0.746kW、1PS＝0.736kW | | |

**觀念說明**

功率有時在公制馬力及英制馬力都寫成 HP，若題目出現 HP 時，則需判斷為公制馬力或英制馬力，由觀看力及力矩單位來決定，若力及力矩單位為 kg、kg-m 則此 HP 為公制馬力，力及力矩單位為 lb、ft-lb 則此 HP 為英制馬力。

## 八、階級塔輪

係一組由若干個直徑不同之皮帶輪製成為一體的組合，稱為塔輪，利用塔輪，可使從動軸塔輪的轉速有變化。塔輪裝置定律：連心線長一定，各階的皮帶長度均相等，塔輪若有三種不同直徑，稱為三級塔輪，以此類推，若完全相同之兩塔輪成對使用時，則稱為相等塔輪。

**(一)階級塔輪：**皮帶輪傳動互相平行的兩軸，應用於變速裝置，其中 N：主動輪轉速、$D_x$：主動輪第 x 階直徑、$n_x$：從動輪轉速、$d_x$：從動輪第 x 階直徑。

1. 各階轉速比與帶輪直徑成反比

$$\frac{n_x}{N} = \frac{D_x}{d_x}$$

2. 開口皮帶的塔輪

(1) $\dfrac{n_x}{N} = \dfrac{D_x}{d_x}$

(2) $\dfrac{\pi}{2}(D_2 + d_1) + \dfrac{(D_2 - d_1)^2}{4C} = \dfrac{\pi}{2}(D_x + d_x) + \dfrac{(D_x - d_x)^2}{4C}$

3. 交叉皮帶的塔輪

(1) $\dfrac{n_x}{N} = \dfrac{D_x}{d_x}$

(2) $D_1 + d_1 = D_2 + d_2 = \cdots = D_x + d_x$

**(二)相等階級塔輪：**兩個尺寸相同之塔輪彼此倒置，互相傳動，其中 N：主動輪轉速，$D_1 \sim D_5$：主動輪之各階直徑，$n_1 \sim n_5$：從動輪各階之轉速，$d_1 \sim d_5$：從動輪之各階直徑，主動塔輪轉速為從動塔輪上對稱兩階帶輪轉速的比例中項；若為奇數階，則從動輪上各階的轉速為等比級數。

1. 三階時：$n_1 \times n_3 = n_2{}^2 = N^2$
2. 四階時：$n_1 \times n_4 = n_2 \times n_3 = N^2$
3. 五階時：$n_1 \times n_5 = n_2 \times n_4 = n_3{}^2 = N^2$

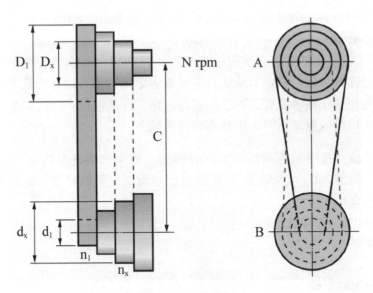

圖 4.3　階級塔輪

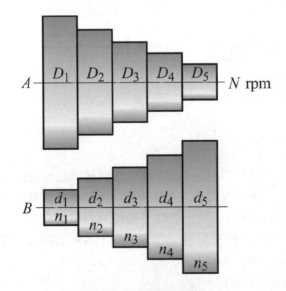

圖 4.4　相等階級塔輪

範例 **4-1**

一皮帶輪之直徑為 25 cm，轉速為 400 rpm，若皮帶每公分寬度之容許拉力為 800 N，如欲傳遞 30 kW 之功率，則帶寬為多少？

**解**

$$P(kW) = \frac{T \times 2\pi N}{60 \times 1000} = \frac{F \times \dfrac{D}{2} \times 2\pi \times N}{60 \times 1000} \Rightarrow 30 = \frac{F \times \dfrac{25}{2} \times 10^{-2} \times 2\pi \times 400}{60 \times 1000}$$

$$\Rightarrow F = 5729.58N \Rightarrow W = \frac{F}{800} = 7.16 \,(\text{cm})$$

範例 **4-2**

設計一 V 形開口皮帶輪組，其中主動槽輪之節圓直徑為 d＝5.25″，從動槽輪之節圓直徑為 D＝13.95″，兩輪軸之軸距為 C 必須小於 24″，V 形皮帶之標準長度如附表所示。請選用一條最長之 3V 標準皮帶。【普考】

附表：3V, 5V, 8V 等皮帶之標準長度（英吋）

| 3V | 3V, 5V | 3V, 5V, 8V |
|------|--------|------------|
| 25 | 50 | 100 |
| 26.5 | 53 | 106 |
| 28 | 56 | 112 |
| 30 | 60 | 118 |
| 31.5 | 63 | 125 |
| 33.5 | 67 | 132 |
| 35.5 | 71 | 140 |
| 37.5 | 75 | |
| 40 | 80 | |
| 42.5 | 85 | |
| 45 | 90 | |
| 47.5 | 95 | |

**解**

$$L = \frac{\pi(d+D)}{2} + 2C + \frac{(D-d)^2}{4C}$$

$$= \frac{\pi(5.25+13.95)}{2} + 2 \times 24 + \frac{(13.95-5.25)^2}{4 \times 24}$$

$$= 78.94\,(\text{in})$$

因 C 必須小於 24″，所以取皮帶長 75(in)

範例 **4-3**

有一開口平皮帶輪之傳動，其中主動輪之直徑為 d＝150 mm，從動輪之直徑為 D＝200 mm，兩輪之中心距離為 C＝1,000 mm，試求皮帶之總長度？

【普考】

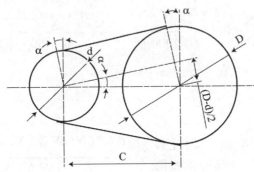

解 開口皮帶近似長度：$L = \dfrac{\pi}{2}(D_A + D_B) + 2C + \dfrac{(D_B - D_A)^2}{4C}$

$$L = \frac{\pi(200 + 150)}{2} + 2 \times 1000 + \frac{(200 - 150)^2}{4 \times 1000} = 2549.84 \text{(mm)}$$

範例 **4-4**

一皮帶輪裝置，主動輪直徑為 20cm，轉速為 700rpm。若皮帶之厚度為 5mm，從動輪之直徑為 45cm，(1)若不計皮帶之厚度及滑動時，求從動輪轉速。(2)僅計皮帶之厚度而不計滑動時，求從動輪轉速。(3)皮帶厚度及滑動值 2%均計算在內時求從動輪轉速。

解 $D_1 = 20\text{cm}$，$N_1 = 700\text{rpm}$，$D_2 = 45\text{cm}$，$t = 0.5\text{cm}$

(1) $\dfrac{D_1}{D_2} = \dfrac{N_2}{N_1}$，$N_2 = \dfrac{D_1 N_1}{D_2} = \dfrac{20 \times 700}{45} = 311.11\text{rpm}$

(2) $\dfrac{(D_1 + t)}{(D_2 + t)} = \dfrac{N_2}{N_1}$，$N_2 = \dfrac{(D_1 + t)N_1}{D_2 + t} = \dfrac{20.5 \times 700}{45.5} = 315.38\text{rpm}$

(3) $\dfrac{(D_1 + t)}{(D_2 + t)}(1 - S) = \dfrac{N_2}{N_1}$，

$$N_2 = \frac{(D_1 + t)N_1}{D_2 + t}(1 - S) = \frac{20.5 \times 700}{45.5}(1 - 0.02) = 309.07\text{rpm}$$

## 範例 *4-5*

假設單根皮帶所能傳遞的最大功率 P＝4.2KW，已知主動輪直徑 $D_1$＝160mm，轉速 $n_1$＝1500rpm。接觸角 $\alpha_1$＝140°，帶與帶輪間的當量摩擦係數 f＝0.2，求有效拉力 F，緊邊拉力 $F_1$。

**解** (1) $V_1 = \dfrac{\pi D_1 n_1}{60} = \dfrac{\pi \times 0.16 \times 1500}{60} = 12.57 \dfrac{m}{s}$

$F = (F_1 - F_2)V = P \Rightarrow F_1 - F_2 = \dfrac{1000 \times P}{12.57} = \dfrac{1000 \times 4.2}{12.57} = 334.13N$

(2) $\alpha_1 = \dfrac{140}{180\big/\pi} = \dfrac{140}{57.3} = 2.44 \,(rad)$

$e^{f\alpha_1} = e^{0.2 \times 2.44} = e^{0.488} = 1.63$

$\dfrac{F_1}{F_2} = e^{f\alpha_1} = 1.63$

解聯立方程式 $F_1 = 864.5N$ 、 $F_2 = 530.36N$

## 範例 *4-6*

一對五階相等塔輪，從動輪之最高轉速為 250rpm，主動軸之轉速為 120rpm，設速比成等比級數，則各輪之轉速為若干 rpm？

**解** N＝120rpm， $n_1$＝250rpm

$\dfrac{n_1}{N} = \dfrac{N}{n_5}$ ， $\therefore n_5 = \dfrac{120 \times 120}{250} = 57.6rpm$ ， $n_3 = N = 120rpm$

$\dfrac{n_1}{n_2} = \dfrac{n_2}{n_3}$ ， $\therefore n_2 = \sqrt{n_1 \times n_3} = \sqrt{250 \times 120} = 173.20rpm$

$\dfrac{n_3}{n_4} = \dfrac{n_4}{n_5}$ ， $\therefore n_4 = \sqrt{n_3 \times n_5} = \sqrt{120 \times 57.6} = 83.14rpm$

$n_1 = 250rpm$ ， $n_2 = 173.2rpm$ ， $n_3 = 120rpm$ ， $n_4 = 83.14rpm$ ，

$n_5 = 57.6rpm$

## ▼4-2　鏈輪

### 一、鏈輪基本原理

鏈傳動是一種具有中間撓性件(鏈條)的嚙合傳動，由主動鏈輪、從動鏈輪和中間撓性件(鏈條)組成，通過鏈條的鏈節與鏈輪上的輪齒相嚙合傳遞運動和動力，它同時具有剛、柔特點，傳動時鏈條緊邊具有張力，鬆邊幾近不具張力，是一種多邊形傳動，速率略有變化應用十分廣泛的機械傳動形式。

鏈輪傳動優點：(一)無滑動現象，平均速比正確；(二)結構緊湊，軸上壓力小；(三)傳動時，僅在緊邊有張力，鬆邊側幾近於零，故有效挽力大、傳動效率高，且軸承上所受力小，不易磨損；(四)不受溼氣及冷熱之影響，仍可傳達動力，故壽命長；(五)兩軸距離遠近，皆可適用；(六)長度之調節及斷裂修理容易。

鏈輪傳動缺點：(一)不適合高速迴轉，因速度快時，易生擺動及噪音；(二)只能用於平行軸間的傳動，且同向轉動；(三)製造成本高，維護及安裝較煩；(四)磨損後，會伸長；(五)負載驟增時易斷裂，且須潤滑；(六)暫態傳動比不恒定，迴轉不穩定。

### 二、鏈條的種類

#### (一) 起重及搬運鏈：

| 平環鏈(起重) | 此鏈係由橢圓形環所組成，所用之材料為熟鐵、碳鋼及合金鋼，鏈身有很高的抗張強度，可用在**吊車及起重機**。<br><br>(a)　　　　　　　　　　　　　　(b) |
|---|---|
| 柱環鏈(起重) | 又稱日字鏈，外型與套環鏈相似，只在每節套環中多一支柱，作加強及定位之用，故其強度較高且不易扭結，適用於船上之錨鍊或繫留鏈，主要材料為熟鐵或碳鋼。<br> |

| | |
|---|---|
| 鉤連鏈(搬運) | 係鏈條用活鉤相互連接而成,其表面近乎平面,可將物品置於其上運送,但若遇鬆散小物品時,則另加平板以免掉落。<br> |
| 合連鏈(搬運) | 又稱「閉連鏈」,鏈條由「銷」連接而成。由連接片、間隔管、銷等連接而成,大都用於連續操作工廠之輸送系統。此種鏈僅限於低速率、重負載之場合,必為偶數節始可連接成圈。<br>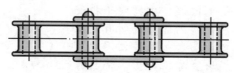 |

## (二) 功率傳達鏈條:

| | |
|---|---|
| 塊狀鏈 | 1.鏈片用鋼製、鉚釘連接而成,鋼塊與鏈輪之間為滑動接觸,故摩擦較大,用於低轉速之動力傳達,係動力傳達鏈中構造最簡單的一種。<br>2.傳動速率:最高可達每分鐘240~270公尺。<br>3.應用:礦石機械、砂石機械等低速傳動的機械。<br> |
| 滾子鏈 | 1.係由活動滾子、襯套、銷及聯片組合而成,為動力傳達鏈中最常用者。<br>2.節距越大,越不適於高速旋轉,通常鏈條在每呎有 3/8 吋之拉長時,及必須更換新鏈條,鏈輪節圓內之齒形為半圓,節圓外之齒形為漸開線。<br>3.當傳遞功率較大時,可採用雙排鏈或多排鏈,常使用於腳踏車、機車及一般工廠傳送動力用,傳動速率:最高可達每分鐘 300~360 公尺。 |

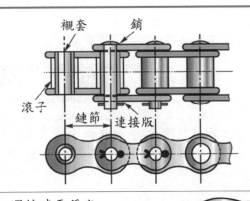

| | |
|---|---|
| 無聲鏈 | 稱倒齒鏈,運轉時平穩安靜,傳動速率為所有鏈條之最高者,尺片之兩端製成斜直線之齒形,係具有斜直邊的齒形將其倒置與鏈輪相嚙合,鏈條與鏈輪的接觸到分離,無滑動發生,因此運轉時沒有噪音。<br>特點:<br>1.適用於較大負荷及高速動力傳動的場合。<br>2.節距因磨損而增長時,可自動補償磨損。<br>3.傳動時不生噪音與陡震,效率高,壽命長。<br>4.齒片兩端的齒形為斜直邊。 |

## 三、鏈條的組裝

### (一)鏈條的注意事項:

1. 接觸角應在 120°以上,速比一般在 1:7 以下為適當,低速時可達 1:10 左右。

2. 鏈條之繞掛法,應將其緊邊置於上方。兩軸間之距離一般取鏈條節距之 30 至 50 倍左右。

3. 鏈輪之齒數不可過多或過少。齒數過少，鏈輪容易磨損，進而產生振動及
噪音；齒數太多，當鏈條磨損後，較易發生脫離鏈輪的情形，鏈輪齒數一
般不得小於 25 齒，亦不得大於 120 齒。
4. 為使磨損均勻，鏈輪齒數須奇數，鏈條之節數須為偶數。
5. 鏈條應予適當之潤滑，以減少磨損，使其傳動效率達 95%～98%。
6. 鏈條應加保護蓋，以預防危險及防止灰塵侵入，通常鏈條之伸長量在每
呎內不得超過 3/8 吋，否則不能再使用。
7. 鏈條的擺動應防止，其預防的方法有下列幾種：
(1) 利用拉緊輪，使其初拉力為鏈條裂斷負荷 1/40～1/35 左右。鏈之自
然擺動數有時能發生諧振，故可試予變更其轉速。
(2) 變更軸間的距離。變更鏈輪之齒數，轉速過大時，則使用較小的鏈
條。
(3) 徹底予以潤滑。
**(二) 鏈條的振動：** 造成鏈輪在轉動時產生振動、噪音和傳動速率不穩定的主
要原因為是弦線作用，欲使弦線作用減小，弦線作用之 $\Delta V=r(1-\cos\theta)$，故可採用：1.鏈輪直徑變小；2.鏈輪齒數儘量多（$\theta$ 變小，$\cos\theta$
變大）；3.鏈節縮小（$\theta$ 變小）；4.降低速率。

## 四、鏈條的基本參數
利用鍊條與鏈輪之配合而傳達動力時，因無滑動發生，所以主動輪節圓直徑
上一點之線速度與從動輪節圓直徑上一點之線速度相等，如圖 4.5 所示，可
得鏈輪在傳動時之基本參數。
鏈條幾何關係（以開口鏈輪為例）：（參考圖 4.5）
(一) 速比 $= \dfrac{N_B}{N_A} = \dfrac{D_A}{D_B} = \dfrac{T_A}{T_B}$ (N：轉速、D：節圓直徑、T：齒數)
(二) 鏈輪周節 $P_C = \dfrac{\pi D}{T}$ (D：節圓直徑、T：齒數)
(三) 若鏈輪齒數很多，則鏈輪周節 $P_C=$ 鏈節長度 P（鏈節距）

(四) $D = \dfrac{P}{\sin(\theta)} = \dfrac{P}{\sin\left(\dfrac{180°}{T}\right)}$　（T：齒數、$\theta$：鏈節半角、P：鏈節距）

(五) 鏈條長度：$L = \dfrac{\pi}{2}(D_A + D_B) + 2C + \dfrac{(D_B - D_A)^2}{4C}$（C：連心距）

(六) 節距數：$N_{Pitch} = \dfrac{1}{2}(T_A + T_B) + \dfrac{2C}{P} + \dfrac{P}{C}(\dfrac{T_B - T_A}{2\pi})^2 = \dfrac{L}{P_C}$

**注意** 節距數計算出小數者應取為整數，且最好為偶數。

(七) 小鏈輪與鏈條之接觸角：$\theta_A = \pi - 2\alpha$（與皮帶之公式相同）

其中 $\alpha = \sin^{-1}\left(\dfrac{D_B - D_A}{2C}\right)$　$D_B = \dfrac{P_B}{\sin(180°/T_B)}$，$D_A = \dfrac{P_A}{\sin(180°/T_A)}$

**觀念說明**

節距數公式經運算亦可以下式表示

$N_{pitch} = \dfrac{1}{2}(T_A + T_B) + 2C_P + 0.0253\dfrac{(T_B - T_A)^2}{C_P}$

其中 $C_P$（中心距鏈節數）$= \dfrac{C}{P}$

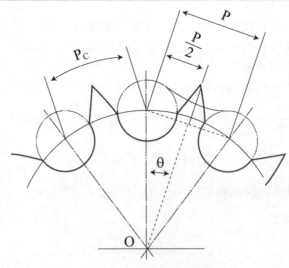

圖 4.5　鏈條幾何參數

**觀念說明**

鏈輪磨耗主要是發生在滾子與套筒之間，磨耗發生後，滾子與套筒之間的間隙變大，進而使得節距增加，當滾子磨耗越嚴重時，滾子將往齒尖上移，磨耗更嚴重時，滾子將上移到齒尖，進而脫鏈，為了得到均勻磨耗，鏈輪的齒數最好為奇數而且大於 17，鏈條的銷數為偶數時，連結結構簡單，但成奇數時，則需特殊型連桿。

## 範例 **4-7**

某鏈輪之齒數為 60，鏈節長度為 2cm，則其節圓直徑為多少 cm？

**解** $D = \dfrac{P}{\sin\theta} = \dfrac{2}{\sin\dfrac{180°}{60°}} = \dfrac{2}{\sin 3°} = \dfrac{2}{0.052} = 38.5\text{cm}$

## 範例 **4-8**

若想使用 60 號鏈條（節距為 6/8 吋）以設計一鏈輪組，其大、小鏈輪之速度比約為 3.6，小鏈輪有 17 齒，試求大鏈輪之齒數及節圓直徑？（注意：本題採英制單位）【關務特考】

**解** 速度與齒數關係

$\dfrac{T_1}{T_2} = \dfrac{V_2}{V_1} \Rightarrow \dfrac{T_1}{17} = 3.6 \Rightarrow Z_1 = 61.2$

所以大鏈輪齒數約為 62 齒

鏈節、齒數與節圓直徑關係

$P \approx \dfrac{\pi D}{Z} \Rightarrow D = \dfrac{PT}{\pi} = \dfrac{\dfrac{6}{8} \times 62}{\pi} = 14.8\text{in}$

## 範例 *4-9*

一鏈輪有 6 齒，鏈輪直徑 20 公分，則 (1)弦線作用的變動值為若干公分？(2) 鏈圈上最大線速度為若干 m/sec？(3)最小之線速度為若干 m/sec？（鏈輪轉速為 300rpm）

**解** 令 $T = 6t$　$R = 10cm$　$n = 300rpm = 5rps$

(1) $\theta = \dfrac{180°}{T} = \dfrac{180°}{6} = 30°$

$R - R\cos\theta = R(1 - \cos\theta) = 10(1 - \cos 30°) = 1.34(cm)$

(2) $V_{max} = 2\pi Rn = 2 \times 3.14 \times 10 \times 5 = 314(cm/sec) = 3.14m/sec$

(3) $V_{min} = 2\pi R\cos\theta \times n = 2 \times 3.14 \times 10 \times \cos 30° \times 5 \doteqdot 272(cm/sec)$

$\qquad = 2.72m/sec$

## 範例 *4-10*

一組速比為 3：2 的鏈輪機構，大鏈輪的齒數為 30 齒且兩鏈輪之中心距離為 100 公分，鏈節長度為 4 公分，求(1)兩鏈輪之節徑。(2)鏈條之長度。

**解** $C = 100cm$，$P = 4cm$，$e = 3：2$，$T_1 = 30t$

$\dfrac{T_1}{T_2} = \dfrac{N_2}{N_1} = \dfrac{3}{2}$，$\dfrac{30}{T_2} = \dfrac{N_2}{N_1} = \dfrac{3}{2}$，$\therefore T_2 = 30 \times \dfrac{2}{3} = 20t$

(1) $D_1 = \dfrac{P \times T_1}{\pi} = \dfrac{4 \times 30}{3.14} = 38.22cm$，$d = \dfrac{PT_2}{\pi} = \dfrac{4 \times 20}{3.14} = 25.48cm$

(2) $N_P = \dfrac{1}{2}(T_1 + T_2) + 2C_P + 0.0253 \times \dfrac{(T_1 - T_2)^2}{C_P}$

$\qquad = \dfrac{1}{2}(30 + 20) + 2 \times \dfrac{100}{4} + 0.0253 \times \dfrac{(30 - 20)^2}{\dfrac{100}{4}}$

$\qquad = 25 + 50 + 0.1012 = 75.10 \Rightarrow$ 取 76 節

鏈長 $L = 4 \times 76 = 304cm$

# ❖精選試題❖

## 一、選擇題型

( ) **1** 下列何種形別的 V 型皮帶具有最小的斷面積？ (A)A (B)C (C)E (D)M。

( ) **2** 下列哪一形的三角皮帶，能傳遞最大的動力？ (A)A (B)C (C)E (D)M。

( ) **3** 下列有關 V 型皮帶的敘述，何者錯誤？ (A)其斷面呈梯形 (B)具有 A、B、C、D、E 等五種型別 (C)其兩摩擦面間所夾之角度爲 40° (D)E 級 V 型皮帶之斷面積最大。

( ) **4** 一對三階相等塔輪，如圖所示，若主動軸之轉速爲 N＝200rpm，從動軸之最低轉速 $n_5$＝100rpm，則從動軸其他二階 $n_1$ 與 $n_3$ 之轉速分別爲多少 rpm？ (A)400，200 (B)200，400 (C)200，600 (D)600，200。

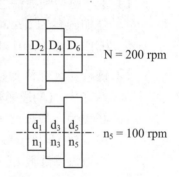

( ) **5** 一組開口平皮帶傳動機構，已知 A 輪直徑爲 120mm，其轉速爲 60rpm，假設皮帶厚度可忽略且無滑動現象，若欲使 B 輪轉速爲 180rpm，則 B 輪直徑應爲多少 mm？ (A)40 (B)60 (C)180 (D)360。

( ) **6** 當兩傳動軸之軸中心平行且距離較遠時，若要求轉速比必須精確且噪音較小，採用下列何種傳動方式最爲適宜？ (A)齒輪 (B)繩索 (C)圓形皮帶 (D)確動皮帶。

( ) **7** 一組平皮帶輪傳動機構，A 輪直徑爲 20cm，B 輪直徑爲 40cm，已知 A 輪爲主動輪，其轉速爲 50rpm，假設皮帶厚度可忽略且無滑動現象，則皮帶之線速度爲多少 m/min？ (A)4π (B)6π (C)8π (D)10π。

(　) **8** 開口掛法之皮帶組，其接觸角爲 180 度時，則大輪直徑與小輪直徑之比爲：　(A)π：1　(B)1：1　(C)1：2　(D)1：π。
【普考】

(　) **9** 開口掛法之皮帶組，其主動輪直徑爲 150mm，若沒有滑動現象，主動輪轉速爲 40rpm，從動輪直徑爲 300mm，則從動輪轉速爲：　(A)20rpm　(B)40rpm　(C)60rpm　(D)80rpm。【普考】

(　) **10** 一滾子鏈條的節距爲 31.75mm，若鏈輪之齒數爲 50，則鏈輪之節徑約爲：　(A)253mm　(B)506mm　(C)702mm　(D)28952mm。【普考】

(　) **11** 滾子鏈傳動機構之兩鏈輪齒數爲 15 與 45，軸距爲 400mm，鏈條節距爲 12.7mm，則鏈條節數約爲：　(A)84 節　(B)94 節　(C)104 節　(D)114 節。【普考】

(　) **12** 鏈輪與鏈條傳動動力之設計，若考慮磨損時，下列敘述何者較適宜？　(A)最好鏈輪之齒數爲偶數，鏈條的銷數爲偶數　(B)最好鏈輪之齒數爲偶數，鏈條的銷數爲奇數　(C)最好鏈輪之齒數爲奇數，鏈條的銷數爲偶數　(D)最好鏈輪之齒數爲奇數，鏈條的銷數爲奇數。【普考】

(　) **13** 金屬繩索常與槽輪（Shcave）共用以傳遞動力，當槽輪直徑與繩索直徑之比值減小時，金屬繩索之強度將：　(A)增加　(B)減小　(C)視繩索材料而定　(D)不受影響。【普考】

(　) **14** 開口掛法之皮帶組，其從動輪轉速爲 120rpm，若沒有滑動現象，皮帶速度爲 3.1416m/s，則從動輪直徑爲：　(A)20cm　(B)30cm　(C)40cm　(D)50cm。【普考】

(　) **15** 一直徑 20cm 之帶輪，其轉速爲 250rpm，傳達 15 匹馬力之功率，設皮帶每 cm 寬之有效挽力爲 80kg，則皮帶之寬度爲　(A)4.25　(B)5.85　(C)6.27　(D)5.37　cm。

(　) **16** 有一帶圈在傳動機構中，帶圈所受緊邊張力為 220kg，鬆邊張力為 100kg，原動輪外徑 50cm，轉數為 450rpm，其中帶圈可承受強度為 3kg/mm 則帶圈之線速度為　(A)35.1　(B)23.5　(C)11.7　(D)5.9　m/sec。

(　) **17** 帶輪傳動時，若緊邊張力為 $F_1$，鬆邊張力為 $F_2$，則有效張力為：　(A)$F_1+F_2$　(B)$F_1-F_2$　(C)$F_1×F_2$　(D)$F_1/F_2$。【普考】

(　) **18** 若鏈輪周節的半角為 θ，且鏈節為 P，則鏈輪的節圓直徑為：
(A)$\dfrac{P}{\sin\theta}$　(B)$\dfrac{P}{\cos\theta}$　(C)$\dfrac{P}{\tan\theta}$　(D)$\dfrac{2P}{\sin\theta}$。【普考】

(　) **19** 開口掛法之皮帶組，其主動輪直徑為 150mm，若沒有滑動現象，主動輪轉速為 40rpm，從動輪直徑為 300mm，則從動輪轉速為：　(A)20rpm　(B)40rpm　(C)60rpm　(D)80rpm。【普考】

(　) **20** 鏈傳動機構與皮帶傳動機構相比較，下列敘述何者錯誤？
(A)鏈傳動較無滑動現象　(B)鏈傳動較能保持準確傳動比　(C)鏈傳動須潤滑，皮帶傳動不須潤滑　(D)鏈傳動之噪音較小。
【普考】

(　) **21** 腳踏車兩鏈輪同方向旋轉時，前鏈輪的齒數為 45 齒，後鏈輪的齒數為 15 齒，當前鏈輪轉速 60rpm 時，後鏈輪轉速為：
(A)20rpm　(B)180rpm　(C)300rpm　(D)900rpm。

(　) **22** A 及 B 兩鏈輪裝上鏈條作傳動，已知 A 輪轉速為 300rpm，其齒數為 20 齒，假設鏈條節距為 20mm，則鏈條之平均線速度為多少 m/sec？　(A)0.5　(B)1.0　(C)1.5　(D)2.0。

(　) **23** 若鏈輪之速度比要求約為 4，為降低磨損的考慮，則最佳之兩鏈輪齒數為：　(A)15，60　(B)16，64　(C)17，67　(D)19，76。【普考】

(　) **24** 鏈條傳動中可以高速且無噪音的運轉鏈條為無聲鏈，此種鏈條又稱為：　(A)活鈎鏈　(B)套環鏈　(C)倒齒鏈　(D)滾子鏈。【普考】

（　）**25** 平皮帶輪中央隆起的主要設計目的為：　(A)便於皮帶安裝　(B)增加帶輪的摩擦力　(C)便於皮帶輪的製造　(D)防止皮帶脫落。【普考】

（　）**26** 如圖所示為一交叉皮帶傳動，A 輪之直徑為 20cm，轉速為 1200rpm 順時針方向，若 B 輪之直徑為 30cm，則 B 輪之轉速及方向為：　(A)800rpm，逆時針方向　(B)800rpm，順時針方向　(C)1800rpm，逆時針方向　(D)1800rpm，順時針方向。

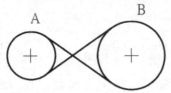

（　）**27** 三角皮帶傳動時，為何其底部不可與皮帶輪槽底接觸？　(A)減少皮帶張力　(B)避免皮帶磨損　(C)增加傳遞動力　(D)增加傳遞速率穩定度。【普考】

（　）**28** 兩鏈輪之中心距離為100公分，鏈節長度為4公分，速比為3：2，大鏈輪的齒數為30齒，則鏈條長度為　(A)263cm　(B)304cm　(C)410cm　(D)512cm。

（　）**29** 何謂皮帶裝置定律？　(A)皮帶輪轉速與其直徑成反比　(B)一輪上皮帶的退出點與另一輪皮帶的進入點同在第二帶輪的中心平面上　(C)皮帶輪傳達之功率與有效挽力成正比　(D)皮帶傳動在退出側的皮帶寬度中心線必須在垂直帶輪軸線的平面上。【普考】

（　）**30** 下列那一種不是鏈條傳動的優點？　(A)傳動距離遠　(B)不受濕氣與高溫影響　(C)有效挽力較皮帶大　(D)傳動速率穩定。【普考】

（　）**31** 標示為 6×7 的鋼絲繩中，數字 6 所代表的意思為：　(A)6 根鋼絲扭成 1 股　(B)6 股鋼索扭成 1 繩　(C)直徑 6mm 之鋼絲　(D)直徑 6mm 之鋼繩　(E)半徑 6mm 之鋼繩。【台電】

（　）**32** 下列何種皮帶並非依靠摩擦力來傳達動力，因此可防止滑動及無謂的動力損失？　(A)V 型皮帶　(B)平皮帶　(C)確動皮帶　(D)圓皮帶（round belt）。

(　　) **33** 若兩皮帶輪外徑分別爲 60cm 及 30cm，中心距離爲 200cm，則交叉皮帶長爲：（註：π≒3.14）　(A)442.425cm　(B)542.425cm　(C)551.425cm　(D)651.425cm。

(　　) **34** 如圖所示，一組可作無段變速之錐輪（cone pulley），其中心距離爲 500mm，以開口式皮帶傳動，則其皮帶長度爲多少 mm？（註：π＝3.14）　(A)814　(B)1283　(C)1314　(D)1345。

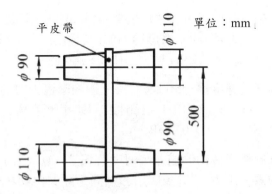

(　　) **35** 下列何者不是鏈條傳動的優點？　(A)不受濕氣及冷熱之影響　(B)無滑動現象且傳動效率高　(C)有效挽力較大　(D)適合高速旋轉且傳動速率穩定。

(　　) **36** 一般自行車或機車所採用之傳動鏈條爲：　(A)平環鏈　(B)塊狀鏈　(C)柱環鏈　(D)滾子鏈。

(　　) **37** 下列有關鏈條與鏈輪的敘述，何者正確？　(A)鬆邊與緊邊的張力幾乎相等，但緊邊略大於鬆邊　(B)由於張力可視爲一種阻力，因此鏈條與鏈輪傳送功率時，所傳達的功率與張力成反比　(C)若所傳送的功率固定，則鏈條張力與線速度成反比　(D)所傳送的功率與鏈條線速度成反比。

(　　) **38** 已知 A、B 兩鏈輪之中心距離爲 600mm，兩輪之齒數皆爲 40齒，其鏈條之節距爲 10mm 則其傳動鏈條之鏈節數爲多少？(A)100　(B)140　(C)160　(D)200。

(　　) **39** 兩鏈輪之中心距離為 100 公分，鏈節長度為 4 公分，速比為 3：2，大鏈輪的齒數為 30 齒則大鏈輪之節徑為　(A)38.22cm (B)25.48cm　(C)100cm　(D)40cm。

(　　) **40** 一皮帶輪 300rpm 時可傳送 14.13kW 之動力，若皮帶鬆邊與緊邊張力之差為 900N，則該輪之直徑為何？　(A)0.5　(B)1　(C)1.5　(D)0.8 m。

(　　) **41** 一對皮帶傳動裝置，其主動輪直徑為 50cm，轉速為 3000rpm，皮帶鬆邊張力為 40kg 緊邊為 60kg 其輸出的馬力為：　(A)21 馬力　(B)23 馬力　(C)24 馬力　(D)25 馬力。

(　　) **42** 已知繩圈之速度為 55ft/sec，每一繩圈緊邊張力為 75ℓb，鬆邊張力為 45ℓb，若用十根繩圈，則可傳達馬力數為　(A)10 (B)20　(C)30　(D)40　HP。

(　　) **43** 以下關於鏈條傳動的描述，何者有誤？　(A)因潮濕或高溫影響傳動的效率不大　(B)多使用於軸間距離與傳動功率較大的場合 (C)使用時多使緊邊在下方，鬆邊在上方　(D)滾子鏈與塊型鏈傳動速率大多於 10m/s 以下。【103 北捷】

(　　) **44** 一對三階相等塔輪，如右圖所示。主動軸之 N=100rpm，從動軸之最低轉速 $n_5$=50rpm，試求從動軸 $n_1$ 之轉速為多少？
(A)100rpm
(B)150rpm
(C)200rpm
(D)250rpm。【103 北捷】

$D_2$　$D_4$　$D_6$　　$N = 100$ rpm

$d_1$　$d_3$　$d_5$　　$n_5 = 50$ rpm
$n_1$　$n_3$　$n_5$

(　　) **45** 哪種皮帶的內側具有齒形，傳動時皮帶與帶輪間無滑動現象？ (A)三角皮帶　(B)確動皮帶（或時規皮帶）　(C)平皮帶　(D)梯形皮帶。【103 桃捷】

(　　) **46** V 形皮帶共有 M、A、B、C、D、E 等六種規格，請問其斷面積最大者為：　(A)M 級　(B)A 級　(C)D 級　(D)E 級。【103 桃捷】

( 　 ) **47** 當鏈條在長時間使用後，其節距會因磨損而增加長度，可能導致鏈條脫離鏈輪，何種鏈條可補償磨損？　(A)塊狀鏈　(B)倒齒鏈　(C)滾子鏈　(D)柱環鏈。【103 桃捷】

( 　 ) **48** 若皮帶緊邊張力 $T_1$=800N，鬆邊張力 $T_2$=500N，則皮帶之有效張力為多少？　(A)300N　(B)500N　(C)800N　(D)1300N。【103 桃捷】

( 　 ) **49** 有一組皮帶輪傳動機構，A 輪直徑為 50mm，B 輪直徑為 10mm，若從動輪 B 輪轉速為 500rpm，假設不考慮皮帶厚度，而接觸面滑動損失為 2%，則主動輪 A 輪轉速為何？　(A)90 rpm　(B)95 rpm　(C)98 rpm　(D)100 rpm。【103 桃捷】

( 　 ) **50** 關於開口式皮帶與交叉式皮帶之比較，下列何者錯誤？　(A)開口式皮帶輪之轉向相同　(B)交叉式皮帶長度較開口式長　(C)交叉式皮帶接觸角較開口式大　(D)交叉式皮帶磨損小、效率高。【103 桃捷】

---

### 解答與解析

**1 (D)**。V 型皮帶有 M、A、B、C、D、E 六種形式，愈後面斷面積愈大，可傳遞的動力也愈大。

**2 (C)　3 (B)**

**4 (A)**。 $n_1 \times n_5 = N^2$

　　　　$\Rightarrow n_1 \times 100 = 200^2$

　　　　$\Rightarrow n_1 = 400$

　　　　$\Rightarrow n_3 = N = 200$

**5 (A)**。 $\dfrac{N_A}{N_B} = \dfrac{D_B}{D_A} \Rightarrow \dfrac{60}{180} = \dfrac{D_B}{120} \Rightarrow D_B = 40mm$

**6 (D)**

**7 (D)**。 $w_A = 50 \times 2\pi = 100\pi$

　　　　$\Rightarrow V = r_A \times w_A = 0.1 \times 100\pi = 10\pi$

**8 (B)**

**9 (A)**。R＝$\dfrac{150 \times 40}{300}$＝20 rpm。所以答案為(A)。

**10 (B)**。$D_P = \dfrac{p}{\sin(\dfrac{180°}{z})} = \dfrac{31.75mm}{\sin(\dfrac{180°}{50})}$ = 505.6$mm$ ，所以答案為(B)。

**11 (B)**

**12 (C)**。為了得到均勻磨耗，鏈輪的齒數最好為奇數，或鏈條的銷數為偶數時，連結結構簡單，但成奇數時，則需特殊型連桿。所以答案為(C)。

**13 (D)**。槽輪直徑與繩索直徑比值變小時，會傷害繩索，但不影響繩索本身強度，繩索本身強度與材料、撚法有關。所以答案為(D)。

**14 (D)**。$V = \dfrac{2\pi rN}{60} = \dfrac{2\pi r 120rpm}{60} = 3.1416 m/s$
$r = 0.25m = 25cm$

$d = 50cm$。所以答案為(D)。

**15 (D)**。$HP = \dfrac{F \times V}{4500} = \dfrac{F \times \pi \, DN}{4500} = \dfrac{F \times 3.14 \times 0.2 \times 250}{4500} = 15$

$F = \dfrac{4500 \times 15}{3.14 \times 0.2 \times 250} = 429.94 kg$

皮帶寬度 $w = \dfrac{429.9}{80} = 5.37cm$

**16 (C)**。$V = r \times \omega$

$V = 0.25 \times \dfrac{2\pi \times 450}{60} = 3.5\pi = 11.7 (m/sec)$

**17 (B)**。有效張力為緊邊力－鬆邊力。所以答案為(B)。

**18 (A)**。$D_P = \dfrac{p}{\sin \theta}$。所以答案為(A)。

**19 (A)**。$\dfrac{40\text{rpm}}{n_2} = \dfrac{300\text{mm}}{150\text{mm}}$

$n_2 = 20\text{rpm}$

所以答案為(A)。

**20 (D)**

**21 (B)**。$\dfrac{N_{後}}{N_{前}} = \dfrac{T_{前}}{T_{後}} \Rightarrow N_{後} = \dfrac{45}{15} \times 60 = 180\text{rpm}$

**22 (D)**。$\theta = \dfrac{180°}{20} = 9° \Rightarrow D = \dfrac{P}{\sin\theta} = \dfrac{20}{\sin 9°} = 128(\text{mm})$

$\Rightarrow V = R \times w = \dfrac{0.128 \times 300 \times 2\pi}{60 \times 2} = 2(\text{m/s})$

**23 (C)**。為降低磨損，鏈輪齒數最好大於 17，而且為奇數齒。所以答案為(C)。

**24 (C)**

**25 (D)**。當平皮帶輪使用中凸輪緣時，當平皮帶偏往皮帶輪一側時，由於中央隆起的關係，造成平皮帶靠中央部分與周緣部分皮帶速度不同，所以皮帶中心線彎曲，皮帶自然復歸中央而不脫落。所以答案為(D)。

**26 (A)**。交叉皮帶主動與從動輪轉向相反，且其轉速與其直徑成反比，故 B 輪為逆時針方向轉動。$\dfrac{N_A}{N_B} = \dfrac{D_B}{D_A}$ ，$\dfrac{1200}{N_B} = \dfrac{30}{20}$　得 $N_B=800(\text{rpm})$。

**27 (C)**。V 形皮帶接觸槽底，或是溢出槽的外部，槽的角度不合皮帶角度時，無法傳達充份的動力。所以答案為(C)。

**28 (B)**。$\dfrac{T_1}{T_2} = \dfrac{N_2}{N_1} = \dfrac{3}{2}$ ，$\dfrac{30}{T_2} = \dfrac{N_2}{N_1} = \dfrac{3}{2}$　$T_2 = 30 \times \dfrac{2}{3} = 20$

(1) $D_1 = \dfrac{P \times T_1}{\pi} = \dfrac{4 \times 30}{3.14} = 38.22\text{cm}$ ，

$d = \dfrac{PT_2}{\pi} = \dfrac{4 \times 20}{3.14} = 25.48\text{cm}$

$$(2) \ L_P = \frac{1}{2}(T_1 + T_2) + 2C_P + 0.0253 \times \frac{(T_1 - T_2)^2}{C_P}$$

$$= \frac{1}{2}(30 + 20) + 2 \times \frac{100}{4} + 0.0253 \times \frac{(30-20)^2}{\dfrac{100}{4}}$$

$$= 25 + 50 + 0.1012 = 75.10 \Rightarrow 取\ 76\ 節$$

鏈長 $L = 4 \times 76 = 304cm$

**29 (C)**。(A) 皮帶輪轉速與其直徑成反比；皮帶輪轉速比與主從動輪直徑成反比。

　　(B) 一輪上皮帶的退出點與另一輪皮帶的進入點同在第二帶輪的中心平面上。

　　(C) 皮帶輪傳達之功率與有效挽力成正比，根據公式，此敘述正確。

　　(D) 皮帶傳動在退出側的皮帶寬度中心線必須在垂直帶輪軸線的平面上。所以答案為(C)。

**30 (A)**

**31 (B)**。6x7 結構(6 股線，7 素線撚成 1 股線)。所以答案為(B)。

**32 (C)**

**33 (C)**。$L = \dfrac{\pi}{2} \times (D + d) + 2C + \dfrac{(D + d)^2}{4C}$

$$= \frac{\pi}{2} \times (60 + 30) + 2 \times 200 + \frac{(60 + 30)^2}{4 \times 200} = 551.425(cm)$$

**34 (C)**。$L = \dfrac{\pi}{2} \times (D + d) + 2C + \dfrac{(D - d)^2}{4C}$

$$= \frac{\pi}{2} \times (110 + 90) + 2 \times 500 + \frac{(110 - 90)^2}{4 \times 500} = 1314(mm)$$

**35 (D)**

**36 (D)**。平環鏈主要用於吊車及起重機；塊狀鏈主要用於低速傳動；柱環鏈主要用於船舶之錨鏈。

**37 (C)**

**38 (C)**。$D = d = \dfrac{40 \times 10}{\pi} = \dfrac{400}{\pi}$(mm)

$L = \dfrac{\pi}{2} \times (D+d) + 2C + \dfrac{(D-d)^2}{4C} = \dfrac{\pi}{2} \times (\dfrac{400}{\pi} + \dfrac{400}{\pi}) + 2 \times 600 + 0 = 1600$(mm)

$\Rightarrow$ 鏈節數$== \dfrac{L}{P} = \dfrac{1600}{10} = 160$

**39 (A)**。$\dfrac{T_1}{T_2} = \dfrac{N_2}{N_1} = \dfrac{3}{2}$ , $\dfrac{30}{T_2} = \dfrac{N_2}{N_1} = \dfrac{3}{2} \Rightarrow T_2 = 30 \times \dfrac{2}{3} = 20$

$D_1 = \dfrac{P \times T_1}{\pi} = \dfrac{4 \times 30}{3.14} = 38.22$cm , $d = \dfrac{PT_2}{\pi} = \dfrac{4 \times 20}{3.14} = 25.48$cm

**40 (B)**。N=300rpm，PS=14.13kW，T=900N

$kW = kW = \dfrac{T \times V}{1000} = \dfrac{T \times \pi DN}{1000 \times 60}$

$\therefore D = \dfrac{1000 \times 60 \times kW}{T \times \pi N} = \dfrac{1000 \times 60 \times 14.13}{900 \times 3.14 \times 300} = 1$m

**41 (A)**。$F = T_1 - T_2 = 60 - 40 = 20$kg

$HP = \dfrac{FV}{4500} = \dfrac{20 \times \pi DN}{4500} = \dfrac{20 \times 3.14 \times 0.5 \times 3000}{4500} = 21$ 馬力

**42 (C)**。$P = (F \cdot V) \times n = (75 - 45) \times 55 \times 10 \times \dfrac{1}{550} = 30$(HP)

**43 (C)**。(C)鬆邊在上方，緊邊在下方。

**44 (C)**。$50 \times n_1 = 100^2$ $n_1 = 200$(rpm)

**45 (B)**

**46 (D)**。$\underrightarrow{M\ A\ B\ C\ D\ E}$ 斷面積由左至右，由小變大，故 E 最大。

**47 (B)**

**48 (A)**。有效張力 $T_1 - T_2 = 800 - 500 = 300$(N)。

**49 (C)**。$\dfrac{50}{10} = \dfrac{500}{N_A}$（1-0.02）$\Rightarrow N_A = 98$(rpm)。

**50 (D)**。交叉式磨損大、效率低。

## 二、問答題型

**1. 使用皮帶傳動的優點與缺點。【101 關務四等】**

> **解** 參考 4-1 內容

**2. 簡述使用鏈條（Chain）傳動的優點與缺點。【機械普考】**

> **解** 參考 4-2 內容

**3. 考慮附圖之皮帶傳動裝置，一個惰輪及重量壓在上方之皮帶，其作用為何？【地特四等機設】**

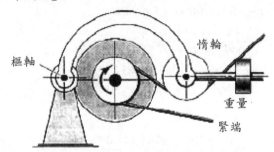

惰輪

樞軸

重量

緊端

> **解** 皮帶惰輪的功用是在調整皮帶的鬆緊度，讓皮帶與皮帶盤能夠確實接觸和帶動，亦即在皮帶鬆邊加上惰輪，增加張力使接觸角增大，張緊輪可隨皮帶之增長而保持特定的壓力。

**4. 請說明皮帶輪傳動較鏈條傳動適合高速傳動的原因，並解釋皮帶輪的中央一般較其兩側略為凸起的目的。【地特四等機設】**

> **解** 皮帶於高速傳動時，若是超載時，帶在帶輪上打滑，不至於損壞其他零件，起安全保護作用，鏈條用於高轉速之兩平行軸間的傳動，因為轉速太快時，鏈條易生擺動及噪音，易造成機械元件的破壞，因此皮帶輪較鏈輪適合高速傳動。

**5. 齒輪、凸輪與皮帶輪為三項重要的傳動元件，請說明在何種狀況下使用齒輪？何種狀況下使用凸輪？何種狀況下使用皮帶輪？【原住民特考四等機設】**

(解) (1)若要將一軸之運動或功率傳達至另一軸上、要改變另一軸之運動方式、速比正確傳遞、高低速傳動均可，即可選用齒輪傳動。

(2)凸輪是一種不規則形狀的機件，一般為等轉速的輸入件，可經由直接接觸傳遞運動到從動件，使從動件按設定的規律運動，而得到預期的不連續不等速運動。

(3)當主動軸與從動軸間的距離較長不適合使用摩擦輪或齒輪等直接傳動方式，可使用皮帶輪藉其拉力來傳達運動。

---

**6. 使用皮帶時，有時會使用一惰輪（idler pulley），請問其主要目的為何？**
【台灣菸酒新進職員機設】

(解) 皮帶惰輪的功用是在調整皮帶的鬆緊度，讓皮帶與皮帶盤能夠確實接觸和帶動，亦即在皮帶鬆邊加上惰輪，增加張力使接觸角增大，張緊輪可隨皮帶之增長而保持特定的壓力。

---

**7. 鏈條傳動一般適於較低轉速的傳動，試說明其理由。**【地特三等機設】

(解) 當兩軸間之速比須絕對正確，但因距離太遠不適合齒輪傳動時，則以鏈條傳動為最適宜，但鏈條不適合用於高轉速之兩平行軸間的傳動，因為轉速太快時，鏈條易生擺動及噪音。

---

**8. 請回答下列問題：(1)皮帶輪的中央一般較其兩側略為凸起的目的為何？(2) 鏈條是否適合用於高轉速之兩平行軸間的傳動？請說明理由。**【交通事業港務人員升資機設】

(解) (1)在皮帶輪之輪面中央部分做成隆起狀，使帶與隆面帶輪緊密接觸防止皮帶脫落，隆面高度約為輪寬的 1/50~1/100，目前平皮帶輪均用此種方法約束皮帶脫落。

(2)鏈條不適合用於高轉速之兩平行軸間的傳動，因為轉速太快時，鏈條易生擺動及噪音。

## 三、計算題型

1. 如圖所示之四帶輪組，動力由 A 輪經 B 輪及 C 輪而傳到 D 輪。A 輪直徑為 50 cm，B 輪直徑為 100 cm，C 輪直徑為 25 cm，D 輪直徑為 125 cm，當 D 輪的轉速為 120 rpm 時，則 A 輪的轉速為多少？【原住民特考】

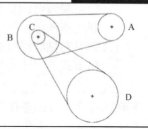

解 $\dfrac{N_D}{N_A}=\dfrac{D_A}{D_B}\times\dfrac{D_C}{D_D}\Rightarrow\dfrac{120}{N_A}=\dfrac{50}{100}\times\dfrac{25}{125}\Rightarrow N_A=1200\text{(rpm)}$

2. 有一同學利用一般直尺量測 60 號滾子鏈條傳動機構之鏈輪，量得鏈輪之節徑約為 86 mm，請問此鏈輪最可能之真正節徑及其齒數為何？(60 號滾子鏈條之節距為 $\dfrac{6}{8}$ 吋，或 19.05 mm)【鐵路特考】

解 鏈輪之節徑 D，節距 P 與齒數 N 之間的關係為

$$D=\dfrac{P}{\sin\left(\dfrac{180°}{N}\right)}$$

(1) 本題節距 P 為 19.05mm，節徑 D 大約量得 86mm，代入上述公式，可計算出 N＝14.01，推估真正齒數為 14 齒。
(2) 將齒數 N＝14 代入上述公式，可得真正節徑 D＝85.6mm。

3. 二皮帶輪傳動，B 輪直徑為 450mm 而 A 輪直徑 300mm，每分鐘 1000 轉，若皮帶厚度為 5mm，且帶與輪面間之滑動損失 2%，試求 B 輪每分鐘轉數？

解 $\dfrac{N_B}{N_A}=\dfrac{D_A+t}{D_B+t}\times(1-2\%)$ 　$\dfrac{N_B}{1000}=\dfrac{(300+5)}{(450+5)}\times0.98$ 　$N_B=657\text{(rpm)}$

**4.** 有一 V 型皮帶具允許張力 F = 1050 N，安裝在直徑 D = 800 mm 的皮帶輪上傳動，若接觸角 θ = 120 度，輪轉速 n = 600 rpm，皮帶和輪間的摩擦係數 f = 0.25，此皮帶輪溝槽的夾角 2β = 40 度，試求此皮帶機構可傳動之動力為多少 kW。

**解** $F_1 = 1050$ ， $120° = \dfrac{120}{180} \times \pi = \dfrac{2}{3}\pi$

$\dfrac{F_1}{F_2} = e^{\frac{\mu\theta}{\sin 2\beta}} \Rightarrow \dfrac{1050}{F_2} = e^{\frac{0.25\times\frac{2}{3}\pi}{\sin 20°}}$

$\Rightarrow F_2 = 227\ (N)$

$P(H) = \dfrac{(F_1 - F_2)\times 0.4 \times 600}{9550} = \dfrac{(1050-227)\times 0.4\times 600}{9550} = 20.68\,(kW)$

**5.** 主動輪之直徑為 32cm，從動輪之直徑為 40cm；二軸間距離為 100cm，試求：(1)皮帶為開口連接時之長度。(2)皮帶為交叉連接時之長度。

**解** $D = 32cm$ ， $d = 40cm$ ， $C = 100cm$

(1) $L = \dfrac{\pi}{2}(D+d) + 2C + \dfrac{(D-d)^2}{4C}$

$= \dfrac{\pi}{2}(40+32) + 2\times 100 + \dfrac{(40-32)^2}{4\times 100}$

$= 113.1 + 200 + 0.16 = 313.3\ cm\,(開口帶長)$

(2) $L = \dfrac{\pi}{2}(D+d) + 2C + \dfrac{(D+d)^2}{4C}$

$= \dfrac{\pi}{2}(40+32) + 2\times 100 + \dfrac{(40+32)^2}{4\times 100}$

$= 113.1 + 200 + 12.96 = 326.06\ cm\,(交叉帶長)$

**6.** 一鏈輪傳動機構，中心軸距為 500mm，大輪齒數為 75 齒，小輪齒數為 20 齒，鏈節長 15mm，求：(1)鏈輪節圓直徑各為若干公分？(2)鏈圈長為若干？

解 令 $C = 50$ cm，$T_1 = 75t$，$T_2 = 20t$，$P = 1.5$ cm

(1) $D_1 = \dfrac{PT_1}{\pi} = \dfrac{1.5 \times 75}{3.14} = 35.83$ (cm)

$D_2 = \dfrac{PT_2}{\pi} = \dfrac{1.5 \times 20}{3.14} = 9.55$ (cm)

(2) $L_p = \dfrac{1}{2}(T_1 + T_2) + 2C_p + 0.0253 \times \dfrac{(T_1 - T_2)^2}{C_p}$

$= \dfrac{1}{2}(75 + 20) + \dfrac{2 \times 50}{1.5} + 0.0253 \times \dfrac{(75 - 20)^2}{\dfrac{50}{1.5}}$

$= 116.46$

取 $L_p = 118$ 節

$L = P \times L_p = 1.5 \times 118 = 177$ (cm)

---

**7.** 兩平行軸相距 90cm，以帶聯動之，主動輪轉速 250rpm，從動輪轉速 600rpm，從動輪直徑為 25cm，問(1)主動輪直徑為若干？(2)帶圈上任一點之線速度為若干 m／min？(3)若使用開口帶聯動，則帶長為若干公分？

解 (1) $D_1 = \dfrac{n_2}{n_1} = D_2 = \dfrac{600}{250} \times 25 = 60$(cm)

(2) $V = \pi D_2 n_2 = 3.14 \times 25 \times 600 = 47100$(cm／min) $= 471$m／min

(3) $L = \dfrac{\pi}{2}(D_1 + D_2) + 2C + \dfrac{(D_1 - D_2)^2}{4C}$

$= \dfrac{\pi}{2}(60 + 25) + 2 \times 90 + \dfrac{(60 - 25)^2}{4 \times 90}$

$= 316.85$(cm)

---

**8.** 一皮帶輪 300rpm 時可傳送 14.13kW 之動力，若皮帶鬆邊與緊邊張力之差為 900N，則該輪之直徑為何？

解 $\dfrac{T \times V}{1000} = \dfrac{T \times \pi DN}{1000 \times 60}$

$\therefore D = \dfrac{1000 \times 60 \times kW}{T \times \pi N} = \dfrac{1000 \times 60 \times 14.13}{900 \times 3.14 \times 300} = 1$m

9. 假設下圖所示為鑽床的階級塔輪（Step pulley）構造，塔輪共設計 4 級，並以三角皮帶連結馬達與主軸。塔輪相關直徑尺寸（單位:mm）如圖示，皮帶厚度不計。若馬達端的塔輪轉數為 1000RPM，則試求主軸端各級塔輪對應的轉數為若干。（本題答案如有小數點，直接四捨五入計）。

   (一) 主軸端第一級塔輪轉數（$n_1$）？

   (二) 主軸端第二級塔輪轉數（$n_2$）？

   (三) 主軸端第三級塔輪轉數（$n_3$）？

   (四) 主軸端第四級塔輪轉數（$n_4$）？【103 中央印製廠】

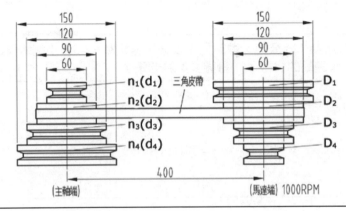

解 (一) $\dfrac{1000}{n_1} = \dfrac{60}{150} \Rightarrow n_1 = 2500(\text{rpm})$

   (二) $\dfrac{1000}{n_2} = \dfrac{90}{120} \Rightarrow n_2 = 1333.33(\text{rpm})$

   (三) $\dfrac{1000}{n_3} = \dfrac{120}{90} \Rightarrow n_3 = 750(\text{rpm})$

   (四) $\dfrac{1000}{n_4} = \dfrac{150}{60} \Rightarrow n_4 = 400(\text{rpm})$

10. 用皮帶傳動之兩軸，主動輪之迴轉速 200rpm，從動輪之轉速為 120rpm，欲使皮帶之速率為每秒 3.14 公尺，則從動輪的直徑為若干公分？

解 令 $n_2 = 120\text{rpm} = 2\text{rps}$，$V = 3.14\text{m/sec}$

   $\because V = \pi D_2 n_2$

   $\therefore D = \dfrac{V}{\pi n_2} = \dfrac{3.14}{3.14 \times 2} = \dfrac{1}{2}(\text{m}) = 50\text{cm}$

**11.** 兩平行軸上之帶輪,其直徑各為 100 公分及 20 公分,兩軸心距為 80 公分,以開口帶聯接之,試求帶圈與兩個帶輪之接觸角各為若干度?

**解** 令 $D_1 = 100cm$, $D_2 = 20cm$, $C = 80cm$

$$\sin\theta = \frac{\dfrac{D_1 - D_2}{2}}{C} = \frac{D_1 - D_2}{2C} = \frac{100 - 20}{2 \times 80} = \frac{1}{2}$$

$\therefore \theta = 30°$

大輪與皮帶之接觸角 $= 180° + 2\theta = 240°$

小輪與皮帶之接觸角 $= 180° - 2\theta = 120°$

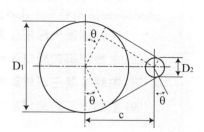

**12.** 兩鏈輪之中心軸距為 120 公分,鏈節長 3 公分,速比為 5:3,小鏈輪齒數為 18 齒,求(1)大鏈輪的齒數?(2)鏈圈長度為若干?

**解** 令 $C = 120cm$, $P = 3cm$, $T_1 = 18t$, $\dfrac{n_1}{n_2} = \dfrac{5}{3}$

$(1) \because \dfrac{n_1}{n_2} = \dfrac{T_2}{T_1} \therefore T_2 = \dfrac{n_1}{n_2} T_1 = \dfrac{5}{3} \times 18 = 30(t)$

$(2) L_p = \dfrac{1}{2}(T_1 + T_2) + 2C_p + 0.0253 \times \dfrac{(T_1 - T_2)^2}{C_p}$

$$= \dfrac{1}{2}(18 + 30) + \dfrac{2 \times 120}{3} + 0.0235 \times \dfrac{(18-30)^2}{\dfrac{120}{3}} = 104.09$$

取 $L_p = 104$ 節

$L = P \times L_p = 3 \times 104 = 312(cm)$

**13.** 有一 V 形開口皮帶輪組,其中主動槽輪和從動槽輪之節圓直徑皆為 300 mm,輪軸能承受之最大負載為 800 N,摩擦係數為 0.3,槽輪上 V 形槽溝之夾角為 30° ($2\beta = 30°$),主動軸之轉速為 200 r.p.m.。試求:

(一) 皮帶緊邊張力 $F_1$ 及鬆邊張力 $F_2$ 之最大值。

(二) 若不考慮離心力之影響,此皮帶輪能傳遞之最大馬力(PS)為若干?(1 PS = 75 kg-m/sec = 75×9.8 N-m/sec)【鐵四】

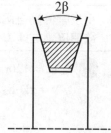

**解** (一) $F_1 + F_2 = 800 \cdots\cdots(1)$

$\dfrac{F_1}{F_2} = e^{\frac{\mu\times\theta}{\sin\beta}} = e^{\frac{0.3\times\pi}{\sin15^\circ}} \Rightarrow F_1 = 38.087F_2 \cdots\cdots(2)$

由(1)(2)可得　$F_1 = 779.53N$，$F_2 = 20.47N$

(二) $P = \dfrac{(F_1 - F_2)\times\pi\times D\times N}{735\times60}$

$= \dfrac{(779.56 - 20.44)\times\pi\times0.3\times200}{735\times60}$

$= 3.24PS$

---

**14.** 兩皮帶輪之外徑分別為 D＝50 cm，d＝30 cm，傳動軸中心距離為 C＝150 cm，則傳動時使用交叉帶比用開口帶的帶長長幾公分？【關四】

**解** (一) 開口皮帶：

皮帶與帶輪接觸角：$\alpha$、$\theta_A$、$\theta_B$

$\alpha = \sin^{-1}(\dfrac{D-d}{2C}) = \sin^{-1}(\dfrac{50-30}{2\times150}) = 3.8^\circ = 0.0667\text{rad}$

皮帶與小輪接觸角 $\theta_A = \pi - 2\alpha = 3\text{rad}$

皮帶與大輪接觸角 $\theta_B = \pi + 2\alpha = 3.275\text{rad}$

正確長度 $L = \dfrac{1}{2}(d\times\theta_A + D\times\theta_B) + \sqrt{4C^2 - (D-d)^2}$

$= \dfrac{1}{2}(30\times3 + 50\times3.275) + \sqrt{4\times150^2 - (50-30)^2}$

$= 426.2\text{cm}$

近似長度 $= \dfrac{\pi}{2}(D+d) + 2C + \dfrac{(D-d)^2}{4C}$

$= \dfrac{\pi}{2}(50+30) + 2\times150 + \dfrac{(50-30)^2}{4\times150} = 426.3\text{cm}$

(二) 交叉皮帶：

接觸角 $\alpha = \sin^{-1}(\dfrac{D+d}{2C}) = \sin^{-1}\left(\dfrac{50+30}{2\times150}\right) = 15.46^\circ = 0.27\text{rad}$

皮帶與帶輪接觸角 $\theta = \pi + 2\alpha = 3.68\text{rad}$

正確長帶 $L = \dfrac{1}{2}(d\times\theta + D\times\theta) + \sqrt{4C^2 - (D+d)^2}$

$$= \frac{1}{2}(30 \times 3.68 + 50 \times 3.68) + \sqrt{4 \times 150^2 - (50+30)^2}$$

$$= 436.3 \text{cm}$$

近似長度 $L = \frac{\pi}{2}(D+d) + 2C + \frac{(D+d)^2}{4C}$

$$= \frac{\pi}{2}(50+30) + 2 \times 150 + \frac{(50+30)^2}{4 \times 150}$$

$$= 436.3 \text{cm}$$

交叉皮帶－開口皮帶＝436.3－426.2＝10.1cm(正確長度)

或交叉皮帶－開口皮帶＝436.3－426.3＝10cm(近似長度)

---

15. 有一 V 形開口皮帶輪組，其中主動槽輪之節圓直徑為 d ＝250mm，從動槽輪之節圓直徑為 D＝900mm，兩輪

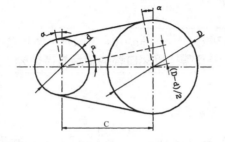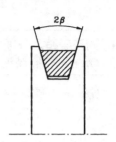

軸之軸距為 C＝1000mm，V 形皮帶之容許應力為 σ＝2.5N/mm²，V 形皮帶之截面積為 A＝8cm²，摩擦係數為 0.25，槽輪上 V 形槽溝之夾角為 40°（2β＝40°），主動軸之轉速為 200 rpm，每公尺長之皮帶質量為 0.7 公斤。若考慮離心力之影響，試求此皮帶輪組能傳遞之最大馬力（PS）為若干？（1 PS＝75 kg-m/sec＝75×9.8 N-m/sec）【普考】

**解**

$\sigma = \dfrac{F_1}{A} \Rightarrow 2.5 = \dfrac{F_1}{800} \Rightarrow F_1 = 2000(\text{N})$

$\beta = \sin^{-1}\left(\dfrac{D-d}{2C}\right) = 19° = 0.331(\text{rad})$

$\theta = \pi - 2\beta = 2.478$

$v = \dfrac{\pi \times 0.25 \times 200}{60} = 2.618(\text{m}/\text{s})$

$\dfrac{F_1 - mv^2}{F_2 - mv^2} = e^{\frac{\mu\theta}{\sin\left(\frac{\alpha}{2}\right)}} \Rightarrow \dfrac{2000 - 0.7 \times 2.618^2}{F_2 - 0.7 \times 2.618^2} = e^{\frac{0.25 \times 2.478}{\sin\left(\frac{40}{2}\right)}} \Rightarrow F_2 = 330.4(\text{N})$

$P(\text{PS}) = \dfrac{(F_1 - F_2) \times V}{75 \times 9.8} = 5.95(\text{PS})$

# 第五章 制動器與離合器

## ▼5-1 機械式制動器

制動器（brake）一般稱為煞（剎）車，其功用是使運動的機器減慢速度或完全停止，是利用(一)機械摩擦力；(二)流體黏滯力；(三)電磁阻尼力，來達到制動的目的。其中機械式制動器主要是依靠接觸面間的摩擦力，產生制動作用，可以使機械減速，亦可使機械運動完全停止。常用的機械式制動器有下列幾種：(一)帶制動器；(二)塊制動器；(三)鼓式制動器；(四)圓盤制動器；(五)蝶式制動器。

### 一、帶制動器

(一) **單向帶式制動器**：帶式制動器主要包括制動帶、制動鼓輪及槓桿連桿，制動帶可以用繩索、皮帶或柔性的鋼帶繞裝於鼓輪外而成，制動時乃利用槓桿原理將制動帶拉緊，以達到煞車的目的。

如圖 5.1 帶制動器，若制動鼓輪以順時針方向轉，假設 $\theta$：接觸角（單位：徑度或弧度），緊邊的張力 $F_1$，鬆邊的張力 $F_2$，皮帶寬度為 b，若鼓輪的離心力不計，則 $\dfrac{F_1}{F_2} = e^{\mu\theta}$，假設鼓輪之半徑為 r，則作用於鼓輪上的制動扭力矩 T

$$T = (F_1 - F_2) \times r$$

若槓桿長為 L，槓桿尾端所加之外力為 F，取固定點 O 為中心，其合力矩（取順時針方向為正值）

$$\sum Mo = F \times L - F_2 \times a = 0 \Rightarrow \quad F = \frac{F_2 \times a}{L}$$

如圖 5.1 所示，制動鼓以反時針方向轉時，制動扭力矩不變，原來圖中鬆邊 $F_2$ 變為緊邊張力

$$\therefore F = \frac{F_2 \times a}{L}$$

鼓輪作用於皮帶的壓力

$$\Rightarrow P = \frac{N\,(作用力)_1}{b \times r}$$

$$\Rightarrow 最大壓力P_{max} = \frac{緊邊張力}{b \times r}$$

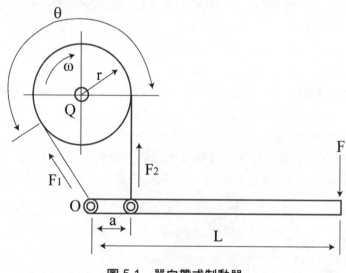

圖 5.1　單向帶式制動器

**(二)差動式帶制動輪 (differential band brake)：** 如圖 5.2 所示為一種差動式帶制動器(differential band brake)。取固定點 O 為支點中心，其合力矩

$$\sum M_o = 0 \Rightarrow \sum M_o = F \times L + F_1 \times b - F_2 \times a = 0$$

$$F = \frac{F_2 \times a - F_1 \times b}{L} \quad 又因為 \quad \frac{F_1}{F_2} = e^{\mu\theta}$$

$$\Rightarrow F = \frac{F_2 \times (a - be^{\mu\theta})}{L}$$

1. $F_1$ 與 F 作用力的力矩為相同方向，同為增加制動扭力矩之力，表示制動桿上之皮帶所傳動之磨擦力，有助於制動煞車效果，此種制動器又稱自勵式制動器 (self-energizing brake)。

2. 假如 $(a-be^{\mu\theta})$ 為負值，則 F 亦為負值，表示制動桿上不需要增加制動力，只要帶與制動鼓一接觸，立即產生制動的作用而成自鎖 (self locking)。

3. 在設計時要使 $(a-be^{\mu\theta})$ 之值要略大於 1，使之值為正。則 F 可以減到最小，使操作最省力。

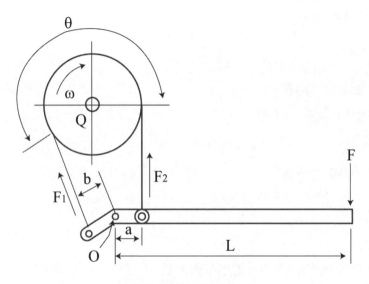

圖 5.2　差動式帶制動器

## 二、塊式制動器

塊式制動器，其構造為制動鼓之圓周上用一或多塊制動塊，以槓桿之作用壓在制動鼓上，藉摩擦力產生制動效果，為了便於分析，當制動塊之長度較短 ($\theta$ 小於 60°) 時，假設制動塊與鼓之間的徑向壓力，集中於塊的中央位置，其制動扭力矩為：

$F_t = \mu N \Rightarrow T = F_t \times r = \mu N r$

式中 N：制動鼓與塊之垂直壓力、$F_t$：摩擦力、$\mu$：摩擦係數

如圖 5.3 所示，槓桿之支點位置為 $O_1$、$O_2$、$O_3$ 等三種，其分析如下：

(一)當支點位於 $O_1$ 的位置時，力矩平衡式

　1. 鼓輪以順時針方向轉

$$\sum M_{O1} = 0 \Rightarrow \sum M_{O1} = F \times L + F_t \times b - N \times a = 0$$

$$F = \frac{Na - F_t b}{L} = \frac{Na - \mu Nb}{L}$$

　2. 鼓輪以逆時針方向轉

$$\sum M_{O1} = 0 \Rightarrow \sum M_{O1} = -F \times L + F_t \times b + N \times a = 0$$

$$F = \frac{F_t b + Na}{L} = \frac{\mu Nb + Na}{L}$$

(二)當支點位於 $O_2$ 的位置時，力矩平衡式

　1. 鼓輪以順時針方向轉

$$\sum M_{O2} = 0 \Rightarrow \sum M_{O2} = F \times L - N \times a = 0$$

$$F = \frac{Na}{L}$$

　2. 鼓輪以逆時針方向轉

$$\sum M_{O2} = 0 \Rightarrow \sum M_{O2} = F \times L - N \times a = 0$$

$$F = \frac{Na}{L}$$

(三)當支點位於 $O_3$ 的位置時，力矩平衡式為

　1. 鼓輪以順時針方向轉

$$\sum M_{O3} = 0 \Rightarrow \sum M_{O3} = F \times L - F_t \times b - N \times a = 0$$

$$F = \frac{F_t b + Na}{L} = \frac{\mu Nb + Na}{L}$$

　2. 鼓輪以逆時針方向轉

$$\sum M_{O3} = 0 \Rightarrow \sum M_{O3} = F \times L + F_t \times b - N \times a = 0$$

$$F = \frac{Na - F_t b}{L} = \frac{Na - \mu Nb}{L}$$

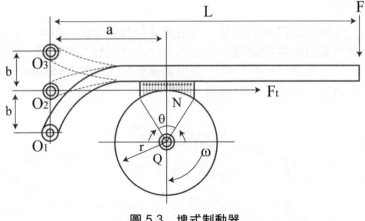

圖 5.3　塊式制動器

**觀念說明**

(一) 塊式制動器當支點位於 $O_1$ 的位置時，鼓輪以順時針方向轉，$F_t$ 與 F 作用力的力矩為相同方向，同為增加制動扭力矩之力，表示制動桿上之制動塊所傳動之摩擦力，有助於制動煞車效果，此種制動器又稱自勵式制動器。

(二) 塊式制動器當支點位於 $O_1$ 的位置時，鼓輪以順時針方向轉，假如 F 為負值，則表示制動桿上不需要增加制動力，只要制動塊與制動鼓一接觸，立即產生制動的作用而成自鎖。

(三) 塊式制動器當支點位於 $O_3$ 的位置時，鼓輪以逆時針方向轉，$F_t$ 與 F 作用力的力矩為相同方向，同為增加制動扭力矩之力，表示制動桿上之制動塊所傳動之摩擦力，有助於制動煞車效果，此種制動器又稱自勵式制動器。

(四) 塊式制動器當支點位於 $O_3$ 的位置時，鼓輪以逆時針方向轉，假如 F 為負值，則表示制動桿上不需要增加制動力，只要制動塊與制動鼓一接觸，立即產生制動的作用而成自鎖。

### 三、鼓式制動器

**鼓式制動器又稱內靴式汽車制動器，或稱圓筒制動器**，廣為機車、汽車、卡車等需要高煞車能力的場所使用，如圖 5.4 所示為機械式的內靴式汽車制動器，內有兩片煞車塊藉凸輪的動作，**利用靴狀金屬履塊往外擴張的作用，迫使摩擦片抵住鼓輪，以產生制動作用。**

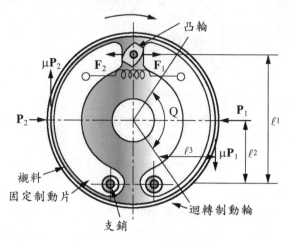

圖5.4　鼓式制動器

### 四、圓盤制動器

以螺栓將圓盤形煞車片固定在外殼，而機件與轉軸以滑鍵結合。轉軸帶動旋轉，煞車時作軸向滑動壓至煞車片，與多片圓盤形煞車片產生摩擦接觸，以達到制動的效果。圓片制動器與圓盤離合器構造類似。常用於大型工程機械如推土機等。

### 五、蝶式制動器

蝶式制動器，又稱卡鉗圓盤式制動器。此種煞車具有體積小、扭距大及容易控制之優點，汽車、升降運送車及其它輕型的裝置等都常使用，蝶式煞車有一個煞車盤，固定在車輪內面與車輪一起旋轉。煞車時運用液壓推動蝶式煞車片夾緊煞車盤，藉由夾緊所產生之摩擦力來達到煞車之目的。

| 優點 | 1.一般而言，蝶式煞車具有較佳之散熱效果及較佳之穩定性。 |
|---|---|
| | 2.左右輪同時煞車之功能，故少有煞車偏向之現象煞車效果良好。 |
| | 3.煞車盤因旋轉的離心力大，排水性良好，因此少有因水或泥巴而造成煞車不良的情形。 |

觀念說明

比較車輛用鼓式煞車和碟式煞車：
1. 煞車鼓的煞車作用力是沿著圓周轉動切線方向。
2. 碟式煞車作用力是沿著煞車碟盤的軸向方向。
3. 煞車鼓作用時，煞車塊(墊)上有相同的切線轉速。
4. 碟式煞車作用時，煞車塊(墊)上有不同的切線轉速。

範例 *5-1*

如圖所示，爲一帶制動器，其規格爲 a＝15cm，L＝100cm，b＝5cm，θ=270°，摩擦係數爲 0.2，鼓輪直徑是 20cm，試求平衡 200N-cm 扭力所需的操作力 F 爲若干？

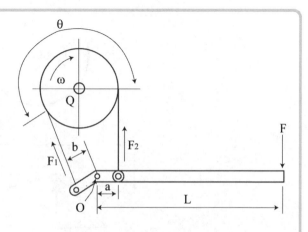

**解** 已知 $r=10cm$、$\theta=1.5\pi(rad)$、$\mu=0.20$、$a=15cm$、$L=100cm$、$b=5cm$

$$T = (F_1 - F_2) \times r = 200 \text{ (N-cm)}$$

$$\Rightarrow F_1 - F_2 = \frac{200}{10} = 20 \text{ (N)}$$

$$\frac{F_1}{F_2} = e^{\mu\theta} = 2.718^{0.2 \times 1.5 \times 3.14} = 2.565$$

求得 $F_2=12.78N$，$F_1=32.78N$

$$\sum M_o = F \times L + F_1 \times b - F_2 \times a = 0$$

$$F \times 100 + 32.78 \times 5 - 12.78 \times 15 = 0$$

$$F = \frac{191.7 - 163.9}{100} = 0.278$$

$$F = \frac{F_2(a - be^{\mu\theta})}{L} \Rightarrow F = \frac{12.78(15 - 5 \times 2.565)}{100} = 0.278 \text{ (N)}$$

**範例5-2**

如圖所示，若煞車塊只能承受 100N（牛頓）之外力，此系統最多能提供多大之煞車力？外力 P 最大是多少？（設摩擦係數為 0.2，鼓輪之半徑為 150mm。）【普考】

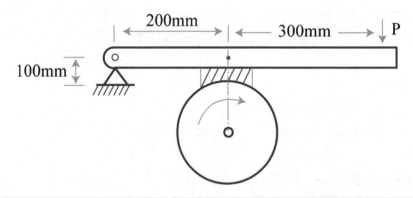

解

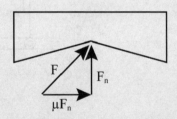

$$F = \sqrt{F_n^2 + (\mu F_n)^2} \Rightarrow 100 = \sqrt{1 + (0.2)^2} F_n \Rightarrow F_n = 98.06N$$

煞車力 $F_\mu = \mu F_n = 0.2(98.06) = 19.612$

$$\sum M = 0 \text{ , } P(300 + 200) = F_n(200) + F_\mu(10) = 98.06(200) + 19.612(100)$$

$$\Rightarrow P = 43.14N$$

## 範例 5-3

如圖所示的摩擦塊制動器，其中煞車鼓
半徑為 360 mm，a = 360mm，b = 900
mm，c = 400 mm，摩擦係數為 0.3，若
受到轉矩 225 N-m 的作用。試求：

(一) 在煞車塊上的總正向力 $F_n$。

(二) 煞車鼓做順時針旋轉時所需之制動
力 F。

(三) 煞車鼓做逆時針旋轉時所需之制動力 F。

(四) 若不改變其他各尺寸數據，煞車鼓做逆時針旋轉時，欲使此制動器形成自
鎖狀態，c 值設定為何？【108 普考】

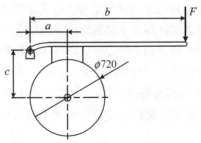

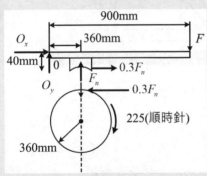

(一) $0.3F_n \times 0.36 = 225 \Rightarrow F_n = 2083.33$ (N)

(二) $\circlearrowleft \sum M_0 = 0$

$\quad F \times 900 - 2083.33 \times 360 - 0.3 \times 2083.33 \times 40 = 0$

$\quad \Rightarrow F = 861.12$ (N)

(三) $F \times 900 - 2083.33 \times 360 + 0.3 \times 2083.33 \times 40 = 0$

$\quad \Rightarrow F = 805.55$ (N)

(四) 自鎖 $\Rightarrow$ 鼓輪逆時針

$\quad F \times 900 = 2083.33 \times 360 - 0.3 \times 2083.33 \times (c - 360)$

$\quad \Rightarrow F = \dfrac{2083.33 \times 360 - 0.3 \times 2083.33 \times (c - 360)}{900} \leq 0$

**範例5-4**

下圖為線性滑塊與煞車板之作用示意圖,煞車板以固定銷 O 為旋轉支點,且以其重量從其板正中央對線性滑塊施予固定煞車力 *F*,而煞車板的面積為 *A*;煞車板與線性滑塊之間摩擦係數為 μ,作用過程都能產生均勻面壓力 *p*。請利用煞車板自由圖(Free body diagram)、受力狀況和已知的參數(*F, A, μ, a, b*),推導出(1)線性滑塊向右以及(2)線性滑塊向左移動時,煞車板與線性滑塊間之面壓力 *p* 以及固定銷 O 上之反作用力 *R*<sub>X</sub> 和 *R*<sub>Y</sub>。【關務特考】

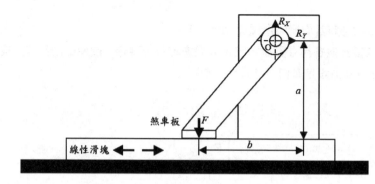

**解** (1) 線性滑塊向右移

煞車板自由體圖

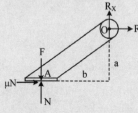 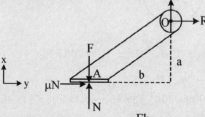 

力平衡方程式 $\sum M_0 = O$ , $Nb = Fb + \mu Na \Rightarrow N = \dfrac{Fb}{b - \mu a}$

其中:$N = PA$

$\therefore PA = \dfrac{Fb}{b - \mu a} \Rightarrow P = \dfrac{Fb}{A(b - \mu a)}$

$\sum F_x = O$ , $N + R_X = F \Rightarrow R_X = F - \dfrac{Fb}{b - \mu a} = \dfrac{(b - \mu a - b)F}{b - \mu a}$

$\sum F_y = O$ , $\mu N + R_Y = O \Rightarrow \dfrac{\mu Fb}{b - \mu a} + R_Y = O \Rightarrow R_Y = -\dfrac{\mu Fb}{b - \mu a}$

(2) 線性滑塊向左移動

力平衡方程式

$\sum M_0 = O$ ， $Nb + \mu Na = Fb \Rightarrow N = \dfrac{Fb}{b + \mu a}$

其中： $N = PA$

$\therefore PA = \dfrac{Fb}{b + \mu a} = \dfrac{Fb}{A(b + \mu a)}$

$\sum F_y = O$ ， $R_Y = \mu N = \dfrac{\mu Fb}{b + \mu a}$

$\sum F_x = O$ ， $N + R_X = F \Rightarrow R_X = F - \dfrac{Fb}{b + \mu a} = \dfrac{(b + \mu a - b)F}{b + \mu a}$

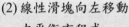

## 範例 *5-5*

下圖說明一煞車之短屜（Brake with short shoe），其中轂半徑（Radius of drum）＝5 in.，a＝16 in.，c＝6 in.，m＝1.5 in.，短屜尺寸為 4 in.×2 in.，摩擦係數為 0.4，壓力為 100 psi，試計算需要作動多少力量 P 達到煞車目的。

【普考機設】

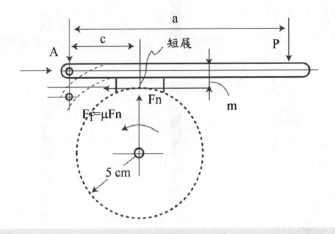

**解** $F_n = 100 \times 4 \times 2 = 800$ （ℓb）

$\Sigma M_A = 0$

$P \times 16 + 0.4 \times 800 \times 1.5 - 800 \times 6 = 0 \Rightarrow P = 270$ （ℓb）

# ▼5-2　電磁式與液體式制動器

## 一、電磁式制動器

**轉變機械制動能為電能或熱能**，或利用電能轉變為電磁阻尼力以達到制動的目的者稱為電磁式制動器，較常見說明如下：

### (一) 發電機制動器

制動作用是引導機械制動能來帶動一個或數個發電機，用以消耗機械能而達到制動目的。機械能變成電能後，電能可以用作其它工作，或由電阻生熱消散。此種制動器適用於制動作用需較長時間的場所。

### (二) 渦電流制動器

1. 渦電流制動器。主要的構造有一個固定圓盤及一個轉動圓盤。

2. 圓盤內繞有線圈，通以電流即可產生磁場。當制動時，由於兩圓盤表面之相對運動，感應渦電流產生磁場，得到制動扭力矩。

3. 制動扭力矩的大小隨著轉動圓盤與固定圓盤之滑移，以及產生磁場的電流大小而定。

4. 此種制動器可用為電聯車、大型汽車之輔助煞車，俗稱渦電流減速裝置。

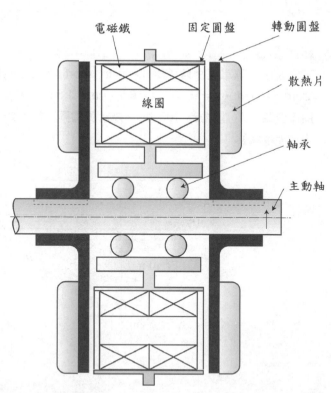

## 二、液體式制動器的種類

液體式制動器是利用液體的黏滯力來減低下降速度，也就是說以液體的黏滯力來代替機械式的摩擦力，所以並無法如機械式制動器有立即停止的效果，如果以液體啓動機械式制動器來煞車，則可得到摩擦力煞車的效果，液體式制動器適用在油田、礦場、鑽井或運送重物的地方。

## ▼5-3　摩擦離合器

利用旋轉而傳遞能量，用來增加從動元件的速度，用離合器連接的兩軸可以在機器運轉過程中隨時進行接合或分離，按工作原理離合器可分爲確動式、摩擦式和電磁式三種。

$$
摩擦離合器
\begin{cases}
軸向摩擦離合器
\begin{cases}
錐形離合器 \\
盤形離合器
\end{cases} \\
徑向摩擦離合器
\begin{cases}
塊狀離合器 \\
帶狀離合器
\end{cases}
\end{cases}
$$

## 一、圓盤離合器

又稱盤形離合器，用於車輛之碟式煞車系統，適合於高速而動力較小的傳動通常將圓盤離合器做成幾個摩擦盤，以增加摩擦面來增大傳達的扭力矩，此種離合器稱爲「多盤離合器」。

(一) **均匀磨耗理論：** 適用在經使用一段時間後的離合器，假設零件具有充分的剛性，圓盤面上的襯料，磨耗情形均匀分布，則位於原盤上的任意半徑 r 處的接觸壓力爲 P，在半徑較小處壓力較大，因此，在內半徑處壓力最大：

$Pr = P_{max} r_i = $ 常數

作用力 $F = \int_{r_i}^{r_o} P 2\pi r dr = 2\pi \int_{r_i}^{r_o} P_{max} r_i dr = 2\pi P_{max} r_i (r_o - r_i)$

扭矩 $T = \int_{r_i}^{r_o} \mu Pr\, dA = \int_{r_i}^{r_o} \mu \frac{P_{max} r_i}{r} r 2\pi r dr = 2\pi P_{max} r_i \mu \int_{r_i}^{r_o} r dr$

$T = \pi \mu P_{max} r_i (r_o^2 - r_i^2)$

由 F、T 的關係式得:

$T = \mu F(\frac{r_o + r_i}{2}) = \mu F R_e$ (其中 $R_e = (\frac{r_o + r_i}{2})$ 有效摩擦半徑)

以上單盤式離合器之推導,若為多盤式離合器,則扭矩均需再乘以離合片數 N。

**(二)均勻壓力理論**:適用在新的、未磨耗的剛性離合器,假設平板面上之壓力會均勻分布

作用力為 $F = \int_{r_i}^{r_o} P 2\pi dr = \pi P(r_o^2 - r_i^2)$

扭矩為 $T = \int_{r_i}^{r_o} \mu Pr\, 2\pi r dr = \frac{2}{3}\pi \mu P(r_o^3 - r_i^3)$

又由 F、T 的關係式得:

$T = \frac{2F\mu(r_o^3 - r_i^3)}{3(r_o^2 - r_i^2)} = \mu F R_e$ (其中 $R_e = \frac{2(r_o^3 - r_i^3)}{3(r_o^2 - r_i^2)}$ 有效摩擦半徑)

以上單盤式離合器之推導,若為多盤式離合器,則扭矩均需再乘以離合片數 N。

**觀念說明**

比較以上兩種假設所獲得的扭矩可發現,均勻磨耗的假設提供了較均勻壓力為小的扭矩容量,因此若以扭矩為離合器的設計目標,通常基於均勻磨耗的假設。

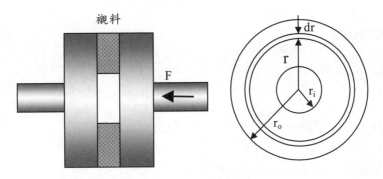

圖 5.5　圓盤離合器

## 二、圓錐離合器

用兩個互相配合之圓錐面的摩擦力傳達動力，適合於低速而動力較大的傳動。若半錐角太大時，則需較大的軸向壓力，若半錐角太小時，則離合器分離困難，故一般規定半錐角不應小於 $8°$，而以 $12.5°$ 為最佳。

**(一) 均勻磨耗理論：** 設零件具有充分的剛性，圓盤面上的襯料，磨耗情形均勻分布，則位於原盤上的任意半徑 $r$ 處的接觸壓力為 $P$，在半徑較小處壓力較大，因此，在內半徑處壓力最大：

$$Pr = P_{max}r_i = 常數 \ 且 \ dA = \frac{2\pi rdr}{\sin\theta}$$

正向力：$dN = PdA = \dfrac{P2\pi rdr}{\sin\theta}$

使夾緊環的力：$dF = dN\sin\theta = P2\pi rdr$

傳送的扭矩：$dT = \mu rdN$

夾力 $F = \displaystyle\int_{r_i}^{r_o} P2\pi rdr = 2\pi\int_{r_i}^{r_o} P_{max}r_i dr = 2\pi P_{max}r_i(r_o - r_i)$

扭矩 $T = \displaystyle\int_{r_i}^{r_o} \mu Pr\,dA = \int_{r_i}^{r_o} \mu r(\frac{P2\pi rdr}{\sin\theta}) = \frac{2\pi r_i P_{max}\mu}{\sin\theta}\int_{r_i}^{r_o} rdr$

$$= \frac{\pi P_{max}\mu r_i}{\sin\theta}(r_o^2 - r_i^2) \ 或 \ T = \frac{F\mu}{2\sin\theta}(r_o + r_i)$$

## (二) 均勻壓力理論：

$$Pr = P_{max}r_i = 常數 \; 且 \; dA = \frac{2\pi rdr}{\sin\theta}$$

正向力： $dN = PdA = \dfrac{P2\pi rdr}{\sin\theta}$

使夾緊環的力： $dF = dN\sin\theta = P2\pi rdr$

傳送的扭矩： $dT = \mu rdN$

夾力 $F = \displaystyle\int_{r_i}^{r_o} P2\pi rdr = \pi P(r_o^2 - r_i^2)$

扭矩 $T = \displaystyle\int_{r_i}^{r_o} \mu r(\frac{P2\pi rdr}{\sin\theta}) = \frac{2\pi P\mu}{3\sin\theta}(r_o^3 - r_i^3) \Rightarrow T = \frac{2F\mu(r_o^3 - r_i^3)}{3\sin\theta(r_o^2 - r_i^2)}$

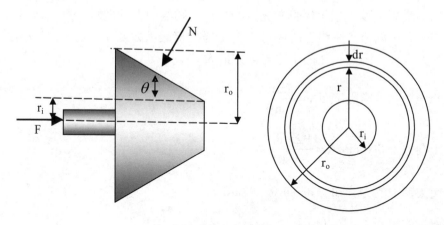

圖 5.6　圓錐離合器

## 範例 5-6

一個單片摩擦盤式離合器，摩擦盤外徑（do＝300mm）及內徑（di＝230mm），制動力（actuating force）為 5kN，接觸面摩擦係依均勻磨耗理論（uniform wear），摩擦係數為 0.25，求接觸面的正向作用力及接觸面最大壓力。【鐵路特考四等機設】

**解** 均勻磨耗理論

$$F = 2\pi P_{max} \times r_i(r_o - r_i)$$

$$5 \times 10^3 = 2\pi \times P_{max} \times (\frac{230}{2}) \times (\frac{300}{2} - \frac{230}{2})$$

$$\Rightarrow P_{max} = 0.1977(N/mm^2)$$

正向作用力＝$F = 5000(N)$

## 範例 5-7

一簡單離合器之離合器片外半徑與內半徑分別為 300 公厘與 150 公厘，軸像力為 200 牛頓，摩擦係數為 0.35，軸之轉速為每分鐘 1000 轉，試決定功率。

**解** (1) 基於均勻壓力假設

$$H = \frac{2F\mu\omega}{3 \times 9,550} \times \frac{(r_o^3 - r_i^3)}{(r_o^2 - r_i^2)}$$

$$= \frac{2 \times 200 \times 0.35 \times 1 \times 1000}{3 \times 9,550} \times \frac{[(0.3)^3 - (0.15)^3]}{[(0.3)^2 - (0.15)^2]}$$

$$= 1.71 \ kW$$

(2) 基於均勻磨耗假設

$$H = \frac{F\mu\omega}{9,550}(\frac{r_o + r_i}{2})$$

$$= \frac{200 \times 0.35 \times 1 \times 1000}{9,550} \times (\frac{0.3 + 0.15}{2})$$

$$= 1.65 \ kW$$

# ▼5-4　確動離合器（顎夾離合器）及其他離合器

## 一、確動離合器

| 離合器 | 說　明 |
|---|---|
| 方形顎夾離合器 | 用於雙方向傳動，須在低速或停止時為之，適合於大負載。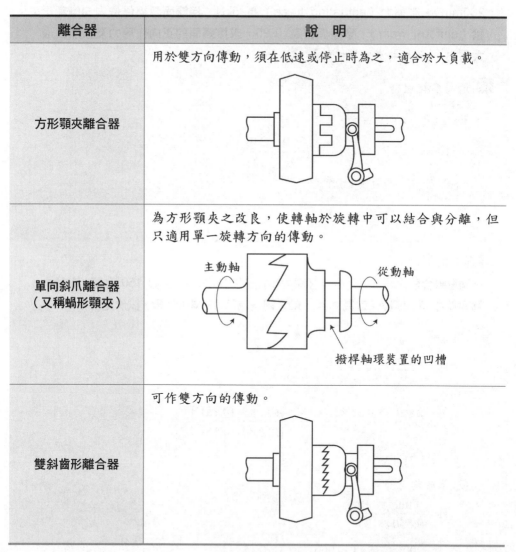 |
| 單向斜爪離合器（又稱蝸形顎夾） | 為方形顎夾之改良，使轉軸於旋轉中可以結合與分離，但只適用單一旋轉方向的傳動。<br>主動軸　　　　　　　　　　　　　從動軸<br>撥桿軸環裝置的凹槽 |
| 雙斜齒形離合器 | 可作雙方向的傳動。 |

## 二、徑向摩擦離合器

| 離合器 | 說　明 |
|---|---|
| 離心式離合器 | 離合器內有一摩擦屐，平時以彈簧作用與鼓保持隔離。當原動軸轉速增加，由於離心力，推開摩擦屐抵緊輪緣內部而產生摩擦力，進而使從動軸迴轉。<br><br> |
| 帶離合器 | 其構造包括一條撓性的鋼帶（有時加襯合成材料或石棉）固定在迴轉軸之一，再以圍繞輪鼓動件與從動件合為一體，而將動力傳達。<br><br> |

## 三、其他離合器

| 離合器 | 說　明 |
|---|---|
| 電磁離合器 | 利用磁場作用於磁鐵粒上的原理，產生相互間的吸力而形成鏈，以達傳遞扭力的目的。 |
| 超越式離合器 | 又稱自由輪或單向離合器。只允許主動軸在某一方向旋轉，才可將動力傳至從動軸，若反向轉，則僅主動軸獨轉，從動軸不會發生運動。 |
| 乾流體離合器 | 當主動的外箱殼轉動時，許多熱處理鋼珠由於離心力的作用而夾緊轉板，以傳送動力；但主動軸若低於某一數值時，從動軸即不轉動。其優點為：起動與停止時，衝擊較小。缺點：機構內會產生摩擦阻力和亂流引起損失。 |

## 四、離合器的滑動裝置

| 名稱 | 說　明 |
|------|--------|
| 軸環 | 其功用為限制迴轉機件沿軸向移動的距離，係裝設於離合器之從動件凹槽處，為目前常用內凹斷面之安全軸環。 |
| 撥桿 | 其功用為在軸上滑動的從動件，使其與主動件接合，隨軸一起旋轉，可裝設於軸環上，撥桿前端鑽有呈橢圓形孔，可使撥桿以定點撥動時，其與軸環二圓柱配合處呈圓弧運動，藉此橢圓孔來緩衝伸長之距離，進而達到移動軸環的目的。 |

### 範例 **5-8**

一圓錐離合器之錐角為 8°，內徑為 200mm，外徑為 300mm，摩擦係數為 0.25，平均壓力 P 為 0.8MPa，試求作用力與所傳遞之力矩。（利用均勻壓力理論）

**解** 基於均勻壓力之假設

$$F = \pi P(r_o^2 - r_i^2) = \pi \times 0.8 \times (150^2 - 100^2) = 31,415 \text{ 牛頓}$$

$$T = \frac{2\pi P \mu}{3 \sin \theta}(r_o^3 - r_i^3) = \frac{2\pi \times 0.8 \times 0.25}{3 \times \sin 8°}(150^3 - 100^3) = 7,148,204 N - mm$$

### 範例 **5-9**

圓盤離合器有一外徑 250mm 內徑 100mm 的單摩擦面離合器，μ=0.2。(1)若均勻磨耗理論成立，試求 $P_{max}$=0.7MPa 時所需的軸向力 Fn，並求離合器產生的扭矩。(2)若均勻壓力理論成立，試在 $P_{max}$=0.7MPa 的條件下對相同離合器求解 (1)部分的問題。(3)若均勻磨耗理論成立，試求 Fn=22500 時，離合器承受的扭矩及 $P_{max}$ 的值。(4)試在均勻壓力理論成立的情況下，求解(3)部分的問題。

**解** (1)$F_n = 2\pi 0.7 \times 50 \times 75 = 16,490$ N

$T = \pi 0.2 \times 0.7 \times 50(125^2 - 50^2) = 288,600$ Nmm

(2)$F_n = \pi 0.7(125^2 - 50^2) = 28,860$ N

$T = \frac{2}{3}\pi 0.2 \times 0.7(125^3 - 50^3) = 536,040$ Nmm

$(3)P_{max}=\dfrac{F_n}{2\pi r_i(r_0-r_i)}=\dfrac{22,500}{2\pi 50\times 75}=0.955\text{Mpa}$

$T=\dfrac{0.2\times(125+50)\times 22,500}{2}=393,750\text{Nmm}$

$(4)P=\dfrac{F_n}{\pi(r_0^2-r_i^2)}=\dfrac{22,500}{\pi(125^2-50^2)}=0.546\text{MPa}$

$T=\dfrac{2\times 0.2(125^3-50^3)\times 22,500}{3(125^2-50^2)}=417,850\text{Nmm}$

---

### 範例 5-10

平均半徑 200mm 錐角 8°的錐型離合器，其最大襯料壓力 p 為 0.7Mpa；摩擦係數為 0.2。試求該離合器所能作用的扭矩及維持穩定運轉所需的銜接力。沿錐體元件的襯料寬 75mm。而在轉速為 600rpm 時的摩擦功率為何？

**解** $\triangle r=75\sin\alpha=75\times 0.13917=10.44\text{mm}$

$r_0=200+\dfrac{1}{2}\times 10.44=205.22\text{mm}\quad r_i=200-\dfrac{1}{2}\times 10.44=194.78\text{mm}$

$T=\dfrac{\pi\mu P_{max}r_i(r_0^2-r_i^2)}{\sin\alpha}=\dfrac{\pi 0.2\times 0.7\times 194.78(205.22^2-194.78^2)}{0.13917}$

$=2,570,600\text{Nmm}$

$P(kw)=T\times W=2570.6\times\dfrac{2\pi(600)}{60}\times\dfrac{1}{1000}=161.5\text{kW}$

$F=2\pi P_{max}r_i(r_0-r_i)=2\pi 0.7\times 194.78\times 10.44=8,944\text{N}$

## 範例 *5-11*

圖中為一環狀圓盤摩擦元件，內徑為 d、外徑為 D、摩擦係數 f。當圓盤面受到一法向合力 F，產生一扭矩 T。假設此圓盤摩擦元件為均勻磨耗，請推導出 T 與 F 關係？【101 普考】

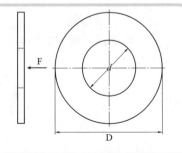

**解** 適用在經使用一段時間後的離合器，假設零件具有充分的剛性，圓盤面上的襯料，磨耗情形均勻分布，則位於原盤上的任意半徑 r 處的接觸壓力為 P，在半徑較小處壓力較大，因此，在內半徑處壓力最大：

$Pr = P_{max}r_i = 常數$

作用力 $F = \int_{r_i}^{r_0} P2\pi dr = 2\pi \int_{r_i}^{r_0} P_{max}r_i dr = 2\pi P_{max}r_i(r_0 - r_i)$

扭矩 $T = \int_{r_i}^{r_0} \mu Pr\, dA = \int_{r_i}^{r_0} \mu \frac{P_{max}r_i}{r} r2\pi rdr = 2\pi P_{max}r_i\mu \int_{r_i}^{r_0} rdr$

$\qquad T = \pi fP_{max}r_i(r_0^2 - r_i^2)$

由 F、T 的關係式得：

$T = fF\left(\frac{r_0 + r_i}{2}\right) = \frac{1}{4}fF(D + d)$

## 範例 *5-12*

一多盤式離合器，其有效圓盤外徑為 6.5in 而內徑為 4in，摩擦係數為 0.24，界限壓力為 120psi，滑動平面有六個，試以均勻摩耗理論估算其軸向力及扭矩 T。

**解** $F = \frac{\pi P_a d}{2}(D - d) = \frac{\pi(120)(4)}{2}(6.5 - 4) = 1885 lbf$

$T = \frac{\pi fP_a d}{8}(D^2 - d^2)N = \frac{\pi(0.24)(120)(4)}{8}(6.5^2 - 4^2)(6)$

$\quad = 7125 lbf \cdot in$

範例 **5-13**

一個錐形離合器的 D=330mm、d=306mm，錐的高度為 60mm，摩擦係數= 0.26，將傳遞扭矩 200N-m。利用均等磨損的假設及均勻壓力理論，試求致動 力及壓力。

解

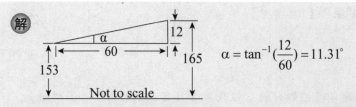

$\alpha = \tan^{-1}(\dfrac{12}{60}) = 11.31°$

(1)均勻摩耗理論

$$0.200 = \frac{\pi(0.26)(0.306)Pa}{8\sin 11.31^0}(0.330^2 - 0.306^2) = 0.002432Pa$$

$$Pa = \frac{0.200}{0.002432} = 82.2kPa$$

$$F = \frac{\pi Pad}{2}(D - d) = \frac{\pi(82.2)(0.306)}{2}(0.330 - 0.306) = 0.949kN$$

(2)均勻壓力理論

$$0.200 = \frac{\pi(0.26)Pa}{12\sin 11.31^0}(0.330^3 - 0.306^3) = 0.00253Pa$$

$$P_a = \frac{0.200}{0.00253} = 79.1kPa$$

$$F = \frac{\pi Pa}{4}(D^2 - d^2) = \frac{\pi(79.1)}{4}(0.330^2 - 0.306^2) = 0.948Kn$$

# ◆精選試題◆

## 一、選擇題型

( )　**1** 制動器主要是將運動機件的動能轉換成：　(A)熱能　(B)位能　(C)電能　(D)阻能。【普考】

( )　**2** 汽車在長程下坡時鼓勵駕駛盡量使用引擎煞車，最主要是因為：　(A)可節省汽油　(B)可避免煞車過熱　(C)降低引擎的磨耗　(D)使車子更有馬力。【普考】

( )　**3** 一般機車後輪所使用之制動器大多為　(A)內靴式制動器　(B)帶狀制動器　(C)塊狀制動器　(D)圓盤制動器。

( )　**4** 制動器內之輪鼓正轉或反轉時，下列何種所需之制動力相差較大？　(A)內靴式制動器　(B)塊狀制動器　(C)圓盤制動器　(D)帶狀制動器。

( )　**5** 制動器主要是利用下列那一種原理來吸收物體運動的動能，以產生制動作用？　(A)摩擦　(B)氣體壓縮　(C)慣性　(D)電磁力。【普考】

( )　**6** 電梯伺服馬達的控制常使用　(A)乾式電磁制動器　(B)磁粉式電磁制動器　(C)磁滯式電磁制動器　(D)濕式電磁制動器。

( )　**7** 電磁式制動器係利用阻尼力使機件之運動減慢或停止，其優點為　(A)散熱快速　(B)可用電流控制，節省費用　(C)制動裝置簡單　(D)調速變換容易。

( )　**8** 制動器受摩擦的材料除必須摩擦係數要高、耐摩耗、耐腐蝕及耐高溫外尚需考量（下列何者最重要）：　(A)可塑性高　(B)抗濕性好　(C)散熱性好　(D)剛性高。【普考】

( )　**9** 帶式制動器的制動帶與動力輪的接觸角愈大，則制動力：　(A)愈小　(B)不變　(C)愈大　(D)與接觸角無關。【普考】

(　　) **10** 下圖中當鼓輪順時針方向旋轉，使用塊狀制動器剎車時，因爲
支點的位置不同，何者有可能產生自鎖（self locking）的現象？
【普考】

(A)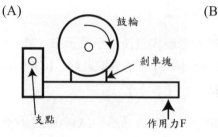

(B)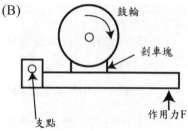

(C)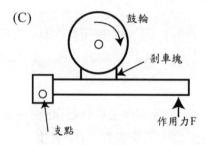

(D)三者都不可能產生自鎖。

(　　) **11** 若盤式離合器之摩擦面的下向壓力 p 是均勻的，則傳動的扭矩
爲 πfp($d_o^3 - d_i^3$)/12，其中 $f$ 爲摩擦係數，$d_o$ 與 $d_i$ 分別爲摩擦面
之外徑與內徑，軸向力則爲正向壓力與摩擦面面積的乘積。今
有一盤式離合器，摩擦面的內徑爲 200mm，外徑爲 400mm，摩
擦係數爲 0.3，當傳動 70N-m 的扭矩，則軸向力需爲多少 N？
(A)300　(B)450　(C)1500　(D)3000。【普考】

(　　) **12** 一制動器之摩擦表面積爲 75cm²，摩擦係數爲 0.3，接觸面之單
位面積壓力爲 5kg/cm²，摩擦轉速爲 2m/s，求其制動功率爲若干
馬力？　(A)1　(B)2　(C)3　(D)4。

(　　) **13** 對多盤式圓盤離合器而言，下列那一個說明是正確的？　(A)多
盤式圓盤離合器是一種單轉向離合器　(B)多盤式圓盤離合器是
利用形狀卡榫結合來傳導動能　(C)多盤式圓盤離合器上多盤式

配置是爲了增加傳導摩擦力　(D)多盤式圓盤離合器上圓盤通常以徑向移動來產生動力離合關係。

( )　**14** 下列何者不是摩擦離合器？　(A)錐爪離合器　(B)盤形離合器　(C)帶狀離合器　(D)方爪離合器。

( )　**15** 若旋轉軸需傳達扭矩甚大，且正反方向旋轉又有確切動作宜採用　(A)圓盤離合器　(B)帶狀離合器　(C)流體離合器　(D)方爪離合器。

( )　**16** 盤式離合器所能傳動的扭矩爲摩擦面各處摩擦力與半徑乘積的和，而摩擦力又爲摩擦係數與軸向力的乘積，依照此關係，下列何者對於傳送大的扭矩沒有幫助？　(A)使用大的盤面　(B)使用高的轉速　(C)使用大的軸向力　(D)使用高摩擦係數的材料。

( )　**17** 盤式離合器可以下列何種方式增加傳輸扭矩？　(A)增加傳輸軸之軸徑　(B)增加盤之強度（假設材料之剛性不會因而增加）　(C)增加盤的正壓力（假設摩擦材料不會因壓力增加而破壞）　(D)增加摩擦片之厚度。

( )　**18** 若盤式離合器之摩擦面的磨耗各處相等，表示摩擦面各處的正向壓力 p 與半徑 r 的乘積 $c = pr$ 爲一定值，則傳動的扭矩爲 $\pi fc(d_o^2 - d_i^2)/4$，其中 f 爲摩擦係數爲，$d_o$ 與 $d_i$ 分別爲摩擦面之外徑與內徑。今有一盤式離合器其摩擦面的內徑爲 200mm，外徑爲 400mm，摩擦係數爲 0.3，當傳動 90N-m 的扭矩，則軸向力須爲多少牛頓？　(A)600　(B)1200　(C)1800　(D)2000。【普考】

( )　**19** 一制動器之摩擦表面積爲 $75cm^2$，摩擦係數爲 0.2，接觸面的壓力爲 $200N/cm^2$，摩擦轉速爲 2m/s，則制動功率約爲　(A)5　(B)10　(C)15　(D)20　(E)25。

( )　**20** 設錐形離合器與盤式離合器有相同之內徑與外徑，錐形離合器較盤式離合器能傳動更大的扭矩，主要原因是：　(A)有較大的

盤面　(B)有較大的摩擦面積　(C)使用較高強度的材料　(D)材料有較高的摩擦係數。【普考】

( 　 ) **21** 盤式離合器可以下列何種方式增加傳輸扭矩？　(A)增加傳輸軸之軸徑　(B)增加盤之強度(假設材料之剛性不會因而增加)　(C)增加盤的正壓力(假設摩擦材料不會因壓力增加而破壞)　(D)增加摩擦片之厚度。【普考】

( 　 ) **22** 乾流體離合器是靠什麼來傳動力？　(A)離心力　(B)流體的黏性　(C)棘爪　(D)膨脹原理。【普考】

( 　 ) **23** 一差動式帶制動器 (differential band brake)，如圖所示，其鼓輪半徑為 150mm，且以順時針方向旋轉；其槓桿的尺寸為 A＝100mm，B＝35mm，L＝400mm。若皮帶與鼓輪

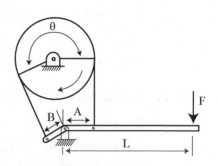

間的摩擦係數 μ=0.2，當作用力 F 垂直作用於槓桿而將槓桿向下壓時，皮帶在鼓輪上之接觸角 θ=210°，則產生 3000N-mm 制動扭矩所需的 F 約為多少 N？（註：$e^{0.733}$=2.08）　(A)1.2　(B)2.4　(C)3.1　(D)4.8。

( 　 ) **24** 如圖之單塊制動器若轉軸之扭矩 T＝1500kgw-cm，輪鼓直徑 30cm，摩擦係數μ＝0.25，若輪鼓作順時針旋轉則制動作用力 F 為多少 kgw？　(A)104　(B)94　(C)86　(D)76。

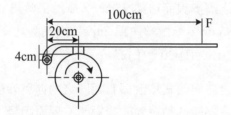

（　　）**25** 如圖所示，有一帶制動器，輪鼓
半徑 r＝10cm，順時針方向旋轉 ω
＝150 rpm，L＝60cm，a＝20cm，
θ＝270°，μ＝0.3，F₁＝80N，則下
列有關施於桿端之力 F 與扭力矩
T，何者最適當？（註：π≒3.14，
e^{1.413}≒4）　　(A)F＝10.5N　(B)F＝
6.7N　(C)T＝700N·cm　(D)T＝
800N·cm。

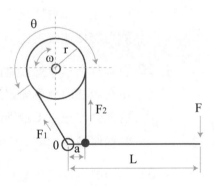

（　　）**26** 如圖之一接觸面之摩擦係數 μ＝0.5 的單塊制動器，若轉軸之扭
矩 T=2000N-cm 輪鼓半徑為 20cm，若輪鼓作順時針旋轉，則所
需之最小制動力 *P* 為若干 N？　(A)36N　(B)44N　(C)72N
(D)88N。

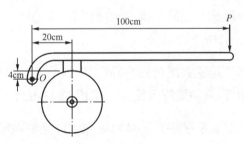

（　　）**27** 如圖所示塊狀制動器，已知輪徑為
30cm，摩擦係數為 0.4，欲產生
900 N-cm 之制動扭矩，則所需之制
動力 P 為多少 N？　(A)30　(B)40
(C)50　(D)60。

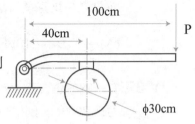

（　　）**28** 目前車床最常用之制動器為　(A)圓盤制動器　(B)皮帶式制動器
(C)流體式制動器　(D)塊狀制動器。

（　　）**29** 下列有關制動器的原理之敘述何者錯誤？　(A)制動器所產生的
熱量與所加壓力成正比　(B)制動器的制動功率與摩擦面的面積

成正比 (C)制動器的制動馬力與扭矩成反比 (D)制動器的制動能力與轉速成正比。

( ) **30** 有關制動器下列敘述何者錯誤? (A)開車時若長時間連續踩煞車會過熱而煞車失靈 (B)電磁制動器主要將動能變成電磁能而使運動停止 (C)流體制動器利用流體的黏滯力制動,可將運動的機件減慢速度 (D)制動器所產生的熱量與所加壓力成反比。

( ) **31** 何種離合器是藉離心力以傳送動力? (A)摩擦離合器 (B)圓盤離合器 (C)錐形離合器 (D)乾流體離合器。

( ) **32** 下列那一個說明不屬於摩擦式離合器的常用作動方式? (A)液壓作動 (B)離心力作動 (C)真空作動 (D)槓桿作動。

( ) **33** 圓盤離合器是依靠何種原理來傳達動力? (A)棘爪 (B)熱漲冷縮 (C)摩擦力 (D)地心引力。

( ) **34** 錐形離合器最理想的半錐角角度應為 (A)$15.5°$ (B)$12.5°$ (C)$10.5°$ (D)$8.5°$ (E)$5.5°$。

( ) **35** 下列何者不是確動離合器的優點? (A)隨時可分離 (B)二支轉軸轉速相等 (C)隨時可接合 (D)能確實離合。

( ) **36** 圓盤離合器 $\mu$ 是接觸面之摩擦係數,$F_a$ 是軸向推力,$D_m$ 是接觸面盤之平均直徑可以傳動的扭矩是:

(A)$\frac{1}{2}\mu F_a D_m$ (B)$\mu F_a D_m$ (C)$2\mu F_a D_m$ (D)$4\mu F_a$。

( ) **37** 有一圓盤離合器,外徑為 13cm,內徑為 7cm,若 $\mu=0.2$,軸向壓力為 2000N,則扭矩為 (A)60 (B)40 (C)30 (D)20 N-m。

( ) **38** 一軸轉速 800rpm,扭矩 1000 牛頓-米,則此軸傳送的功率為若干馬力 (A)8.38 (B)114 (C)1000 (D)800 PS。

( ) **39** 一軸轉速 800rpm,扭矩 200 牛頓-米,則此軸傳送的功率為若干 KW (A)22.8 (B)16.67 (C)100 (D)25 KW。

( ) **40** 錐形離合器，錐體最大直徑為 70cm，錐角為 25°，錐面寬為
10cm，摩擦係數為 0.20，錐面允許的工作壓應力為 2kg/cm² 此
離合器所能傳動之軸向推力為
(A)721.9kg　(B)821.9kg　(C)921.9kg　(D)1021.9kg。

( ) **41** 有一圓盤離合器，外徑為 13cm，內徑為 7cm，若 μ=0.3，軸向
壓力為 196N，若轉速為 1200rpm，則其傳遞的功率為　(A)0.25
(B)0.5　(C)1　(D)2　PS。

( ) **42** 下列有關制動器之敘述，何者錯誤？　(A)液體式制動器主要是
利用液體之黏滯力來剎車　(B)散熱問題為制動器設計之首要考
慮　(C)利用液體之黏滯力能使運動機件完全停止並保持在停止
狀態　(D)電磁式制動器主要是利用電磁的阻尼力來剎車。

( ) **43** 一般車輛所採用的鼓式煞車指的是：　(A)內靴制動器　(B)塊
（狀）制動器　(C)帶（式）制動器　(D)圓盤制動器。

( ) **44** 有關制動器的敘述，下列何者正確？　(A)制動器是機件的動力
來源　(B)制動器能使機件加速運動　(C)制動器是吸收熱能再轉
變為動能或位能　(D)制動器是吸收動能或位能再轉變為熱能。

( ) **45** 帶制動器 (band brake) 之剎車扭矩大小與下列何者無關？　(A)
鼓輪孔徑　(B)鼓輪外徑　(C)帶與鼓輪間之接觸角　(D)帶與鼓
輪間之摩擦係數。

( ) **46** 右圖所示，有一轉輪直徑 250mm
之煞車裝置，其摩擦係數為 0.3，
轉軸之扭矩為 75000N-mm，求該
輪作逆時針方向旋轉時，須加多
少力 P 於右端才可將動態輪完全
制止不動。
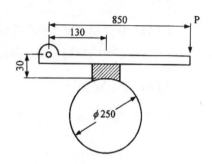
(A)232N　(B)285N
(C)327N　(D)30N。【103 北捷】

（　　）**47** 如右圖所示之塊狀制動
器，若鼓輪之扭矩為
1800N-cm，鼓輪直徑為
36cm，摩擦係數為 0.2，試
求當鼓輪順時針旋轉時所
需之作用力 P 為若干？
(A)96N　(B)104N
(C)500N　(D)100N。【103 北捷】

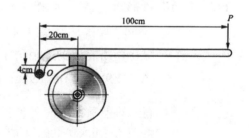

（　　）**48** 下列何種離合器能緩和啟動或終止時的衝擊力，常用於汽車的
自動排檔裝置？　(A)帶離合器　(B)乾流體離合器　(C)流體離
合器　(D)超越式離合器。【103 桃捷】

## 解答與解析

**1 (A)**。制動器主要是利用摩擦將運動機件的動能轉換成熱能，以減慢動件
部分的運動，或是靜止部分維持靜止。所以答案為(A)。

**2 (B)**。汽車在長程下坡時使用引擎煞車時而非使用一般煞車，則會避免一
般煞車磨耗發熱。所以答案為(B)。

**3 (A)**。機車後輪一般採用鼓式煞車，即內靴式製動器。

**4 (D)**

**5 (A)**。制動器主要是利用摩擦將運動機件的動能轉換成熱能，以減慢動件
部分的運動，或是靜止部分維持靜止。所以答案為(A)。

**6 (B)**　**7 (D)**

**8 (C)**。制動器受摩擦的材料必須具備的條件：
(1) 摩擦係數高。
(2) 耐磨耗，耐腐蝕及耐高溫。
(3) 散熱性好。
(4) 無臭味發生。所以答案為(C)。

**9 (C)**。制動帶與動力輪的接觸角愈大，則制動力愈大。所以答案為(C)。

**10 (C)**

**11 (C)**。傳動的扭矩式為 $T = \dfrac{\pi fp(d_o^3 - d_i^3)}{12}$

由此可得正向壓力的關係式

$p = \dfrac{12T}{\pi f(d_o^3 - d_i^3)} = \dfrac{12 \times 70}{\pi f(0 \times 4^3 - 0.2^2)} = 15915.5 N / m^2$

軸向力＝正向壓力×摩擦面面積

$F = p \cdot A = p \cdot \dfrac{\pi(d_o^2 - d_i^2)}{4} = 15915.5 \times \dfrac{\pi(0.4^2 - 0.2^2)}{4}$

$= 1500N$。所以答案為(C)。

**12 (C)**。$HP = \dfrac{F \times V}{75} = \dfrac{\mu\, PA \times V}{75} = \dfrac{0.3 \times 5 \times 75 \times 2}{75} = 3$ 馬力

**13 (C)**　　**14 (D)**　　　**15 (D)**　　　**16 (B)**　　　**17 (C)**

**18 (D)**。先求出正向壓力，注意單位

r＝((內徑+外徑)/2)/2＝150mm

c＝pr＝定值

傳動的扭矩式為 $T = \dfrac{\pi fc(d_o^2 - d_i^2)}{4} = \dfrac{\pi fpr(d_o^2 - d_i^2)}{4}$

由此可得正向壓力的關係式 $p = \dfrac{4T}{\pi fr(d_o^2 - d_i^2)}$

軸向力＝正向壓力×摩擦面面積

$F = p \cdot A = p \cdot \dfrac{\pi(d_o^2 - d_i^2)}{4} = \dfrac{90N \cdot m}{0.3 \cdot 0.15m} = 2000N$。所以答案為(D)。

**19 (C)**。$P = \dfrac{N}{A} \Rightarrow 200 = \dfrac{N}{75} \Rightarrow$ N=15000(N)，F=μ · N=0.2×15000=3000(N)

P=f×V=3000×5=15000(j／sec)=15(kW)

**20 (B)**。扭矩的傳輸與摩擦面積有關。所以答案為(B)。

**21 (C)**。盤式離合器是利用摩擦力以傳達動力，若要增加傳輸扭矩，則要提高摩擦力，摩擦力＝摩擦係數×正向壓力。所以答案為(C)。

**22 (A)**。乾流體離合器主要是利用乾材料如粉體，滾珠，滾子為媒介但外殼旋轉時，乾材料等藉輪葉而沿外殼筒壁旋轉，藉離心力夾緊轉板，以傳送動力。所以答案為(A)。

**23 (A)**。$\dfrac{F_1}{F_2} = e^{\mu\theta} = e^{0.2\times\frac{210}{360}\times2\pi} = e^{0.733} = 2.08$

$F_1 - F_2 = \dfrac{3000}{150} \Rightarrow F_1 = 37(N)$、$F_2 = 17.79(N)$

$37\times35 + F\times400 = F_2\times100 \Rightarrow F = 1.21$

**24 (D)**　$T = f \cdot r \Rightarrow 1500 = f \cdot 15 \Rightarrow f = 100$ 又 $f = \mu \cdot N \Rightarrow 100 = 0.25 \cdot N \Rightarrow N = 400(N)$

$\Sigma M_o = 0 \Rightarrow -100 \cdot 4 + 400\times20 - P\times100 = 0$，$P = 76(N)$

**25 (B)**。$\dfrac{F_1}{F_2} = e^{\mu\theta} = e^{0.2\times\frac{270}{360}\times2\pi} = e^{1.413} = 4 \Rightarrow F_1 = 4F_2 = 80 \Rightarrow F_2 = 20(N)$

$T = F_1 - F_2 = 60(N)$

$\sum M_O = 0 \Rightarrow F\times60 = 20\times20 \Rightarrow F = 6.7(N)$

**26 (A)**。$T = f \cdot r \Rightarrow 2000 = f \cdot 20 \Rightarrow f = 100$ 又 $f = \mu \cdot N$

$\Rightarrow 100 = 0.5\times N \Rightarrow N = 200(N)$

$\Sigma M_o = 0 \Rightarrow -100 \cdot 4 + 200\times20 - P\times100 = 0$，$P = 36(N)$

**27 (D)**　**28 (B)**　　**29 (C)**　　**30 (D)**

**31 (D)**。乾流體離合器當軸高速轉動時，乾流體因離心力拋出，夾於主動與從動件之楔隙中而帶動從動件。

**32 (C)**　**33 (C)**　　**34 (B)**　　**35 (C)**

**36 (A)**。$T = F\times r = \mu \cdot F_a\times\dfrac{1}{2}(\dfrac{D_O}{2} + \dfrac{D_I}{2}) = \dfrac{1}{2}\mu F_a D_m$

**37 (D)**。$T = F\times r = \mu F\times\dfrac{1}{2}(\dfrac{D_O}{2} + \dfrac{D_I}{2}) = \dfrac{1}{4}\mu F(D_O + D_I)$

$\Rightarrow T = \dfrac{1}{4}\times0.2\times2000\times(0.07 + 0.13) = 20(N\text{-}m)$

**38 (B)**。 $P = T \cdot W = 1000 \times \dfrac{2\pi \times 800}{60} \times \dfrac{1}{75 \times 9.8} = 114(PS)$

**39 (B)**。 $P = T \cdot W = 200 \times \dfrac{2\pi \times 800}{60} = 16755(W) = 16.76KW$

**40 (C)**。 $D_o = 70cm$ ， $b = 10cm$ ， $\alpha = 12.5°$ ， $\mu = 0.2$ ， $P = 2kg/cm^2$

$D_i = D_o - 2b\sin\alpha = 70 - 2 \times 10 \times \sin 12.5°$

　　 $= 70 - 2 \times 10 \times 0.2164 = 70 - 4.328 = 65.67cm$

$\Rightarrow D_m = \dfrac{D_o + D_i}{2} = \dfrac{70 + 65.67}{2} = 67.84cm$

軸向推力 $F_a = \pi D_m bP\sin\alpha = 3.14 \times 67.84 \times 10 \times 2 \times \sin 12.5°$

　　　　　 $= 921.94kg$

**41 (B)**。 $T = F \times r = \mu \cdot F \times \dfrac{1}{2}(\dfrac{D_O}{2} + \dfrac{D_I}{2}) = \dfrac{1}{4}\mu F(D_O + D_I)$

$\Rightarrow T = \dfrac{1}{4} \times 0.3 \times 196 \times (0.07 + 0.13) = 2.94(N\text{-}m)$

$P = T \cdot W = 2.94 \times \dfrac{2\pi \times 1200}{60} \times \dfrac{1}{75 \times 9.8} = 0.5(PS)$

**42 (C)**。利用液體之黏滯力可使運動機件減速，無法使機件保持靜止。

**43 (A)**　**44 (D)**　　**45 (A)**

**46 (B)**。 $P \times 850 + \dfrac{75000}{125} \times 30 - \dfrac{75000}{125 \times 0.3} \times 130 = 0$

$P = 285(N)$

**47 (A)**。 $\dfrac{1800}{\dfrac{36}{2}} = 100(N)$ 　　 $\sum M_O = 0$

$P \times 100 + 100 \times 4 - \dfrac{100}{0.2} \times 20 \Rightarrow P = 96(N)$

**48 (C)**

## 二、問答題型

**1. 請依據能量概念來說明軸聯結器、離合器和煞車裝置三者之功能差異。**
【原住民特考】

**解** 軸連結器：用來連結兩軸軸端以傳遞扭矩，且爲永久性或半永久性接合，可分成剛性聯軸器與撓性聯軸性兩大類。
離合器：用以連接兩段分開的軸，並使這段軸在任何迴轉情況下，隨意可以接合或分離。
煞車：又稱制動器，是藉助於兩接觸面間之摩擦阻力、液體黏度或電磁阻力等，以吸取運動元件之能量，使運動元件減速或完全停止。

**2. 說明煞車裝置與離合器的功能。二者皆利用何者力學現象，並說明其差異處以致在材料的選用上有何需強調的特性。**【地方特考】

**解** (1) 煞（剎）車：
制動器作動：制動器一般稱爲煞（剎）車，制動器是利用 A.機械摩擦力；B.流體黏滯力；C.電磁阻尼力，來達到制動的目的，功用是使運動的機器減慢速度或完全停止，其分類如下：
A.機械式制動器主要是依靠接觸面間的摩擦力，產生制動作用，可以使機械減速，亦可使機械運動完全停止。
B.電磁式制動器轉變機械制動能爲電能或熱能，或利用電能轉變爲電磁阻尼力以達到制動的目的者稱爲電磁式制動器。
C.液體式制動器是利用液體的黏滯力來減低下降速度，也就是說以液體的黏滯力來代替機械式的摩擦力，故無機械式制動器立即停止的效果。
(2) 離合器：利用旋轉而傳遞能量，用來增加從動元件的速度，用離合器連接的兩軸可以在機器運轉過程中隨時進行接合或分離，按工作原理離合器可分爲確動式、摩擦式和電磁式三種。
A.確動式離合器：由兩個帶牙的半離合器和中間環構成，結構簡單、外廓尺寸小能傳遞的轉矩大，可保證主、從動軸同步轉動。
B.摩擦離合器：由內、外摩擦片和帶內齒槽的鼓輪及帶外齒的套筒構成，任何情況下均可接合或分離，且接合平穩，並有超載保護作用。
(3) 離合器作動：
材料特性：爲了使制動器或離合器達到預期效果，材料必需具備優良的特性。包括：A.良好的散熱能力；B.耐磨性；C.耐蝕性（抗老化）；D.耐高溫；E.高摩擦係數等。常用摩擦材料有石棉、非石棉

　　（皮革）、軟木質、低金屬、半金屬（鋼纖維）、全金屬（銅基、鐵基）、紙基及碳基等，其中含石棉之摩擦材料已少用（或禁用）。其餘大部分都可以作爲煞車片之材料。

**3. 車子下坡時，如果路程長，不宜長時間密集踩煞車，而應換低檔開，為什麼？【地方特考機設】**

解 煞車動力通常由摩擦式煞車器產生，這種煞車器利用零件之間的摩擦力把動能轉化爲熱能，而熱能則隨後在空氣中消散。當制動塊與制動鼓摩擦時，制動塊的溫度上升，而摩擦系數則隨著下降，因此煞車器在短時間內被重覆使用，或踏著煞車器在很長的斜坡向下行駛，它的效率都可能下跌，這種煞車性能減弱的情況稱爲煞車器性能衰退，假如長時間單靠集踩煞車去減慢車速則可能會引致煞車系統（迫力）過熱而失效，因此下坡時應換低檔開，利用引擎來減低車速，它是可以減輕正常煞車系統的負荷，避免產生過熱引致煞車系統性能衰退。

## 三、計算題型

**1. 一制動器其來令片摩擦面積為 $100 cm^2$，摩擦係數為 0.4，接觸面之相對速度為 4m/sec，消耗掉的馬力為 32hp，則所選用之來令片之耐壓力需多少方可在沒有破壞的情況下能煞車？【普考機設】**

解 $A = 100 \ cm^2$ ，$\mu = 0.4$

$$32 = \frac{F \times 4}{76} \Rightarrow F = 608 kg$$

$$F = \mu N \Rightarrow N = \frac{608}{0.4} = 1520 \ (kg)$$

壓力 $P = \frac{1520}{100} = 15.2 \ (kg / cm^2)$

**2. 一帶離合器股輪之外徑為 300mm，摩擦物之皮帶寬為 50mm，股輪之轉速為 250rpm，b=200mm，a=50mm，θ=270°，摩擦係數為 0.1，最大之襯壓力 0.4MPa，試求傳遞扭矩與馬力。**

解 $F_1 = tr P_{max} = 0.05 \times 0.150 \times 0.4 \times 10^6 = 3000 N$

$$F_2 = \frac{F_1}{e^{f\theta}} = \frac{3000}{e^{(0.1 \times 1.5\pi)}} = 1873 \ 牛頓$$

$$T_f = r(F_1 - F_2) = 0.2 \times (3000 - 1873) = 225 \text{N} - \text{m}$$

$$H = \frac{T_f}{9550} = \frac{225 \times 250}{9550} = 5.89 \text{ 仟瓦}$$

3. 一半徑為 14 in 的單短屐轂式煞車（brake drum with a single short shoe）如下圖所示，在轉速 500rpm 時，承受 2000in-lb 扭力，轂與短屐間的摩擦係數為 0.3。(1) 求作用在短屐上之正向力 N（total normal force）。(2)計算需要多少力量 F 才能達到煞車目的。(3)假設除 a 外其他幾何尺寸都沒變，請問 a 值應為多少才能使煞車自鎖（self-locking）？【鐵路特考三等機設】

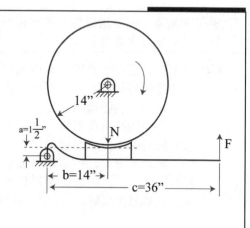

解 (1)

$$T = \mu N \times 14 \Rightarrow 2000 = 0.3 \times N \times 14 \Rightarrow N = 476.19 \ (\ell b)$$

(2) $\sum M_A = 0$

$$F \times 36 - N \times 14 + \mu N \times 1.5 = 0$$

$$\Rightarrow F = \frac{1}{36}(476.19 \times 14 - 0.3 \times 476.19 \times 1.5) = 179.23 \ (\ell b)$$

(3) $F = \frac{1}{36}[+N \times 14 - \mu N \times a] \le 0$

$$\Rightarrow +N \times 14 - \mu N \times a \le 0 \Rightarrow a \ge \frac{14}{\mu} \ge 46.67 \ (\text{in})$$

4. 如圖所示為一帶制動器，鼓輪
之直徑為 20cm，轉向順時針方
向 100rpm，L＝80cm，a＝
20cm，θ=270°，μ=0.2，$F_1$＝
100N，若 b=0 時，求施於桿端
之力 F 及扭力矩 T 為若干？

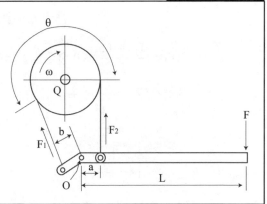

**解** 已知 r＝10cm、μ＝0.2、$F_1$＝100N、L＝80cm、a＝20cm

$$\theta = \frac{3}{2}\pi(rad)$$

$$\because \frac{F_1}{F_2} = e^{\mu\theta} \Rightarrow F_2 = \frac{100}{e^{0.2 \times 1.5\pi}} = \frac{100}{2.565} = 39 \text{ N}$$

$$F = \frac{F_2 \times a}{L} = \frac{39 \times 20}{80} = 9.75 \text{ N}$$

$$T = (F_1 - F_2) \times r = (100 - 39) \times 10 = 610 \text{ N-m}$$

5. 如右圖所示差動式制動器，請問在何種情況
下才有可能發生自鎖現象，並解釋其原因。
另當轉輪以何方向（順時鐘或逆時鐘方向）
旋轉時 $F_1$ 較小？

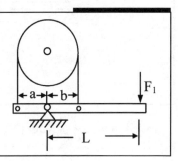

**解** (一)順時針轉，取支點 $\sum M = 0$

$$T_1a + F_1L - T_2b = 0 \Rightarrow F_1 = \frac{T_2b - T_1a}{L} \cdots\cdots(1)$$

$$\therefore \frac{T_1}{T_2} = e^{\mu\theta} = e^{\mu T_1} \text{ , } \mu \text{ 爲摩擦係數} \Rightarrow T_1 > T_2 \text{代入(1)}$$

$$\therefore F_1 = \frac{T_2 b - T_1 a}{L} \leqq 0 \text{ 發生自鎖} \Rightarrow T_2 b - T_1 a \leqq 0 \Rightarrow \frac{b}{a} \leqq \frac{T_1}{T_2} = e^{\mu T}$$

(二)逆時針轉，取支點 $\sum M = 0$

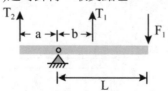

$$T_2 a + F_1 L - T_1 b = 0 \Rightarrow F_1 = \frac{T_1 b - T_2 a}{L} > 0$$

不會產生自鎖現象

(三)順時針旋轉時會產生自鎖，所以 $F_1$ 爲最小。

---

6. 求如下圖所示煞車之 a 值，若鼓輪之直徑為 200mm，扭矩為 5000N-mm，摩擦係數為 0.25，P＝100 N。【機械高考機設】

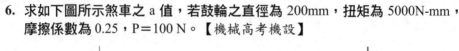

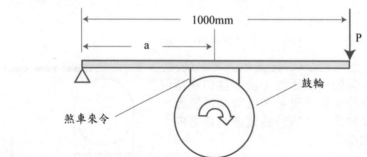

**解** $\mu N = \dfrac{5000}{\dfrac{200}{2}} = 50 \ (N)$

$N = 200 \ (N)$

$\sum M_0 = 0$

$P \times 1000 = N \times a$

$\Rightarrow 100 \times 1000 = 200 \times a$

$a = 500 \ (mm)$

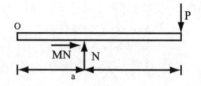

**7.** 制動器上之正壓力為 30 公斤，鼓輪直徑 30 公分，轉速 3000rpm，接觸面的摩擦係數 0.3，求散熱率為多少？

解 令 $F_n$=30kg，D=0.3m，n=3000rpm=50rps，u=0.3

$$H=\frac{uF_nV}{101.97}=\frac{0.3\times30\times3.14\times0.3\times50}{101.97}=4.16(仟瓦)$$

**8.** 如圖有一輪徑 250mm 之煞車塊式制動器，各部尺寸如圖上所示，其摩擦係數 $\mu$=0.3，需加多少力(P kg)於把手右端才可將轉矩(T)622kg－cm 之順時動態輪完全制止不動。

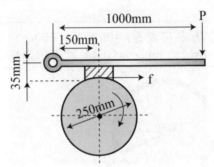

解 D=250mm=25cm(r=12.5cm)，$F_t=\dfrac{T}{r}=\dfrac{622}{12.5}=49.76kg$

$$\mu=\frac{F_t}{N}\Rightarrow N=\frac{F_t}{\mu}=\frac{49.76}{0.3}=165.9kg$$

$$\Sigma Mo=0\Rightarrow P\times100-N\times15-F_t\times3.5=0 \quad，P=26.63kg$$

**9.** 右圖為差動式皮帶煞車裝置（Differential band brake），請以公式和文字說明：在何種條件下，煞車裝置可以不需要施加致動力 Fa 也能夠產生自發性煞車（Self-energizing braking）。

【關四】

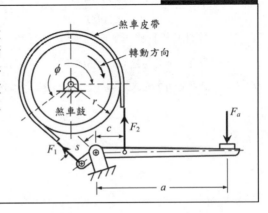

順時針旋轉，取支點 $\sum M_0 = 0$

$$Fa \times a = F_2 \times C - F_1 \times S \Rightarrow Fa = \frac{F_2 \times C - F_1 \times S}{a} \cdots\cdots(1)$$

皮帶與煞車鼓摩擦係數 $\mu$

$$\frac{F_1}{F_2} = e^{\mu\phi} \Rightarrow F_1 = F_2\,e^{\mu\phi}\ \text{代入}(1)$$

$$Fa = \frac{F_2(C - S e^{\mu\phi})}{a}$$

當 $C - S e^{\mu\phi} \leq 0$ 時系統為自鎖 $\Rightarrow S e^{\mu\phi} \geq C$

---

**10.** 圖裡的帶狀剎車的功率容量是 40kW 以 600rpm 旋轉，已知：$\psi = 250°$，a＝500mm，r＝250mm，f＝0.4。試求傳送帶的張力。

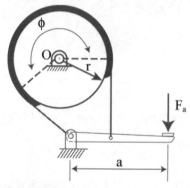

$$T = \frac{9549kW}{n} = \frac{9549(40)}{600} = 636.6 \text{N} \cdot \text{m} \cdots\cdots\cdots\cdots(1)$$

並且 $F_1 = F_2\,e^{f\phi} = F_2\,e^{0.4(4.363)} = 5.727F_2$

且 $T = r(F_1 - F_2) = 0.25(5.727F_2 - F_2) = 1.182F_2 \cdots\cdots(2)$

式(1)和(2)得到 $F_2 = 538.6$N，$F_1 = 3{,}085$N

11. 一帶煞車，其鼓輪直徑為 400mm，襯料寬度等於 75mm。轉速為 2000rpm、a=250mm、m=75mm、α=270°，而 μ=0.2。若最大襯料壓力為 0.5MPa，試求扭矩及制動馬力。

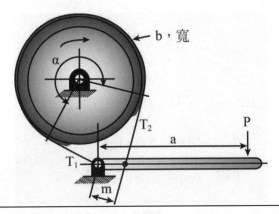

解 $T_1 = brp_{max} = 75 \times 200 \times 0.5 = 7500N$ 緊邊張力
$\mu\alpha = 0.2 \times 15\pi = 0.9425$
$e^{\mu\alpha} = 2.566$
$T_2 = \dfrac{T_1}{e^{\mu\alpha}} = \dfrac{7500}{2.566} = 2923N$ 鬆邊張力
$T = r(T_1 - T_2) = 200(7500 - 2923) = 915,400 Nmm$
$kW = \dfrac{Tn}{9,550,000} = \dfrac{915,400 \times 200}{9,550,000} = 19.2$

12. 圓錐離合器（Cone Clutch）是藉由圓錐形的摩擦面來傳遞力量，圓錐的最大直徑為 D，圓錐的最小直徑為 d，Pa 是垂直作用在離合器摩擦面上的最大壓力，圓錐離合器（Cone Clutch）的半錐角（Cone Angle）為 θ，假設離合器摩擦面為均勻磨耗（uniform wear），離合器摩擦面摩擦係數為 μ，試求：
(一) 所需之離合器的軸向推力 F。
(二) 離合器摩擦面上摩擦力所造成之轉矩 T。【鐵四】

解

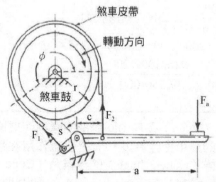

$$F_n = \int_{\frac{d}{2}}^{\frac{D}{2}} \frac{P_a \frac{d}{2}}{r} \times \frac{2\pi r dr}{\sin\theta} = \frac{2\pi P_a(\frac{d}{2}) \times (\frac{D}{2} - \frac{d}{2})}{\sin\theta}$$

$$F = F_n \times \sin\theta = 2\pi P_a \times (\frac{d}{2}) \times (\frac{D}{2} - \frac{d}{2})$$

$$T = \int_{\frac{d}{2}}^{\frac{D}{2}} \mu \times \frac{P_a \frac{d}{2} \times 2\pi r^2 dr}{r \quad \sin\theta} = \frac{\mu \times \pi \times P_a \times (\frac{d}{2}) \times \left[(\frac{D}{2})^2 - (\frac{d}{2})^2\right]}{\sin\theta}$$

13. 下圖為差動式皮帶煞車裝置，板帶寬為 w，皮帶與煞車盤之間的最大面壓力為 $p_{max}$（單位為 N/mm²），皮帶纏繞角度為ϕ，面摩擦係數為μ，請利用已知的參數（$p_{max}$, w, ϕ, r, μ, a, c, s）推導出煞車扭矩 T 以及煞車致動力 $F_a$。【原住民特考】

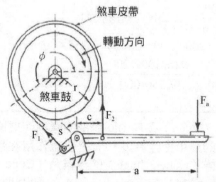

解　$F_1 = P_{max} wr$

$\dfrac{F_1}{F_2} = e^{\mu\phi} \Rightarrow F_2 = F_1 e^{-\mu\phi}$

煞車扭矩 $T = (F_1 - F_2)r = (F_1 - F_1 e^{-\mu\phi})r = P_{max} wr^2 (1 - e^{-\mu\phi})$

煞車致動力 $F_a = \dfrac{1}{a}(F_2 c - F_1 s) = \dfrac{F_1}{a}(ce^{-\mu\phi} - s) = \dfrac{P_{max} wr}{a}(ce^{-\mu\phi} - s)$

# 第六章 滑輪、繩索與摩擦輪

## ▼6-1　滑輪

### 一、槓桿原理

| | | |
|---|---|---|
| 第一種槓桿 | 這種槓桿可能**省力**可能**費力**，也可能既**不省力也不費力**，這要看施力點和支點的距離，施力點離支點愈遠則愈省力，愈近就愈費力；如果施力點、抗力點距離支點一樣遠，就不省力也不費力，只是改變了用力的方向，例如：剪刀、釘鎚、拔釘器。 | |
| 第二種槓桿 | 槓桿的施力臂一定比抗力臂大，所以永遠是**省力**的，例如：開瓶器、榨汁器、胡桃鉗。 | |
| 第三種槓桿 | 槓桿的施力臂一定比抗力臂小，所以永遠是**費力**的。 | |

### 二、滑輪之基本原理

滑車是一種常用的省力機具，工程上用途廣泛，係由滑輪組成，滑輪之周圍有溝或凹槽，裝置於輪架上，以利纜繩繞附而不致滑落，溝槽一般為 45 度夾角，可繞定軸且極易旋轉，若將滑輪及其輪軸與支架組合，即稱為滑車，在一定時間內移動的距離，當速度比不變時，則和速度成正比例。即在不考

慮摩擦力狀況下，所加的功等於所發生的功，即力和移動的距離成反比例，亦和速度成反比例。而機械利益亦等於速度之比，在下列之滑車種類中，將分別說明之。

## (一)定滑車與動滑車：

| 滑車種類 | 內容 | 圖示 |
|---|---|---|
| 定滑車 | 第一種槓桿原理應用，其輪軸固定於 O 點，其上繞一繩或一鏈，藉 A 端之拉力而升 B 端之重物。由於滑輪在拉繩使重物升降之過程中是固定不動的，故稱為定滑車。$\dfrac{W}{F}=\dfrac{r}{R}$，即表示定滑車之機械利益為 $\dfrac{r}{R}$。 | 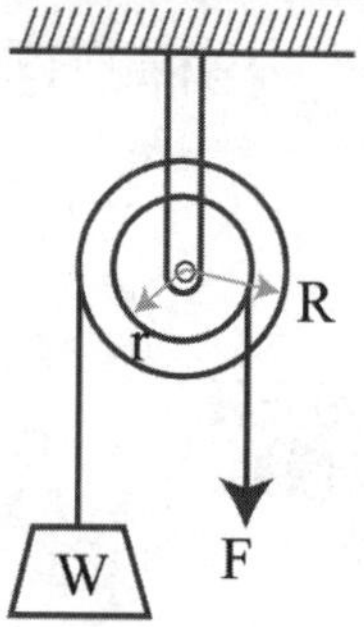 |
| 動滑車 | 第二種槓桿原理應用，繩或鏈之一端固定，另一端為一住上之作用力 F 以使重物上升，當作用力 F 使重物升高時，滑輪之軸亦升高，收被稱為動滑車。由圖中可知，若摩擦損失不計，則重物升高 S 距纏時，其所作的功為 W×S，而此時作用力所施的功為 2F×S，作用力所施的功等於重物 L 升所作的功，即 W×S＝2F×S $\dfrac{W}{F}=2$，即表示動滑車之機械利益為 2。 | 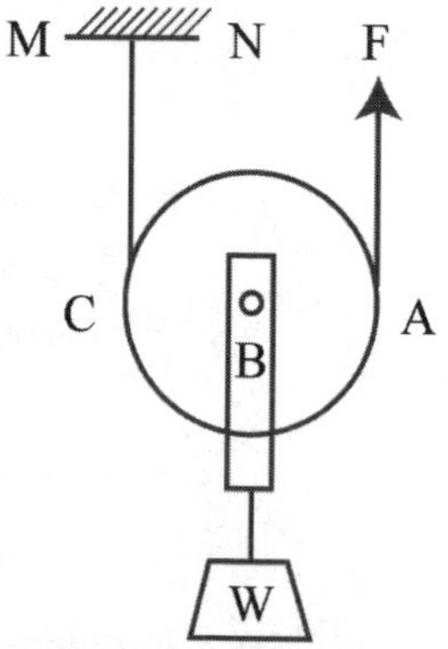 |

(二) **複合滑車：** 由於定滑車僅可改變作用力的方向，動滑車則可省力，若要兼具能省力而又改變方向，則將定滑車與動滑車組合如圖示，稱為複合滑車。

(三) **起重滑車：** 假如將前列之若干滑車組合，聯合使用，則可獲得更大之機械利益。如用以起重，則稱為起重滑車，有關滑車之機械利益或作用力之大小，茲舉下列數種型式說明之：

**1** 三個單槽輪組成的滑車，為一個定滑車與二個動滑車所組成之起重滑車，因 4F＝W，故機械利益 W/F＝4。

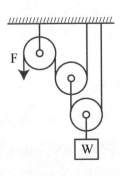

**2** 一個單槽輪與一個雙槽輪組成的滑車其機械利益可由繩作一假想之水平切割，則繩與單槽輪及重物成一自由體，繩有三段皆往上為 3F，重物為 W，則 3F＝W，W/F＝3，故機械利益為 3。

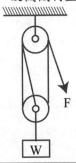

**3** 數個單槽輪所組成的滑車，上面兩個滑輪是在固定輪架上迴轉，下面兩個滑輪是在附重物的輪架上迴轉，同樣作自由體分析，則有四段往上拉之繩，重物為 W，故 2F＝W，W/F＝2，故機械利益為 2。

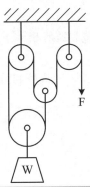

**4** 數個單槽輪所組成的滑車，上面一個滑輪是在固定輪架上迴轉，下面兩個滑輪是在附重物的輪架上迴轉，同樣作自由體分析，則有四段往上拉之繩，重物為 W，故 W＝2F，W/F＝2，故機械利益為 2。

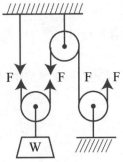

**5** 惠斯登差動滑車：為一鏈吊重車，上方 1 與 2 二滑輪彼此固定一起，滑輪 1 之直徑較滑輪 2 之直徑略大，下方滑輪 3 之直徑通常是 1、2 二滑輪直徑之平均值，似使支持之鏈條直接掛繞，這種吊車所使用的鏈為一俩無頭鏈條，經過滑輪 1 上方下行繞過滑輪 3，往上繞過滑輪 2，再回到起點，繞行滑輪 1，鬆掛成環，滑輪周有凹槽和鏈配合，以免鏈條滑動，假設 $D_1D_2$ 分別為滑輪 1 和 2 之節圓直徑，若在 F 處往下拉，使滑輪 1 剛好轉一圈，則表示 F 處移動一 $\pi D_1$ 之距離，此時滑輪 3(包合重物 W)之中心軸往上升 $\dfrac{\pi D_1}{2}$ 之距離，然而實際上附輪 1 轉動之時，滑輪 2 亦同時以相同之角速度在轉動，滑輪 2 在右處是以 $\pi D_2$ 之距離使鏈條下降，將使滑輪 3 之中心軸以 $\dfrac{\pi D_2}{2}$ 之距離往下移動，綜合上述，滑輪 C 的中心點沿中心軸上升之距離(在一單位時間內)為：$\dfrac{\pi}{2}(D_1 - D_2)$(重物 W 之上升距離)，在設摩擦損失為零的情況下：

外力 F 對滑輪所作的功＝重物 W 上升所作的功

$$F \times \pi D_1 = W \times \frac{\pi}{2}(D_1 - D_2) \Rightarrow \frac{W}{F} = \frac{2D_1}{(D_1 - D_2)}$$

由上式可知惠斯頓差動滑車之機械利益僅與二滑輪 A 與 B 的節圓直徑之比有關。

若 $\dfrac{D_1}{D_2}$ 接近於 1，即 $D_1$ 與 $D_2$ 之差很小時，則機械利益將極大，即可使用很小的力量，就能吊起很重的重物，若 $\dfrac{D_2}{D_1}$ 接近於 0，則機械利益為 2。

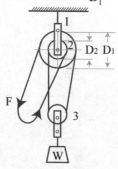

**6** 數個單槽輪所組成的滑車，上面一個滑輪是在固定輪架上迴轉，下面三個滑輪的左側是在附重物的輪架上迴轉，同樣作自由體分析，故 15F＝W，W/F＝15，故機械利益為 15。

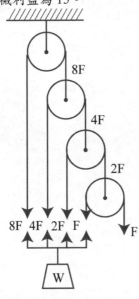

**7** 西班牙滑車：二個單槽輪組成的滑車，為一個定滑車與一個動滑車所組成之起重滑車，M＝3。

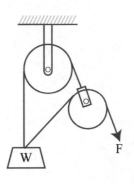

**8** 帆滑車：二個滑輪組所組成的滑車，每一滑輪組為一個單槽輪與一個雙槽輪所組成之起重滑車，M＝12。

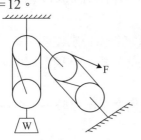

**9** 中國式絞盤滑車：$M=\dfrac{4R}{D_a-D_b}$

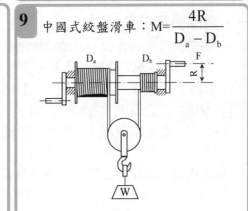

### 範例 *6-1*

如圖所示的滑車裝置，物體 W 之重量為 350 N，若施加之力 F 等於 60 N，試求物體 W 之加速度。假設滑輪本身之重量不予考慮。【普考】

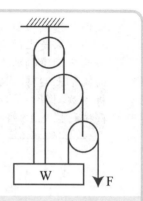

**解** $\sum F_y = ma$

$7F - W = ma$

$7 \times 60 - 350 = \dfrac{350}{9.8} \times a$

$a = 1.96 \ m/s^2$ （向上）

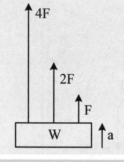

## ▼6-2　金屬繩索

### 一、金屬繩索標準構造

(一)金屬繩索的構造為數個股線撚成鋼絲，而每一股由數個鋼絲素線撚成參考圖 6.1(a)為 6x7 結構，代表 6 股線，7 素線；而(b)為 6x19 結構，代表 6 股線，19 素線。

(二)正規繞向為金屬繩索的標準結構，一金屬繩索若無特別注明，都是正規繞向者，正規繞向之金屬繩索其股線內素線的撚線方向與股線的撚線方向相反。

(三)構成繩索的素線須是繩索全長無接頭，但製作上不得已時可用熔接。

(a) 6x7 結構（6 股線，7 素線撚成 1 股線）

(b) 6x19 結構（6 股線，19 素線撚成 1 股線）

**圖 6.1 金屬繩索的構造**

## 二、金屬繩索的繞向

金屬繩索的繞向有正規繞向及直紋繞向：

| 金屬繩索的繞向 | 說明 | 圖式 |
|---|---|---|
| 正規繞向 | 1. 正規繞向為金屬繩索的標準結構，此繞法係將鋼絲依單方向扭轉以形成股，再將各股依反方向扭轉形成索，其股線內素線的撚線方向與股線的撚線方向相反，繞成之鋼絲索，均略平行於索之軸心，一金屬繩索若無特別註明，都是正規繞向者。<br>2. 正規繞向之金屬繩索其股線內素線的摩擦表面積小，所以磨損程度大。<br>3. 將索端撚合連結時，編結量可少。<br>4. 線狀體在途中不易扭結，所以容易處理。 |  (a)右撚 <br><br>(b)左撚 |

| | | |
|---|---|---|
| 直紋繞向 | 1. 直紋繞向(Lang Lay)之金屬繩索有右撚及左撚之分，其通常是右撚居多，不論右撚或左撚，將股中之鋼絲及各股，依相同的方向扭繞而成，其股線內素線的撚線方向與股線的撚線方向相同，外側之鋼絲將與鋼索的軸心成對角線橫過。<br>2. 富柔軟性。<br>3. 其股線內素線的摩擦表面積大，所以全體平均承受損耗，故磨耗程度小。<br>4. 耐久力方面，比正規繞向有利。<br>5. 容易扭結。<br>6. 容易回撚，是其缺點。 | <br>(a)右撚<br><br>(b)左撚 |

# ▼6-3　摩擦輪

## 一、摩擦輪之基本原理

欲傳達運動之兩軸距離短時，可於兩軸上安裝適當形狀之輪使之互相接觸，由接觸所發生之摩擦力，用兩輪之滾動接觸直接傳達於他一軸，使之發生迴轉運動，此種傳達動力的兩輪，謂之摩擦輪。

**優點：**(一)起動緩和，聲音小。(二)負載輕時，可高速迴轉。(三)負載超過時，可產生滑動，不致損壞機件。

**缺點：**(一)因有滑動現象，故速比無法絕對正確。(二)無法傳動較大動力。(三)因滑動現象而有動力之損失，其接觸面磨損亦快。

摩擦傳動機構是利用滾動接觸傳達動力，滾動接觸時，相接觸的兩機件的接觸點，無相對運動發生，所以滾動接觸的條件可表示如下：

(一)接觸點的切線速度必需相等。

(二)兩機件的接觸點一定在連心線上。

(三)傳動的弧長一定相等。

**觀念說明**

摩擦輪之主動輪的輪面通常使用磨擦力較大之軟性材質（如：皮帶橡皮），從動輪則多使用硬質材料（如：鑄鐵、鋁合金等）。

## 二、摩擦輪之傳動馬力

| 功率 P | 應用公式 | 常用單位 |
|---|---|---|
| 公制<br>(kW) | $P(kW) = \dfrac{T \times 2\pi N}{60 \times 1000}$<br><br>$= \dfrac{F \times \dfrac{D}{2} \times 2\pi \times N}{60 \times 1000}$<br><br>$= \dfrac{F \times V}{1000}$ | T：扭矩(N-m)<br>N：轉速(rpm)<br>F：摩擦力(N)<br>D：傳動輪直徑(m)<br>V：切向速度(m/s) |
| 英制馬力<br>(HP) | $P(HP) = \dfrac{2\pi NT}{60 \times 550}$<br><br>$= \dfrac{(F) \times \dfrac{D}{2} \times 2\pi \times N}{60 \times 550}$<br><br>$= \dfrac{F \times V}{550}$ | T：扭矩(lb-ft)<br>N：轉速(rpm)<br>F：摩擦力(lb)<br>D：傳動輪直徑(ft)<br>V：切向速度(ft/s) |
| 公制馬力<br>(PS) | $P(PS) = \dfrac{2\pi NT}{60 \times 75} = \dfrac{2\pi NF \times \dfrac{D}{2}}{60 \times 75} = \dfrac{F\pi DN}{60 \times 75}$ | T：扭矩(kg-m)<br>N：轉速(rpm)<br>F：摩擦力(kg)<br>D：傳動輪直徑(m) |

備註：1HP＝0.746kW、1PS＝0.736kW、1 公制馬力：1 P.S＝75kg-m/sec＝75×9.8N-m/sec、1 英制馬力：1 HP＝550ft-lb/sec

## 三、圓柱形摩擦輪

**(一)外切圓柱形摩擦輪：** 用於兩軸相互平行且方向相反時

1. 速比：假設 A 為主動輪 B 為從動輪，則

$$\frac{D_A}{D_B} = \frac{N_B}{N_A} \quad (D：主動輪直徑、N：轉速)$$

2. 兩輪中心距：$C = \dfrac{D_A}{2} + \dfrac{D_B}{2}$

**(二)內切圓柱形摩擦輪：**用於兩軸相互平行且方向相同時

1. 速比：假設 A 為主動輪 B 為從動輪，則

$$\frac{D_A}{D_B} = \frac{N_B}{N_A} \quad （D：主動輪直徑、N：轉速）$$

2. 兩輪中心距：$C = \dfrac{D_A}{2} - \dfrac{D_B}{2}$

## 四、錐形摩擦輪

**錐形摩擦輪速比：**（N：轉速、D：直徑、$\alpha$：A 摩擦輪之半錐面角、$\beta$：B 摩擦輪之半錐面角）

$$\frac{N_A}{N_B} = \frac{D_B}{D_A} = \frac{\sin\beta}{\sin\alpha}$$

**(一)外接錐形摩擦輪：**

$$\theta = \alpha + \beta \Rightarrow \frac{N_B}{N_A} = \frac{\sin\alpha}{\sin\beta} = \frac{\sin\alpha}{\sin(\theta-\alpha)} = \frac{\sin\alpha}{\sin\theta\cos\alpha - \cos\theta\sin\alpha}$$

分子分母同除以 $\cos\alpha \Rightarrow \tan\alpha = \dfrac{\dfrac{N_B}{N_A}\sin\theta}{1 + \dfrac{N_B}{N_A}\cos\theta}$

分子分母同除以 $\dfrac{N_B}{N_A} \Rightarrow \tan\alpha = \dfrac{\sin\theta}{\dfrac{N_A}{N_B} + \cos\theta} \quad \therefore \alpha = \tan^{-1}(\dfrac{\sin\theta}{\dfrac{N_A}{N_B} + \cos\theta})$

同理 $\tan\beta = \dfrac{\sin\theta}{\dfrac{N_B}{N_A} + \cos\theta}$

**(二)內接錐形摩擦輪：**

$$\theta = \alpha - \beta \Rightarrow \frac{N_B}{N_A} = \frac{\sin\alpha}{\sin\beta} = \frac{\sin\alpha}{\sin(\alpha-\theta)} = \frac{\sin\alpha}{\sin\alpha\cos\theta - \cos\alpha\sin\theta}$$

分子分母同除以 $\cos\alpha \Rightarrow \tan\alpha = \dfrac{N_B\sin\theta}{N_B\cos\theta - N_A} \Rightarrow \tan\alpha = \dfrac{\sin\theta}{\cos\theta - \dfrac{N_A}{N_B}}$

同理 $\tan\beta = \dfrac{\sin\theta}{\dfrac{N_B}{N_A} - \cos\theta} \Rightarrow \beta = \tan^{-1}(\dfrac{\sin\theta}{\dfrac{N_B}{N_A} - \cos\theta})$

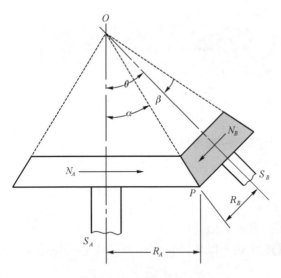

圖 6.2　外接錐形摩擦輪　　　　　　　圖 6.3　內接錐形摩擦輪

## 五、圓盤與滾子摩擦輪

(一)輸入端為圓盤轉動，利用摩擦力傳遞接觸端的切線速度至輸出轉軸上的摩擦環，使得輸出旋轉軸垂直輸入旋轉軸。可利用改變摩擦環位置改變轉換比或方向，其速比為 $\dfrac{R}{r} = \dfrac{N_B}{N_A}$ 。

(二)當滾子為主動輪作等角速轉動時，滾子愈接近圓盤中心，則圓盤轉速愈快。

(三)當圓盤為主動輪作等角速轉動時，滾子愈接近圓盤中心，則滾子轉速愈慢。

(四)當圓盤為主動輪作等角速轉動，且滾子接觸圓盤中心時，則滾子靜止。

(五)當滾子為主動輪作等角速轉動時，可藉滾子由圓盤直徑的一端往另一端移動，令圓盤改變旋轉方向。

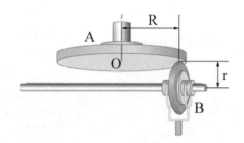

圖 6.4　圓盤與滾子摩擦輪

## 六、橢圓形摩擦輪

### (一) 滾動接觸條件：

1. **主動輪與從動輪的橢圓**摩擦輪尺寸完全相同。
2. **動輪與從動輪的軸各固定於橢圓焦點**，以橢圓焦點為轉動中心，使中心距等於橢圓長軸。
3. 兩軸同平面且平行。

### (二) 速度分析：

1. 兩橢圓以滾動接觸而傳遞運動，但傳動角速度不為定值，當主動輪以等角速度旋轉時，從動輪作變角速度運動。
2. 當主動輪為等角速度旋轉時，從動輪的最小角速度為其最大角速度的倒數。

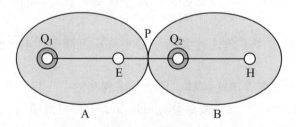

圖 6.5　橢圓摩擦輪

## 範例 6-2

一對相嚙合之錐形摩擦輪 A、B，轉速比為 $\sqrt{2}$：1，已知 A 輪之節錐角為 30°，則其軸交角為?

**解** $\dfrac{N_B}{N_A} = \dfrac{\sin\alpha}{\sin\beta} \Rightarrow \dfrac{1}{\sqrt{2}} = \dfrac{\sin 30°}{\sin\beta} = \dfrac{\dfrac{1}{2}}{\sin\beta}$

$\sin\beta = \dfrac{\sqrt{2}}{2} \Rightarrow \beta = 45°$，$\theta = 30° + 45° = 75°$

## 範例 6-3

有二滾動接觸之摩擦輪，其迴轉方向相同，分別為 150rpm 及 100rpm，若小輪直徑為 16cm，求二迴轉軸之中心距離?

**解** $N_1 = 150\text{rpm}$，$N_2 = 100\text{rpm}$，$D_1 = 16\text{cm}$

$\dfrac{N_1}{N_2} = \dfrac{D_2}{D_1} = \dfrac{150}{100} = \dfrac{D_2}{16}$，$D_2 = \dfrac{150 \times 16}{100} = 24\text{cm} \Rightarrow$ 中心距 $C = \dfrac{24-16}{2} = 4\text{cm}$

## 範例 6-4

圖所示為一純滾動接觸之外接式錐形摩擦輪機構，主動輪角速度為 $\omega_2$，從動輪角速度為 $\omega_3$，兩輪軸間夾角 $\theta$ 為 45 度，角速比($\omega_3/\omega_2$)為 1.5，大錐輪的最大直徑 $D_2$ 為 15 cm，試求：

(一)小錐輪的最大半徑 $R_3$。

(二)兩錐輪的半錐角 $\phi_2$ 及 $\phi_3$。

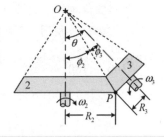

**解** $\theta = 45° = \phi_2 + \phi_3 \cdots\cdots\cdots ①$

$\dfrac{W_3}{W_2} = \dfrac{R_2}{R_3} = 1.5 = \dfrac{\dfrac{15}{2}}{R_3} \Rightarrow R_3 = 5\,(\text{cm})$

$\dfrac{R_2}{R_3} = \dfrac{\sin\phi_2}{\sin\phi_3} = 1.5 \cdots\cdots\cdots ②$

由①② $\phi_2 = 27.23°$

$\phi_3 = 17.76°$

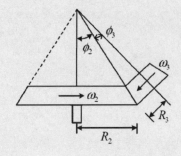

## 範例 *6-5*

有一外切圓柱形摩擦輪機構，兩摩擦輪彼此互相接觸，若 A 輪為主動，B 輪為從動，且 A 輪直徑為 60 cm，B 輪直徑為 300 cm，請回答下列問題：

(一) 請說明摩擦輪之定義。

(二) 請列出摩擦輪之優點與缺點。

(三) 計算摩擦輪時，通常視為滾動接觸，請寫出符合滾動接觸之三個條件？

(四) 若 A 輪以 180 rpm 轉動，求 B 輪之轉速？

(五) 此兩摩擦輪之中心距離為若干？（103 中央造幣廠）

**解** (一)藉由摩擦力主動輪將迴轉運動，由滾動接觸，直接傳給從動輪，使從動輪產生迴轉。

(二)優點：

1.從動件起動平穩，無陡震現象。

2.從動阻力過大時，接觸處完全滑動，被動機件不致損壞。

3.裝置簡單，噪音小。

缺點：

1.速比不穩定。

2.不宜傳達較大動力。

(三)1.切線弧長相同。2.切線速度相同。3.切線加速度相同。

(四)$\dfrac{60}{300}=\dfrac{N_B}{180}\Rightarrow N_B=36(\text{rpm})$

(五)$C=\dfrac{1}{2}(60+300)=180(\text{cm})$

# ◁精選試題▷

## 一、選擇題型

(　　) **1** 一滑輪組有定動滑輪各 3 個,今欲將 300 公斤重物提升,請問需要多少力量才可拉起?　(A)50 公斤　(B)100 公斤　(C)300 公斤　(D)1800 公斤。【普考】

(　　) **2** 圖中滑車機構若不計摩擦損耗,其機械利益為多少?　(A)3
(B)4
(C)5
(D)6。
【普考】

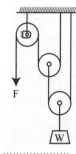

(　　) **3** 如圖所示之滑車,若要 W 負重以 1.5 公尺／秒速度向上運動,則施力 P 向下的速度需為多少公尺／秒?
(A)7.5
(B)9
(C)10.5
(D)12。
【普考】

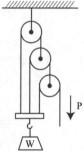

(　　) **4** 在計算起重滑車的機械利益時,通常不考慮以下那一項?　(A)重力　(B)槓桿原理　(C)繩索張力　(D)摩擦力。【普考】

(　　) **5** 如圖所示,若 W＝10kg,a＝30°,則 F 為:
(A)4.6kg
(B)5.8kg
(C)7.0kg
(D)8.2kg。
【普考】

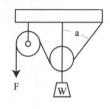

( ) **6** 如圖所示之差動滑車，大滑輪的半徑為 R，小滑
輪的半徑為 r，若負重為 W，則拉力 P 為：

(A)$\dfrac{W(R-r)}{2R}$

(B)$\dfrac{2WR}{R-r}$

(C)$\dfrac{W(R-r)}{2r}$

(D)$\dfrac{2Wr}{R-r}$。【普考】

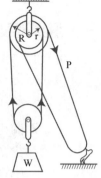

( ) **7** 如圖所示之鼓輪，其機械利益為：

(A)$\dfrac{r}{R}$　　　　　(B)$\dfrac{FR}{r}$

(C)$\dfrac{R}{r}$　　　　　(D)$\dfrac{Wr}{R}$。【普考】

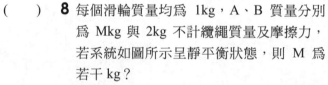

( ) **8** 每個滑輪質量均為 1kg，A、B 質量分別
為 Mkg 與 2kg 不計纜繩質量及摩擦力，
若系統如圖所示呈靜平衡狀態，則 M 為
若干 kg？

(A)3.0　　　　(B)2.5

(C)2.0　　　　(D)1.5

(E)1.0。【台電】

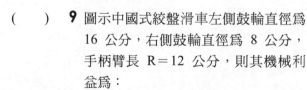

( ) **9** 圖示中國式絞盤滑車左側鼓輪直徑為
16 公分，右側鼓輪直徑為 8 公分，
手柄臂長 R＝12 公分，則其機械利
益為：

(A)4　　　　(B)5

(C)6　　　　(D)7。

【普考】

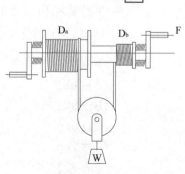

( 　 ) **10** 抗力與施力的比值謂之機械利益，則單定滑車，如
右圖所示，其機械利益為多少？　(A)恆大於 1　(B)
恆小於 1　(C)恆等於 1　(D)可為任意值。【中油】

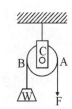

( 　 ) **11** 如右圖所示，欲吊起 W = 360 N 之重物
時，則 F 需施力若干 N？
(A)40N
(B)50N
(C)60N
(D)70N。
　　　【中油】

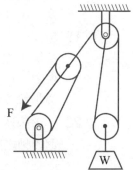

( 　 ) **12** 對摩擦傳動機構而言，下列敘述何者正確？　(A)適用於負荷較
高的場合　(B)適用於速度較高的場合　(C)適用於嚴格要求一定
轉速的場合　(D)適用於運轉比較靜肅的場合。【普考】

( 　 ) **13** 有一對摩擦輪之半徑分別為 500mm 及 250mm，其大輪之迴轉
速為 400rpm，接觸點之正壓力為 300kg，若摩擦係數為 0.2，則
大輪之扭矩為多少？　(A)15kg-m　(B)30kg-m　(C)45kg-m
(D)60kg-m。【普考】

( 　 ) **14** 摩擦現象常在機械設計上碰到。下列何種情況時，摩擦現象有
助於機械功能的表現？　(A)滾珠滑動　(B)皮帶動力傳動　(C)
鏈輪動力之傳動　(D)彈簧的定位。【普考】

( 　 ) **15** 兩輪為外切圓柱形摩擦輪，若兩平行軸之中心距離為 60cm，主
動輪之轉速為 80rpm，從動輪轉速為 20rpm，則兩輪之直徑相差
多少 cm？　(A)36　(B)72　(C)40　(D)80。

( 　 ) **16** 外切式圓錐形摩擦輪其兩軸之夾角為 90 度，已知主動輪之錐角
為 60 度，轉速為 110rpm 時，則從動輪之轉速約為：
(A)53rpm　(B)63rpm　(C)73rpm　(D)165rpm。【普考】

(　　) **17** 兩圓柱形摩擦輪 A 與 B，其切線速度比為 $V_A：V_B=2：1$，但兩輪軸的轉速比為 $N_A：N_B=3：1$，則其直徑比 $D_A：D_B$ 為：(A)2：3　(B)3：2　(C)1：6　(D)6：1。

(　　) **18** 內接式圓錐形摩擦輪之兩軸之夾角為 60 度，且從動輪的轉速為主動輪轉速 3 倍時，則從動輪之錐角約為：　(A)13 度　(B)15 度　(C)17 度　(D)19 度。【普考】

(　　) **19** 對摩擦傳動機構而言，下列敘述何者錯誤？　(A)滾動接觸時，接觸點之線速度相同　(B)摩擦力小於傳動力時，接觸點有滑動現象　(C)常在不需正確速比場合使用　(D)可藉由降低摩擦力來傳動較大的動力。【普考】

(　　) **20** 一組內切圓錐形摩擦輪的主動輪與被動輪之轉速比為 $\sqrt{3}：1$，兩迴轉軸之夾角為 30°，則被動輪半頂角為主動輪半頂角的多少倍？

(A)$\dfrac{1}{2}$　(B)2　(C)$\dfrac{\tan^{-1}\dfrac{1}{3\sqrt{3}}}{30°-\tan^{-1}\dfrac{1}{3\sqrt{3}}}$　(D)$\dfrac{30°}{\tan^{-1}\dfrac{1}{3\sqrt{3}}}-1$　倍。

(　　) **21** 下列有關摩擦輪的敘述，何者錯誤？　(A)噪音小　(B)無法傳達較大動力　(C)速比絕對正確　(D)以滾動接觸傳達迴轉運動。

(　　) **22** 兩內接（內切）圓柱形摩擦輪之轉速比為 2：1，若小輪之半徑為 5 cm，則兩輪之中心距離為多少 cm？　(A)5　(B)10　(C)15　(D)30。

(　　) **23** 下列有關摩擦輪的敘述，何者不正確？　(A)從動軸阻力過大時，兩輪的接觸面完全滑動，使機件不致損壞　(B)可能發生相對滑動，速比不正確　(C)不能夠傳送較大的動力　(D)由於兩機件直接接觸，運動時噪音大。

(　　) **24** 兩外接圓錐摩擦輪，兩輪軸線相交成 90 度，已知 A 輪為主動輪，其半頂角為 36.9 度，轉速為 400 rpm，則從動輪 B 輪之轉速為多少 rpm？（註：sin36.9°≒0.6，sin53.1°≒0.8）　(A)100　(B)200　(C)300　(D)400。

(　　) **25** 兩內接圓柱摩擦輪，已知大輪直徑為小輪直徑的三倍，而兩輪軸心相距 120 mm，則大摩擦輪之直徑為多少 mm？　(A)120　(B)180　(C)240　(D)360。

( ) **26** 如右圖之滑車裝置，若機械效率為
70%，欲升起 2800N 的物體，則施
力 F 為
(A)500N (B)700N
(C)1000N (D)1200N。【103 北捷】

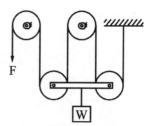

( ) **27** 兩外切圓柱形摩擦輪，大輪直徑 40 公分、小輪直徑 8 公分，若大
輪轉速 150rpm，則小輪轉速為： (A)15rpm (B)30rpm
(C)750rpm (D)900rpm。【103 桃捷】

( ) **28** 有兩外切圓柱形摩擦輪相接處，大輪直徑為 8mm，小輪直徑為
6mm，若大輪 7 分鐘內轉 63 圈，則小輪 10 分鐘內轉幾圈？
(A)120 圈 (B)125 圈 (C)150 圈 (D)175 圈。【103 桃捷】

( ) **29** 如圖所示之滑車組，若想保持滑輪平衡，
假設 W＝400N，則所需之拉力 F 為若干？
(A)75N
(B)50N
(C)100N
(D)125N。【103 桃捷】

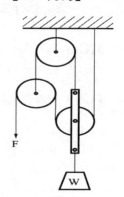

---

### 解答與解析

**1 (A)**。使用 3 個滑輪承載重物，每個滑輪有 2 道張力承載，所以一共有 6
道張力施與承載重物，其機械利益＝6。
承載重物為 300KG，所以只要 50KG 的力量則可拉起。
所以答案為(A)。

**2 (B)**。 如下圖所示

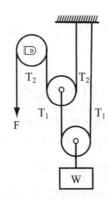

$T_1$ 為承載重物的張力，$T_2$ 為承載左邊 $T_1$ 的張力，假設承載物重 W

可得， $W = 2 \cdot T_1$ ， $T_1 = 2 \cdot T_2$ ， $T_2 = F$

所以， $F = \dfrac{1}{4} W$ ， $\Rightarrow \dfrac{W}{F} = 4$ ，其機械利益為 4。所以答案為(B)。

**3 (C)**。 $W \cdot 1.5 m / sec = P \cdot V$

$\Rightarrow V = 10.5 m / sec$ 。所以答案為(C)。

**4 (D)**。 計算滑車的機械利益時，通常不考慮摩擦力。所以答案為(D)。

**5 (B)**。 $T_1 = F$

$W = 2 \cdot T_1 \cdot \cos 30°$

F=5.77kg。所以答案為(B)。

**6 (A)**。 差動滑車機械利益為 $E = \dfrac{W}{P} = \dfrac{2R}{R-r} \Rightarrow P = \dfrac{R-r}{2R} W$ 。所以答案為(A)。

**7 (C)**。 $F \times R = W \times r \Rightarrow \dfrac{W}{F} = \dfrac{R}{r}$ 。所以答案為(C)。

**8 (D)**

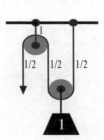

其機械利益為 2

$\dfrac{3}{M} = 2$ 。 $\therefore M = 1.5kg$ 。所以答案為(D)。

**9 (C)**。中國式絞盤滑車之機械利益為

$M = \dfrac{W}{F} = \dfrac{4R}{D_a - D_b} = \dfrac{4 \cdot 12cm}{16cm - 8cm} = 6$ 。所以答案為(C)。

**10 (C)**。某抗力等於施力，其機械利益為 1。所以答案為(C)。

**11 (C)**　**12 (D)**

**13 (B)**。先求出其摩擦力 $f = \mu F_N = 0.2 \cdot 300kg = 60kg$

摩擦輪的輸出扭矩為 $T = f \times r = 60kg \times 0.5m = 30kg\text{-}m$

所以答案為(B)。

**14 (B)**。皮帶動力傳動需要摩擦力才可達成。所以答案為(B)。

**15 (B)**。$\dfrac{D_{主}}{D_{從}} = \dfrac{N_{從}}{N_{主}} = \dfrac{20}{80} \Rightarrow D_{從} = 4D_{主}$ 且 $\dfrac{D_{主}}{2} + \dfrac{D_{從}}{2} = 60 \Rightarrow D_{從} = 96$ 、

$D_{主} = 24$

$\Rightarrow D_{從} - D_{主} = 72$

**16 (B)**。半頂角＝錐角/2

圓錐形摩擦輪軸心線的夾角 $\theta$ ＝主動軸的半頂角 $\alpha$ ＋被動軸的半頂角 $\beta$

$\theta = \alpha + \beta$ ， $90° = 30° + \beta$ ， $\therefore \beta = 60°$

角速比 $\varepsilon$ 為 $\varepsilon = \dfrac{n_1}{n_2} = \dfrac{\sin\beta}{\sin\alpha} = 1.732$

$n_2 = \dfrac{110rpm}{1.732} = 63.5rpm$ 。所以答案為(B)。

**17 (A)**。切線速度 $V = w \times r \Rightarrow \dfrac{V_A}{V_B} = \dfrac{D_A N_A}{D_B N_B} = \dfrac{D_A \times 3}{D_B \times 1} = \dfrac{2}{1} \Rightarrow \dfrac{D_A}{D_B} = \dfrac{2}{3}$

**18 (D)**。角速比 $\varepsilon$ 為 $\varepsilon = \dfrac{n_1}{n_2} = \dfrac{\sin\beta}{\sin\alpha} = \dfrac{1}{3}$

圓錐形摩擦輪軸心線的夾角

$\theta$ ＝（主動軸的半頂角 $\alpha$ －被動軸的半頂角 $\beta$）之絕對值

$$60° = |\alpha - \beta|$$

得到 $\dfrac{\sin\beta}{\sin(\beta + 60°)} = \dfrac{1}{3}$ ，$\beta = 19°$。所以答案為(D)。

**19 (D)**。答案(A)如上所説，所以正確。

答案(B)，如果摩擦力小於傳動力，則相對運動發生，所以正確。
答案(C)正確。
答案(D)，因為傳達的功率與摩擦力成正比，所以其敘述是錯誤的。所以答案為(D)。

**20 (B)**。$e = \dfrac{N_A}{N_B} = \dfrac{\sin\beta}{\sin\alpha}$ $\quad \dfrac{\sqrt{3}}{1} = \dfrac{\dfrac{\sqrt{3}}{2}}{\dfrac{1}{2}} = \dfrac{\sin\beta}{\sin\alpha}$ $\quad \therefore \beta = 60° \quad \alpha = 30°$

$\therefore$ 被動輪半頂角為主動輪半頂角的 2 倍

**21 (C)**。摩擦輪有可能滑動，故無法提供正確速比。

**22 (B)**。$\dfrac{D_{大}}{D_{小}} = \dfrac{N_{小}}{N_{大}} \Rightarrow D_{大} = 5 \times \dfrac{2}{1} = 10$

**23 (D)**

**24 (C)**。$\dfrac{N_B}{N_A} = \dfrac{\sin\alpha}{\sin\beta} \Rightarrow \dfrac{N_B}{400} = \dfrac{\sin 36.9°}{\sin 53.1°} = \dfrac{0.6}{0.8} \Rightarrow N_B = 300$

**25 (D)**。$\dfrac{D_{大}}{D_{小}} = \dfrac{3}{1}$ 且 $\dfrac{D_{大}}{2} - \dfrac{D_{小}}{2} = 120 \Rightarrow D_{大} = 360(mm)$

**26 (C)**。$4F = W \Rightarrow F = 700(N)$ $\quad \dfrac{700}{0.7} = 1000(N)$

**27 (C)**。$\dfrac{40}{8} = \dfrac{N}{150} \Rightarrow N = 750(rpm)$

**28 (A)**。$\dfrac{8}{6} = \dfrac{N(rpm)}{\dfrac{63}{7}(rpm)} \Rightarrow N = 12 \quad 12 \times 10 = 120(圈)$

**29 (C)**。

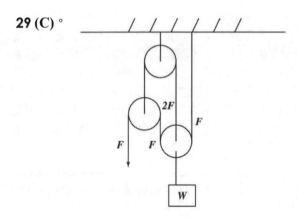

$$4F＝W \Rightarrow F＝100(N)$$

## 二、問答題型

> **1. 何謂摩擦？在一般機械裝置中，舉例說明有那些需要摩擦，又有那些不要摩擦？並說明摩擦定律。【關務四等】**

**解** (1) 摩擦：互相接觸之兩物體受外力作用時，在彼此接觸面間之切線方向產生一力，以阻止兩物體作相對運動，此力稱為摩擦阻力或摩擦力，簡稱摩擦。
摩擦定律：
A. 摩擦力與接觸面積大小無關，但與接觸面性質有關。
B. 摩擦力與正壓力成正比。
C. 動摩擦係數小於最大靜摩擦係數。
D. 改變運動方向會增大摩擦力，速度越高，摩擦係數越小。
E. 溫度變化對摩擦力影響甚小。
摩擦力＝摩擦係數$(\mu)$×正壓力$(N)＝\mu \cdot N$
(2) 需要摩擦：摩擦輪、皮帶輪、制動器、凸輪。
不需要摩擦：引擎汽缸活塞、軸承、鏈輪。

> **2. 簡述金屬繩索（鋼絲索）之標準構造。【關務四等】**

**解** 金屬繩索的構造為數個股線撚成鋼絲，而每一股由數個鋼絲素線撚成，其繞向有正規繞向及直紋繞向：

(1)正規繞向：正規繞向爲金屬繩索的標準結構，此繞法係將鋼絲依單方向扭轉以形成股，再將各股依反方向扭轉形成索，其股線內素線的撚線方向與股線的撚線方向相反，繞成之鋼絲索，均略平行於索之軸心，一金屬繩索若無特別注明，都是正規繞向者。

(2)直紋繞向：有右撚及左撚之分，其通常是右撚居多，不論右撚或左撚，將股中之鋼絲及各股，依相同的方向扭繞而成，其股線內素線的撚線方向與股線的撚線方向相同，外側之鋼絲將與鋼索的軸心成對角線橫過。

---

**3. 剪刀、鍘刀及筷子為日常生活常用的工具，試以槓桿原理分別說明其作動方式的差異。【原住民特考】**

**解** 參考 6-1 內容

---

**4. 何謂摩擦現象？並說明在機械傳動裝置中，摩擦所扮演的角色。【鐵路特考】**

**解** (1)摩擦 (friction) 可定義爲作用於一物體上以防止該物體在另一物體上或表面滑動而產生的阻力，此力與接觸面相切，且與運動或有運動趨勢的方向相反。

(2)A.以帶輪傳動爲例，帶傳動是一種常用的機械傳動形式，它的主要作用是傳遞轉矩和改變轉速，傳動原理爲於至少兩輪上利用帶作爲中間撓性件，靠帶與輪接觸面間產生摩擦力來傳遞運動與動力。

B.以摩擦輪爲例，將至少兩摩擦輪彼此接觸，利用輪與輪之間的摩擦力來傳達運動與動力。

---

## 三、計算題型

**1. 一個槓桿如圖所示，若其機械效率為 0.5，F1 為負載，F2 為施力，則機械利益為多少？【107 關四】**

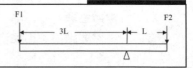

**解** $\eta = 0.5 = \dfrac{F_1 \times 3L}{F_2 \times L} \Rightarrow F_2 = 6F_1$

機械利益 $M = \dfrac{F_1}{F_2} = \dfrac{1}{6}$

2. 依圖的滑輪組合，求橫桿上施力 P 需要多少公斤可與吊在小滑輪上的重量維持平衡？【關務四等】

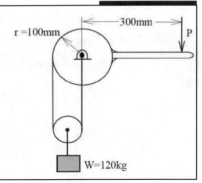

**解** $W = 120\text{kg} = 2T_1$ ，$T_1 = 60\text{kg}$

根據力矩平衡

$T_1 \times 100\text{mm} = P \times 300\text{mm}$

$P = \dfrac{1}{3}T_1 = 20\text{kg}$

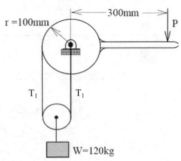

3. 圖示的滑車裝置，欲昇起重量為 350N 之物體 W，需施加之力 F 為若干？假設滑輪本身之重量不予考慮。【關務四等】

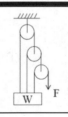

**解** 假設如下

承載重物的張力$=T_1+T_2+T_3$

$T_1 = F$

$T_2 = 2 \cdot T_1$

$T_3 = 2 \cdot T_2$

可得，承載重物的力

$W = F + 2F + 4F = 7F$

$W = 7F$

$F = 50\text{N}$

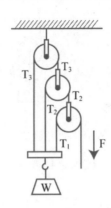

**4.** 有兩個雙組滑車(A)、(B)如下圖所示,當施一樣的力 F 時,那一個可以提起較重的物品 W?$W_A/W_B$ 為多少?【109 鐵員】

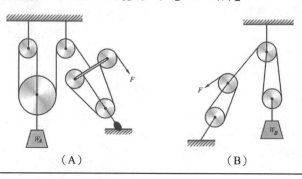

（A）　　　　　　　　　　　　　　　（B）

**解** (A)

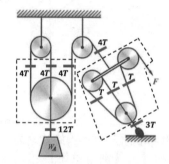

$T = F$

$12T = W_A = 12F$

$F = \dfrac{1}{12} W_A$

(B)

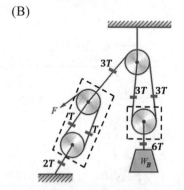

$T = F$

$6T = W_B = 6F$

$F = \dfrac{1}{6} W_B$

若重物為 W,(A)之施力 $F_A = \dfrac{1}{12} W$,(B)之施力 $F_B = \dfrac{1}{6} W$,故(A)較省力,可舉起較重之物體。

$\dfrac{W_A}{W_B} = \dfrac{12F}{6F} = 2$

5. 一對外接之圓柱形摩擦輪，其兩輪軸之中心距離為 30cm，A 輪之轉速為 400r.p.m.，B 輪之轉速則為 200r.p.m.。設兩摩擦輪互相接觸傳動且其間壓力為 300N（N：牛頓），摩擦係數為 0.18 時，試求兩輪間可傳遞之馬力為若干？【地方特考】

解 外切圓筒形摩擦輪之角速比 ε 為 $ε = \dfrac{n_A}{n_B} = \dfrac{R_B}{R_A} = \dfrac{400}{200} = 2$

得到 $R_B = 2R_A$

因為軸之中心距為 30cm，所以 $R_A + R_B = 30$（外切圓柱形摩擦輪）

得到 $R_A + R_B = 3R_A = 30cm$　　∴ $R_A = 10cm, R_B = 20cm$

先求出其摩擦力 $f = μF_N = 0.18 \cdot 300N = 54N$

摩擦輪 A 的輸出扭矩為

$T = f × r = 54N × 0.1m = 5.4N - m = 0.55kg - m$

摩擦輪的輸出馬力為 $PS = \dfrac{T\dfrac{2πN}{60}}{75} = \dfrac{0.55\dfrac{2π400}{60}}{75} = 0.31PS$

6. 一圓柱形摩擦輪，直徑為 30cm，轉速 900rpm，其接觸之處正壓力為 500kg，摩擦係數為 0.2，則其所傳達之動力為若干？

解 $D = 30cm$，$N = 900rpm$，$P = 500kg$，$μ = 0.2$

$PS = \dfrac{μ P π DN}{4500} = \dfrac{0.2 × 500 × 3.14 × \dfrac{30}{100} × 900}{4500} = 18.84$ 馬力

7. 兩內接（內切）圓柱形摩擦輪之轉速比為 2：1，若小輪之半徑為 5 公分，試計算兩輪之中心距離之值。【關務升資考】

解 圓筒形摩擦輪之角速比 ε 為 $ε = \dfrac{n_1}{n_2} = \dfrac{R_2}{R_1} = \dfrac{1}{2}$

得到 $R_1 = 2R_2 = 10cm$

軸之中心距為 $R_1 - R_2 = 5cm$（內切圓柱形摩擦輪）

8. 一圓柱形摩擦輪，直徑為 25cm，轉速 500rpm，傳達 30 馬力動力，若摩擦係數為 0.2，則應施加多大的壓力？

解 $D = 25\text{cm}$ ， $N = 500\text{rpm}$ ， $HP = 30$ ， $\mu = 0.2$

$$PS = \frac{FV}{75} = \frac{\mu P \times \pi DN}{4500} = \frac{\mu P \pi DN}{4500}$$

$$\text{壓力 } P = \frac{4500 \times HP}{\mu \pi DN} = \frac{4500 \times 30}{0.2 \times 3.14 \times 0.25 \times 500} = 1720\text{kg}$$

---

**9.** A、B 兩純滾動接觸之圓錐形摩擦輪，若 A 輪以 300rpm，B 輪以 100rpm 之角速度迴轉，兩共面軸線之夾角為 45°，試求出兩圓錐輪之頂角。

解 $\theta = 45°$ ， $N_A = 300\text{rpm}$ ， $N_B = 100\text{rpm}$

(1) 當兩輪為外切接觸時：

$$\tan\beta = \frac{\sin\theta}{\dfrac{N_A}{N_B} + \cos\theta} = \frac{\sin 45°}{\dfrac{300}{100} + \cos 45°} = \frac{0.707}{3.707} = 0.19072$$

$\beta = 10.8° \Rightarrow$ A 軸上的摩擦輪之錐角 $2\beta = 21.6°$

$\alpha = 45° - 10.8° = 34.2° \Rightarrow$ B 軸上的摩擦輪之錐角 $2\alpha = 68.4°$

(2) 當兩輪為內切接觸時：

$$\tan\beta = \frac{\sin\theta}{\dfrac{N_A}{N_B} - \cos\theta} = \frac{\sin 45°}{\dfrac{300}{100} - \cos 45°} = \frac{0.707}{3 - 0.707} = 0.30832$$

$\beta = 17.14° \Rightarrow$ A 軸上的摩擦輪之錐角 $2\beta = 34.28°$

$\alpha = 45° + 17.14° = 62.14° \Rightarrow$ B 軸上的摩擦輪之錐角 $2\alpha = 124.28°$

---

**10.** 如圖所示之中國式絞盤，大鼓輪直徑 30cm，小鼓輪直徑 25cm，20cm，問 (1)機械利益為多少？(2)施力 F=30 公斤，可吊起重物 W 為若干？

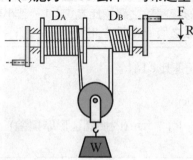

**解** (1)$M_a = \dfrac{W}{F} = \dfrac{4R}{D_a - D_b} = \dfrac{4 \times 20}{30 - 25} = 16$

(2)$W = M_a \cdot F = 16 \times 30 = 480$(kg)

---

**11.** 如圖所示為蝸桿與蝸輪起重滑車，若不計摩擦損失，D＝20cm，R＝20cm，蝸桿為雙線螺紋，蝸輪有 40 齒，若作用力 F＝60N 時，試問可吊起重物若干？

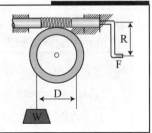

**解** $e = \dfrac{N_W}{N_F} = \dfrac{2}{40} = \dfrac{1}{20}$

$M_a = \dfrac{W}{F} = \dfrac{V_F}{V_W} = \dfrac{2\pi R N_F}{\pi D N_W} = \dfrac{2 \times 20}{20} \times 20 = 40$

$W = 60 \times 40 = 2400$(N)

---

**12.** 如圖所示為槓桿、輪系、複滑車所組合的機構，若不計摩擦損失，問(1)複滑車上之 $f$ 力的若干公斤？(2)吊起重物 W 為若干公斤？

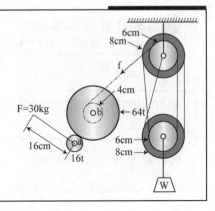

**解** 令 R=16cm，$D_b$=4cm，$T_a$=16t，$T_b$=64t

(1) $e = \dfrac{n_b}{n_a} = \dfrac{T_a}{T_b} = \dfrac{16}{64} = \dfrac{1}{4}$

依「功能原理」：

$F \times 2\pi R n_a = f \times \pi D_b n_b$

$\therefore f = \dfrac{2\pi R n_a}{\pi D_b n_b}$　$F = \dfrac{2 \times 16 \times 4 \times 30}{4} = 960\,(\text{kg})$

(2) $Ma = \dfrac{W}{f} = 4$

　　$\therefore W = Ma \cdot f = 4 \times 960 = 3840(kg)$

---

**13.** 兩個共面軸相交成 90° 之圓錐輪，已知主動輪之錐角為 60° 及轉速為 300rpm，兩軸迴轉方向相反，試求從動輪之(1)錐角(2)轉速，各為多少？

**解** 令 $\theta = 90°$，$\alpha = 30°$，$n_1 = 300$rpm

(1) $\beta = \theta - \alpha = 90° - 30° = 60°$

　　$\therefore 2\beta = 120°$

(2) $\because \tan\chi \dfrac{n_2}{n_1}$

　　$\therefore n_2 = n_1 \times \tan\chi = 300 \times \tan30° = 173.2$(rpm)

---

**14.** 一圓柱形摩擦輪之直徑為 50cm，轉速為 600rpm，接觸處之正壓力為 3000N，摩擦係數為 0.2，則其傳動功率為多少 kW？

**解** 由題目知，D=50cm=0.5m，N=600rpm，n=3000N，$\mu$=0.2

$kW = \dfrac{\mu n \pi DN}{1000 \times 60} = \dfrac{0.2 \times 3000 \times 3.14 \times 0.5 \times 600}{1000 \times 60} = 9.42$ (仟瓦)

---

**15.** 兩內切圓錐摩擦輪之中心夾角為 30°，若角速比為 0.366，則大輪的錐角為多少度？

**解** 令 $\theta$=30°，$\dfrac{n_1}{n_2}$ =0.366

$\tan\alpha = \dfrac{\sin\theta}{\cos - \dfrac{n_1}{n_2}} = \dfrac{\sin30°}{\cos30° - 0.366} = \dfrac{0.5}{0.866 - 0.366} = 1$

$\therefore \alpha = 45°$　$2\alpha = 90°$

---

**16.** 如圖所示，在 S 與 T 軸上，以 A、B 兩圓柱作滾動接觸傳動，C、E 為繫於二軸上互相滑動的圓柱，若 E 的表面速度為 C 的兩倍，求 C、E 之直徑為若干？

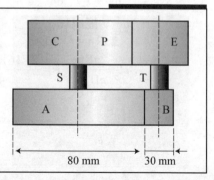

解 ∵ A、B 兩輪為滾動接觸

$$\therefore \frac{N_A}{N_B} = \frac{D_A}{D_B} = \frac{30}{80} = \frac{3}{8} \Rightarrow \frac{N_A}{N_B} = \frac{N_C}{N_E} = \frac{3}{8}$$

又 C、E 兩輪為滑動接觸，且 $V_E = 2V_C$

$$\therefore \pi D_E N_E = 2\pi D_C N_C \quad \frac{D_E}{D_C} = \frac{2N_C}{N_E} \Rightarrow D_E = \frac{3}{4} D_C$$

且 $D_C + D_E = 110mm$

代入得：$D_C + \frac{3}{4} D_C = 110mm \Rightarrow D_C = 62.86mm$

代入得：$D_E = \frac{3}{4} \times 62.86 = 47.14mm$

---

17. 如圖所示，A、B 為同一平面正交的兩軸，R 為一圓板，可藉一軛的裝置，沿 A、B 平面兩圓吻合。A 以 60rpm 旋轉時，問(1)B 輪最高轉速每分鐘多少次？(2)B 輪最低轉速每分鐘多少次？(3)如圖位置圓板旋轉 30°時，B輪每分鐘迴轉多少次？

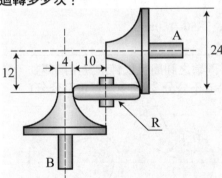

解 令 $n_A = 60rpm$

(1) $n_{Bmax} = \frac{R_{Amax}}{R_{Bmin}} n_A = \frac{12}{2} \times 60 = 360(rpm)$

(2) $n_{Bmin} = \frac{R_{Amin}}{R_{Bmax}} n_A = \frac{2}{12} \times 60 = 10(rpm)$

(3) $R_A = 12 - 10\sin 30° = 12 - 10 \times 0.5 = 7(cm)$

　　$R_B = 12 - 10\cos 30° = 12 - 10 \times 0.866 = 3.34(cm)$

　　$n_B = \frac{R_A}{R_B} n_A = \frac{7}{3.34} \times 60 = 125.75(rpm)$

18. 如圖所示，若 S 軸的角速度為 T 軸
　　的 3 倍，則滾子 R 之中心面位置距
　　T 軸之距離為若干？

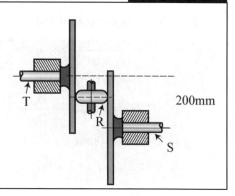

200mm

**解** 由題中知，$N_S=3N_T$

$\therefore \dfrac{N_S}{N_T}=\dfrac{3}{1}=\dfrac{R_T}{R_S} \Rightarrow R_T=3R_S$

又 $R_T+R_S=200mm$

代入 $3R_S+R_S=200mm$，

$\therefore R_S=50mm$

代入得 $R_T=3R_S=3\times50=150mm$

19. 如圖所示，2 與 4 兩輪之圓周弧以純滾動接觸傳動，求 α、β 及 ψ 各為幾
　　度？半徑 x、y 各為若干公分？(圖中之單位為公分)

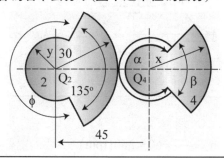

**解** $\phi=360°-135°=225°$

$2\pi\times15\times\dfrac{\alpha}{360}=2\pi\times30\times\dfrac{135}{360}$ ，$\therefore\alpha=270°$

$\beta=360°-\alpha=90°$

$2\pi x\times\dfrac{90}{360}=2\pi y\times\dfrac{225}{360}$

即 $y = 0.4x --- (1)$

$x + y = 45 --- (2)$

(1)代入(2)

$x = \dfrac{45}{1.4} = 32.14 (cm)$

上式代入(1)

$y = 12.86 (cm)$

20. 如圖所示轆轤（differential windlass）的兩個
圓柱直徑分別為 40 cm 及 25 cm，欲提昇 400
N 之物體 W，則所施加之扭矩為多少？
【普考】

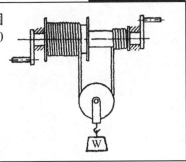

解　$\dfrac{W}{F} = \dfrac{4R}{D-d} \Rightarrow W = \dfrac{4T}{D-d} = \dfrac{4T}{40-25} \Rightarrow T = 1500 (N\text{-}cm)$

21. 試繪製一複滑輪起重滑車，並計算其機械利益。【普考】

解　數個單槽輪所組成的滑車，上面一個滑輪
是在固定輪架上迴轉，下面三個滑輪的左
側是在附重物的輪架上迴轉，同樣作自由

體分析，故 $15F = W$，$\dfrac{W}{F} = 15$，故機械利

益為 15。

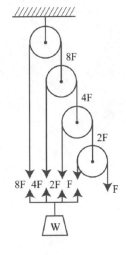

22. 圖中為一雙組滑車，若施力 F 為 150 公斤重，則可舉重物 W 多少公斤重？

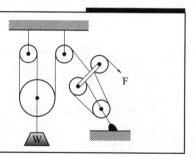

 $W = 12F = 12 \times 150 = 1800$

# 第七章 齒輪與輪系

◎ 依據出題頻率區分，屬：**A** 頻率高

## ▼7-1 齒輪之基本原理

### 一、齒輪的種類

#### (一) 傳遞平行軸間的運動：

| 1.正齒輪傳動 | 2.螺旋齒輪 |
|---|---|
| 齒腹平行於軸線的圓柱齒輪，所有的齒形不彎曲，並且各齒皆平行於軸線，主要是用於平行軸間迴轉運動的傳遞，兩軸旋轉方向可同向或反向。<br>**優點**：(1)承載能力和速度範圍大，外廓尺寸小。(2)傳動比恆定，傳動效率高。(3)無軸向推力。<br>**缺點**：(1)接觸比較小、振動噪音大。(2)齒根強度較弱。(3)齒數少時易發生過切。(4)運轉速度受到較大限制，不可高速運轉。 | 螺旋齒輪的各齒成螺旋狀，所以齒面切線和軸成一斜角，稱之為螺旋角，主要也是應用在平行軸間的運動傳遞，也可應用於交叉軸。<br>**優點**：(1)傳達動力大，其嚙合動作是漸近傳遞。(2)較平滑安靜，故噪音較小。<br>**缺點**：(1)製作困難，無互換性，須成對製造。(2)易生軸向推力。(3)軸承容易損壞，應採用人字形齒輪，或在產生軸向推力側加裝止推軸承以消除之。 |
| 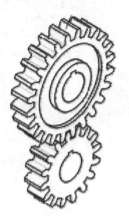 | 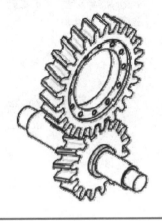 |

| 3.人字齒輪傳動 | 4.針齒輪 |
|---|---|
| 類似兩個具左、右方向相反螺旋角之螺旋正齒輪的組合體，傳動圓滑，噪音小，無軸向推力，可傳達較大荷重。 | 其中一個齒輪之輪齒係由圓針或銷所取代，一般都用於儀器上。 |
|  | 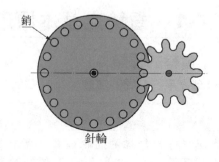　銷　針輪 |

## (二) 傳遞不平行軸間的運動：

| 斜齒輪 |
|---|
| 如果輸入、輸出軸不是互相平行（通常成 90 度角）時，運動的傳輸便要利用「斜齒輪（bevel gear）」。 |

| 1.直齒斜齒輪 | 2.冠狀齒輪 | 3.蝸線斜齒輪 |
|---|---|---|
| 其軸線相交成 90 為最常用者，亦可交成任意角度;若相交兩軸，齒輪之大小相等時，稱為斜方齒輪。 | 兩軸相交必大於 90，故可用於傳達二軸相交大於 90 以上之動力。 | 嚙合傳動時，主動小齒輪與環齒輪之中心線在同一平面上，適於高速及重負荷之傳動，常用於貨車的差速機構中。 |
| 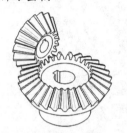 | 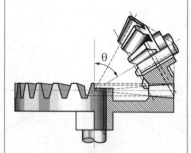 |  |

## (三) 連接不平行且不相交兩軸之齒輪：

| 種類 | 說明 |
|---|---|
| 雙曲面 | 齒輪（又稱歪斜齒輪）常用於紡織機械中。 |
| 戟齒輪 | 常用於汽車加速器之傳動機構中。 |
| 螺輪 | 輪齒與螺旋齒輪完全相同，嚙合之一對中，其螺旋腳步一定相等，旋相不一定相反，兩齒輪輪嚙合傳動時，接觸面成點接觸，易因磨損而造成晃動，故不適於傳動大的動力。 |
| 蝸桿與蝸輪 | 蝸輪與普通正齒輪不同之點，為其輪面呈向內彎曲之弧形，使與蝸桿嚙合時，有更大之接觸表面，蝸輪齒面與蝸桿中心之夾角約為 60°～90°。此外，蝸桿與蝸輪之速比，與節圓直徑無關，僅與蝸桿上的螺線數有關；若係單線蝸桿，則每轉一周，僅使蝸輪轉動一齒。 |

## 二、齒輪基本定律

(一) **齒輪之基本定律**：齒輪之傳動，需使兩齒輪之角速度維持一定之比值，否則即使在低速下，也會產生極嚴重之震動及衝擊問題，所以兩相嚙合齒輪的輪齒，在每一瞬間其齒輪之齒廓必須能使接觸點的公法線通過兩齒輪連心線上的固定點（節點），滿足齒輪之基本定律的齒廓稱為共軛齒廓（Conjugate Profile），常見的有擺線及漸開線，事實上漸開線最為常用，主要也是討論漸開線齒形。

## (二) 漸開線齒輪及擺線齒輪：

| | 漸開線齒輪 | 擺線齒輪 |
|---|---|---|
| 齒形定義 | 將圍繞於圓形圓周的一條弦線拉緊展開，則弦線端點的動路即為漸開線，弦線所圍繞之圓形圓周稱作基圓（Basic Circle）。 | 擺線齒形是用兩個演生圓（Generating circle）在齒輪的節圓曲線上滾動而得。<br>1. 正擺線：一圓在一直線上滾動所形成之軌跡，用於製造齒條齒面及齒腹之曲線。<br>2. 外擺線：將滾圓在另一節圓之外側滾動所形成之軌跡，用於製造擺線齒輪之齒面曲線。 |
| 干涉 | 兩相嚙合之漸開線齒輪，其輪齒之嚙合發生於基圓之內時，其輪齒之齒冠若超過作用線與基圓之切點時，必發生一方之齒面嵌入另一方之齒腹，亦即兩齒輪互相卡住之現象，此情形稱為干涉。 | 沒有干涉問題。 |
| 消除干涉現象的方法 | 1. 改用擺線齒輪。<br>2. 增大節圓直徑，增加齒數。<br>3. 增大壓力角，使作用線與基圓之切點往外移。<br>4. 修改齒腹或齒面（即挖空發生干涉之部位）。<br>5. 減低齒冠（即採短齒制），使齒頂圓與作用線之交點不要超過切點。 | 沒有干涉問題。 |

| 優點 | 1.齒根較擺線厚，故強度較大。<br>2.齒形由單一曲線所構成，成本低，製造較容易，一般用於傳達動力及振動或衝擊大的情形下。<br>3.兩軸中心距離可允許些微誤差，不影響速比。<br>4.只要周節、模數、徑節相等，即可傳動，互換性高。 | 1.齒輪嚙合傳動時，沒有干涉現象。<br>2.齒形由兩種曲線所構成，不易搖動，傳動緻密效率較好，一般用於精密儀錶上。<br>3.壓力角隨時改變，嚙合時由大而小，至節點為零，而後由小而大，傳動效率較高。<br>4.嚙合傳動時，接觸線為曲線，潤滑良好，磨損較小。 |
|---|---|---|
| 缺點 | 1.嚙合傳動時，接觸線為直線，潤滑不良，故磨損較大。<br>2.壓力角一定，故效率較小。<br>3.傳動時易生噪音。<br>4.有干涉問題的產生。 | 1.傳動之互換性差，滾圓直徑及周節要相等才可互換。<br>2.兩軸中心距離要絕對正確。<br>3.齒形之製造困難。<br>4.齒之強度較差。 |

# ▼7-2　正齒輪之傳動

## 一、正齒輪之基本定理（參考圖 7.1(a)(b)）

### (一) 正齒輪各部分之基本參數：

1. **作用線（壓力線）**：兩嚙合傳動齒輪，輪齒接觸點與節點的連線即為作用線，作用線必與兩嚙合齒輪之基圓相切。
2. **壓力角($\varphi$)**：為兩嚙合齒輪之作用線與過節點所作節圓切線所夾之角。
3. **節圓直徑**：圖中節圓之直徑 $D_C = 2R_C$，兩嚙合齒輪節圓相切點稱為節點，如圖 7.1(a)中 $R_C = \overline{O_1P}$ 或 $\overline{O_2P}$。
4. **基圓直徑**：以 $D_b$ 來表示，圖中節圓之直徑 $D_b = 2R_b$，其中 $R_b = \overline{O_1b_1}$ 或 $\overline{O_2b_2}$。

   $$D_b = D_C \cos\phi \Rightarrow R_b = R_C \cos\phi$$
5. **齒頂圓**：齒輪的最外圓，或稱齒冠圓(外徑)，以 $D_o$ 表示，其中節圓之直徑 $D_o = 2R_o$，其中 $R_o = \overline{O_1a_1}$ 或 $\overline{O_2a_2}$。
6. **齒冠**：齒頂面圓半徑與節圓半徑之差，或稱齒頂，以 $h_a$ 表示。

   齒冠：$h_a = Mk$　　全深齒　$k = 1$<br>　　　　　　　　　　短齒　$k = 0.8$

   齒冠圓直徑＝節圓直徑＋2×齒冠　$D_O = 2R_o = D_C + 2h_a$

7. **齒根圓**：包含各齒根部之圓，其直徑稱爲內徑，以 $D_i$ 表示。

8. **齒根**：齒輪節圓半徑與齒根圓半徑之差，以 $h_b$ 表示。

9. **齒厚**：沿節圓上的齒之左右兩側間弧長。

10. **齒面**：節圓至齒頂圓間的曲面。

11. **齒腹**：節圓至齒根圓間的曲面，又稱齒根面。

12. **齒面寬**：爲齒面或齒腹之寬度，又稱齒寬。

13. **背隙**：即一齒輪的齒間與其相嚙合齒輪的齒厚，間之空隙或稱齒隙，爲製造及安裝上之誤差。

14. **間隙**：齒輪之齒根圓與其相嚙合齒輪之齒頂圓間之徑向距離，或稱餘隙。

15. **工作深度**：兩嚙合齒輪齒冠之和，或爲兩倍的齒冠，亦等於全齒深減去間隙，以 $h_k$ 表示。

16. **全齒深**：齒冠與齒根之和，又稱齒高，以 h 表示。

## (二) 齒輪各部分之幾何運算：

1. **周節**：沿節圓上，自齒上之某一點至相鄰齒上同位置之弧長，以 $P_c$ 表示。

$$P_c = \frac{\pi D_C}{T} \quad (\text{$D_C$：節圓直徑、T：齒輪齒數})$$

2. **基節**：沿基圓上，自齒上之某一點至相鄰齒上同位置之弧長，以 $P_b$ 表示。

$$P_b = \frac{\pi D_b}{T} = \frac{\pi \times D_c \times \cos\phi}{T} = P_c \cos\phi \quad (\text{$D_b$：節圓直徑、T：齒輪齒數})$$

3. **模數**：用於表示公制齒輪之大小，爲節徑之 mm 數與齒數之比值，以 M 表示。

$$M = \frac{D_C}{T} \quad (\text{$D_C$：節圓直徑、T：齒輪齒數})$$

4. **徑節**：用於表示英制齒輪之大小，爲齒數與節徑之 in 數之比值，以 $P_d$ 表示。

$$P_d = \frac{T}{D_C} = \frac{1}{M} = \frac{\pi}{P_c} \quad (\text{$D_C$：節圓直徑、T：齒輪齒數、$P_c$：周節})$$

$$M = \frac{D_c}{T} = \frac{1}{P_d}(\text{in}) = \frac{25.4}{P_d}(\text{mm}) \text{模數與徑節因單位不同，不是互成倒數}$$

5. **中心距 C：**

(1)外切正齒輪：

$$C = \frac{D_{C1} + D_{C2}}{2} = \frac{M}{2}(T_1 + T_2)$$

(2)內接正齒輪：

$$C = \frac{D_{C1} - D_{C2}}{2} = \frac{M}{2}(T_1 - T_2)$$

6. **正齒輪傳動：**

$$\frac{N_1}{N_2} = \frac{D_{C2}}{D_{C1}} = \frac{T_2}{T_1}\ (\text{N：齒輪轉速、} D_C：節圓直徑、\text{T：齒輪齒數})$$

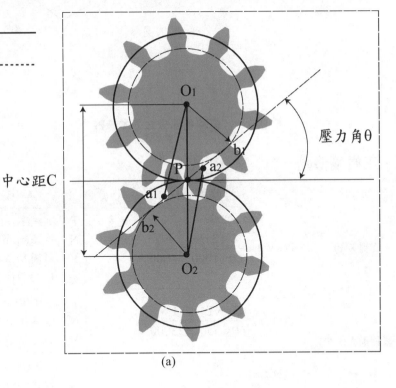

(a)

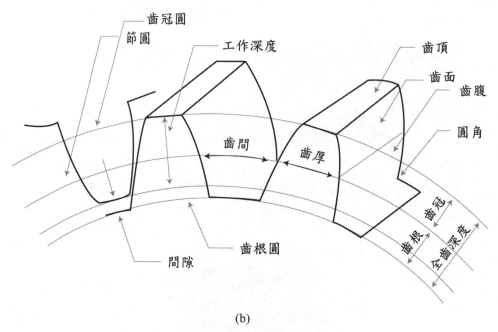

(b)

圖 7.1 齒輪各部分之基本參數

## 二、正齒輪傳動

| 功率 P | 應用公式 | 常用單位 |
|---|---|---|
| 公制(kW) | $P(kW) = \dfrac{T \times 2\pi N}{60 \times 1000} = \dfrac{F_t V}{1000}$ | T：扭矩(N-m)<br>N：轉速(rpm)<br>V：節圓切線速度(m/s)<br>$F_t$：切向力(N) |
| 英制馬力(HP) | $P(HP) = \dfrac{2\pi NT}{60 \times 550} = \dfrac{F_t V}{33000}$ | T：扭矩(lb-ft)<br>N：轉速(rpm)<br>V：節圓切線速度 |
|  | $P(HP) = \dfrac{T \times N}{63025}$ | T：扭矩(lb-in)<br>N：轉速(rpm) |
| 公制馬力(PS) | $P(PS) = \dfrac{2\pi NT}{60 \times 75}$ | T：扭矩(kg-m)<br>N：轉速(rpm) |
| 備註：1HP＝0.746kW、1PS＝0.736kW | | |

## 範例**7-1**

(1)一齒輪的節圓直徑為 100 mm，模數為 4，求該齒輪的周節與齒數。(2)兩齒輪的齒數分別為 18 齒與 40 齒，且其中心距為 232 mm，試求兩齒輪的節圓直徑、模數與周節。【普考】

**解** (1) 周節 $P_C = M\pi = 4\pi$

$\quad$ 齒數 $T = \dfrac{D}{M} = \dfrac{100}{4} = 25$ 齒

$\quad$ (2) 1. 兩輪外接：

$\quad\quad C = \dfrac{D_1 + D_2}{2} = \dfrac{m(18+40)}{2} \Rightarrow m = 8$

$\quad\quad D_1 = 8 \times 18 = 144$ (mm)

$\quad\quad D_2 = 8 \times 40 = 320$ (mm)

$\quad\quad$ 周節 $P_C = m\pi = 8\pi$

$\quad$ 2. 兩輪內接：

$\quad\quad C = \dfrac{D_2 + D_1}{2} \Rightarrow 232 = \dfrac{m(40-18)}{2} \Rightarrow m = 21.1$

$\quad\quad D_1 = 18 \times 21.1 = 379.63$ (mm)

$\quad\quad D_2 = 40 \times 21.1 = 843.6$ (mm)

$\quad\quad$ 周節 $P_C = 21.1\pi$

## 範例**7-2**

有一標準之全深齒齒輪，壓力角 20°，其齒數為 25，模數為 6，試求出其(1)齒冠高；(2)齒根高；(3)工作深度；(4)齒頂隙；(5)齒冠圓直徑；(6)齒根圓直徑；(7)節圓直徑；(8)基圓直徑。

**解** (1) $h_a = k \times m = 1 \times 6 = 6$mm

$\quad$ (2) $h_d = 1.25 \times m = 7.5$mm

$\quad$ (3) $h = 2 \times h_a = 2 \times 6 = 12$(mm)

$\quad$ (4) $h_c = h_d - h_a = 7.5 - 6 = 1.5$(mm)

$\quad$ (5) 節圓直徑 $D_c = m \times T = 6 \times 25 = 150$(mm)

$\quad\quad D_o = D + 2 \times h_a = 150 + 2 \times 6 = 162$(mm)

$\quad$ (6) $D_d = D_c - 2 \times h_d = 150 - 2 \times 7.5 = 135$(mm)

$\quad$ (7) $D_c = 150$(mm)

$\quad$ (8) $D_b = D_c \cos\phi = 150 \times \cos 20° = 140.95$(mm)

範例**7-3**

兩正齒輪外切嚙合，中心相距 600mm，若以小齒輪為原動，其齒數為 30，轉速比為 2：1，試求(1)大齒輪之節圓直徑；(2)大齒輪之齒數；(3)模數。

解 $C = \dfrac{D_小 + D_大}{2}$  $600 = \dfrac{D_小 + D_大}{2}$  $\therefore D_小 + D_大 = 1200 \cdots\cdots(1)$

$\dfrac{D_小}{D_大} = \dfrac{T_小}{T_大} = \dfrac{1}{2}$  $D_大 = 2D_小 \cdots\cdots(2)$

代入(1)  $D_小 = 400(mm)$  $D_大 = 800(mm)$

$\dfrac{T_小}{T_大} = \dfrac{1}{2} = \dfrac{30}{T_大}$  $\therefore T_大 = 60$

$\therefore \dfrac{D_大 + D_小}{2} = \dfrac{(T_大 + T_小)M}{2}$  $D_大 = T_大 \times M$

$800 = 60 \times M$  $\therefore M = 13.3(mm)$

範例**7-4**

有一對外嚙合之漸開線齒形全深正齒輪 A 與 B，其中心距為 180 mm，齒輪 A 與齒輪 B 的轉速比為 3：1，齒輪 A 的模數為 3，壓力角為 $20^o$，試求齒輪 A 的齒數、節圓直徑及基圓半徑。【104 普考】

解 $\dfrac{N_A}{N_B} = \dfrac{3}{1} = \dfrac{T_B}{T_A}$ —(1)

$\dfrac{1}{2}(3T_A + 3T_B) = 180$—(2)

由(1)(2) $T_A = 30(齒)$，$T_B = 90$ 齒

$D_A = 30 \times 3 = 90(mm)$

$D_b = 90 \times \cos 20° = 84.57(mm)$

$\gamma_b = 42.29(mm)$

# ▼7-3 螺旋齒輪

## 一、螺旋齒輪之基本定理

**(一)螺旋齒輪各部分之基本原理：** 在一般傳動機構中螺旋齒輪(helical gear)的應用比正齒輪更為廣泛，兩個螺旋齒輪咬合時，螺旋齒輪的齒與軸之夾角稱作螺旋角(helix angle)，齒的接觸是由一端逐漸擴散到全齒，可降低傳動噪音和齒的磨耗，但主要缺點是齒輪傳遞運動同時，會產生軸向的推力，導致齒輪的互相推斥而有脫離的可能，其各部位之基本原理如下所示。

1. 齒斜向由軸的左下方往右上方則稱之右螺旋齒輪，反之，則稱為左螺旋齒輪，右螺旋齒輪必須與左螺旋齒輪配合使用。

2. 接觸平緩而安靜，螺旋齒輪所能接受的動力負載較正齒輪小，但速度可較高。

3. 二軸彼此垂直稱之為交叉螺旋齒輪，則當兩螺旋齒輪的軸彼此平行時稱之為平行螺旋齒輪。

4. 小的螺旋角所產生的推力負載較小，但大螺旋角的運轉卻較平滑。螺旋角通常大到足以有重覆的齒在作用。

**(二)螺旋齒輪各部分之參數（參考圖 7.2）：** 垂直於螺旋齒輪軸線的平面稱為端面，與圓柱螺旋線垂直的平面稱為法面，在進行螺旋齒輪幾何尺寸計算時，應當注意端面參數與法面參數之間的關係。

1. 法面周節 $P_{cn}$ 取於和齒面垂直的平面上可得

$$P_{cn} = P_c \cos \alpha$$

2. 法向徑節 $P_{dn}$：亦即垂直齒平面上的徑節可得為

$$P_{dn} = \frac{P_d}{\cos \alpha}$$

3. 周節與徑節 $P_d$ 之間的關係為 $P_c P_d = \pi \Rightarrow P_{cn} P_{dn} = \pi$

由於 $P_c = \dfrac{\pi D_C}{T} \Rightarrow D_C = \dfrac{P_c T}{\pi} = \dfrac{T P_{cn}}{\pi \cos \alpha}$

可得 $D_C = \dfrac{T}{P_{dn} \cos \alpha}$

4. 又因 $P_c = M\pi$，故法面模數 $M_n$ 和端面模數 $M_t$ 之間的關係為

$$M_n = M_t \cos \alpha$$

5. 軸向節距：$P_a = \dfrac{P_c}{\tan\alpha} = \dfrac{P_{cn}/\cos\alpha}{\sin\alpha/\cos\alpha} = \dfrac{P_{cn}}{\sin\alpha}$

6. 平行軸螺旋齒輪傳動：
   (1) 嚙合傳動條件為螺旋角相等、節距相等、螺旋線的旋向相反（一為左旋一為右旋）
   (2) 螺旋齒輪速比：（N：轉速、T：齒數、D：直徑）

$$\dfrac{N_A}{N_B} = \dfrac{D_B}{D_A} = \dfrac{T_B}{T_A} \text{（與正齒輪相同）}$$

   (3) 中心距與正齒輪相同。

7. 交叉軸螺旋齒輪：
   (1) 嚙合傳動條件：常具有相同之旋向，為螺旋角之大小無限制。
   (2) 螺旋齒輪速比：（N：轉速、T：齒數、D：直徑、$\alpha$：螺旋角）

$$\dfrac{N_A}{N_B} = \dfrac{D_B\cos\alpha_B}{D_A\cos\alpha_A} = \dfrac{T_B}{T_A}$$

   (3) 中心距：

$$D_A = \dfrac{T_A P_c}{\pi} = \dfrac{P_{cn} T_A}{\pi\cos\alpha_A} = \dfrac{T_A}{P_{dn}\cos\alpha_A}$$

$$D_B = \dfrac{T_B P_c}{\pi} = \dfrac{P_{cn} T_B}{\pi\cos\alpha_B} = \dfrac{T_B}{P_{dn}\cos\alpha_B}$$

$$C = \dfrac{D_A + D_B}{2} = \dfrac{1}{2P_{dn}}\left[\dfrac{T_A}{\cos\alpha_A} + \dfrac{T_B}{\cos\alpha_B}\right] = \dfrac{P_{cn}}{2\pi}\left[\dfrac{T_A}{\cos\alpha_A} + \dfrac{T_B}{\cos\alpha_B}\right]$$

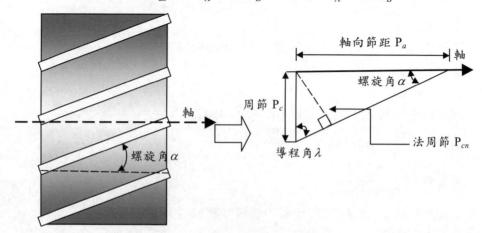

圖 7.2　螺旋齒輪各部分之參數

## 範例 **7-5**

一平行傳遞動力之螺旋齒輪，大齒輪齒數為 48 齒，小齒輪齒數為 30 齒，其螺旋角為 23°，在法平面上之模數為 3mm，以及壓力角為 20°，求出(1)在旋轉平面上的模數；(2)節圓直徑；(3)中心距；(4)在法平面上的周節；(5)在旋轉平面上的周節。

 (1) $m = \dfrac{m_n}{\cos\alpha} = \dfrac{3}{\cos 23°} = 3.259$  (mm)

(2) $D_{c1} = m \times T_1 = 3.259 \times 30 = 97.77$  (mm)

　　$D_{c2} = m \times T_2 = 3.259 \times 48 = 156.432$  (mm)

(3) $C = \dfrac{1}{2}(D_{c1} + D_{c2}) = 127.101$  (mm)

(4) $P_n = \pi m_n = \pi \times 3 = 9.425$  (mm)

(5) $P_c = \dfrac{P_{cn}}{\cos\alpha} = \dfrac{9.425}{0.9205} = 10.239$  (mm)

## 範例 **7-6**

某平行之螺旋齒輪組，以齒數為 17 齒之小齒輪驅動一齒數為 34 之大齒輪，小齒輪右手螺旋角為 30°，法壓力角為 20°，法徑節為 5 齒/in，試求：(1)法周節、橫向周節及軸節；(2)橫向徑節及橫向壓力角；(3)法基節；(4)每個齒輪的齒冠齒根及節圓直徑。

解

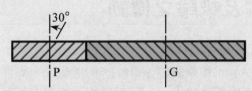

(1) $p_n = \pi/5 = 0.6283$  in

　　$p_t = p_n / \cos\psi = 0.6283 / \cos 30° = 0.7255$  in

　　$p_x = p_t / \tan\psi = 0.7255 / \tan 30° = 1.25$  in

(2) $P_t = P_n \cos \psi = 5 \cos 30° = 4.33$ teeth/in

$\phi_t = \tan^{-1}(\tan \phi_n / \cos \psi) = \tan^{-1}(\tan 20° / \cos 30°) = 22.8°$

(3) $p_{nb} = p_n \cos \phi_n = 0.6283 \cos 20° = 0.590$ in

(4) $a = 1/5 = 0.200$ in

$b = 1.25/5 = 0.250$ in

$d_P = \dfrac{17}{5 \cos 30°} = 3.926$ in

$d_G = \dfrac{34}{5 \cos 30°} = 7.852$ in

---

## 範例 **7-7**

兩個相嚙合之螺旋齒輪，法模數為 5mm，齒數各為 30 及 50 齒，螺旋角各為 20°及 30°，則中心距離為若干 mm？

**解** 螺旋角各為 20°及 30°可判斷為交叉軸之螺旋齒輪組

令 $M_n = 5$ mm，$T_1 = 30t$，$T_2 = 50t$，$\alpha = 20°$，$\beta = 30°$

$$C = \frac{M_n}{2}(\frac{T_1}{\cos \alpha} + \frac{T_2}{\cos \beta})$$

$$= \frac{5}{2}(\frac{30}{\cos 20°} + \frac{50}{\cos 20°}) = 224.16 \text{ (mm)}$$

---

# ▼7-4 蝸桿及蝸輪之傳動

## 一、蝸桿及蝸輪之基本原理

蝸齒輪組是由蝸桿(worm)和蝸齒輪(worm gear)所組成，蝸桿(worm)、蝸齒輪 (worm gear)在兩垂直軸間傳輸動力，運轉過程中摩擦力相當大且接觸面有滑動，故機械效率不高，但機械利益大，可以提供高減速比以及傳遞較高的扭力，蝸桿的齒成螺旋狀，蝸桿每轉動一圈，所前進的齒數稱之為蝸桿齒數，一般來說蝸桿齒數可為單螺線是 1 齒、雙螺線是 2 齒、四螺線是 4 齒，以此類推，因此與蝸齒輪配合時可以造成非常大的減速比。

## 二、蝸桿及蝸輪各部分之參數

(一) 蝸輪蝸桿機構，蝸桿必為主動輪，蝸輪必為從動輪，由蝸桿驅動蝸輪轉動。

(二) 為了防止磨耗，蝸桿要比蝸輪硬。

(三) 蝸輪之齒周節=蝸桿螺紋節距

(四) 速比＝$\dfrac{蝸輪齒數}{蝸桿線數(齒數)}$

(五) 蝸桿導程角 $\lambda_w$ ＝蝸輪螺紋角 $\alpha_G$、蝸輪導程角 $\lambda_G$ ＝蝸桿螺紋角 $\alpha_w$。

(六) 蝸桿軸向節距 $P_{aw}$ ＝蝸輪周節 $P_{cG}$

(七) 蝸桿螺紋線數：單螺線蝸桿旋轉一圈，蝸輪前進一個齒輪；雙螺線蝸桿旋轉一圈，蝸輪前進二個齒輪，以此類推，蝸桿螺紋線數以 $N_w$，來表示。

(八) 導程 L：蝸桿旋轉一圈所前進的軸向距離稱為導程 $L = N_w \times P_{aw}$

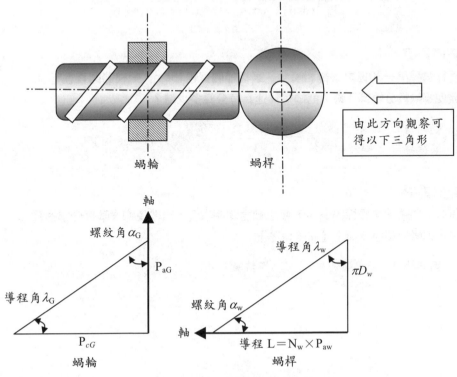

圖 7.3　蝸桿蝸輪的基本參數

觀念說明

1. 讀者須熟記螺旋齒輪、蝸桿蝸輪基本參數之三角形定義(圖 7.2 及圖 7.3)，於解考題時有很大的幫助。

2. 若題目出現螺旋角或導程角，可視為交叉軸之螺旋齒輪組

   (1) 嚙合傳動條件：常具有相同之旋向，為螺旋角之大小無限制。

   (2) 螺旋齒輪速比：(N：轉速、T：齒數、D：直徑、α：螺旋角)

   $$\frac{N_A}{N_B} = \frac{D_B \cos\alpha_B}{D_A \cos\alpha_A} = \frac{T_B}{T_A}$$

   (3) 中心距：

   $$D_A = \frac{T_A P_c}{\pi} = \frac{T_A}{\pi\cos\alpha_A} = \frac{T_A}{P_{dn}\cos\alpha_A}$$

   $$D_B = \frac{T_B P_c}{\pi} = \frac{T_B}{\pi\cos\alpha_B} = \frac{T_B}{P_{dn}\cos\alpha_B}$$

   $$C = \frac{D_A + D_B}{2} = \frac{1}{2P_{dn}}\left[\frac{T_A}{\cos\alpha_A} + \frac{T_B}{\cos\alpha_B}\right] = \frac{P_{cn}}{2\pi}\left[\frac{T_A}{\cos\alpha_A} + \frac{T_B}{\cos\alpha_B}\right]$$

範例 **7-8**

雙線蝸桿與一30齒之蝸輪相嚙合，蝸桿節圓直徑10cm，蝸輪節圓直徑60cm，欲使蝸輪每分鐘轉3轉，則蝸桿轉速為每分鐘多少轉？

**解** $\dfrac{蝸桿轉數}{蝸輪轉數} = \dfrac{蝸輪齒數}{蝸桿螺線數} \Rightarrow \dfrac{蝸桿轉數}{3} = \dfrac{30}{2}$，蝸桿轉數＝45rpm

範例 **7-9**

設有一雙螺線之蝸桿與一 40 齒之蝸齒輪相嚙合，若欲使蝸齒輪每分鐘迴轉 2 次，則蝸桿轉速為何？【關務四等】

**解** $\dfrac{蝸桿轉數}{蝸輪轉數} = \dfrac{蝸輪齒數}{蝸桿螺線數} \Rightarrow \dfrac{蝸桿轉數}{2} = \dfrac{40}{2}$，蝸桿轉數＝40rpm

# ▼7-5 斜齒輪之傳動

## 一、斜齒輪之基本原理

正齒輪和螺旋齒輪主要還靠著平行軸之間的運動而傳輸動力，如果輸入、輸出軸不是互相平行時，運動的傳輸便要利用「斜齒輪(bevel gear)」，斜齒輪的外型常成傘狀，故也有稱之為傘齒輪。兩個斜齒輪要能互相咬合，除了齒的模數、壓力角必須一致外，兩斜齒輪圓錐必須有一共同頂點，各有一圓錐角（半頂角）α、β (cone angle)，可分為內接齒輪與外接齒輪，如圖7.4(a)(b)所示。斜齒輪優點：(a)齒型變化多，可有直齒及蝸線齒斜齒輪；(b)蝸線齒斜齒輪接觸比高，運轉平滑安靜，可做精確調整，過切現象少。

斜齒輪缺點：(a)製造不易；(b)對直齒斜齒輪，齒數少時易發生過切；(c)有軸向推力的存在；(d)裝配時需精準，距離過小時會干涉，距離過大時易產生噪音及運轉不精確。

## 二、斜齒輪各部分之參數

**(一)斜齒輪速比：**（N：轉速、T：齒數、D：直徑、R：半徑）

$$\frac{N_A}{N_B} = \frac{D_B}{D_A} = \frac{R_B}{R_A} = \frac{T_B}{T_A} = \frac{\sin\beta}{\sin\alpha}$$

1. **外接斜齒輪：**（參考圖 7.4(a)）

$$\theta = \alpha + \beta \Rightarrow \frac{N_B}{N_A} = \frac{\sin\alpha}{\sin\beta} = \frac{\sin\alpha}{\sin(\theta-\alpha)} = \frac{\sin\alpha}{\sin\theta\cos\alpha - \cos\theta\sin\alpha}$$

分子分母同除以 $\cos\alpha \Rightarrow \tan\alpha = \dfrac{\dfrac{N_B}{N_A}\sin\theta}{1+\dfrac{N_B}{N_A}\cos\theta}$

分子分母同除以 $\dfrac{N_B}{N_A} \Rightarrow \tan\alpha = \dfrac{\sin\theta}{\dfrac{N_A}{N_B}+\cos\theta}$    $\alpha = \tan^{-1}(\dfrac{\sin\theta}{\dfrac{N_A}{N_B}+\cos\theta})$

同理 $\tan\beta = \dfrac{\sin\theta}{\dfrac{N_B}{N_A}+\cos\theta}$

2. **內接斜齒輪：**（參考圖 7.4(b)）

$$\theta = \alpha - \beta \Rightarrow \frac{N_B}{N_A} = \frac{\sin\alpha}{\sin\beta} = \frac{\sin\alpha}{\sin(\alpha-\theta)} = \frac{\sin\alpha}{\sin\alpha\cos\theta - \cos\alpha\sin\theta}$$

分子分母同除以 $\cos\alpha \Rightarrow \tan\alpha = \dfrac{N_B\sin\theta}{N_B\cos\theta - N_A} \Rightarrow \tan\alpha = \dfrac{\sin\theta}{\cos\theta - \dfrac{N_A}{N_B}}$

同理 $\tan\beta = \dfrac{\sin\theta}{\dfrac{N_B}{N_A} - \cos\theta} \Rightarrow \beta = \tan^{-1}\left(\dfrac{\sin\theta}{\dfrac{N_B}{N_A} - \cos\theta}\right)$

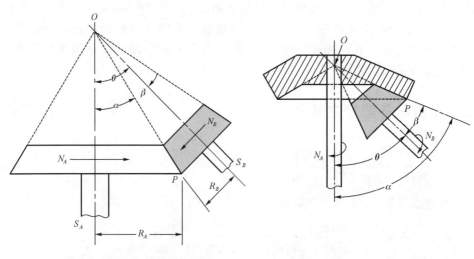

圖 7.4(a)　外接斜齒輪　　　　圖 7.4(b)　內接斜齒輪

**範例 7-10**

一對相嚙合之斜齒輪 A、B，轉速比為 $\sqrt{2}$：1，已知 A 輪之節錐角為 30°，則其軸交角為？

**解** $\dfrac{N_B}{N_A} = \dfrac{\sin\alpha}{\sin\beta} \Rightarrow \dfrac{1}{\sqrt{2}} = \dfrac{\sin 30°}{\sin\beta} = \dfrac{\dfrac{1}{2}}{\sin\beta}$

$\sin\beta = \dfrac{\sqrt{2}}{2} \Rightarrow \beta = 45°$，$\theta = 30° + 45° = 75°$

# ▼7-6　齒輪輪系

## 一、普通輪系（定軸輪系）

各軸均繞其固定軸心迴轉者，稱之為普通輪系，其中輪系值 e 為末輪速度與首輪速度之比，其意義為：(1)|e| ＞ 1 為增速；(2)|e| ＜ 1 為減速；(3)|e| ＝ 1 為轉數不變。最簡單的定軸輪系是由一對齒輪所組成的，稱之為單式齒輪，一輪軸上有兩個以上同動輪者謂之複式齒輪，其計算輪系值如下所示：

(1) 單式輪系之輪系值　$e = \dfrac{\text{末輪轉速}}{\text{首輪轉速}} = \dfrac{\text{首輪齒數(節徑)}}{\text{末輪齒數(節徑)}}$

(2) 複式輪系之輪系值　$e = \dfrac{\text{末輪轉速}}{\text{首輪轉速}}$

$\qquad\qquad = \dfrac{\text{各主動輪齒數(節徑)之連乘積}}{\text{各從動輪齒數(節徑)之連乘積}}$

$\qquad\qquad = \dfrac{\text{各主動輪齒數與帶輪直徑之連乘積}}{\text{各從動輪齒數與帶輪直徑之連乘積}}$

對於外嚙合齒輪傳動，兩輪轉向相反，上式取「—」號；對內嚙合齒輪傳動，兩輪轉向相同，上式取「＋」號。

| 輪系圖 | 計算方式 |
|---|---|
| | $e_{A \to D} = \dfrac{N_D}{N_A} = (-\dfrac{T_A}{T_B}) \times (-\dfrac{T_B}{T_C}) \times (-\dfrac{T_C}{T_D})$ |
| | $e_{A \to D} = \dfrac{N_D}{N_A} = (-\dfrac{T_A}{T_B}) \times (-\dfrac{T_C}{T_D})$ |

## 二、回歸齒輪系

在複式輪系中，首輪與末輪在同一軸線上旋轉者，只要模數相同，則互相嚙合之兩對齒數和必相等，主要用於減速機構之場合。

| 輪系圖 | 計算方式 |
|---|---|
| | 中心距離 $M(T_A + T_B) = M(T_C + T_D)$<br>若齒輪模數相同則 $T_A + T_B = T_C + T_D$<br>$$e = \frac{N_A}{N_D} = \frac{T_A \cdot T_C}{T_B \cdot T_D}$$ |

## 三、周轉齒輪系

在一輪系中，有一輪或數輪係繞固定之軸迴轉，其餘各輪復繞本身亦有迴轉運動之軸而迴轉，則此輪系稱為周轉輪系或行星輪系，根據相對運動原理，假想對整個行星齒輪加上一個繞主軸線轉動的臂速度，各構件的相對運動關係並不改變，但此時臂的角速度變為零時，即相對靜止不動，而齒輪組則成為繞定軸轉動的齒輪，於是可將原行星齒輪系轉化為假想的定軸齒輪系，其輪系值如下所示：

$$周轉輪系之輪系值 e = \frac{末輪之絕對轉速 - 輪系臂之轉速}{首輪之絕對轉速 - 輪系臂之轉速}$$

| 輪系圖 | 計算方式 |
|---|---|
| | $$e_{A \to C} = \frac{N_C - N_m}{N_A - N_m} S = \left(-\frac{T_A}{T_B}\right) \times \left(-\frac{T_B}{T_C}\right)$$ |
| | $$e_{A \to D} = \frac{N_D - N_m}{N_A - N_m} = \left(-\frac{T_A}{T_B}\right) \times \left(-\frac{T_B}{T_C}\right) \times \left(\frac{T_C}{T_D}\right)$$ |

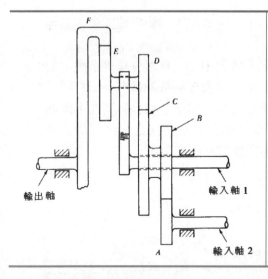

若遇到雙輸入問題時

(1) 先固定輸入軸 1

$$e_{A \to F} = \frac{N_{輸出1} - N_m}{N_A - N_m} = (-\frac{T_A}{T_B}) \times (-\frac{T_C}{T_D}) \times (\frac{T_E}{T_F})$$

(2) 固定輸入軸 2

$$e_{B \to F} = \frac{N_{輸出2} - N_m}{N_B - N_m} = (-\frac{T_C}{T_D}) \times (\frac{T_E}{T_F})$$

(3) 利用疊加原理

　　輸出轉速 $N = N_{輸出1} + N_{輸出2}$

## 四、汽車之差速輪系

(一) 具二個自由度的行星傘齒輪系，可用來產生差動傳動，常應用於車輛的差動器與機械式的計算器中，如圖 7.5 差動器的速比如下：

$$\frac{\omega_4 - \omega_5}{\omega_2 - \omega_5} = -(\frac{T_2}{T_3})(\frac{T_3}{T_4}) = -1 \Rightarrow \omega_5 = \frac{1}{2}(\omega_2 + \omega_4)$$

(二) 行星架 5 的轉速等於傘齒輪 2 與齒輪 4 轉速的代數平均值。當齒輪 2 與齒輪 4 的轉向相同且大小相等時，可得 $\omega_5 = \omega_2 = \omega_4$。再者，當齒輪 2 與齒輪 4 的轉速相同但轉向相反時，$\omega_2 = -\omega_4$、$\omega_5 = 0$。

(三) 汽車直線行走時，左右兩輪的轉速自動相同；右轉彎時，左車輪的轉速自動增加；左轉彎時，右車輪的轉速自動增加。

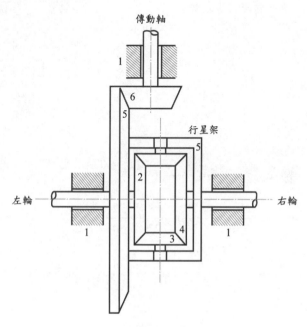

圖 7.5　汽車差動傳動機構

(四)差速器將一個動力轉成兩個動力輸出，差速器的兩個輸出速度會與車輛
　　轉彎弧度成比例變化。

(五)若遇天雨路滑或雪地停車時，地面阻力變化不定，雖然車輪仍按照地面
　　阻力自動調整轉速，車身即因此變化不定，當車輛驅動輪有一輪打滑，
　　或因劇烈操駕導致車輛轉彎時因為離心力有一邊或一個輪胎舉起，離開
　　地面，因為差速器的等扭矩作用，全部的動力會傳送到那個打滑的輪
　　子，使其他車輪失去動力，致使轉向無從控制而易生事故。

(六)若是四輪驅動車輛需要多組差速器。

### 範例 *7-11*

如圖所示為汽車齒輪箱之齒輪
系，其中引擎之主軸與齒輪箱
之輸入軸聯結，若齒輪 A 的軸
轉速為 1750 rpm，*N* 表示各
對應正齒輪之齒數（如齒輪 A
之齒輪數為 *NA* 為 20），請求
取輸出軸（軸 4）之轉數及方
向。【原住民特考四等機設、
專利特考三等機設】

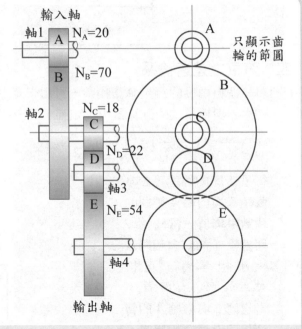

**解** $e_{A \to E} = \dfrac{N_E}{N_A} = (-\dfrac{T_A}{T_B})(-\dfrac{T_C}{T_D})(-\dfrac{T_D}{T_E})$

$\Rightarrow \dfrac{N_E}{1750} = (-\dfrac{20}{70})(-\dfrac{18}{22})(-\dfrac{22}{54})$

$N_E = -166.67 \ (rpm)$

## 範例 *7-12*

如圖所示之行星齒輪系中太陽齒輪、行星齒輪及環齒輪的齒數分別為 20、30 及 80，若環齒輪為固定不動，太陽齒輪以 100 rpm 的轉速順時針方向轉動，試計算行星臂之轉速及轉動方向。

【普考機設】

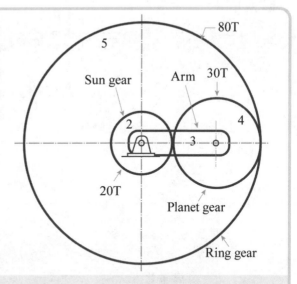

**解** $e_{2 \to 5} = \dfrac{N_5 - N_m}{N_2 - N_m} = (-\dfrac{T_2}{T_4}) \times (\dfrac{T_4}{T_5})$

$\Rightarrow \dfrac{0 - N_m}{100 - N_m} = (-\dfrac{20}{30}) \times (\dfrac{30}{80})$

$\Rightarrow N_m = 20$ (rpm) 順時針

## 範例 *7-13*

如圖之行星齒輪系若 A 齒輪接於主動件上，C 齒輪為固定不動一內齒輪，臂與從動軸連成一體，當主動軸順時針轉 80rpm 則求出齒輪 B 之轉速及方向

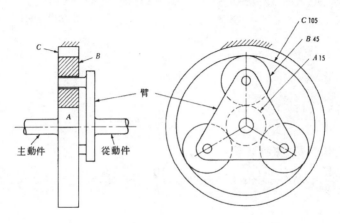

**解** (1)方法一（公式法）：

$$e_{A \to C} = \frac{N_C - N_m}{N_A - N_m} = (\frac{-T_A}{T_B})(\frac{T_B}{T_C}) \Rightarrow \frac{0 - N_m}{80 - N_m} = (-\frac{15}{45}) \times (\frac{15}{105})$$

$$N_m = 10 \text{ (rpm)}$$

$$e_{A \to B} = \frac{N_B - N_m}{N_A - N_m} = (\frac{-T_A}{T_B}) \Rightarrow \frac{N_B - 10}{80 - 10} = (-\frac{15}{45})$$

$$N_B = -13.33 \text{ (rpm)} \quad 逆時針$$

(2)方法二（表列法）：

| 元 件 | 臂 | A | B | C |
|---|---|---|---|---|
| 輪系固定臂正轉一圈 | +1 | +1 | +1 | +1 |
| 臂固定 C 負轉一圈 | 0 | $\frac{105}{45} \times \frac{45}{45}$ | $-\frac{105}{45}$ | −1 |
| 總圈數 | +1 | +8 | $-\frac{11}{3}$ | 0 |

當 A＝80 rpm，則 B 為 $\frac{80}{8} \times (-1\frac{1}{3}) = -13.33$ rpm

## 範例 **7-14**

如圖所示之起重機輪系，齒輪之齒數均已標示，若 W 為 16000 牛頓之重物，曲柄 R 之長為 15 公分，D 輪直徑為 10 公分。設機械效率為 50%，則欲吊起重物所需之力 F 為若干？

【關務四等】

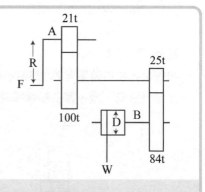

**解** 輪系值

$$e = \frac{21 \cdot 25}{100 \cdot 84} = \frac{1}{16} = \frac{N_C}{N_A}$$

輸出功＝輸入功×機械效率 η

$$F \times 2\pi R \cdot \frac{1}{e} \cdot \eta = W \times \pi D \Rightarrow F = 16000 \times \frac{10}{240} = 666.67N$$

**範例 *7-15***

如圖所示者為一種回歸齒輪系，若四個齒輪的模數均相同，試求這四個齒輪的適當齒數以使齒輪系的減速比為 13。

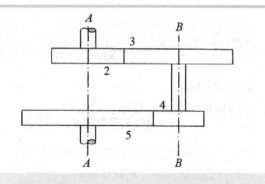

**解** (1) 方法一

根據題述的條件可知，四個齒輪的齒數比必須為：

$$\frac{T_2}{T_3} \times \frac{T_4}{T_5} = \frac{1}{13}$$

由於回歸齒輪系為二段減速，所以可將其減速比嘗試分配為：

$$\frac{T_2}{T_3} \times \frac{T_4}{T_5} = \frac{1}{4} \times \frac{4}{13}$$

因為齒輪的齒數不可以太小，所以上列式子可改寫為：

$$\frac{T_2}{T_3} \times \frac{T_4}{T_5} = \frac{1x}{4x} \times \frac{4y}{13y}$$

其中，x 和 y 必須為正整數。由於兩個軸心距必須相同，因此可得：
$$m_2(T_2 + T_3) = m_4(T_4 + T_5)$$
由於四個齒輪的模數均相同，所以：$T_2 + T_3 = T_4 + T_5$，$5x = 17y$

上列式子最簡單的解為 x＝17、y＝5；因此，可得四個齒輪的齒數分別為：
$T_2 = 17$，$T_3 = 68$，$T_4 = 20$，$T_5 = 65$

(2) 方法二(另解)

若將其減速比改分配為：

$$\frac{T_2}{T_3} \times \frac{T_4}{T_5} = \frac{1}{3.5} \times \frac{3.5}{13} = \frac{2}{7} \times \frac{7}{26} = \frac{2x}{7x} \times \frac{7y}{26y}$$

其中，x 和 y 必須為正整數。由於兩個軸心距必須相同，因此可得：
$T_2 + T_3 = T_4 + T_5$，$9x = 33y$

因為 9 和 33 的最小公倍數為 99，所以上列式子最簡單的解為 x＝11、y＝3；因此，可得四個齒輪的齒數分別為：
$T_2 = 22$，$T_3 = 77$，$T_4 = 21$，$T_5 = 78$

**觀念說明**

上列兩組解均可滿足題述減速比為 13 的條件，但是兩組解之嚙合齒對的齒數和($T_2 + T_3$)不同，因此其對應的軸心距也會隨之變動。

**範例 7-16**

圖中標示汽車差速器中各齒輪數分別為 $N_2=17$、$N_3=54$、$N_4=11$、$N_5=N_6=16$，驅動軸 2 以 1200rpm 旋轉試求(1)若汽車直線行駛的路面良好，則輪子轉速為若干？(2)假設架空右輪，而左輪壓在路面上，則右輪的轉速為若干？

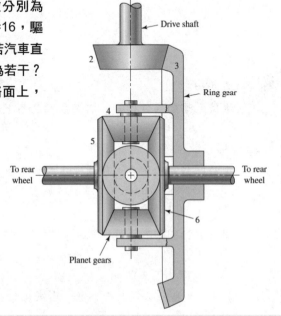

**解** (1) $n_A = n_3 = 1200(17/54) = 377.8 \text{rev/min}$

(2) $n_F = n_5 = 0$ , $n_L = n_6$ , $e = -1$

$$-1 = \frac{n_6 - 377.8}{0 - 377.8}$$

$$377.8 = n_6 - 377.8$$

$$n_6 = 755.6 \text{rev/min}$$

**範例 7-17**

如圖所示之行星齒輪系，環齒輪 4 被固定，以太陽齒輪 3 為輸入件，行星臂 5 為輸出件，我們想要使太陽齒輪 3 與行星臂 5 的轉速比值為 5，且轉向相同。已知太陽齒輪 3 的齒數為 30 齒，試求行星齒輪 2 與環齒輪 4 的齒數。【鐵四】

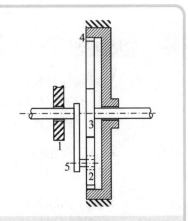

**解** $\dfrac{0 - N_m}{5N_m - N_m} = -\dfrac{30 \times T_2}{T_2 \times T_4}$

$-\dfrac{1}{4} = -\dfrac{30}{T_4}$ ，得 $T_4 = 120$ 齒

由傳動圖中幾何關係，設 m 為模數

$\dfrac{D_3}{2} + D_2 = \dfrac{D_4}{2} \Rightarrow m(\dfrac{T_3}{2} + T_2) = m(\dfrac{T_4}{2}) \Rightarrow \dfrac{30}{2} + T_2 = \dfrac{120}{2} \Rightarrow T_2 = 45$ ，得 $T_2 = 45$ 齒

## ◀精選試題▶

### 一、選擇題型

( )　**1** 以齒輪轉動時，關於齒輪轉速比之敘述，何者正確？　(A)轉速比與節徑比成反比　(B)轉速比與徑節比成反比　(C)轉速比與周節比成反比　(D)轉速比與模數比成反比。【普考】

( )　**2** 一對互相嚙合的斜齒輪，若齒數皆為 25 齒，則其節圓錐角皆為 (A)90°　(B)60°　(C)45°　(D)30°。

( )　**3** 同一節圓直徑與齒數之漸開線正齒輪，其輪齒採傾斜角 14.5°與採株狀齒兩相比較何者正確　(A)株狀齒磨損較快　(B)株狀齒齒根部厚度較大　(C)正齒輪強度較大　(D)正齒輪齒高較小。

( )　**4** 一漸開線齒輪節徑為 50 (mm)，壓力角為 20°，則基圓直徑為多少(mm)？　(A)50 sin (20°)　(B)50 tan (20°)　(C)50 cos (20°)　(D)50 sec (20°)。【普考】

( )　**5** 兩外銜接之正齒輪，其齒數分別為 24 與 120，其模數(M)為 4 mm/齒，則其中心距離為：　(A)144 mm　(B)288 mm　(C)500 mm　(D)576 mm。【普考】

( )　**6** 有關齒輪的敘述，下列何者錯誤？　(A)接觸點有相對運動發生　(B)徑節 5 之齒形比模數 5 之齒形大　(C)短齒制之齒頂高為全齒深之 80%　(D)人字齒輪無軸向推力發生。

( )　**7** 兩外接正齒輪，下列敘述何者正確？　(A)應用於兩軸不平行　(B)兩相接合之正齒輪中，產生滾動接觸的點稱為接觸點　(C)轉速比與齒數比成正比　(D)節圓直徑與齒數比成反比。

( )　**8** 下列有關正齒輪之敘述中，何者為不正確？　(A)一對嚙合之齒輪即使模數不同，也不會發生干涉情形　(B)公制齒輪中，以模數表示齒的大小　(C)齒腹為輪齒介於節圓與齒根圓間之曲面　(D)漸開線齒輪之壓力角為固定。

（　）　**9** 將齒輪、帶輪、鏈輪等機件與軸作緊固結合在一起，傳遞較大動力且需經常拆卸時，以下列何者作結合最適當？　(A)鍵（Key）　(B)定位螺釘（Set screw）　(C)收縮配合（Shrink fit）　(D)銷（Pin）。【中油】

（　）　**10** 兩軸互成直角但不平行且不相交的齒輪傳動組合，具有很高的速比，試問是下列哪一種組合？　(A)正齒輪　(B)斜齒輪　(C)人字齒輪　(D)蝸桿與蝸輪。【中油】

（　）　**11** 下列何者用以表示公制輪齒之大小？　(A)節圓直徑　(B)外徑　(C)模數　(D)壓力角。【中油】

（　）　**12** 兩外接正齒輪之齒數分別爲 60 及 80 齒，中心距離 280mm，則其模數爲：　(A)2　(B)3　(C)4　(D)5。【中油】

（　）　**13** A、B、C 及 D 四個齒輪組成一個單式輪系，齒數分別爲 30、60、80 及 120 齒。若 A 輪爲主動輪，D 輪爲最終從動輪。則其輪系值爲：　(A)$\frac{1}{2}$　(B)$\frac{1}{3}$　(C)$\frac{1}{4}$　(D)$\frac{1}{5}$。【中油】

（　）　**14** 兩個齒輪若要做正確的嚙合傳動時，則下列哪一個數值必須要相等？　(A)節圓直徑（Pitch circle diameter）　(B)齒數　(C)周節（circular pitch）　(D)齒輪軸向的厚度。【中油】

（　）　**15** 一對嚙合正齒輪中，其中一齒輪的齒厚(tooth thickness)與另外一齒輪的齒間(tooth space)相差之量稱爲：　(A)齒隙(clearance)　(B)背隙(backlash)　(C)齒寬(face width)　(D)齒冠(addendum)。【普考】

（　）　**16** 下列有關齒輪之敘述，何者錯誤？　(A)齒深等於齒冠加齒根　(B)齒深等於工作深度加間隙　(C)齒腹爲輪齒介於節圓與齒頂圓間之曲面　(D)背隙又可稱爲齒隙。

（　）　**17** 兩嚙合外齒輪之齒數分別爲 30 與 60，模數爲 3，則兩齒輪之中心距離爲　(A)15 ㎜　(B)30 ㎜　(C)135 ㎜　(D)270 ㎜。

( ) **18** 兩齒輪傳動系統中，若增加惰輪時，其主要目的為： (A)增加傳動力 (B)減少傳動力 (C)改變原齒輪組之尺寸 (D)改變原齒輪組動力輸出之轉動方向。【普考】

( ) **19** 一對嚙合正齒輪之模數為 2mm，齒數分別為 17 齒與 28 齒，則其中心距為多少 mm？ (A)11.25 (B)22.5 (C)45 (D)90。【普考】

( ) **20** 已知一公制標準正齒輪之節圓直徑為 60 mm，壓力角 20 度，齒數 30 齒，則其周節為多少 mm？ (A)$\pi$ (B)1.5 $\pi$ (C)2 $\pi$ (D)2.5 $\pi$。

( ) **21** 有一根三線蝸桿與一 60 齒之蝸輪相嚙合，已知蝸桿之轉速為 180 rpm，則蝸輪之轉速為多少 rpm？ (A)3 (B)9 (C)60 (D)120。

( ) **22** 平行軸間的傳動，可使用何種齒輪？ (A)正齒輪 (B)傘齒輪 (C)戟齒輪 (D)蝸桿與蝸輪。【普考】

( ) **23** 由於汽車在彎路中行駛，其左右兩輪的轉速不同，故傳動時應採用： (A)回歸齒輪系 (B)變速裝置 (C)複式輪系 (D)斜齒輪差速裝置。【普考】

( ) **24** 小齒輪與齒條之嚙合傳動組合，當小齒輪轉 1/2 圈時，齒條移動了 15.7 公分，若小齒輪之齒數為 50 齒，則小齒輪之模數為： (A)0.5 (B)1.0 (C)2.0 (D)4.0。【普考】

( ) **25** 以內外齒輪組成之餘擺齒輪泵，其內齒輪之齒數比外齒輪齒數多一齒之目的為： (A)增加摩擦力 (B)防止齒隙加大 (C)有制動作用 (D)可產生極小之相對速度以利送出液體。【普考】

( ) **26** 模數為 2，齒數為 26，則齒之節圓直徑為： (A)13 mm (B)26 mm (C)52 mm (D)6.28 mm。【普考】

( ) **27** 兩互相嚙合之正齒輪其何者必須相等？ (A)節圓 (B)齒數 (C)作用角 (D)模數。【普考】

( ) **28** 依其常用程度，常用齒輪的齒形依序為： (A)擺線、漸開線、圓弧形 (B)漸開線、擺線、圓弧形 (C)漸開線、擺線、橢圓形 (D)擺線、圓弧形、漸開線。

( ) **29** 斜齒輪之節圓直徑指 (A)齒之大端與小端節徑之平均值 (B)齒之小端部節徑 (C)齒之大端部節徑 (D)連心距離。

( ) **30** 一漸開線齒輪節徑為 50 (mm)，壓力角為 20°，則基圓直徑為多少(mm)？ (A)50 sin (20°) (B)50 tan (20°) (C)50 cos (20°) (D)50 sec (20°)。【普考】

( ) **31** 一模數為 2 (mm)的正齒輪對，大齒輪齒數為 40，小齒輪齒數為 20，則此齒輪對的標準中心距為： (A)60 (mm) (B)80 (mm) (C)100 (mm) (D)120 (mm)。【普考】

( ) **32** 兩互相嚙合的外接正齒輪，模數為 2 mm，其轉速比為 3：1，兩軸中心距離為 100 mm，則兩齒輪的齒數相差多少？ (A)25 齒 (B)50 齒 (C)75 齒 (D)100 齒。

( ) **33** 斜齒輪中，其中一輪之頂角為 180°，則稱為 (A)斜方齒輪 (B)冠狀齒輪 (C)螺旋斜齒輪 (D)戟齒輪。

( ) **34** 若兩斜齒輪軸線成 90°相交，且大小相等，則稱為 (A)斜方齒輪 (B)蝸線斜齒輪 (C)雙曲線齒輪 (D)冠狀齒輪。

( ) **35** 下列哪一種齒輪適合傳動不平行且不相交之兩軸？ (A)螺輪 (B)冠狀齒輪 (C)人字齒輪 (D)齒條與小齒輪。

( ) **36** 某齒輪系之各齒輪齒數如圖，若輸入端轉速為 1200 (rpm)，則輸出端轉速為何？ (A)960 (rpm) (B)1200 (rpm) (C)1440 (rpm) (D)1800 (rpm)。【普考】

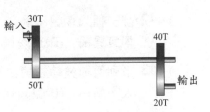

（　）**37** 如圖所示齒輪 A 與 B 分別具有 60
與 40 齒，若 A 逆時針轉 6 圈，且
輪臂 C 順時針轉 2 圈，則齒輪 B 旋
轉的圈數為？　(A)10 圈　(B)12 圈
(C)14 圈　(D)16 圈。【普考】

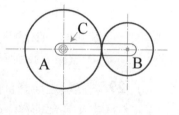

（　）**38** 齒輪系中設置惰輪的主要目的在：　(A)改變減速比　(B)增加傳
動力　(C)改變傳動轉向　(D)減少齒輪干涉現象。【普考】

（　）**39** 有關輪系之輪系值與惰輪，下列敘述何者不正確？　(A)輪系值大於
1 時，表示末輪轉速大於首輪轉速　(B)惰輪可改變末輪之轉向，
但不改變輪系值之絕對值　(C)兩軸距離較遠時，可使用惰輪，避免
使用大齒輪　(D)由於輪系的功用是加速或減速，故輪系值不可能等
於 1。

（　）**40** 如圖所示，已知旋臂 C 作順時針方向旋
轉 20 rpm，轉輪 B 相對於旋臂作順時針
方向旋轉 30 rpm，則轉輪對共轉中心 O
之絕對轉速為多少 rpm？　(A)$20\sqrt{3}$ rpm
順時針　(B)10 rpm 逆時針　(C)50 rpm
順時針　(D)20 rpm 逆時針。

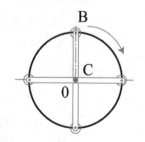

（　）**41** 若兩嚙合齒輪之齒根（dedendum）為 a，齒冠（addendum）為
b，則下述何者錯誤？　(A)工作深度為 2b　(B)背隙為 b−a　(C)
間隙為 a−b　(D)全齒深為 a＋b。

（　）**42** 那一種齒輪組不適合作為兩個垂直軸之間的動力傳遞？　(A)蝸
桿與蝸輪　(B)正齒輪　(C)斜齒輪　(D)螺旋齒輪。【普考】

（　）**43** 下列何種齒輪於嚙合傳動時，兩齒輪之中心軸線會相交？　(A)
人字齒輪　(B)戟齒輪　(C)冠狀齒輪　(D)蝸桿與蝸輪。

（　）**44** 一齒輪之模數為 5，齒數為 25，壓力角為 20°，則其基圓直徑為多
少 mm？　(A)125 sin 20°　(B)125 cos 20°　(C)5 sin 20°　(D)5 cos
20°。

( 　 ) **45** 下列何種齒輪可提供較大的減速比？　(A)內齒輪　(B)螺旋齒輪　(C)針齒輪　(D)蝸桿與蝸輪。

( 　 ) **46** 下列有關齒輪的敍述，何者不正確？　(A)擺線齒輪的優點為中心線略為改變時，仍能保有良好的運轉　(B)漸開線齒輪之壓力角恆定　(C)兩個相嚙合齒輪，周節相同　(D)兩個相嚙合齒輪，轉速與齒數成反比。

( 　 ) **47** 下列有關齒輪的計算，何者不正確？（註：M為模數，D為節圓直徑，T為齒數，$P_d$為徑節，$P_c$為周節）　(A)$P_c P_d = \pi$　(B)$P_d =$ 2.54M　(C)$P_c = \pi M$　(D)$D = MT$。

( 　 ) **48** 壓力角為 20°的正齒輪，齒數為 40 齒，模數為 2mm，其節圓半徑為：　(A)6.28mm　(B)20mm　(C)40mm　(D)80mm。

( 　 ) **49** 下列何者能傳達一組軸中心線互成直角而不相交，且有高轉速比的兩軸？　(A)正齒輪　(B)螺旋斜齒輪　(C)冠狀齒輪　(D)蝸桿與蝸輪。

( 　 ) **50** 有一組壓力角為 20°之公制標準正齒輪，已知主動齒輪之外徑為 60 mm，齒數為 28 齒，被動齒輪之外徑為 40 mm，齒數為 18 齒，則其外接傳動之中心距離為多少 mm？　(A)44　(B)46　(C)48　(D)50。

( 　 ) **51** 有一對兩軸平行之外接螺旋齒輪，已知主動輪之螺旋方向為右旋，螺旋角為 15°，則其被動輪之螺旋方向及螺旋角為多少度？　(A)右旋 15°　(B)左旋 15°　(C)右旋 75°　(D)左旋 75°。

( 　 ) **52** 右圖所示之齒輪 A 及 B 分別具有 60 及 40 齒，若齒輪 A 逆時針旋轉 3 圈，且旋轉臂 C 順時針旋轉 5 圈，則齒輪 B 旋轉之圈數為　(A)7 圈　(B)8 圈　(C)12 圈　(D)17 圈。

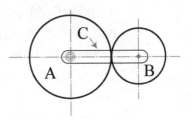

（　） **53** 如圖所示之回歸輪系中，各齒輪之模數皆為
5，若齒輪 A、B、C 之齒數分別為 30 齒、40
齒及 15 齒，則齒輪 D 之齒數為：
(A)25　　　　　(B)55
(C)60　　　　　(D)85。

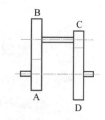

（　） **54** 右圖所示之複式輪系中，齒輪 A、B、
C、D 之齒數分別為 40、20、50 及 20，
若齒輪 A 沿順時針方向轉 1 圈，則齒輪
D 轉動之圈數及方向為：　(A)2 圈，逆
時針方向　(B)2 圈，順時針方向　(C)5
圈，逆時針方向　(D)5 圈，順時針方向。

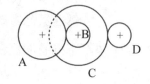

（　） **55** 如右圖所示之周轉輪系，A 輪為固定不
動之內齒輪，齒數為 100 齒，B 輪為可
旋轉之小齒輪，齒數為 20 齒，已知輪臂
M 之轉速為逆時針方向 10rpm，則小齒
輪之轉向及轉速為多少 rpm？　(A)逆時
針方向 50rpm　(B)逆時針方向 40rpm
(C)順時針方向 50rpm　(D)順時針方向 40rpm。

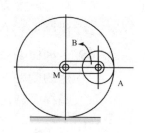

（　） **56** 已知一輪系之輪系值 e＝－3，若末輪之轉速為順時針方向
120rpm，則首輪之轉向及速度為多少 rpm？　(A)順時針方向
40rpm　(B)逆時針方向 40rpm　(C)順時針方向 360rpm　(D)逆
時針方向 360rpm。

（　） **57** 如圖所示之輪系，A 輪齒數為 20 齒，
B 輪齒數為 40 齒，內齒輪 C 之齒數為
100 齒，若 A 輪轉速為順時針方向
400rpm，則 C 輪之轉向及轉速為多少
rpm？　(A)順時針方向 40rpm　(B)逆
時針方向 40rpm　(C)逆時針方向
80rpm　(D)順時針方向 80rpm。

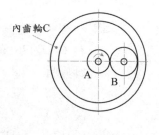

（　） **58** 兩嚙合正齒輪傳動時，下列敘述何者為錯誤？　(A)作用角相等
(B)模數相等　(C)轉速比固定　(D)壓力角相等。

(　) **59** 20°標準漸開線短齒齒輪的齒冠與徑節 $P_d$ (diametral pitch)的關係為何？　(A)$\dfrac{1.25}{P_d}$　(B)$\dfrac{0.8}{P_d}$　(C)$\dfrac{1}{P_d}$　(D)$\dfrac{1.157}{P_d}$。

(　) **60** 英制齒輪徑節的定義為　(A)節徑與齒數之比　(B)齒數與節徑之比　(C)節徑與齒數之乘積　(D)節徑與齒數之和。

(　) **61** 齒輪節圓半徑與頂圓半徑之差，稱為　(A)齒隙（clearance）　(B)背隙（backlash）　(C)齒寬（face width）　(D)齒冠（addendum）。

(　) **62** 一齒輪之節徑為 D、模數 M、徑節 $P_d$、周節 $P_c$、齒數為 T，下列何者為錯誤？　(A)$M=\dfrac{D}{T}$　(B)$M \times P_d = 25.4$　(C)$P_c \times P_d = \pi M$　(D)$P_c \times T = \pi D$。

(　) **63** 下列敘述何者為非？　(A)漸開線齒輪較擺線齒輪互換性佳　(B)在振動或衝擊大的情形下應用擺線齒輪較佳　(C)一直線沿一圓之圓周轉動時，此直線上任何一點的軌跡即為此圓之漸開線　(D)將一滾圓在一導圓之內緣滾動時，滾圓上任一點所成之軌跡，謂內擺線。

(　) **64** 下列對漸開線齒輪之敘述，何者是錯的？　(A)互換性佳　(B)有干涉現象　(C)兩中心軸距離不允許有些微誤差　(D)壓力角固定。

(　) **65** 齒輪齒形曲線宜採何種方式，才可使齒輪之壓力角保持一定　(A)拋物線　(B)擺線　(C)外擺線　(D)漸開線。

(　) **66** 若 A 為主動齒輪，B 為被動齒輪，兩螺旋齒輪傳動時的轉速比與　(A)節圓直徑成正比　(B)螺旋角成正比　(C)節圓直徑及螺旋角餘弦乘積成正比　(D)節圓直徑及螺旋角餘弦乘積成反比。

(　) **67** 下列有關齒形尺寸的敘述何者為不正確？　(A)模數愈大，齒形愈大　(B)徑節等於齒數除以直徑　(C)周節等於齒數除以節圓周　(D)徑節愈大，齒形愈小。

(　) **68** 下列何種齒輪可用在於兩軸相交成 90°之傳動？　(A)正齒輪　(B)戟齒輪　(C)螺線齒輪　(D)直齒斜齒輪。

( ) **69** 兩斜齒輪嚙合時,其角速度比 (A)與齒數之正弦成反比 (B)與齒數之正弦成正比 (C)與齒數成反比 (D)與齒數成正比。

( ) **70** 下列哪個齒輪又稱為歪斜齒輪,用於兩軸既不平行也不相交之傳動? (A)雙曲面齒輪 (B)斜齒輪 (C)內齒輪 (D)人字齒輪。

( ) **71** 如圖所示,A 輪為 120 齒,B 輪為 60 齒,C 輪直徑 300mm,D 輪直徑 100mm,若 A 輪以 25rpm 順時針迴轉,則 D 輪為 (A)100rpm 順時針迴轉 (B)100rpm 逆時針迴轉 (C)150rpm 順時針迴轉 (D)150rpm 逆時針迴轉。

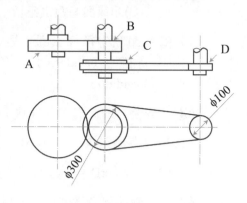

( ) **72** 一正齒輪的節圓直徑為 200mm,齒數為 50,試求其模數為若干? (A)4mm/t (B)0.25mm/t (C)1000mm/t (D)250mm/t。【103 北捷】

( ) **73** 如右圖所示為單式齒輪系,若 $T_A$=60 齒,$T_B$=50 齒,$T_C$=30 齒,A 輪轉速為 200rpm,求 C 輪轉速為若干?
(A)140rpm (B)200 rpm
(C)300rpm (D)400 rpm。
【103 北捷】

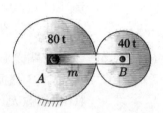

( ) **74** 一周轉輪系如右圖所示,A 為 80 齒,B 為 40 齒,旋臂 m 順時針轉速 3rpm,輪 A 之轉速為逆時針 2rpm,求輪 B 之轉速為?
(A)7rpm 逆時針 (B)13rpm 順時針
(C)13rpm 逆時針 (D)7rpm 順時針。
【103 北捷】

( 　 ) **75** 如右圖所示之複式輪系，A、B
為正齒輪，C 右旋雙線蝸桿，
D 為蝸輪，E、F 為斜齒輪，若
A 輪轉速為 1600rpm，試求齒
輪 G 每分鐘的轉速？
(A)1600rpm　(B)80rpm
(C)20rpm　　(D)40rpm。【103 北捷】

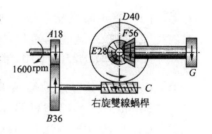

( 　 ) **76** 徑節為 5，齒數為 44 之 14 又 1/2 漸開線齒輪，其外徑為
(A)2.45 吋　(B)3.48 吋　(C)6.65 吋　(D)9.20 吋。【103 北捷】

( 　 ) **77** 如右圖所示之輪系，A、
B 為齒輪，齒數 $T_A = 100$
齒，$T_B = 50$ 齒，C、D
為 皮 帶 輪 ， 直 徑
$D_C$=60mm，$D_D$=30mm，
若 A 輪為主動，每分鐘
逆時針方向 200 轉，求
D 輪之轉速及轉向。
(A)逆時針方向 800 轉　(B)順時針方向 800 轉
(C)逆時針方向 400 轉　(D)順時針方向 400 轉。【103 北捷】

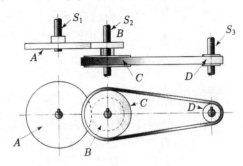

( 　 ) **78** 下列何種齒輪用於連接不平行且不相交之兩軸，常用於高減速
比的減速機構？　(A)正齒輪　(B)螺旋齒輪　(C)蝸桿與蝸輪
(D)人字齒輪。【103 桃捷】

( 　 ) **79** 一齒輪之節圓直徑 D、齒數為 T，試問其模數的表示式？
(A)$\frac{T}{D}$　(B)$\frac{D}{T}$　(C)$\frac{\pi D}{T}$　(D)$\frac{T}{\pi D}$。【103 桃捷】

( 　 ) **80** 「齒輪基本定律」是指兩嚙合齒輪，其輪齒接觸點上之公法線
必通過什麼位置？　(A)節點　(B)連心線中點　(C)圓心　(D)齒
根圓。【103 桃捷】

( 　 ) **81** 汽車行駛於彎道時內外側輪轉速不同，是使用何種輪系？　(A)
回歸齒輪系　(B)單式輪系　(C)太陽行星輪系　(D)斜齒輪差速
輪系。【103 桃捷】

( ) **82** 兩內接正齒輪嚙合傳動，設兩齒輪之模數為 5，齒數分別為 60 與 40 齒，請問兩輪間之中心距離為多少 mm？ (A)50 (B)100 (C)150 (D)250。【103 桃捷】

( ) **83** 兩相嚙合傳動之齒輪 A 與 B，A 輪之模數為 3mm，節圓直徑為 30mm；B 輪節圓直徑 60mm，試問 B 輪之模數為多少 mm？ (A)3 (B)10 (C)20 (D)30。【103 桃捷】

( ) **84** 下列何者錯誤？ (A)兩嚙合之漸開線齒輪傳動時，其壓力角固定不變 (B)兩嚙合齒輪之作用線與兩節圓過節點之公切線夾角稱為壓力角 (C)兩嚙合之擺線齒輪傳動時，其壓力角不固定 (D)兩相嚙合之漸開線齒輪其作用線（亦稱壓力線）未通過節點，但必與兩節圓相切。【103 桃捷】

---

### 解答與解析

**1 (A)**。兩齒輪嚙合傳動時，所需滿足條件如下：
(1) 轉速與節圓直徑成反比。
(2) 轉速與齒數成反比。
(3) 節圓直徑與齒數成正比。
(4) 作用角與節圓直徑成反比。
(5) 作用角與齒數成反比。
所以答案為(A)。

**2 (C)** **3 (B)**

**4 (C)**。漸開線齒輪節徑 $r_p$，壓力角 $\alpha$，基圓 $r_b$ 的關係如下
基圓 $D_b = D_p \cos\alpha = 50\cos 20°$。所以答案為(C)。

**5 (B)**。大齒輪節徑為 $4 = \dfrac{d}{120}$，$d = 480\ mm$

小齒輪節徑為 $4 = \dfrac{d}{24}$，$d = 96\ mm$

標準中心距為（大齒輪節徑＋小齒輪節徑）/2＝288mm
所以答案為(B)。

**6 (C)**。短齒制齒輪之齒冠高為標準齒輪齒冠高之 80%。

**7 (B)**。兩外接正齒輪應用於兩平行軸；兩相接合之正齒輪中,產生滾動接觸的點稱為節點。

**8 (A)**　　**9 (A)**　　**10 (D)**　　**11 (C)**　　**12 (C)**　　**13 (C)**　　**14 (C)**

**15 (B)**。齒隙為齒根與齒頂的差,又稱間隙。背隙為齒間與齒厚的差。所以答案為(B)。

**16 (C)**。齒腹為輪齒介於節圓與齒根圓間之曲面。

**17 (C)**。$C = \dfrac{D_A + D_B}{2} = \dfrac{M(T_A + T_B)}{2} = \dfrac{3 \times (30 + 60)}{2} = 135\text{mm}$

**18 (D)**。惰輪的最大功用,在於改變齒輪組合的旋轉方向而不改變旋轉比。所以答案為(D)。

**19 (C)**。大齒輪節徑為 $2 = \dfrac{d}{28}$ , $d = 56\text{mm}$

小齒輪節徑為 $2 = \dfrac{d}{17}$ , $d = 34\text{mm}$

標準中心距為（大齒輪節徑＋小齒輪節徑）$/2 = 45\text{mm}$
所以答案為(C)。

**20 (C)**。$P_C = \dfrac{\pi D}{T} = \dfrac{60\pi}{30} = 2\pi$

**21 (B)**。$\dfrac{N_{輪}}{N_{桿}} = \dfrac{線數}{齒數} \Rightarrow N_{輪} = 180 \times \dfrac{3}{60} = 9$

**22 (A)**。正齒輪為平行軸系齒輪組。所以答案為(A)。

**23 (D)**。差速裝置的功能就是造成兩輪的轉速不同。所以答案為(D)。

**24 (C)**。當小齒輪轉 1/2 圈時,齒條移動了 15.7 公分

$\pi\dfrac{d}{2} = 15.7\text{cm}$

$d = 10\text{cm} = 100\text{mm}$

$m = \dfrac{d}{z} = \dfrac{100}{50} = 2$。所以答案為(C)。

**25 (D)**。內接齒輪泵是在偏心狀態裝於齒輪箱內,且內齒輪比外齒輪多一齒,由於同向旋,相對速度小,磨耗,音小。所以答案為(D)。

**26 (C)**。齒之節圓直徑為 $2 = \dfrac{d}{26}$ , $d = 53\text{mm}$。所以答案為(C)。

**27 (D)**。只有相同模數的齒輪才能咬合。所以答案為(D)。

**28 (B)**　**29 (C)**

**30 (C)**。漸開線齒輪節徑 $r_p$，壓力角 $\alpha$，基圓 $r_b$ 的關係如下
基圓 $D_b = D_p \cos\alpha$。所以答案為(C)。

**31 (A)**。大齒輪節徑為 $2 = \dfrac{d}{40}$，$d = 80mm$

小齒輪節徑為 $2 = \dfrac{d}{20}$，$d = 40mm$

標準中心距為（大齒輪節徑＋小齒輪節徑）/2＝60mm
所以答案為(A)。

**32 (B)**。$\dfrac{D_A}{D_B} = \dfrac{N_B}{N_A} = \dfrac{3}{1} \Rightarrow D_A = 3D_B$ 且 $\dfrac{D_A}{2} + \dfrac{D_B}{2} = 100 \Rightarrow D_B = 50$、$D_A = 150$

$M = \dfrac{D}{T} \Rightarrow 2 = \dfrac{D_B}{T_B} \Rightarrow T_B = 25$

同理 $T_A = \dfrac{150}{2} = 75 \Rightarrow T_A - T_B = 50$

**33 (B)**　**34 (A)**　　**35 (A)**

**36 (C)**。輸入軸與中間軸的旋轉比為 $\dfrac{30}{50}$

中間軸與輸出軸的旋轉比為 $\dfrac{40}{20}$

所以，旋轉比 $= \dfrac{30}{50} \cdot \dfrac{40}{20} = 1.2$
輸出端轉速為 1200rpm·1.2＝1440rpm，所以答案為(C)。

**37 (C)**。$\dfrac{N-(2)}{6-(-2)} = -\dfrac{60}{40}$，$N = -14$。所以答案為(C)。

**38 (C)**。惰輪的最大功用，在於改變齒輪組合的旋轉方向而不改變旋轉比。
所以答案為(C)。

**39 (D)**

**40 (C)**。因為旋臂 C 作順時針方向旋轉 20 rpm，轉輪 B 相對於旋臂作順時針
方向旋轉 30 rpm，均為同方向，轉輪對共轉中心 O 之絕對轉速為 20
＋30＝50rpm。

**41 (B)**

**42 (B)**。正齒輪為平行軸系齒輪組，不適合作為兩個垂直軸之間的動力傳
遞。所以答案為(B)。

**43 (C)**

**44 (B)**。 $M = \dfrac{D}{T} \Rightarrow 5 = \dfrac{D}{25} \Rightarrow D = 125 \Rightarrow$ 其基圓直徑＝$D \times 125 \cos 20°$

**45 (D)　46 (A)**

**47 (B)**。$P_d \times M = 2.54$

**48 (C)**。 $M = \dfrac{D}{T} \Rightarrow 2 = \dfrac{D}{40} \Rightarrow D = 80 \Rightarrow R = 40$

**49 (D)**

**50 (B)**。 $D_O = D + 2M = MT + 2M \Rightarrow 60 = 28M + 2M \Rightarrow M = 2mm$

$D_1 = 28 \times 2 = 56mm$ 、 $D_2 = 18 \times 2 = 36mm$

$\Rightarrow C = \dfrac{D_1 + D_2}{2} = 46mm$

**51 (B)**。兩嚙合螺旋齒輪之螺旋角須相同，旋轉方向須相反。

**52 (D)**。 $\dfrac{N_B - N_m}{N_A - N_m} = -\dfrac{T_A}{T_B} \Rightarrow \dfrac{N_B - (5)}{-3 - (5)} = (-\dfrac{60}{40}) \Rightarrow N_B = 17$ （順時針）

**53 (B)**。中心距離 $M(T_A + T_B) = M(T_C + T_D)$
故 $T_A + T_B = T_C + T_D$　$30 + 40 = 15 + T_D$，得 $T_D = 55$ 齒。

**54 (D)**。 $\dfrac{N_D}{N_A} = \dfrac{T_A \times T_C}{T_B \times T_D} \Rightarrow \dfrac{N_D}{1} = \dfrac{40}{20} \times \dfrac{50}{20} = 5$，得 $N_D = +5rpm$ （順時針）

**55 (D)**。$e_{AB} = \dfrac{N_B - N_m}{N_A - N_m} = \dfrac{T_A}{T_B} \Rightarrow \dfrac{N_B - (10)}{0 - (10)} = (\dfrac{100}{20}) \Rightarrow N_B = 40$ (順時針)

**56 (B)**。$e = -3 = \dfrac{120}{N_{首}} \Rightarrow N_{首} = -40$ (逆時針)

**57 (C)**。$\dfrac{N_C}{400} = (-\dfrac{T_A}{T_B}) \times (\dfrac{T_B}{T_C}) = (-\dfrac{T_A}{T_C}) = -\dfrac{20}{100} \Rightarrow N_C = -80\ \text{rpm}$ (逆時針)

**58 (A)**。節徑較大者，作用角較小，反之，節徑較小者，作用角較大。

**59 (B)**

**60 (B)**。$P_d = \dfrac{T}{D}$，故徑節為齒數與節徑的比。

**61 (D)**

**62 (C)**。$M = \dfrac{D}{T}$ (此時的 D 為 mm)，而 $P_d = \dfrac{T}{D_1}$ (此時的 $D_1$ 應為 in)

而 $D_1 = \dfrac{D}{25.4}$，故改為公制時 $P_d = \dfrac{T}{\dfrac{D}{25.4}} = \dfrac{25.4T}{D}$

$M \times P_d = \dfrac{D}{T} \times \dfrac{25.4}{D} = 25.4$

**63 (B)**　**64 (C)**　　**65 (D)**

**66 (D)**。$\dfrac{N_B}{N_A} = \dfrac{T_A}{T_B} = \dfrac{D_A \cos\beta}{D_B \cos\beta}$，β：螺旋角。

**67 (C)**　**68 (D)**　　**69 (C)**　　**70 (A)**

**71 (D)**。$\dfrac{N_D}{N_A} = \dfrac{T_A \times D_C}{T_B \times D_D} = \dfrac{120 \times 300}{60 \times 100} = 6$

$\dfrac{N_D}{25} = 6 \Rightarrow N_D = 150$ (rpm，↻)

**72 (A)**。$m = \dfrac{D}{T} = \dfrac{200}{50} = 4$

**73 (D)**。$e_{A \to C} = \dfrac{N_C}{200} = \dfrac{60}{50} \times \dfrac{50}{30}$　$N_C = 400(\text{rpm})$

**74 (B)**。$e_{A \to C} = \dfrac{N_B - 3}{-2 - 3} = \dfrac{-80}{40}$　$N_B = 13\text{rpm}(\text{順時針})$

**75 (C)**。$e_{A \to G} = \dfrac{N_G}{1600} = \dfrac{18}{36} \times \dfrac{2}{40} \times \dfrac{28}{56}$　$N_G = 20(\text{rpm})$

**76 (D)**。$5 = \dfrac{44}{D_c} \Rightarrow D_C = 8.8"$

$\quad\quad D_a = 8.8" + \dfrac{1}{5} \times 2 = 9.2"$

**77 (B)**。$\dfrac{N_D}{200} = -\dfrac{100}{50} \times \dfrac{60}{30} \Rightarrow N_D = -800\text{rpm}$，故為順時針 800rpm

**78 (C)**

**79 (B)**。模數 $m = \dfrac{D(\text{直徑})}{T(\text{齒數})}$

**80 (A)**　**81 (D)**

**82 (A)**。$D_1 = 60 \times 5 = 300$　$D_2 = 40 \times 5 = 200$　$C = \dfrac{1}{2}(D_1 - D_2) = 50(\text{mm})$

**83 (A)**。模數不變。

**84 (D)**。壓力線會通過節點。

## 二 問答題型

**1.** (1)請簡述漸開線齒輪會發生干涉現象的原因。(2)請列出兩種齒輪系避免發生干涉現象的方法。【關務特考】

解 (1) 兩相嚙合之漸開線齒輪，其輪齒之嚙合發生於基圓之內時，亦即兩齒輪互相卡住之現象，此情形稱為干涉。
(2) A.改用擺線齒輪。
B.增大節圓直徑，增加齒數。
C.增大壓力角，使作用線與基圓之切點往外移。
D.修改齒腹或齒面（即挖空發生干涉之部位）。
E.減低齒冠（即採短齒制），使齒頂圓與作用線之交點不要超過切點。

**2.** 惰輪與中間輪有何不同？並說明二者的功用。【普考】

解 惰輪：一輪系中，中軸只裝一輪者，而中間輪則否。
惰輪的最大功用，在於改變齒輪組合的旋轉方向而不改變旋轉比。
而中間輪除改變齒輪組合的旋轉方向外，也改變旋轉比。

**3.** 試述齒輪傳動之特性。【地方特考】

解 齒輪之傳動，需使兩齒輪之角速度維持一定之比值，兩相嚙合齒輪的輪齒，在每一瞬間其齒輪之齒廓必須能使接觸點的公法線通過兩齒輪連心線上的固定點（節點），滿足齒輪之基本定律，常見的有擺線及漸開線，傳動比恒定，傳動效率高。

**4.** 何謂正齒輪與斜齒輪，斜齒輪較正齒輪有何優缺點？【普考機設】

解 (1) A.正齒輪(Straight spur gear)為齒腹平行於軸線的圓柱齒輪，所有的齒形不彎曲，並且各齒皆平行於軸線，主要是用於平行軸間迴轉運動的傳遞，兩軸旋轉方向可同向或反向。
B.正齒輪優點：(A)承載能力和速度範圍大，外廓尺寸小；(B)傳動比恒定，傳動效率高；(C)無軸向推力。
C.正齒輪缺點：(A)接觸比較小、振動噪音大；(B)齒根強度較弱；(C)齒數少時易發生過切；(D)運轉速度受到較大限制，不可高速運轉。

(2) A. 斜齒輪齒面為一滾動圓錐，相互咬合的大小，斜齒輪各有「圓錐角(cone angle)」，兩個斜齒輪要能互相咬合，除了齒的模數、壓力角必須一致外，兩斜齒輪圓錐必須有一共同頂點，如果輸入、輸出軸不是互相平行（通常成 90 度角）時，運動的傳輸便要利用「斜齒輪(bevel gear)」。

B. 斜齒輪優點：(A)齒型變化多，可有直齒及蝸線齒斜齒輪；(B)蝸線齒斜齒輪接觸比高，運轉平滑安靜，可做精確調整，過切現象少。

C. 斜齒輪缺點：(A)製造不易；(B)對直齒斜齒輪，齒數少時易發生過切；(C)有軸向推力的存在；(D)裝配時需精準，距離過小時會干涉，距離過大時易產生噪音及運轉不精確。

**5. 說明齒輪間共軛傳動 (conjugate action) 之意義與重要性。【普考機設】**

解 若欲使一對齒輪以定速速比傳動，則互相嚙合兩齒輪之齒形曲線的公法線，必須通過中心線上的一個固定點，即節點，稱之為齒輪嚙合基本定律 (Fundamental law of gearing)，一對嚙合齒輪，若符合齒輪嚙合基本定律，則稱其相對運動為共軛作用(Conjugate action)。

**6. 在齒輪系內，請說明採用惰輪的二個主要用途及解釋其理由。【地特四等機設】**

解 (1) 惰輪的功用：

A. 當輸入輸出軸相距太遠時而無法直接接觸傳動，可利用惰輪傳動。

B. 欲改變輸入軸及輸出軸之方向時。

(2) 其說明如下：惰輪齒數（節徑）與輪系值無關，但惰輪數對末輪之迴轉方向有影響，以外接者而言，若是惰輪之數目為奇數者，則首末兩輪之迴轉方向相同；若是惰輪之數目為偶數者，則首末兩輪之迴轉方向相反。

**7. 請說明在何種狀況下使用正齒輪？何種狀況下使用螺旋齒輪？【原住民四等機設】**

解 正齒輪主要是用於平行軸間迴轉運動的傳遞，兩軸旋轉方向可同向或反向，運轉速度受到較大限制，不可高速運轉。

螺旋正齒輪 (Helical spur gear) 齒面的排列與軸線形成一螺旋角
(Helix angle)，負荷是由一個齒漸漸轉移至另一個齒與直齒正齒輪比
較，陡振減少、傳動更平穩、噪音也較少，適用於高速運轉的傳動，
其缺點為齒輪需承受軸向推力。

---

**8. 使用漸開線（involute）齒輪的最大優點為何？【台灣菸酒公司機設】**

**解** (1)齒根較擺線厚，故強度較大。
(2)齒形由單一曲線所構成，成本低，製造較容易，一般用於傳達動力
及震動或衝擊大的情形下。
(3)兩軸中心距離可允許些微誤差，不影響速比。
(4)只要周節、模數、徑節相等，即可傳動，互換性高。

---

**9. 設計兩齒輪嚙合 (meshing) 時，試述下列問題：(1)何謂共軛運動
(conjugate motion)？(2)寫出二種具有特性之齒形。(3)何謂齒輪律 (law of
gearing)？(4)兩齒輪運轉時，試述二種齒輪齒所受之應力。(5)兩齒輪運轉
多時後，試述二種齒表面之破壞及其引起原因。【台糖公司機設】**

**解** (1)若欲使一對齒輪以定速速比傳動，則互相嚙合兩齒輪之齒形曲線的公
法線，必須通過中心線上的一個固定點，即節點，稱之為齒輪嚙合基
本定律 (Fundamental law of gearing)，一對嚙合齒輪，若符合齒輪嚙
合基本定律，則稱其相對運動為共軛作用 (Conjugate action)。
(2)漸開線齒形 (Involute gear teeth)：將圍繞於固定圓盤圓周的一條細
線之一端固定於圓周上而將另一端拉緊展開，則細線端點的路徑即
為漸開線 (Involute curve)。此細線圍繞的圓，稱為產生漸開線的基
圓 (Base circle)。
擺線齒形是用兩個演生圓(Generating circle) 在齒輪的節圓曲線上滾
動而得。在節圓外所滾成的外擺線(Epicycloid)，形成齒面；在節圓
內所滾成的內擺線(Hypocyloid)，形成齒腹。
(3)若欲使一對齒輪以定速速比傳動，則互相嚙合兩齒輪之齒形曲線的
公法線，必須通過中心線上的一個固定點，即節點。
(4)兩齒輪運轉時，二種齒輪齒所受之應力為彎曲應力及接觸應力，彎
曲應力會導致齒輪在工作時發生輪齒折斷，接觸應力會導致齒面發
生點蝕進而產生疲勞破壞。
(5) A.齒面點蝕：在潤滑良好的齒輪傳動中，當齒輪工作了一定時間
後，在輪齒工作表面上會產生一些細小的凹坑，稱為點蝕，點蝕
的產生主要是由於輪齒嚙合時，齒面的接觸應力為週期性交互變

化，此時接觸應力的多次重複作用下，在輪齒表面層會產生疲勞裂紋，裂紋的擴展使金屬微粒剝落下來而形成疲勞點蝕，通常疲勞點蝕首先發生在節線附近的齒根表面處，點蝕使齒面有效承載面積減小，點蝕的擴展將會嚴重損壞齒廓表面，引起衝擊和噪音，造成傳動的不平穩。

B. 齒面磨損：互相嚙合的兩齒廓表面間有相對滑動，在載荷作用下會引起齒面的磨損。尤其在開式傳動中，由於灰塵、砂粒等硬顆粒容易進入齒面間而發生磨損。齒面嚴重磨損後，輪齒將失去正確的齒形，會導致嚴重噪音和振動，影響輪齒正常工作，最終使傳動失效。

---

**10.** 使用漸開線（involute）齒形作為齒輪時，試詳述傳動之優點三項及缺點一項，又請說明二漸開線齒輪互相嚙合傳動之必要條件為何？【101 關四】

解 (一) 齒輪之基本定律：
齒輪之傳動，需使兩齒輪之角速度維持一定之比值，否則即使在低速下，也會產生極嚴重之震動及衝擊問題，所以兩相嚙合齒輪的輪齒，在每一瞬間其齒輪之齒廓必須能使接觸點的公法線通過兩齒輪連心線上的固定點（節點），滿足齒輪之基本定律的齒廓稱為共軛齒廓（Conjugate Profile）。

(二) 優點：
1. 齒根較擺線厚，故強度較大。
2. 齒形由單一曲線所構成，成本低，製造較容易，一般用於傳達動力及震動或衝擊大的情形下。
3. 兩軸中心距離可允許些微誤差，不影響速比。
4. 只要周節、模數、徑節相等，即可傳動，互換性高。

(三) 缺點：
1. 嚙合傳動時，接觸線為直線，潤滑不良，故磨損較大。
2. 壓力角一定，故效率較小。
3. 傳動時易生噪音。
4. 有干涉問題的產生。

**11. 試繪製並說明齒輪之節面**（Pitch surface）、**齒厚**（Tooth thickness）、**壓力角**（Pressure Angle）、**基圓**（Base circle）、**齒根**（Dedendum）。
【鐵四】

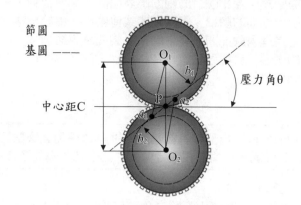

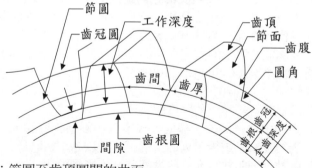

(1) 節面：節圓至齒頂圓間的曲面。
(2) 齒厚：沿節圓上的齒之左右兩側間弧長。
(3) 壓力角：為兩嚙合齒輪之作用線與過節點所作節圓切線所夾之角。
(4) 基圓：是指漸開線圓柱齒輪（或擺線圓柱齒輪）上的一個假想圓，形成漸開線齒輪廓的發生線（或形成擺線齒廓的發生圓）在此假想圓的圓周上作純滾動時，此假想圓即為基圓。
(5) 齒根：齒輪節圓半徑與齒根圓之半徑。

## 三、計算題型

---

**1. 試求周節 Pc 為 1.5 吋之齒輪的徑節及模數。【普考】**

解 周節與節徑，齒數的關係為 $p_c = \dfrac{\pi d''}{Z}$

徑節 p 為節徑 d"(吋)除以齒數 Z，為英制齒輪表示方式

徑節 $p = \dfrac{Z}{d''} = \dfrac{\pi}{p_c} = 2.094$

徑節與模數的關係式為 $p = \dfrac{25.4}{m}$

$\Rightarrow m = \dfrac{25.4}{p} = 12.1$

---

**2. 如圖所示，一齒輪組各齒輪半徑大小為 $R_1 = 25$，$R_2 = 30$，$R_3 = 10$，$R_4 = 35$，$R_5 = 15$，求被動輪 5 相對於驅動輪 1 的轉速比。【關務四等】**

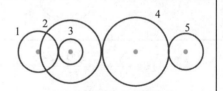

解 $e_{1\to5} = \dfrac{N_5}{N_1} = (-\dfrac{R_1}{R_3}) \times (-\dfrac{R_2}{R_4}) \times (-\dfrac{R_4}{R_5}) = -5$（齒輪 1 與齒輪 5 轉向不同）

---

**3. 如圖為一斜齒輪周轉輪系，斜齒輪 2、3 為不固定於 S 軸，而可繞 S 軸迴轉之兩相等斜齒輪，軸環 P 用鏈銷固定在 S 軸上，短軸 A 又固定在 P 上，斜齒輪 4 套在短軸上自由轉動，與斜齒輪 2、3 相嚙合，各齒輪之齒數如圖所示。當齒輪 5 轉速為 +50rpm 時，則齒輪 7 之轉速與轉向多少？**

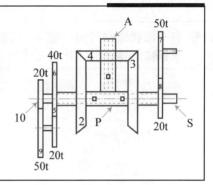

**解** 首輪：$N_6 = N_5 \dfrac{T_5}{T_6} = 50 \times \dfrac{-20}{40} = -25 \text{rpm}$

旋臂：$N_{10} = N_9 \dfrac{T_9}{T_{10}} = 50 \times \dfrac{-50}{20} = -125 \text{rpm}$

$e = \dfrac{N_8 - N_{10}}{N_6 - N_{10}} = -1$，$\dfrac{N_8 - (-125)}{-25 - (-125)} = -1$，$N_8 = -225 \text{rpm}$

$N_7 = N_8 \times \dfrac{T_8}{T_7} = -225 \times (-\dfrac{20}{50}) = -90 \text{rpm}$

---

**4.** 如下圖所示之帶輪與齒輪組成的複式輪系，若 A 軸的轉速為 40 r.p.m.（順時針方向），求輪系值 e 及 C 軸之轉速與方向。【關務四等】

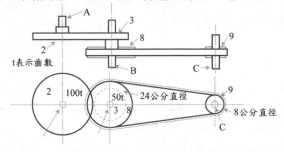

**解** (1) $e = \dfrac{N_c}{N_A} = -\dfrac{100 \times 24}{50 \times 8} = -6$

(2) 設順時針為正

$\dfrac{N_C}{N_A} = -6 \Rightarrow N_C = -6 \times 40 = -240 \ \text{rpm}$（逆時針轉）

---

**5.** 有一根雙線蝸桿與一個 60 齒的蝸輪作傳動，若蝸桿的轉速為 600rpm，試求蝸輪的轉速。【地特三等機設】

**解** $\dfrac{\text{蝸桿轉數}}{\text{蝸輪轉數}} = \dfrac{\text{蝸輪齒數}}{\text{蝸桿螺線數}}$

$\Rightarrow \dfrac{N_1}{N_2} = \dfrac{T_2}{T_1}$

$\Rightarrow \dfrac{600}{N_2} = \dfrac{60}{2}$

$N_2 = 20 \ (\text{rpm})$

6. 如右圖所示，由四個齒輪構成的迴歸輪系。設該輪系
值為 $+\dfrac{2}{7}$，且各齒輪的齒數不得少於 15 齒，第一組齒
輪之徑節為 4，第二組徑節為 3，並考慮兩組減速相
近。則該輪系的各個齒輪齒數為何？【地方特考】

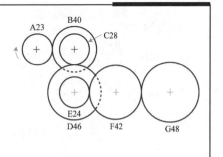

**解** (1) $e_{1\to4}=\dfrac{T_1}{T_2}\times\dfrac{T_3}{T_4}=\dfrac{2}{7}$

兩個軸心距必須相等

$$m_1\left(T_1+T_2\right)=m_2\left(T_3+T_4\right)$$

$$\Rightarrow \frac{1}{4}\left(T_1+T_2\right)=\frac{1}{3}\left(T_3+T_4\right)$$

$$\Rightarrow 3\left(T_1+T_2\right)=4\left(T_3+T_4\right)$$

(2) 又齒數不得小於 15 齒

$$令\ \frac{T_1}{T_2}\times\frac{T_3}{T_4}=\frac{1}{2}\times\frac{4}{7}=\frac{x}{2x}\times\frac{4y}{7y}$$

$$\Rightarrow 3\left(T_1+T_2\right)=4\left(T_3+T_4\right)\Rightarrow 9x=44y\ ，令\ x＝44，y＝9$$

所以 $T_1$＝44，$T_2$＝88，$T_3$＝36，$T_4$＝63

7. 如圖所示之定軸齒輪系中，齒輪 A 為
23 齒、同軸齒輪 B 與 C 分別有 40 齒
與 28 齒、同軸齒輪 D 與 E 分別有 46
齒與 24 齒、齒輪 F 有 42 齒、齒輪 G
有 48 齒，齒輪 A 為主動輪，順時針方
向轉動，轉速為 1200 r.p.m.，求該齒
輪系的輪系值和齒輪 G 之轉速。【原
住民特考】

**解** (1) 輪系值

$$e=\frac{N_G}{N_A}=+\frac{Z_A\times Z_C\times Z_E\times Z_F}{Z_B\times Z_D\times Z_F\times Z_G}=\frac{23\times28\times24\times42}{40\times46\times42\times48}=0.175$$

(2) 齒輪 G 之轉速

$N_G = N_A \times 0.175 = 1200 \times 0.175 = 210$ rpm (順時針)

---

**8.** 一短齒制之齒輪的齒數為 60，若其周節為 $4\pi$ mm，試求該齒輪的外徑。【普考】

**解** 節圓直徑 $D = \dfrac{\text{周節} \times \text{齒數}}{\pi} = \dfrac{4\pi \times 60}{\pi} = 240$(mm)

模數 $M = \dfrac{D}{T} = \dfrac{240}{60} = 4$

短齒齒冠 $h = 0.8m = 0.8 \times 4 = 3.2$(mm)

外徑 $D_0 = D + 2h = 240 + 2 \times 3.2 = 246.4$(mm)

---

**9.** 如圖所示為由太陽齒輪 3、行星齒輪 2、環齒輪 1 與行星臂(Arm) 4 所組成的行星齒輪系，環齒輪 1 被固定。已知太陽齒輪 3 的齒數為 30 齒，太陽齒輪 3 與行星臂 4 皆可以被選為輸入件或輸出件。欲設計輸入件轉軸的轉速與輸出件轉軸的轉速之比值為 5 的減速機，試決定減速機的輸入件與輸出件，並求環齒輪 1 與行星齒輪 2 的齒數。【109 關四】

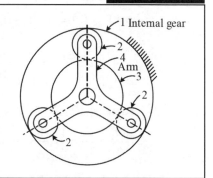

**解** 行星齒輪系 $T_3 + 2T_2 = T_1$，其中 $T_3 = 30$

輸入齒輪 3、輸出為行星臂 4

$\dfrac{N_3}{N_4} = 5 \Rightarrow N_3 = 5N_4$

$e_{331} = \dfrac{0 - N_4}{N_3 - N_4} = -\dfrac{T_3}{T_2} \times \dfrac{T_2}{T_1}$

$\Rightarrow \dfrac{-N_4}{5N_4 - N_4} = -\dfrac{T_3}{T_1}$

$\Rightarrow -\dfrac{1}{4} = -\dfrac{30}{T_1} \Rightarrow T_1 = 120$ 齒

$T_2 = 45$ （齒）

**10.** 壓力角為 20° 的一對全深漸開線正齒輪，已知模數為 4 mm，齒冠(a)為 4 mm，大齒輪齒數($T_3$)為 50 齒，小齒輪齒數($T_2$)為 15 齒，請列式計算並判斷兩齒輪是否發生干涉現象。【109 關四】

**解** $4 = \dfrac{D}{50} \Rightarrow D = 200(mm)$

$4 = \dfrac{4}{15} \Rightarrow d = 60(mm)$

$R_a = 100 + 4 = 104$ (mm) $\Rightarrow R_b = 100 \times \cos 20° = 93.97$ (mm)

$r_a = 60 + 4 = 64$ (mm) $\Rightarrow r_b = 60 \times \cos 20° = 56.38$ (mm)

$c = 100 + 30 = 130$ (mm)

允許最大齒冠圓 $R_a' = \sqrt{R_b^2 + c^2 \sin^2(30°)} = \sqrt{(93.97)^2 + 130^2 \times (\sin 20)^2}$

$\qquad\qquad\qquad = 103.96$ (mm)

$R_a > R_a' \Rightarrow$ 故齒輪會干涉

---

**11.** 一對嚙合正齒輪，其壓力角為 20 度、模數(m)為 3、齒冠 a=m，主動輪 2 之齒數 $T_2 = 20$，從動輪 3 之齒數 $T_3 = 40$，主動輪旋轉角速度 $\omega_2 = 10$ rad/s，試計算：(1)中心距。(2)基節(Base pitch)。(3)接觸路徑長度。(4)接觸比。【108 鐵員】

**解** (1) 假設齒輪為外接 $C = \dfrac{1}{2}m(T_3 + T_2) = \dfrac{1}{2} \times 3 \times (40 + 20) = 90$ (mm)

(2) $P_b = P_c \times \cos\phi = 3\pi \times \cos 20° = 8.856$ (mm)

(3) $D_2 = 20 \times 3 = 60$ (mm) $\Rightarrow r_2 = 30$ (mm) $\Rightarrow r_{a_2} = 33$ (mm)、

$\quad r_{b_2} = 28.19$ (mm)

$\quad D_3 = 40 \times 3 = 120$ (mm) $\Rightarrow r_3 = 60$ (mm) $\Rightarrow r_{a_3} = 63$ (mm)、

$\quad r_{b_3} = 56.38$ (mm)

接觸線長 $L = \sqrt{33^2 - 28.19^2} + \sqrt{63^2 - 56.38^2} - 90 \times \sin 20° = 14.486$

接觸比 $m = \dfrac{L}{P_b} = 1.635$

**12.** 有一對相嚙合的正齒輪，模數為 5 mm，中心距為 180 mm，轉速比為 3：1，試求該兩齒輪的齒數與周節。【原住民特考四等機設】

**解** $e = \dfrac{3}{1} = \dfrac{D_1}{D_2}$ .....................................①

$\dfrac{1}{2}(D_1 + D_2) = 180$ .........................②

由①②可得 $D_2 = 90$ (mm)，$D_1 = 270$ (mm)

$T_1 = \dfrac{D_1}{M} = \dfrac{90}{5} = 18$ (齒)

$T_2 = \dfrac{D_2}{M} = \dfrac{270}{5} = 54$ (齒)

$P_C = M \times \pi = 5 \times \pi = 15.7$ (mm)

**13.** 模數與周節通常可用於表示齒輪之大小 12，請回答下列問題：

(一)若一漸開線齒輪的節圓直徑為 100mm，壓力角為 20°，試求基圓直徑為多少 mm？(sin 20°=0.34，cos 20°=0.94)

(二)若一標準正齒輪的外徑為 180mm，齒數為 58 齒，試求模數及周節分別為多少 mm？

(三)若有兩個互相嚙合之外接正齒輪，轉數比為 2：1，模數為 2，兩齒輪軸中心距離為 150mm，試求兩齒輪的齒數？【103 中央造幣廠】

**解** (一) $D_B = 100 \times \cos 20° = 94$(mm)

(二) $m = \dfrac{D}{T} = \dfrac{180}{58} = 3.1$ 　　 $P_C = m\pi = 3.1\pi$

(三) $\dfrac{T_1}{T_2} = \dfrac{2}{1}$

$\dfrac{1}{2} \times (2 \times T_1 + 2 \times T_2) = 150 \Rightarrow T_1 = 100，T_2 = 50$

14. 有一減速齒輪系如圖所示，其齒輪數分別以 $T_A$、$T_B$、$T_C$、$T_D$ 及 $T_E$ 表示，若輸入軸轉速為 3000 rpm，順時針方向旋轉，試求其輪系值？軸 4 之轉速及轉向為何？
【機械普考】

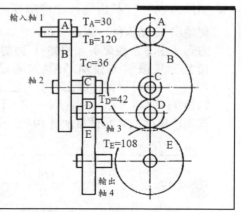

解 (1) $e_{A \to E} = (-\dfrac{T_A}{T_B}) \times (-\dfrac{T_C}{T_D}) \times (-\dfrac{T_D}{T_E})$

$= (-\dfrac{30}{120}) \times (-\dfrac{36}{42}) \times (-\dfrac{42}{108}) = -0.0833$

(2) $\dfrac{N_E}{N_A} = -0.0833$

$\Rightarrow N_E = -0.0833 \times 3000 = -250$ (rpm) $\Rightarrow$ 逆時針

15. 如圖所示，為一周轉輪系，A 輪軸為固定，若輪 A 順時針方向迴轉 2 次，輪 D 依反時針方向迴轉 3 次，則：(1) 旋臂 C 的轉速為若干？(2)E 輪的轉速為若干？(A＝100t，B＝50t，D＝80t，E＝20t)

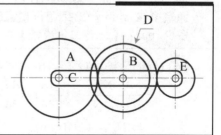

解 (1) $e_{AD} = \dfrac{N_D - N_C}{N_A - N_C} = -\dfrac{100}{50} = \dfrac{-3 - N_C}{+2 - N_C} = -2$ ，$\therefore N_C = \dfrac{1}{3}$ 圈

(2) $e_{AE} = \dfrac{N_E - N_C}{N_A - N_C} = +\dfrac{100 \times 80}{50 \times 20} = \dfrac{N_E - \dfrac{1}{3}}{+2 - \dfrac{1}{3}} = 8$ ，$\therefore N_E = +13\dfrac{2}{3}$ 圈

**16.** 圖所示為一行星齒輪系之機構簡圖，如環齒輪 2 為輸入件，轉速 2000 rpm（順時針方向，由左方視之），齒輪 3 與齒輪 4 為複合行星齒輪，齒輪 5 為太陽齒輪（固定），6 為行星架（輸出件），各齒齒數分別為 $T_2 = 124$、$T_3 = 48$、$T_4 = 32$、$T_5 = 50$，試求行星架 6 之角速度。【108 鐵員】

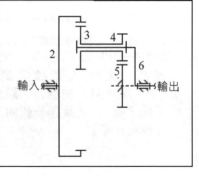

**解** $\oplus e_{2 \to 5} = \dfrac{0 - N_6}{2000 - N_6} = \dfrac{124}{48} \times \left(-\dfrac{32}{50}\right)$

$\Rightarrow N_6 = 1246.23$ (rpm)順時針

**17.** 一行星齒輪系（planetary gear train，可參考附圖）被採用於曳引機的傳動器中，其中之太陽輪 (sun gear) 連接引擎，轉速為 3000rpm，而環齒輪 (ring) 是被固定於機架上，以行星架 (arm) 為輸出端，如果太陽輪有 16 齒，三個行星齒輪 (planet) 中的每一輪有 34 齒，請計算出：(1)行星架的轉速為多少 rpm？(2)每個行星齒輪的轉速為多少 rpm？【地特三等機設】

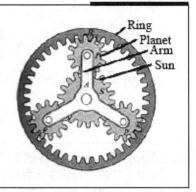

**解** (1) 環齒輪齒數 $T = 16 + 2 \times 34 = 84$

$\dfrac{0 - N_m}{3000 - N_m} = (-\dfrac{16}{34}) \times (\dfrac{34}{84})$

$\Rightarrow N_m = 479$ (rpm)

(2) $\dfrac{N_2 - 479}{3000 - 479} = (-\dfrac{16}{34})$

$N_2 = -707.35$ (rpm)

**18.** 如圖所示，為一斜齒輪周轉輪系，輪 4 向上迴轉 20 圈，輪 5 向下迴轉 10 圈，試求轉動輪 A 的轉速及轉向。

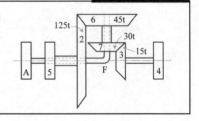

**解** $N_A = +20$，$N_5 = -10$，$e_{5,4} = \dfrac{N_4 - N_A}{N_5 - N_A} = -\dfrac{125 \times 30}{45 \times 15}$

$\dfrac{20 - N_A}{-10 - N_A} = -\dfrac{50}{9}$，$\therefore N_A = -5.42$ (圈，向下)

---

**19.** 20°公制標準齒輪，模數為 8mm，齒數為 30 齒，求(1)節圓直徑、(2)周節、(3)齒冠、(4)齒根、(5)間隙、(6)齒厚(間)、(7)外直徑，各為若干 mm？

**解** 令 M=8mm，T=30t

(1)$\because M = \dfrac{D}{T}$，$\therefore D = MT = 8 \times 30 = 240$(mm)

(2)$P_c = \pi M = 3.14 \times 8 = 25.12$(mm)

(3)齒冠 $a = M = 8$(mm)

(4)齒根 $d = 1.25M = 10$(mm)

(5)間隙 $c = d - a = 10 - 8 = 2$

(6)齒厚＝齒間 $t = \dfrac{P_c}{2} = \dfrac{25.12}{2} = 12.56$(mm)

(7)外徑 $D_0 = M(T+2) = 8(30+2) = 256$(mm)

---

**20.** 有一 20° 壓力角之公制短齒正齒輪，模數為 5mm，齒數為 30，試求此齒輪之節圓直徑、外徑、基圓直徑、周節、齒厚。【107 普考】

**解** 節圓直徑：$D_C = m \times T = 5 \times 30 = 150$(mm)

外徑：$D_o = D_C + 2h_a = 150 + 2 \times 5 \times 0.8 = 158$(mm)

基圓直徑：$D_b = D_c \cos 20° = 140.95$(mm)

周節：$P_c = \dfrac{\pi D_c}{T} = 5\pi = 15.7$ (mm)

齒厚：$S = 1.57 \times m = 7.85$(mm)

---

**21.** 一螺旋齒輪之螺旋角為 30°，周節為 15mm，求(1)法周節、(2)法模數，各為若干 mm？

**解** 令 $\beta = 30°$，Pc=15mm

(1)$P_{cn} = P_c \cdot \cos\beta = 15 \times \cos 30° \doteqdot 13$(mm)

$(2) \because P_c = \pi M. \therefore M = \dfrac{P_c}{\pi} = \dfrac{15}{3.14} = 4.777 (mm)$

$M_n = M \cdot \cos\beta = 4.777 \cos 30° = 4.14 (mm)$

或 $M_n = \dfrac{P_{cn}}{\pi} = \dfrac{13}{3.14} = 4.14 (mm)$

---

**22.** 一直齒正齒輪（Straight spur gear）（公制標準齒輪），模數（Module）M 為 2mm，齒數 T 為 30 齒，壓力角（Pressure angle）θ=14.5。。若圓周率為 π，試求該齒輪以下各項之值，各項值需列出正確計算式。（本題答案如有小數點，計至小數點以下三位）。

(一) 該齒輪之節圓直徑（Pitch diameter）$P_d$ 值？

(二) 該齒輪之周節（Circular pitch）$P_C$ 值？

(三) 該齒輪之最大外徑 D 值？

(四) 該齒輪之齒型高度（又稱齒深, Tooth depth）h 值？【103 中央印製廠】

**解** (一)　$D_C = 30 \times 2 = 60 (mm)$

(二)　$P_C = m\pi = 2\pi$

(三)　$D = D_C = 2m = 60 + 2 \times 2 = 64 (mm)$

(四)　$h = 2.25m = 4.5 (mm)$

---

**23.** 請畫出迴歸齒輪系（Reverted gear train）的機構簡圖，已知迴歸齒輪系的減速比為 15，輸入齒輪之齒數為 30，模數為 5，輸出齒輪的模數為 4，且兩轉軸間的距離為 300mm，試求各齒輪的齒數。【107 地四】

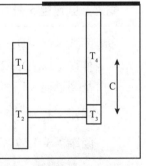

**解** 設輸入齒輪齒數為 $T_1$，與其嚙合之齒輪齒數為 $T_2$，與其同軸之齒輪齒數為 $T_3$，輸出齒輪齒數為 $T_4$；二轉軸間距為 C。機構簡圖如下：

$C = \dfrac{1}{2} m_i (T_1 + T_2) = \dfrac{1}{2} m_o (T_3 + T_4)$

$300 = \dfrac{1}{2} \times 5 \times (30 + T_2) = \dfrac{1}{2} \times 4 \times (T_3 + T_4) \cdots\cdots (1)$

$$e_{1 \to 4} = \frac{1}{15} = \frac{T_1}{T_2} \times \frac{T_3}{T_4}$$

$$\frac{1}{15} = \frac{30}{T_2} \times \frac{T_3}{T_4} \cdots\cdots (2)$$

由(1)式與(2)式得：

$T_2 = 90$；$T_3 = 25$；$T_4 = 125$

---

**24.** 圖中所示之周轉輪系，A 為旋臂，B、C、D、E 輪之齒數分別為 80、40、100、25 齒，B 輪齒軸為固定，若 B 輪之轉速為順時針 16 rpm，D 輪之轉速為逆時針 20 rpm，求 E 輪轉速？【普考】

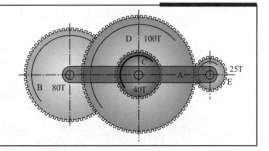

**解** 設順時針轉為正，D 輪轉速等於 C 輪轉速

$$\frac{-20 - A}{16 - A} = -\frac{80}{40}, \quad -20 - A = -32 + 2A$$

$$A = +4(rpm), \quad \frac{E - 4}{16 - 4} = +\frac{80 \times 100}{40 \times 25}$$

$E - 4 = 96, \quad E = +100(rpm)$順時針轉

---

**25.** 如圖所示，正齒輪、斜齒輪、蝸桿與蝸輪所組成之輪系，問(1)輪系值為多少？(2)設輪 A 為反時針方向旋轉 600rpm，則 F 輪之轉速及轉向如何？

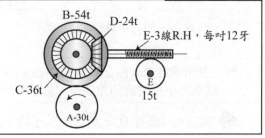

**解** 令 $n_A = -600rpm$

(1)$e = \frac{n_F}{n_A} = \frac{T_A \times T_C \times T_E}{T_B \times T_D \times T_F} = (-1) \times \frac{30 \times 36 \times 3}{54 \times 24 \times 15} = -\frac{1}{6}$

(2)$= n_F = e \cdot n_A = -\frac{1}{6}(-600) = +100(rpm)$

26. 如圖所示之齒輪系，設輸入軸 1 之轉速為 120 r.p.m.（逆時針方向），而輸入軸 2 之轉速為 360 r.p.m.（順時針方向），試求輸出軸之轉速及方向。
【鐵四】

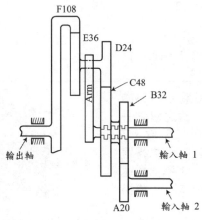

**解** 假設逆時針為負

臂轉速：$N_{arm} = N_1 = -120$

輸出軸轉速 $N_F$

$$e_{AB} = \frac{N_B}{N_A} = -\frac{T_A}{T_B} \Rightarrow \frac{N_B}{360} = -\frac{20}{32} \Rightarrow N_B = -225 \text{ rpm （逆時針）}$$

$$e_{BF} = \frac{N_F - N_{arm}}{N_B - N_{arm}} = -\frac{T_C}{T_D} \times \frac{T_E}{T_F} \Rightarrow \frac{N_F + 120}{-225 + 120} = -\frac{48}{24} \times \frac{36}{108}$$

$$\Rightarrow N_F = -50 \text{ rpm （逆時針）}$$

27. 有一對相嚙合之外接正齒輪的中心距為 180 mm，其模數為 6，轉速比為 5，試求大小齒輪的節圓直徑、齒數與周節。【鐵四】

**解** 假設大輪節徑 $D_1$，齒數 $T_1$，小輪節徑 $D_2$，齒數 $T_2$

$$\frac{N_1}{N_2} = 5 = \frac{D_2}{D_1} \Rightarrow D_2 = 5D_1$$

$$C = \frac{D_1 + D_2}{2} \Rightarrow 180 = \frac{D_1 + 5D_1}{2}$$

$$\Rightarrow D_1 = 60 (\text{mm}) , \quad D_2 = 300 (\text{mm})$$

$$D_1 = MT_1 \Rightarrow T_1 = \frac{60}{6} = 10 \text{ (齒)}$$

$$D_2 = MT_2 \Rightarrow T_2 = \frac{300}{6} = 50 \text{ (齒)}$$

$$\text{周節 } P_c = M \times \pi = 6\pi \text{ (mm)}$$

**28.** 有一對壓力角為 $20°$ 相互嚙合的全深漸開線外正齒輪，兩齒輪的齒數為 72 齒與 24 齒，齒輪的模數為 3mm。若兩齒輪的中心距因組裝而增大 8mm 時，試求該對齒輪的轉速比及大齒輪的節圓半徑與基圓半徑。【107 地四】

**解** 轉速比：

$$\frac{T_{72}}{T_{24}} = \frac{24}{72} = \frac{1}{3}$$

$$M = \frac{D_C}{T} \quad ; \quad 3 = \frac{D_C}{72} \rightarrow D_C = 216 \text{ (mm)}$$

大齒輪節圓半徑：$\dfrac{D_C}{2} = 108 \text{ (mm)}$

大齒輪基圓半徑：$\dfrac{D_C}{2} \times \cos 20° = 101.48 \text{ (mm)}$

**29.** 如下圖所示之兩對帶輪所組成的複式輪系，若 E 軸的轉速為 40 r.p.m.順時針方向，求輪系值與 G 軸的轉速。【地四】

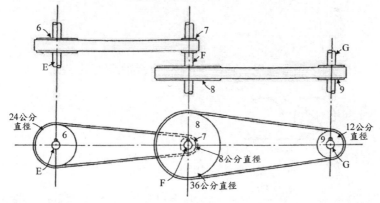

**解** 輪系值 $e = \dfrac{N_G}{N_E} = \dfrac{T_6}{T_7} \times \dfrac{T_8}{T_7} = \dfrac{D_6}{D_7} \times \dfrac{D_8}{D_9} = \dfrac{24}{8} \times \dfrac{36}{12} = 9$

$$e = \frac{N_G}{N_E} = 9 \Rightarrow 9 \times 40 = 360 \text{ r.p.m}(順時針)$$

30. 如圖所示為行星齒輪系(Planetary Gear set)，其中 A 齒輪（15 齒）聯結於主動軸(Input)上，C 齒輪（105 齒）為環形內齒輪為固定件，傳動臂(Arm)聯結於從動軸(Output)，並與 B 齒輪（45 齒）以迴轉軸相連接。若主動軸以順時針 80 rpm 方式轉動時，試回答或求解下列問題：

(一) 何謂齒輪的基本定律(Fundamental Law of Gearing)？

(二) 試舉出兩種齒輪設計時常用的齒形名稱。

(三) 從動軸(Output)的轉速及方向為何？

(四) 齒輪 B 的轉速及方向為何？【108 普考】

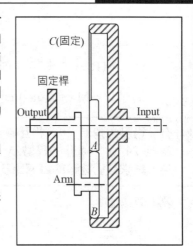

解 (一) 齒輪基本定律
相接觸二齒之接觸點的齒形曲線公法線，恆通過二齒輪連心線上之一固定點，使齒輪之角速度維持一定比值。

(二) 1. 漸開線齒形：將圍繞於基圓之圓周的弦線拉緊展開，弦線端點的軌跡即為漸開線。

2. 擺線：正擺線為一圓在一直線上滾動所形成之軌跡。

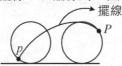

(三) $\oplus e_{A \to C} = \dfrac{0 - N_a}{80 - N_a} = -\dfrac{15}{45} \times \dfrac{45}{105} \Rightarrow N_a = 10$ (rpm)順時針

(四) $\oplus e_{A \to B} = \dfrac{N_B - 10}{80 - 10} = -\dfrac{15}{45} \Rightarrow N_B = -13.33$ (rpm)逆時針

31. 下圖所示輪系（Gear train）係單式輪系，若 A 齒輪為該輪系之主動輪
（Driving wheel），其中心為此輪系之共轉中心，B、C 和 D 分別為此輪
系之惰輪、末輪及旋轉臂，A、B 及 C 齒輪齒數各為 84、21 及 42 齒。若
A 齒輪逆時鐘旋轉 2 圈（$N_A$=-2），旋轉臂順時鐘旋轉 3 圈（$N_D$=+3），
則試求該輪系以下各項值，各項值需列出正確計算式。

(一) 求該輪系之輪系值（$e_{A \to C}$）（Train value）。

(二) 求該輪系中，C 齒輪的轉數及轉向（NC）。

(三) 求 AB 輪系之輪系值（$e_{A \to B}$）（Train value）。

(四) 求該輪系中，B 齒輪的轉數及轉向（$N_B$）。【103 中央印製廠】

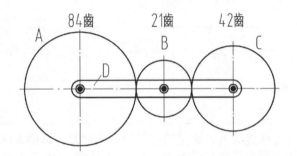

解 (一) $e_{A \to C} = \dfrac{84}{21} \times \dfrac{21}{42} = 2$

(二) 因 $e_{A \to C} = 2 = \dfrac{N_C - N_D}{N_A - N_D} = \dfrac{N_C - 3}{-2 - 3} \Rightarrow N_C = -7$（圈）逆時針

(三) $e_{A \to B} = \dfrac{-84}{21}$

(四) 因 $e_{A \to B} = \dfrac{-84}{21} = \dfrac{N_B - 3}{-3 - 3} \Rightarrow N_B = 27$（圈）順時針

**32.** 如圖所示之加工車床，以導程為 $l_2=5$ mm 之導螺桿配合變速齒輪組
（$N_1=15$、$N_2=40$、$N_3=20$、$N_4=30$）切削桿件為導程 $l_1$ 之螺桿零件，試求
桿件之導程 $l_1$ 為多少？【104 鐵路員級】

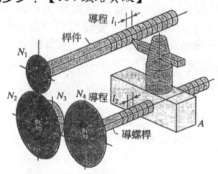

**解** $e_{4 \to 1} = \dfrac{N_1}{1} = \dfrac{30}{20} \times \dfrac{40}{15}$

$N1 = 4$（圈）　　　　　　$\dfrac{5}{4} = 1.25(mm)$。

**33.** 如圖所示為飛機螺旋槳減速裝置的行星齒輪系簡圖，其中太陽齒輪 1 被固
定住，且已知太陽齒輪 1 的齒數為 48、複合齒輪 2 與 3 的齒數分別為 24
與 36、環陽齒輪 4 的齒數為 120，齒輪 4 做順時針方向轉動（自右側視
之），轉速為 2400 rpm，試求行星臂 5 的轉速與轉向。【104 普考】

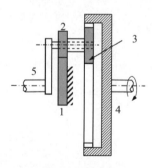

**解** $\oplus e_{4 \to 1} = \dfrac{0 - N_5}{2400 - N_5} = \dfrac{120}{36} \times \left(-\dfrac{24}{48}\right)$

$\Rightarrow N_5 = 1500rpm(\circlearrowleft)$

**34.** 一起重機齒輪系如圖所示，齒輪 2、3、4 與 5 的齒數分別為 23、120、30 與 92，捲筒 6 之直徑 D 為 250 mm，曲柄長 L 為 200 mm，試求輪系值為若干？若重物 W 為 320 kg，問曲柄上所需之力 F 為若干 kg？【地四】

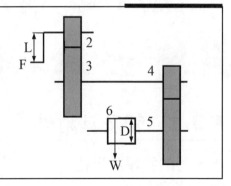

**解** $\dfrac{T_2}{T_5} = \dfrac{23}{120} \times \dfrac{30}{92} = \dfrac{F \times 200}{320 \times \dfrac{250}{2}}$

$F = 12.5(kg)$

**35.** 下圖為一行星齒輪機構，包括固定座、太陽齒輪 2（40 齒）、行星齒輪 3（20 齒）、與連桿 1。若已知連桿 1 的轉速為 200 rpm（順時針），太陽齒輪 2 的轉速為 100 rpm（順時針），試求行星齒輪 3 的轉速與轉向為何？【普考】

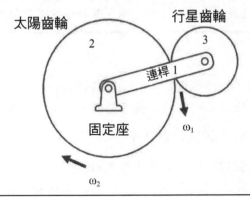

**解** $e_{2 \to 3} = \dfrac{N_3 - N_m}{N_2 - N_m} = -\dfrac{T_2}{T_3}$ ↻

$\Rightarrow \dfrac{N_3 - 200}{100 - 200} = -\dfrac{40}{20}$

$\Rightarrow N_3 = 400(rpm)$ ↻

# 第八章 管及液氣壓傳動

依據出題頻率區分，屬：C 頻率低

## 8-1 管及其附件

### 一、管的種類及規格

(一) 管的種類：

| 種類 | 說明 |
| --- | --- |
| 製造過程之不同 | 1.無縫接管　2.熔接管　3.鉚接管　4.鍛造管　5.鑄造管 |
| 用途之不同 | 1.高壓管　2.低壓管　3.高溫管　4.低溫管　5.熱交換器 |
| 材料之不同 | 鑄鐵管、鋼管、銅管、鉛管、鋁與鋁合金管、玻璃管、橡皮管、塑膠管，其他尚有合成樹脂管、撓性金屬管、鋼筋混凝土管、石棉管、陶管等特殊材料製管。 |

(二) 管的規格：

1. 直徑在 12 吋以下的標準鋼管，其公稱直徑皆以內徑表示，但是鍋爐用管，則不論大小皆以外徑表示，氨管公稱直徑與外徑無關。
2. 管標示：$\frac{1}{2}$"-14NPT 因其公稱直徑小於 12 吋，故係指內徑為$\frac{1}{2}$"，而 NPT 則代表斜管螺紋，NPS 表示直管螺紋。
3. 高壓管所用之螺紋是斜管螺紋，斜管螺紋在直徑上的錐度為每吋 $\frac{1}{16}$ 吋。

## 二、管接頭及管套節（管接合方法）

| 種類 | 說明 |
|------|------|
| 永久接頭 | 用對接或搭接的方式永久接合。 |
| 凸緣接頭 | 管直徑較大，管內壓力很高時，須用接頭在管子上用螺栓或螺帽接合，此類接頭稱為**凸緣接頭，常用於高壓力、大管徑之管接方法。** |
| 螺旋接頭 | 最常使用之材料為可鍛鑄鐵，管螺紋接觸面間常以止洩帶方式密合，**常用管直徑較小，主要用於低溫低壓管路系統。** |
| 脹縮接頭 | 使用於在較長的管路中為防止因溫度之變化而伸縮使管破裂。 |

## 三、管路中用以防漏的裝置

| 種類 | 說明 |
|------|------|
| 襯墊 | 在兩個剛性的機件之間，為達密封的效果，常夾襯可塑性之材料，如紙、軟金屬或纖維做成板片狀之襯墊，以阻止流體之滲透。例如管子凸緣接頭之間，汽缸與汽缸蓋之間皆用之。 |
| 填料 | 填料用於兩機件間有相對運動時，以阻止流體之洩漏。 |
| 油封 | 迴轉軸與軸承間，潤滑油常有洩漏之情況，常用油封裝置來阻止液體洩出，兼具有防塵效果。 |
| O 形環 | 氣油壓管路中往復運動之機件，常使用 O 形環加以密封。主要的材料是合成橡膠。 |

# ▼8-2　液壓傳動

## 一、巴斯卡原理

**(一)假設：**

1. 密閉容器中，液體各點所受之壓力均相等。

2. 密閉容器中，液體各點均受垂直壓力。

3. 密閉容器中，必同時間加壓於液體一方。

**(二)定理（巴斯噶原理）：** 在密閉容器內的流體壓力，其傳遞到容器內的任一處的壓力是相同的，而所施力的角度是垂直於容壁表面，即使利用小管路連通，所傳遞的壓力是相同的，其公式可表爲：

$$Ma = \frac{W}{F} = \frac{A_2}{A_1} = \frac{(D_2)^2}{(D_1)^2} = \frac{S_1}{S_2}$$

（A：活塞斷面積、D：活塞斷面直徑、S：活塞位移）

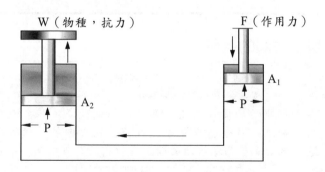

**圖 8.1　巴斯卡原理**

## 二、連續流原理

原理：流體在定流狀態下，流過不同斷面之管路，其流量恆相等，其公式可表爲：$Q_{in} = Q_{out} \Rightarrow A_1 \times V_1 = A_2 \times V_2$

流量 $Q =$ 流速 $V \times$ 斷面積 $A \Rightarrow \dfrac{A_2}{A_1} = \dfrac{V_1}{V_2} = \dfrac{(D_2)^2}{(D_1)^2}$

## 三、伯努力定律

伯努力定律：在開放系統無黏性不可壓縮流體作穩流運動，其系統內任一點之壓力能＋速度能＋為能皆保持一定。

$$\frac{P_1}{\gamma} + \frac{1}{2}V_1^2 + Z_1 = \frac{P_2}{\gamma} + \frac{1}{2}V_2^2 + Z_2$$

## 四、液壓傳動效率

### (一) 液壓傳動功率

液壓傳動功率＝液體總受力(F)×液體流速(V)＝活塞壓力(P)×液體流量(Q)

液壓傳動功率可以下單位表示：

瓦特(W)，$W = PQ$

P 的單位為牛頓 $N/m^2$，Q 的單位為立方公尺/秒($m^3/sec$)

公制馬力 PS，$PS = \dfrac{PQ}{75}$

P 的單位為公斤($kg/m^2$)，Q 的單位為立方公尺/秒($m^3/sec$)

### (二) 液壓傳動效率（泵效率）

指泵提供的有效輸出液體功與泵軸輸入的功之比值，稱為泵的總效率，用 η%表示。它的大小反映泵在工作時能量損失的大小，泵的效率與泵的大小、類型、製造精密程度、工作條件等有關，由性能測試台測定之。

管路消耗流功：$W_s = P_s \cdot Q_s = pgH_sQ_s$

泵輸出流功：$W_f = pgHQ$

泵效率：$\eta_{pump} = \dfrac{W_f}{W_{bhp}} = \dfrac{pgHQ}{W_{bhp}}$

總效率(water/wire)：$\eta\ total = \eta\ pump \cdot \eta\ motor$

Q(流量)：離心泵在單位時間內送出的液體體積

H(揚程)：離心泵對單位重量的液體所提供的有效能量，又稱為揚程，用 H 表示，單位為 m

若泵的流量為 Q，總揚程為 H，液體比重量為 r，則泵的輸出功率 L 為：

$L = rQH$　　kgf-m/s

　$= rQH/102kW$

　$= rQH/75ps$

1. 容積效率

　容積損失：由於泵的內部洩漏、迴流等所造成，使得部分獲得能量的高壓液體迴流到葉輪入口而使排出量減少浪費的能量。容積損失用容積效率 $\eta_V$ 表示。

$$\eta_V = \frac{實際流量}{理論流量} \times 100\% = \frac{Q_a}{Q_T} \times 100\%$$

2. 機械效率

　機械損失：由於泵軸與軸承間、填料間、葉輪入口密封環，機械軸封等，以及液體與葉輪側板間的摩擦等機械原因引起的能量損失。機械損失用機械效率 $\eta_m$ 表示。

$$\eta_m = \frac{有效功率}{理論功率} \times 100\% = \frac{N_a}{N_T} \times 100\%$$

3. 水力效率

　水力損失：由於液體具有粘性，在葉輪與泵殼內流動時流體會因表面粗造度、流速擴散、攻角與滑移係數及分離流等因素，導致引起的局部的流動能量損失。水力損失用水力效率 $\eta_h$ 表示。

$$\eta_h = \frac{實際揚程}{理論揚程} \times 100\% = \frac{H_a}{H_T} \times 100\%$$

4. 液壓傳動效率(泵效率)

　泵效率：$\eta_{pump} = \eta_V \times \eta_m \times \eta_h$

　小泵：$\eta = 50 \sim 70\%$　大泵：$\eta > 80\%$

## 五、液壓傳動優缺點

| 優點 | 缺點 |
|---|---|
| 1. 機件小，產生力量大。<br>2. 變速容易，且能達到及維持一定的速比。<br>3. 運動方向之改變或停止均容易控制。<br>4. 運動傳達正確。<br>5. 動作圓滑，震動少，故摩擦損失少。<br>6. 可做長距離操作。<br>7. 構造簡單，操作便捷，啟動扭矩小。 | 1. 油管路配置較困難，管線接頭常有漏油現象。<br>2. 液壓油易受溫度影響，溫度會影響黏度及速度。<br>3. 能量損耗大，效率較機械式低。<br>4. 油本身具可燃性，較危險。 |

## 六、液壓構件

液壓系統主要有三要件，爲液壓泵、液壓控制閥及液壓制動器，除了三要件外，視需求會加入其他附件如蓄壓器、冷卻器、過濾器等。

(一)**液壓泵浦**：將機械能轉換爲液壓能。

| 液壓泵浦 | 說明 |
|---|---|
| 迴轉式 | (1)齒輪泵浦：分成內接跟外接，用途最廣泛<br>(2)螺旋泵浦：軸向流動，噪音小。 |
| 往復式 | 活塞泵浦：效率最高。 |

(二)**液壓制動器**：液壓制動器爲將液壓能轉換成直線或旋轉運動的機構。

(三)**液壓控制閥**：主要是要控制液體流動的方向、流量和壓力，使液壓缸能達成正確的動作要求，其功用之不同，可分爲下列三種：

1. **壓力控制閥**：用以控制流體的壓力大小；如減壓閥、安全閥。

2. **方向控制閥**：用以控制流體的流動方向；如止回閥、迴轉方向閥、栓塞方向閥。

3. **流量控制閥**：用以控制流體的流量大小，一般稱爲「節流閥」；如閘閥、停止閥、塞閥、蝶形閥。

(四)**其他附件**：其他附件有蓄壓器與冷卻器等，其中蓄壓器有儲能、緩衝、防止驟變的功能；蓄壓器有彈簧式、重力式、隔膜式，常用者爲彈簧式。

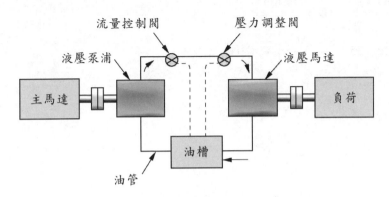

圖 8.2　液壓構件

## 七、液壓油

| 液壓油中溶入空氣之影響 | 液壓油中溶入水份之影響 | 液壓油須具備的條件 |
|---|---|---|
| 1.油壓缸堵塞。<br>2.加速液壓油老化。<br>3.造成半真空作用，形成氣泡，易使流速、壓力發生變化。 | 1.降低潤滑能力。<br>2.機件容易生鏽。<br>3.易引起液壓機件動作不順及加速磨耗。<br>4.加速液壓油氧化，縮短液壓油的壽命。 | 1.應能耐壓縮。<br>2.在低溫下流動性佳，使動力能有效傳達。<br>3.長期使用，不變質。<br>4.不致造成機件之生鏽及腐蝕。<br>5.具有適當之潤滑性，無毒性。<br>6.能與水、空氣、膠質等迅速分離。<br>7.燃點高、溫度影響少。<br>8.具有適當之黏性。 |

### 範例 8-1

水壓機的大活塞直徑是小活塞直徑的 5 倍，試問：(1)以小活塞作為施力端，大活塞為抗力端，則此水壓機之機械利益為若干？(2)若不考慮摩擦損失，大活塞的移動速率是小活塞移動速率的幾倍？【關務四等】

解 (1) $Ma = \dfrac{W}{F} = \dfrac{(D_2)^2}{(D_1)^2} \Rightarrow Ma = \dfrac{F_{輸出}}{F_{輸入}} = \dfrac{(5)^2}{(1)^2} = 25$

(2) $Ma = 25 = \dfrac{S_1}{S_2} = \dfrac{V_1}{V_2} \Rightarrow V_2 = 0.04V_1$

**範例 8-2**

一鋼管的內徑 d 為 100 mm，管內液壓油的最大流速 $V_m$ 為 6 m/s，平均流速 $V_a$ 為 4 m/s。若不考慮管內的摩擦損失，試求：(1)該管內之平均液壓油流量 Q 為若干 $m^3/s$？(2)若油壓 p 為 250 $N/m^2$，則此液壓油所傳送的功率為若干馬力(HP)？【普考】

**解** (1) 因為是求算平均液壓油流量，所以下式使用平均流速

$$Q = V \times A = 4 \times \frac{\pi}{4} \times (0.1)^2 = 0.0314 (m^3/s)$$

(2) 傳送的功率＝油壓×流量＝$250 \times 0.0314 = 7.85W = 0.0106HP$

**範例 8-3**

如圖(a)、(b)所示的油壓缸，假設進入油壓缸的流量為 Q，油壓缸內徑為 D，活塞桿直徑為 d，作用於活塞上的壓力為 P。試推導(1)流體由左側進入時之推力為若干？(2)流體由右側進入時之推力為若干？(3)兩邊之推力相差若干？【原住民特考】

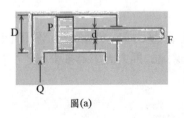
圖(a)

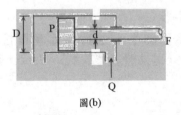
圖(b)

**解** (1) $P = \dfrac{F_1}{A} \Rightarrow F_1 = PA = P \times \dfrac{\pi D^2}{4}$

(2) $P = \dfrac{F_2}{A} \Rightarrow F_2 = PA = P \times \dfrac{\pi(D^2 - d^2)}{4}$

(3) $F_1 - F_2 = \dfrac{\pi}{4} d^2 P$

範例**8-4**

液壓系統中，設流量每秒 0.5 公升，電動機轉速為 600r.p.m.，請問油泵浦每轉動一周之排油量為多少 c.c.？【鐵路特考】

解　$Q=0.5(l/s)=500(c.c./s)$

周期 $T=\dfrac{60}{N}=\dfrac{60}{600}=0.1(sec)$

$Q \times T=500 \times 0.1=50(c.c.)$

範例**8-5**

油壓起重機大小活塞的半徑分別為 100mm 及 40mm，若大活塞舉重 80kg，上升 5cm，請問小活塞受力為多少 kg 及下降多少 cm？【普考】

解　$\dfrac{W}{F}=\dfrac{D_2^2}{D_1^2} \Rightarrow \dfrac{W}{80}=\dfrac{(40)^2}{(100)^2} \Rightarrow W=12.8(kg)$

$80 \times 5=12.8 \times S \Rightarrow S=31.25(mm)$

範例**8-6**

一液壓傳動中，主動件活塞單位面積壓力為 8kg/m²，作用面積為 0.75m²，若液體流量為 1.5m³/sec，則傳達的馬力大小為多少 HP？【鐵路特考】

解　$P \times Q=8 \times 9.81 \times 1.5=117.72(W)=0.1578(hp)$

範例**8-7**

一鋼管的內徑 d 為 100mm，管內液壓油的最大流速 Vm 為 6m/s，平均流速 Va 為 4m/s。若不考慮管內的摩擦損失，試求該管內之平均液壓油流量 Q 為若干 m³/s？若油壓 p 為 250N/m²，則此液壓油所傳送的功率為若干馬力(HP)？【普考】

解　$Q=VA=4 \times \dfrac{\pi}{4} \times (0.1)^2=0.0314$

$P \times Q=250 \times 0.0314=7.854(W)=0.0105hp$

# ▼8-3　氣壓傳動

## 一、空壓原理

(一)**壓力單位**：若在一個空間內，此靜止的流體是氣體，因氣體的密度很小，則此空間的壓力可假設是均勻的，單位面積所受的力稱爲壓力，大氣中的空氣，因重力作用而產生的壓力，稱爲大氣壓力，以大氣壓力爲基準，其他氣壓可表示如下：

從圖 8.3 得知：

1. 錶壓力：錶壓力爲壓力錶所量到的壓力，錶壓力的零點爲大氣壓力。
2. 絕對壓力：絕對壓力＝錶壓力＋大氣壓力。
3. 真空壓力：絕對壓力小於大氣壓力時稱爲真空。
4. 真空壓力＝大氣壓力－絕對壓力。
5. 一般以國際 SI 標準單位，大部分問題皆採用絕對壓力（absolute processure）。
6. 壓力單位：

$$1Pa = 1N／m^2 \text{、} 1KPa = 10^3 Pa \text{、} 1MPa = 10^6 Pa$$

$$1atm = 760 \text{ mm Hg} = 760 \text{ Torr} = 14.696 \text{ lb} \cdot in^{-2} = 101325 \text{ N} \cdot m^{-2}$$

$$= 101325 \text{ Pa} = 101.325 \text{ kPa} = 1.01325 \text{ bar} = 1013.25 \text{ mb}$$

$$1 \text{ atm} = 14.696 \text{ psi} = 1.033227 \times 10^4 \text{ kg} \cdot m^{-2} = 1.033 \text{ kg} \cdot cm^{-2}$$

$$1 \text{ bar} = 100 \text{ kPa}$$

$$1 bar \doteqdot 10^5 Pa = 0.1MPa = 1atm = 76cm - Hg \doteqdot 10m - H_2O$$

(二)**溫度**：

1. 溫度的單位有攝氏(℃)、華氏(℉)、凱氏絕對溫度(K)、朗氏絕對溫度(R)。
2. 絕對溫標有兩種，一種是凱氏溫標，一種是朗式溫標如下所示：

   $T_K = T_C + 273℃$（凱氏溫標）

   $T_R = T_F + 460℉$（朗式溫標）

3. 溫度的換算：

   攝氏(℃)、華氏(℉)、凱氏(K)、朗氏(R)

   (1) $^0C \rightarrow {}^0F \Rightarrow {}^0C \times \dfrac{9}{5} + 32 = {}^0F$

   (2) $^0F \rightarrow {}^0C \Rightarrow {}^0C = ({}^0F - 32) \times \dfrac{5}{9}$

   (3) $^0C \rightarrow {}^0K \Rightarrow {}^0C + 273 = {}^0K$

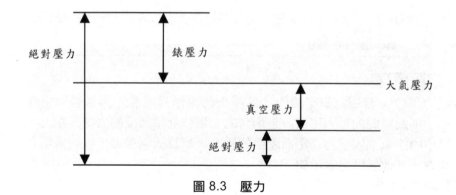

圖 8.3　壓力

**(三) 理想氣體：**

1. 氣體有一般的通性，即任何氣體無一定的形狀、大小，可擴散、可膨脹、可被壓縮。

2. 理想氣體 (ideal gas) 的特性：

   (1)分子為一質點，分子僅具有質量但自身體積為零。

   (2)除碰撞外，分子間無作用力（故理想氣體不能液化或固化）。

   (3)理想氣體是由極大的分子數目所組成的，且分子運動是不規則的。

   (4)世界上不可能存在此種氣體。

3. 理想氣體狀態方程式：

   (1)n 波以耳定律：在一定溫度下，定量氣體的體積與壓力成反比。

   $$\forall \propto \frac{1}{P} \quad (\text{n、T 固定})$$

   (2)查理定律：在一定壓力下，定量氣體的體積與絕對溫度成正比。

   $$\forall \propto T \,(\text{n、P 固定})$$

   (3)給呂薩克定律 (Gay-Lussac's law)：在一定容積下，定量氣體的壓力與絕對溫度成正比。

   (4)亞佛加厥定律：$\forall \propto n \,(\text{T、P 固定})$

(5)若訂 $R_u$ 爲一常數，$\forall = R_u\, n\, \dfrac{T}{P}$

其中 $n = \dfrac{m}{M}$ 即 $\boxed{P\forall = m\dfrac{R_u}{M}T}$

(6)單位：P：壓力（kpa）；T：絕對溫度（°K）；$\forall$：氣體體積

（$m^3$）；m：質量（kg）；M：克分子量（$\dfrac{kg}{kg-mole}$）

(7)$R_u$（萬用氣體常數）$= 0.082\ \text{atm} \cdot \text{L/mol°K}$

$\qquad\qquad\qquad\qquad = 62.36\ \text{mmHg} \cdot \text{L/mol°K}$

$\qquad\qquad\qquad\qquad = 8.314\ \text{kJ/kg-mol°K}$（最常用）

(8)$R_u$ 值隨單位不同而異，R 不隨溫度、壓力及標準狀態的改變而異。

(9)R（氣體常數）$= \dfrac{R_u}{M}$（kJ/kg-K）

4. 理想氣體方程式之換算：

(1)$P\forall = m\dfrac{R_u}{M}T \Rightarrow \boxed{P\forall = mRT}$ （P：壓力、$\forall$：體積、R：氣體常數、

T：溫度）

(2)$P\forall = m\dfrac{R_u}{M}T \Rightarrow P\forall = \dfrac{m}{M}R_uT \Rightarrow \boxed{P\forall = nR_uT}$

（n：表示莫耳數）

表 8-1　幾種氣體之氣體常數 R

| 編號 | 氣體 | 分子量 | 氣體常數 $R = \dfrac{R_u}{M}$ (kJ/kg-K)，$R_u = 8.314$ kJ/kg-mol°K |
|---|---|---|---|
| 1 | 空氣(air) | 28.966 | 0.287 |
| 2 | 氬(Ar) | 39.944 | 0.208 |
| 3 | $CO_2$ | 44.011 | 0.189 |
| 4 | 氦(He) | 4.003 | 2.077 |
| 5 | $N_2$ | 28.016 | 0.297 |
| 6 | $O_2$ | 32 | 0.260 |

## 二、氣壓傳動優缺點

| 優點 | 缺點 |
| --- | --- |
| (1) 可在任何地方及無限取得空氣來源。<br>(2) 壓縮空氣可儲存。<br>(3) 過負荷時，衝的過負載力量可由空氣壓縮來吸收衝擊，不致損壞機件。<br>(4) 能高速運動。<br>(5) 壓力，速度調整容易。<br>(6) 溫度變化小，可靠度高。<br>(7) 壓縮空氣無爆炸，起火，污染的問題。 | (1) 精確速度控制困難。<br>(2) 慢速不穩定。<br>(3) 輸出力小。<br>(4) 排氣噪音大。<br>(5) 作動效率低。<br>(6) 空氣本身無潤滑作用，所以需加潤滑油。 |

## 三、空壓機件及應用

(一) **空氣壓縮機**：將空氣吸入，加壓後儲存於容器內，在予以高壓輸出，其種類為：

| 種類 | 說明 |
| --- | --- |
| 確實排量壓縮機 | 此種壓縮機是將空氣吸入到定量容積，然後再加以壓縮使其增加，又可分為往復式及迴轉式：<br>(1) 往復式：膜片式壓縮機，其為往復式壓縮機的一種，因為膜片往復式壓縮機中只有膜片與空氣接觸，而膜片不需加任何潤滑油，故最適合於食品與醫藥工程。<br><br>(2) 迴轉式：輪葉空壓機為迴轉式壓縮機的一種，其中可變容式輪葉空壓機是利用調整轉子偏心量的方式來改變輸出容 |

| | |
|---|---|
| | 量,當轉子偏心量改變時,轉子與空壓機壁間的容積也開始改變。 |
| 確實排量<br>壓縮機 | 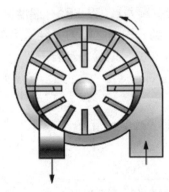 |
| 非確實排量<br>壓縮機 | 將空氣吸入後,利用高速轉動的機件將氣流高速推進,而將速度的動能轉為壓能的方式,其中可分軸流式及徑流式,適合超高流量場合,讀者同時也可發現,液壓系統並無類似裝置,因為此類裝置因高速帶來高溫等問題,故不適用在液壓系統。 |

(二)**空氣調理組**:空氣調理組的三點組合,其為過濾器,調壓閥,潤滑器。

(三)**空壓控制閥**:如同液壓控制閥,空壓控制閥為控制及調節工作流體的元件,能控制流體的流動方向、停止起動動作及流量壓力控制,功用有方向控制、壓力控制、流量控制。

(四)**空氣制動器**:空氣制動器為將空氣壓力轉換為機械能進而作功的裝置其種類為氣壓缸及氣壓馬達。

---

### 範例 **8-8**

一容積為 2.5m³ 之容器,裝有壓力為 100kPa,溫度為 30℃之氮氣。試問容器內氮氣之質量為若干?

**解** R＝0.29680Kj/kg-°K

由 pv＝mRT 可得氮氣質量為

$$m = \frac{pv}{RT} = \frac{100 \times 2.5}{0.29680 \times (30 + 273)} = 2.78kg$$

範例**8-9**

一容積為 2m³ 之容器，裝有壓力為 50kPa，溫度為 60℃之氧氣；另一容積相同之容器，則裝有壓力為 30 kPa，溫度為 25℃之氧氣。兩容器間接有一閥，閥打開後達到一均衡之壓力。經過足夠長的時間之後，兩容器內氧氣的溫度測得均為 20℃，則壓力為若干？

解 R＝0.25983kJ/kg-°K

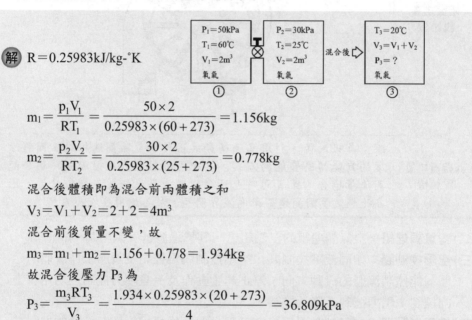

$$m_1 = \frac{p_1 V_1}{RT_1} = \frac{50 \times 2}{0.25983 \times (60+273)} = 1.156kg$$

$$m_2 = \frac{p_2 V_2}{RT_2} = \frac{30 \times 2}{0.25983 \times (25+273)} = 0.778kg$$

混合後體積即為混合前兩體積之和

$$V_3 = V_1 + V_2 = 2+2 = 4m^3$$

混合前後質量不變，故

$$m_3 = m_1 + m_2 = 1.156 + 0.778 = 1.934kg$$

故混合後壓力 $P_3$ 為

$$P_3 = \frac{m_3 RT_3}{V_3} = \frac{1.934 \times 0.25983 \times (20+273)}{4} = 36.809kPa$$

範例 **8-10**

一容器裝有壓力與溫度分別為 950kPa 與 50℃的空氣 40kg。由於密封不盡理想，致使部分空氣逸出，待發現容器內之壓力已降至 400kPa，而溫度變為 25℃。試問逸出之空氣量為若干？

解 R＝0.287kJ/kg-°K，容器體積 V 為

$$V = \frac{m_1 RT_1}{p_1} = \frac{40 \times 0.287 \times (50+273)}{950} = 3.90m^3$$

空氣流失後容器內所剩質量為

$$m_2 = \frac{p_2 V}{RT_2} = \frac{40 \times 3.90}{0.287 \times (25+273)} = 18.25kg$$

範例 **8-11**

質量 0.01kg 的某理想氣體，其所佔的體積為 0.003m³，壓力為 7bar，溫度為 131℃，當該氣體膨脹至壓力為 1bar，體積為 0.02m³ 時，求其溫度為若干？

解 $P_1=7bar=700kpa$　$P_2=1bar=100kpa$　$m=0.01kg$

$\forall_1=0.02m^3$　$\forall_2=0.02m^3$

$R=\dfrac{P_1\forall_1}{mT_1}=\dfrac{700\times0.02}{0.01\times(131+273)}=0.52$

$T_2=\dfrac{P_2\forall_2}{mR}=\dfrac{100\times0.02}{0.01\times.52}=384.62K=111.62℃$

範例 **8-12**

1-m³ 的剛性箱子內有 1.5Mpa，450K 的空氣，此箱子由一氣閥連接至空氣管線。當氣閥打開後，空氣由管路流入箱內，直到壓力達到 6MPa 後將氣閥關閉，此時箱內溫度為 550K。請問：(1)打開氣閥前與關閉氣閥後，箱內空氣質量分別為多少公斤？(2)關閉氣閥後，當箱內溫度冷卻至室溫 400K，此時內部壓力為何？

解 (1)A.氣閥開前

$P\forall=mRT\Rightarrow1500\times1=m_1\times0.287\times450$

$m_1=11.61\ kg$

B.當氣閥關閉後

$P\forall=mRT\Rightarrow6000\times1=m_2\times0.287\times550$

$m_2=38.01kg$

(2)$T_2=400K$ 時

$P_2\times1=38.01\times0.287\times400\Rightarrow P_2=4363.64\ kPa$

# ❮精選試題❯

## 一、選擇題型

( ) **1** 下面那一種泵(Pump)不是正排量(Positive displacement)泵？ (A)齒輪泵(Gear pump) (B)葉片泵(Vane pump) (C)離心泵(Centrifugal pump) (D)柱塞泵(Piston pump)。【普考】

( ) **2** 目前一般新式機械中，用以控制或產生大動力之機構為 (A)液壓傳動機構 (B)連桿傳動機構 (C)螺旋機構 (D)撓性傳動機構。

( ) **3** 有關液壓傳動的特點，下列何者錯誤？ (A)採用液體為傳動介質 (B)須在封閉的容器內進行 (C)以液體動能為主 (D)主要參數為壓力與流量。【普考】

( ) **4** 高壓管接頭所使用之螺紋為： (A)圓形螺紋 (B)方形螺紋 (C)直管螺紋 (D)錐形管螺紋。【中油】

( ) **5** 一般的熱水器或冷卻器的管線，大都採用下列何者？ (A)銅管 (B)鋁管 (C)鉛管 (D)不銹鋼管。【中油】

( ) **6** 一般做大管徑、高壓力的接管時，常使用的方法是採用何種接頭方式？ (A)螺紋接頭 (B)套頭接頭 (C)凸緣接頭 (D)脹縮接頭。【中油】

( ) **7** 如圖所示之符號為 (A)潤滑器 (B)冷卻器 (C)過濾器 (D)油面計。

( ) **8** 如圖所示之符號為 (A)過濾器 (B)安全閥 (C)止回閥 (D)針閥。

( ) **9** 下列何者為四口三位方向控制閥？(A) (B) (C) (D) 。【台電】

( 　 ) **10** 如圖所示之符號爲　(A)止回閥　(B)順序閥　(C)三點組合　(D)過
　　　　濾器。

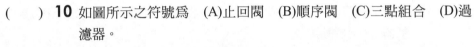

( 　 ) **11** 如圖所示之符號爲　(A)壓力控制閥　(B)流量控制閥　(C)方向
　　　　控制閥　(D)洩壓閥。

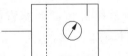

( 　 ) **12** 依據鋼管管厚級別，下列何者之管厚最厚？　(A)sch10
　　　　(B)sch20　(C)sch40　(D)sch80。【台電】

( 　 ) **13** 如圖所示之符號爲　(A)雙向氣壓馬達　(B)單向氣
　　　　壓馬達　(C)雙向液壓馬達　(D)單向液壓馬達。

( 　 ) **14** 安全閥(safety valve)是屬於那一類閥？　(A)壓力閥　(B)方向閥
　　　　(C)流量閥　(D)停止閥。【普考】

( 　 ) **15** 液壓系統中，經常使用的是所謂的液壓馬達(Hydraulic Motor)，
　　　　而液壓馬達在使用功能上，有優於電氣馬達的地方。因此，對
　　　　同功率的此二類馬達而言，下列何者之陳述不正確？　(A)液壓
　　　　馬達能任意地變化迴轉速率　(B)液壓馬達可以簡單地控制正逆
　　　　轉　(C)液壓馬達煞車時，迅速確實　(D)液壓馬達比電氣馬達
　　　　所承受的扭矩較小。【普考】

( 　 ) **16** 有一氣壓缸的活塞直徑爲 35mm，活塞桿直徑爲 10mm，前進之
　　　　節流流量爲 $0.1m^3/min$，後退之節流流量爲 $0.2m^2/min$。則前進
　　　　與後退之速度比約爲：　(A)1：1.56　(B)1：2.18　(C)1：3.54
　　　　(D)1：4.59。【普考】

( 　 ) **17** 下列何者不是空氣調理單元之元件？　(A)調壓閥　(B)過濾器
　　　　(C)控制閥　(D)潤滑器。

（　）**18** 下列何者不是液壓致動器？　(A)液壓缸　(B)液壓馬達　(C)蓄壓器　(D)擺動馬達。

（　）**19** 有一雙動單活塞桿液壓缸，其活塞直徑爲 9cm，活塞桿直徑爲 4cm，液壓油自有桿腔之一端進入，活塞移動速度爲 2cm/秒，則液壓油流量爲多少公升/秒？　(A)0.025　(B)0.066　(C)0.102　(D)0.127。【普考】

（　）**20** 液壓缸之活塞運動速度與進入缸內液壓油流量之關係爲何？　(A)活塞速度與流量成正比　(B)活塞速度與流量成反比　(C)活塞速度與流量平方根成正比　(D)活塞速度與流量平方成反比。【普考】

（　）**21** 管子內徑之選定係根據：　(A)流速與壓力　(B)流量與流速　(C)壓力與黏度　(D)壓力與流量。【普考】

（　）**22** 下列液氣壓之元件符號，何者爲過濾器？

(A)　　　　　　　　(B)　　　　　　　　(C)

(D)

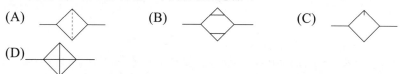

（　）**23** 下列有關擴口接頭之敘述，何者錯誤？　(A)擴口角有 37 度和 45 度兩種　(B)適用於厚壁管件　(C)不用密封件　(D)應用於低壓場合。【普考】

（　）**24** 如圖所示，穩流狀態時，若管徑由 $d_1$ 縮小爲 $d_2 = \frac{1}{2}d_1$，平均流速由 $V_1$ 變成 $V_2$，則 $\frac{V_2}{V_1}$ 爲多少？

(A)2　(B)$\frac{1}{2}$　(C)4　(D)$\frac{1}{4}$。

（　）**25** 直徑爲 50mm 的自來水管，每分鐘流量爲 0.8m³，則管內水流平均流速爲多少 m/s？　(A)0.27　(B)1.70　(C)2.55　(D)6.79。【普考】

( 　) **26** 下列那一種泵(pump)較不適合做爲液壓泵？　(A)離心泵 (centrifugal pump)　(B)葉片泵(vane pump)　(C)柱塞泵(piston pump)　(D)齒輪泵(gear pump)。【普考】

( 　) **27** 一般最常使用蓄壓器之形式爲：　(A)重力式　(B)氣囊式　(C)活塞式　(D)彈簧式。【普考】

( 　) **28** 下列敍述那一項不是液壓傳動的優點？　(A)體積小重量輕傳動功率大　(B)不會有過負載的危險　(C)可無段變速　(D)性能不會受溫度變化的影響。【普考】

( 　) **29** 如圖所示之液壓系統，活塞 $A_1$ 之面積爲 $5cm^2$，活塞 $A_2$ 之面積爲 $15cm^2$，當 100N 的重物加於 $A_1$ 時，$A_2$ 可支持多少重量之物體？　(A)150　(B)200　(C)250 (D)300　N。

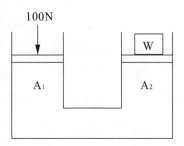

( 　) **30** 下列何者爲壓力控制閥？　(A)溢流閥　(B)節流閥　(C)止回閥 (D)梭閥 (shuttle valve)。【普考】

( 　) **31** 一般而言，空氣壓縮機系統中，裝置了空氣調壓閥，空氣進入與離開該調壓閥之壓力變化爲：　(A)出口壓力大於進口壓力 (B)出口壓力小於進口壓力　(C)調壓閥係爲了維持空氣壓力之穩定，因此出口壓力等於進口壓力　(D)調壓閥之裝置是爲了調整壓縮油的流量穩定。【普考】

( 　) **32** 一定量之氣體，當體積與絕對溫度均變爲原來的兩倍時，則其壓力變爲原來的　(A)1倍　(B)2倍　(C)4倍　(D)8倍。

( 　) **33** 氣體或液體流過玻璃管的狹隘區域時，(A)流速變慢，壓力變小 (B)流速變慢，壓力變大　(C)流速變快，壓力變小　(D)流速變快，壓力變大　(E)流速及壓力均不變。【台電】

( ) **34** 當壓力容器或管內部壓力超過某一規定值以上時,閥門會自動打開使壓力下降,此閥稱為: (A)安全閥 (B)止回閥 (C)閘閥 (D)蝶形閥 (E)球形閥。【台電】

( ) **35** 下列何者可以控制氣壓缸內活塞的運動速度? (A)氣壓馬達 (B)方向控制閥 (C)流量控制閥 (D)壓力控制閥。

( ) **36** 決定油壓缸或油壓馬達工作速度的裝置,稱為 (A)流量控制閥 (B)方向控制閥 (C)壓力控制閥 (D)油壓泵。

( ) **37** 油壓幫浦和油壓馬達於外形和構造幾近類似,但最主要差別為 (A)油壓幫浦是高壓油入,低壓油出,油壓馬達則相反 (B)兩者並無差異 (C)油壓幫浦是低壓油入高壓油出,油壓馬達則相反 (D)油壓幫浦是將液壓能轉換成機械能,油壓馬達則相反。

( ) **38** 旋轉式流體泵進口處 (A)壓力高於排出口 (B)壓力低於排出口 (C)速度高於排出口 (D)速度等於排出口。

( ) **39** 泵(pump)由螺漿狀之葉片及導葉所構成,則此類泵屬於: (A)往復式 (B)旋轉式 (C)離心式 (D)軸流式。【普考】

( ) **40** 若液壓缸之作用面積為 $0.25m^2$,其壓力為 $5$ $kg/m^2$,要傳達 $1/15$ 馬力時,液體流量約需多少? (A)$0.25$ $m^3/sec$ (B)$0.5$ $m^3/sec$ (C)$1$ $m^3/sec$ (D)$2$ $m^3/sec$。【普考】

( ) **41** 防止液壓油逆流之閥稱為: (A)節流閥 (B)止回閥 (C)釋壓閥 (D)御載閥。【普考】

( ) **42** 液壓傳動是什麼原理? (A)液體運動慣性 (B)重疊原理 (C)巴斯噶(Pascal)原理 (D)重力原理。【普考】

( ) **43** 壓縮空氣在使用前常須通過的三點組合不包括以下那一種元件? (A)流量閥 (B)調壓閥 (C)過濾器 (D)潤滑器。【普考】

( ) **44** 那一種空壓機因壓縮空氣不會接觸到潤滑油,故最適合於食品與醫藥工程? (A)往復活塞空壓機 (B)膜片往復式空壓機 (C)迴轉式空氣壓縮機 (D)徑流空氣壓縮機。【普考】

(　　) **45** 下列那一種閥不屬於控制流體流量的閥？　(A)安全閥　(B)蝶形閥　(C)活塞閥　(D)停止閥。【普考】

(　　) **46** 一液壓管內液體之壓力強度為 200Pa，流量為 45m³／sec，則此液壓機構中傳送之馬力數為　(A)8　(B)9　(C)12　(D)18　HP。

(　　) **47** 可變容式輪葉幫浦(vane pump)如何改變容量(volume)？　(A)調整轉速　(B)控制輪葉開關　(C)改變斜板角度　(D)調整轉子偏心量。【普考】

(　　) **48** 如圖所示，已知 $\ell_1 = 1000mm$，$\ell_2 = 50mm$，f＝20N，活塞面積 A＝ 400mm²，B＝2000mm²，活塞 B 向上推力為　(A)1000　(B)1500 (C)2000　(D)2500　N。

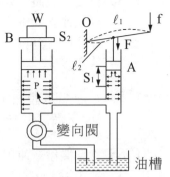

(　　) **49** 已知圖中的油壓千斤頂 m＝100(cm)，n＝10(cm)，當施力 f 為 12(kgf)，活塞 A 的半徑為 2(cm)，B 的半徑為 5(cm)，則活塞 B 向上的推力 W 為若干(kgf)？　(A)750　(B)800　(C)850 (D)900。

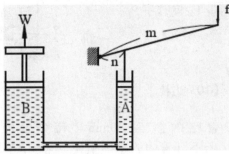

(　　) **50** 下列敘述何者是錯誤的？　(A)液壓傳動之正確性比氣壓傳動高 (B)往復式壓縮機為空壓控制中使用最廣的一種壓縮機　(C)空壓 傳動機構中，濾清器內之汽凝水要定期排放　(D)錶壓＝絕對壓 力＋1 大氣壓力。

(　　) **51** 有一氣缸內徑爲 8cm，活塞桿爲 3cm 之雙桿雙動氣壓缸，若氣壓壓力爲 0.3MPa，則其理論推力爲　(A)3100　(B)2300　(C)1800　(D)1300　N。

(　　) **52** 固定壓力下，將 27℃的定量氮氣加熱到幾度時，氣體體積會變爲原來的 1.5 倍？　(A)40.5℃　(B)157℃　(C)177℃　(D)187℃。
【普考】

(　　) **53** 溫度一定時，定量氣體之體積與壓力成反比，此稱爲：　(A)查理定律(Charles' law)　(B)波義耳定律(Boyle's law)　(C)柏努利定律(Bernoulli's theorem)　(D)給呂薩克定(Gay-Lussac's law)。
【普考】

(　　) **54** 一理想氣體在定容下，溫度 27℃ 時之壓力爲 12kPa，則在 262℉ 時之壓力爲　(A)8　(B)16　(C)21　(D)115　kPa。

(　　) **55** 常見機械業使用之氣動拆卸或鎖緊螺帽之工具，是　(A)單動氣缸馬達　(B)雙動氣缸馬達　(C)輪葉式氣缸馬達　(D)活塞式氣壓馬達。

(　　) **56** 如右圖所示之液壓系統，當施力 60kgf 於桿子頂端時，活塞 B 可傳達的力量 $F_B$ 爲若干？
(A)600kgf
(B)300kgf
(C)1200kgf
(D)900kgf。【103 北捷】

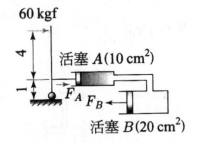

(　　) **57** 有一油壓管路內徑爲 20mm，每分鐘流過的液壓油爲 15072cm³，若不計管內的摩擦損失，求管內的液壓油流速爲多少 cm/sec？　(A)754cm/sec　(B)38cm/sec　(C)40cm/sec　(D)80cm/sec。【103 北捷】

**解答與解析**

**1 (C)**。離心泵不是靠正排量輸出，而是靠旋轉加壓。所以答案為(C)。

**2 (A)**

**3 (C)**。答案(C)錯誤，應是以液壓能。

**4 (D)　5 (A)　　　6 (C)　　　7 (C)　　　8 (C)**

**9 (D)**。(1)為三口兩位。(2)為三口三位。(3)為四口二位。(4)為四口三位。所以答案為(D)。

**10 (C)**

**11 (C)**。此為 2 口 4 位方向控制閥。

**12 (D)**。sch 代號越高者，管壁越厚。所以答案為(D)。

**13 (B)**。圓圈內之倒三角形，若未塗黑為氣壓馬達，若塗黑則為液壓馬達。

**14 (A)**。安全閥的作用通常為釋壓。所以答案為(A)。

**15 (D)**

**16 (B)**。前端的流速為 $\dfrac{0.1m^3}{\frac{\pi}{4}0.035^2 m}=103m/sec$

後端的流速為 $\dfrac{0.2m^3}{\frac{\pi}{4}(0.035^2 m-0.01^2 m)}=226m/sec$

前端的流速與後端的流速之比為 1：2.18。所以答案為(B)。

**17 (C)　18 (C)**

**19 (C)**。$Q=VA=2cm/sec\cdot\dfrac{\pi}{4}((9cm)^2-(4cm)^2)$

$=102.1cm^3/sec=0.102l/sec$。所以答案為(C)。

**20 (A)**。 $Q = VA$。所以活塞運動速度與流量成正比。所以答案為(A)。

**21 (B)**。管路設計時預先提示的主要項目為：
(1)流體種類；(2)流速；(3)溫度；(4)流量。所以答案為(B)。

**22 (A)**

**23 (B)**。擴口式管接頭是壓縮接頭的一種，適用於中、低壓管路系統，其擴口角有 37 度和 45 度兩種。所以答案為(B)。

**24 (C)**。$V_1 A_1 = V_2 A_2$  $V_1 \frac{\pi}{4} d_1^2 = V_2 \frac{\pi}{4} (\frac{d_1}{2})^2$  $\therefore \frac{V_2}{V_1} = 4$

**25 (D)**。水流平均流速=水流量／水管截面積

$$= \frac{0.8 m^3 / min}{\frac{\pi}{4} 0.05 m^2} = 407.44 m / min = 6.79 m / sec。$$

所以答案為(D)。

**26 (A)**。離心泵為非確實排量壓縮機一種，故較不適合做為液壓泵。所以答案為(A)。

**27 (D)**。彈簧式蓄壓器為最常使用蓄壓器。所以答案為(D)。

**28 (D)**。液壓傳動的缺點：
(1) 配管麻煩，漏油問題不易解決。
(2) 系統本身受溫度影響大。
(3) 能量損耗大，效率低。所以答案為(D)。

**29 (D)**。$\frac{100}{5} = \frac{W}{15} \Rightarrow W=300(N)$

**30 (A)**。溢流閥為壓力控制閥。
節流閥，為流量控制閥。
止回閥，梭閥為方向控制閥。所以答案為(A)。

**31 (B)**。因為調壓閥通常是用來將過大的壓力洩壓以達到調壓的目的，所以空氣進入調壓閥的壓力通常大於離開調壓閥的壓力。所以答案為(B)。

**32 (A)**。$\dfrac{P_1 V_1}{T_1} = \dfrac{P_2 V_2}{T_2}$　　$\because P_2 = 2P_1$　$T_2 = 2T_1$　$\therefore V_1 = V_2$

**33 (C)**。根據柏努力定理，流速變高，壓力變小。所以答案為(C)。

**34 (A)**。安全閥的作用通常為釋壓。所以答案為(A)。

**35 (C)**　**36 (A)**　　**37 (C)**

**38 (B)**。泵的功用為加壓流體，故排出端之壓力必大於吸入端。

**39 (A)**。泵由螺漿狀之葉片及導葉所構成，很顯然的，此為螺漿泵(Screw Pump)，而螺漿泵又稱軸向流動泵。所以答案為(A)。

**40 (C)**。馬力＝（壓力×作用面積）×液體流量
求出 V＝4m/s
而流量＝流速×面積＝$4 \times 0.25 = 1 m^3 / \sec$。所以答案為(C)。

**41 (B)**。防止液壓油逆流的閥是一種方向控制閥；節流閥為流量控制閥；釋壓閥，御載閥為壓力控制閥。所以答案為(B)。

**42 (C)**。液壓傳動是巴斯噶(Pascal)原理。答案為(C)。

**43 (A)**。壓縮空氣在使用前常須通過的三點組合是指空氣調理組的三點組合，其為過濾器，調壓閥，潤滑器。所以答案為(A)。

**44 (B)**。因為膜片往復式壓縮機中只有膜片與空氣接觸，而膜片不需加任何潤滑油。所以答案為(B)。

**45 (A)**。而閥門控制流體流量的基本原理為產生流體阻力的方式來控制流量，蝶形閥，活塞閥，停止閥都是產生流體阻力的裝置，而安全閥是一種洩壓裝置，只調節壓力。所以答案為(A)。

**46 (C)**。$HP = F \times V = (P \times A) \times V = P \times Q$，$HP = 200 \times 45 = 9000(W) = 12(HP)$

**47 (D)**。可變容式輪葉幫浦是利用調整轉子偏心量的方式來改變輸出容量，當轉子偏心量改變時，轉子與幫浦壁間的容積也開始改變。所以答案為(D)。

**48 (C)**。$\Sigma M_o = 0$，$F \times \ell_2 = f \times \ell_1 \Rightarrow F \times 50 = 20 \times 1000$

$F = 400$，$\dfrac{F}{A} = \dfrac{W}{B} \Rightarrow \dfrac{400}{400} = \dfrac{W}{2000}$，$W = 2000(N)$

**49 (A)**。$F_A \times n = f \times m$

$F_A = f \dfrac{m}{n} = 12kgf \dfrac{100cm}{10cm} = 120kgf$

根據巴斯噶原理，活塞 A 與活塞 B 的壓力相同，所以 $P_A = P_B$

而壓力＝施力／施力面積

$\dfrac{F_A}{A_A} = \dfrac{W}{A_B}$

$W = \dfrac{F_A}{A_A} A_B = 750kgf$。答案為(A)。

**50 (D)**。錶壓力＝絕對壓力－1 大氣壓力。

**51 (D)**。$A = \dfrac{\pi}{4}(D^2 - d^2) = \dfrac{3.14}{4}(8^2 - 3^2) = 43.3(cm^2) = 4330(mm^2)$

$P = \dfrac{F}{A} \Rightarrow 0.3 = \dfrac{F}{4330} \Rightarrow F = 1300(N)$

**52 (C)**。根據理想氣體定律，$PV = nRT$

固定壓力下，將 27℃ 的定量氮氣加熱到氣體體積會變為原來的 1.5 倍時，可得：

$\dfrac{P(1.5V)}{PV} = \dfrac{nRT}{nR(273 + 27)}$

$T = 450K = 177℃$。所以答案為(C)。

**53 (B)**

**54 (B)**。$℃ = \dfrac{5}{9}(℉ - 32) = \dfrac{5}{9}(262 - 32) = 127$，$T_1 = 127℃ + 273 = 400°K$

$T_2 = 27℃ + 273 = 300°K$，$\dfrac{P_1}{P_2} = \dfrac{T_1}{T_2} \Rightarrow \dfrac{12}{P_2} = \dfrac{300}{400} \Rightarrow P_2 = 16(kPa)$

**55 (C)**

**56 (A)**。$60 \times 5 = F_A \times 1 \Rightarrow F_A = 300$　$\dfrac{300}{F_B} = \dfrac{10}{20} \Rightarrow F_B = 600(kgf)$

**57 (D)**。$Q = {}^{15072}/_{60} = 251.2 \left( {}^{cm^3}/_s \right)$

$$V = \frac{251.2}{\frac{\pi}{4} \times 20^2 \times 10^{-2}} = 80 \left( {}^{cm}/_s \right)$$

## 二、問答題型

**1. 液壓傳動的基本原理為何？並敘述該原理。**

解 (1)巴斯噶原理：在密閉容器內的流體壓力，其傳遞到容器內的任一處的壓力是相同的，而所施力的角度是垂直於容壁表面，即使利用小管路連通，所傳遞的壓力是相同的，其公式可表爲：

$$Ma = \frac{W}{F} = \frac{A_2}{A_1} = \frac{(D_2)^2}{(D_1)^2} = \frac{S_1}{S_2}$$

（A：活塞斷面積、D：活塞斷面直徑、S：活塞位移）

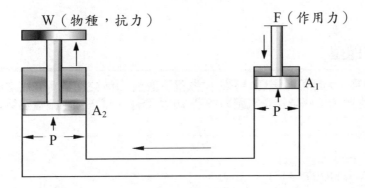

(2)連續流原理：無黏性不可壓縮流體在開放系統穩流狀態，管內任何斷面之流量皆相等。

$Q = A_1 V_1 = A_2 V_2$

(3)伯努力定律：在開放系統無黏性不可壓縮流體作穩流運動，其系統內任一點之壓力能＋速度能＋爲能皆保持一定。

$$\frac{P_1}{\gamma} + \frac{1}{2} V_1^2 + Z_1 = \frac{P_2}{\gamma} + \frac{1}{2} V_2^2 + Z_2$$

**2. 寫出下列元件符號之名稱：**

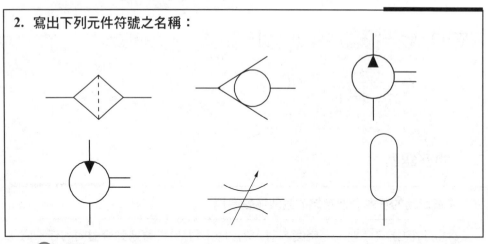

解 過濾器，止回閥，固定量單向泵，固定量單向馬達，可變節流閥，蓄壓器

**3. 液壓傳動機構有那些優缺點？【地方特考】**

解 參考 8-2 章節

## 三、計算題型

**1. 在壓力為一大氣壓，溫度 15°C 之狀況下取出 1m³ 之空氣，並將之壓縮至 0.1m³ 之體積，此時該空氣壓力增為 20 大氣壓，試求被壓縮後空氣之溫度 【普考】**

解 $PV = nRT$

$P_1V_1 = nR(273+15)$

$P_2V_2 = nR(273+T_2)$

$\dfrac{P_2V_2}{P_1V_1} = \dfrac{(273+15)}{(273+T_2)}$

$T_2 = 303°C$

2. 液壓傳動的基本原理係根據巴斯噶原理。(1)試敘述該原理。(2)如圖所示之水壓機，活塞 $A$ 的面積為活塞 $B$ 的面積的一半，若在活塞 $A$ 向下施力 10 N，求活塞 $B$ 能舉重若干 N？【普考】

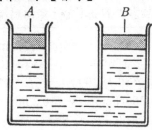

解 (1)巴斯噶原理：在密閉容器內的流體壓力，其傳遞到容器內的任一處的壓力是相同的，而所施力的角度是垂直於容壁表面，即使利用小管路連通，所傳遞的壓力是相同的。

(2) $\dfrac{F_A}{A_A} = \dfrac{F_B}{A_B}$

$F_B = \dfrac{F_A}{A_A} A_B = 20N$

3. 如圖所示，當施力 300N 於桿子頂端時，活塞 B 可傳遞力量 $F_B$＝？

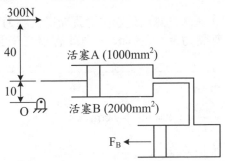

解 設活塞 A 之施力為 $F_A$，由 $\sum M_O = 0$，$300 \times (40+10) - F_A \times 10 = 0$

$\therefore F_A = 1500N$，$\dfrac{F_B}{F_A} = \dfrac{B}{A} = \dfrac{2000}{1000} = 2$，$\therefore F_B = 2 \times F_A = 2 \times 1500 = 3000N$

**4.** 一封閉圓筒內有 0.25 m³ 之氧氣，筒內壓力為 200 N/cm²。如果在等溫過程中，從筒內取出壓力 10 N/cm²，體積 1 m³ 的氧氣，試問：
(1) 被取出之氧氣在壓力為 200 N/cm² 下，其體積為若干 m³？
(2) 留在筒內之氧氣壓力為多少 N/cm²？【鐵路特考】

**解** (1) 取出氧氣壓力 P 為 10N/cm²，體積 V 為 1m³→P=200 N/cm²
運用等溫狀態之波義耳定律 $P_1V_1=P_2V_2$→$10\times1=200\times V_2$
因此被取出之氧氣在壓力 200 N/cm² 下，體積為 $V_2=0.05m^3$
(2) $V_1=0.25m^3$，$P_1=200N/cm^2$→$V_2=0.25m^3$，$P_2=$ ?
運用質量守恆定律，$m_2-m_1=\sum m_{in}-\sum m_{out}$，
所以 $m_2=m_1-m_{out}$，
其中 $m_1=\dfrac{P_1V_1}{RT}$，$m_2=\dfrac{P_2V_2}{RT}$，$m_{out}=\dfrac{P_{out}V_{out}}{RT}$，帶入上式得
$\dfrac{P_2V_2}{RT}=\dfrac{P_1V_1-P_{out}V_{out}}{RT}$→$P_2=\dfrac{(200)(0.25)-(10)(1)}{0.25}=160$ N/cm²
因此留在筒內之氧氣壓力為 160N/cm²

**5.** 一球形瓦斯容器之內徑 D 為 8m，器壁厚 t＝1cm，所用材料之降伏強度 $S_y=30000N/cm^2$。已知薄壁圓球容器之拉應力 $\sigma_t=\dfrac{pD}{4t}$，p 為容器內瓦斯之壓力。
(1) 若安全因數為 3，試求此球所能容許之瓦斯最大壓力 p。
(2) 若所貯存的瓦斯壓力為 75N/cm²，則此容器之安全因數減為多少？【地方特考】

**解** (1) $D=8m=800cm$
$\dfrac{30000}{3}=\dfrac{P\times800}{4\times t}\Rightarrow P=50$ N/cm²
(2) $\sigma_t=\dfrac{75\times800}{4\times t}=15000$ N/cm²
$F.S=\dfrac{S_y}{\sigma_t}=\dfrac{30000}{15000}=2$

**6.** 如圖所示之液壓系統，活塞 $A_1$ 之面積為 $4cm^2$，活塞 $A_2$ 之面積為 $14cm^2$，當 200N 的重物加於 $A_1$ 時，$A_2$ 可支持多少重量之物體？

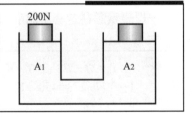

**解** $\dfrac{W}{F}=\dfrac{A_2}{A_1} \Rightarrow \dfrac{W}{200}=\dfrac{14}{4} \Rightarrow W=700(N)$

**7.** 如圖所示，已知 $l_1=1000mm$，$l_2=50mm$，$f=15kg$，活塞 A 面積 $=300mm^2$，B 面積為 $2000mm^2$，求(1)活塞 B 推力為多少公斤？(2)活塞 A 下降 $S_1=50mm$ 時，活塞 B 上升多少 mm？

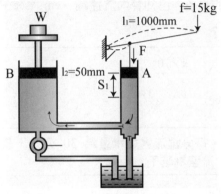

**解** $\because fl_1=Fl_2 \quad \therefore F=\dfrac{l_1}{l_2}f=\dfrac{1000}{50}\times 15=300(kg)$

$\because P=\dfrac{F}{A_a}=\dfrac{W}{A_b} \quad \therefore W=\dfrac{A_b}{A_a}F=\dfrac{2000}{30}\times 300=2000(kg)$

**8.** 一理想氣體在定容下，溫度 $27°C$ 時之壓力為 12kPa，則在 $262°F$ 時之壓力為多少 kPa。

**解** $°C=\dfrac{5}{9}(°F-32)=\dfrac{5}{9}(262-32)=127$

$T_1=127°C+273=400°K$，$T_2=27°C+273=300°K$

$\dfrac{P_1}{P_2}=\dfrac{T_1}{T_2} \Rightarrow \dfrac{12}{P_2}=\dfrac{300}{400} \Rightarrow P_2=16(kPa)$

**9.** 一理想氣體在定容下溫度 27℃時之壓力為 20kpa，則在 177℃時壓力為若干 kpa？

解 令 $T_1=27+273=300°$ K

$T_2=177+273=450°$ K

$P_1=20$kpa

$\therefore \dfrac{P_1}{P_2}=\dfrac{T_1}{T_2}$

$\therefore P_2=\dfrac{T_1}{T_2}P_1=\dfrac{450}{300}\times 20=30$kpa

**10.** 有一 100mm 直徑的管子，已知管內流速為 $\dfrac{8}{\pi}$ cm／sec，試決定管內體積流量為多少 cm³／sec？

解 $Q=AV=\dfrac{\pi d^2}{4}\times V=\dfrac{\pi \times 10^2}{4}\times \dfrac{8}{\pi}$

　　$=200(\text{cm}^3／\text{sec})$

**11.** 一鋼管內徑 12mm，每分鐘流過之水量為 30 公升，若不計管內的摩擦損失，試求流體(水)之流速為若干 cm/sec？

解 流量 $Q=\dfrac{30\times 1000}{60}=500\left(\text{cm}^3/\text{sec}\right)$

管面積 $A=\dfrac{1}{4}\pi D^2=\dfrac{1}{4}\pi \times (1.2)^2=1.13\text{cm}^2$

流速 $V=\dfrac{Q}{A}=\dfrac{500}{1.13}=442.5\left(\text{cm/sec}\right)$

**12.** 一液壓機構管內之液壓為 20 kg/m²，流量為 45 m³/sec，則此液壓機構傳送多少匹馬力？

解 令 $P=20\,\text{kg/m}^2$，$Q=45\,\text{m}^3/\text{sec}$

$HP=\dfrac{PQ}{75}=\dfrac{20\times 45}{75}=12\left(馬力\right)$

**13.** 水在直徑 150mm 管子內以 1.20m/s 速度流動。試計算以一 300mm 管與其相連接之後的流速。

解 $A_1U_1 = A_2U_2$

$$U_2 = U_1 \frac{A_1}{A_2} = U_1 \left[\frac{D_1}{D_2}\right]^2 = 1.20\text{m/s} \left[\frac{150}{300}\right]^2 = 0.30\text{m/s}$$

**14.** 一 150mm 直徑管輸送 0.072 m³/s 的水。此管分成兩個分支管，如果在輸出 50mm 管內的流速為 12.0m/s，則在 100mm 管的流速是多少？

解 $Q_1 = A_1U_1 = A_2U_2 + A_3U_3 = Q_2 + Q_3$

$$Q_2 = A_2U_2 = \frac{\pi(0.05\text{m})^2}{4} \times 12.0\text{m/s} = 0.0236\text{m}^3/\text{s}$$

$$Q_3 = Q_1 - Q_2 = 0.072 - 0.0236 = 0.0484 \text{ m}^3/\text{s}$$

$$U_3 = \frac{Q_3}{A_3} = \frac{0.0484\text{m}^3/\text{s}}{\pi(0.10\text{m})^2/4} = 6.17\text{m/s}$$

**15.** 有一均勻圓管直徑 120cm，其後接一圓管直徑 60cm，若在系統之水流率為 2CMS 情況下，試問在各管流速為多少？

解 (1)直徑 120 cm 圓管內之流速：

$$V_{120} = \frac{Q}{A_{120}} = \frac{2}{\frac{\pi}{4} \times (1.20)^2} = 1.77 \text{ m}\!\big/\!\text{sec}$$

(2)直徑 60 cm 圓管內之流速：

$$V_{60} = \frac{Q}{A_{60}} = \frac{2}{\frac{\pi}{4} \times (0.60)^2} = 7.08 \text{ m}\!\big/\!\text{sec}$$

**16.** 今有一水流經叉管，如下圖所示，各管截面皆為均勻圓形，管(1)直徑為30cm，平均流速 1.5m/sec，管(2)直徑為 20cm，平均流速 2.0m/sec，管(3)直徑為 40cm，若在穩定情況下，流體為不可壓縮，則管(3)之平均流速為若干？

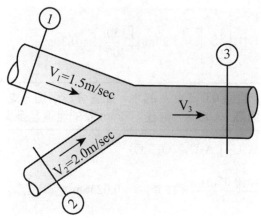

**解** 管(1)斷面積 $A_1 = \dfrac{\pi}{4} \times (0.30)^2 = 0.0707 \text{m}^2$

管(2)斷面積 $A_2 = \dfrac{\pi}{4} \times (0.20)^2 = 0.0314 \text{ m}^2$

管(3)斷面積 $A_3 = \dfrac{\pi}{4} \times (0.40)^2 = 0.126 \text{ m}^2$

由連續方程式知：$Q_3 = Q_1 + Q_2$

i.e. $A_3 V_3 = A_1 V_1 + A_2 V_2$

$\therefore V_3 = \dfrac{1}{A_3} (A_1 V_1 + A_2 V_2)$

$= \dfrac{1}{0.126} (0.0707 \times 1.5 + 0.0314 \times 2) = 1.34 \text{m/sec}$

# 第九章　機構學─機構運動

## ▼9-1　機件、機構、機械的定義及種類

### 一、機件定義及種類

機件就是機械上之單一零件，為組成機構所必須具備的要件，它們的大小、形狀、功能通常多不相同，又稱「機械元件」，是組成機構或機械之最基本元素，如連桿、軸承、螺栓、彈簧、輪等，在機構學中常視為一剛體或稱為「抗力體」，依其抗力特性，可以是剛性件、撓性件、壓縮件。

| 機件種類 | 說明 |
|---|---|
| 固定機件 | 用以支持活動機件運動或限制活動機件的運動範圍。如軸承、機架、汽車底盤、導槽、襯套等。 |
| 運動傳達機件 | 用以傳達動力或改變運動形式者。如摩擦輪、齒輪、凸輪、帶輪、繩輪、鏈輪。 |
| 連結機件 | 用以連結各機件。如螺栓、鍵、銷、鉚釘。 |
| 控制機件 | 用以緩衝震動或控制運動。如彈簧、連桿或制動器。 |
| 流體運送用機件 | 用於輸送液體或液體者。如各種浦、管路及閥。 |

### 二、機構定義

將若干機件連結組合，以特定的接頭與方式組合形成限制，在其中一個或數個機件的運動，強迫其它機件產生確可產生預期的相對運動或拘束運動，但不作功，此種組合稱為機構，如車床之複式進刀機構、尾座機構、內燃機之曲柄活塞機構、汽車之轉向機構、鐘錶等。

## 三、機械定義

按照其工作目的，由一個或數個機構組合而成，藉由控制裝置及供給能量產生有效的機械功或轉換機械能，讓人所用者，如工具機、起重機、發電機、壓縮機；內燃機、蒸汽機、電動機。

## 四、機構與機械之區別

**(一) 相異點：**

1. 機構的特性在於運動的傳遞與轉換，而機器則由機構運動作功與轉換能量。
2. 機構僅能傳達運動，不一定作功；機械能傳達運動與力而作功。
3. 機械常是一系列機構的組合，但機構不一定是一部機械。

**(二) 相同點：**

1. 機構與機械的各機件間，均能維持一定的相對運動或拘束運動。
2. 機構與機械均係由一個固定機件與一個或多個以上之活動機件所組成。

# ▼9-2　機構運動傳達方式

在一機構中，凡能推動其他機件運動者，稱為主動件，而凡是受其他機件影響而運動者，稱為從動件或稱被動件，故由原動件將運動傳達給從動件的方式有下列幾種：

**(一)直接接觸傳動**：凡兩機件不藉其他媒介物，而直接將運動傳給另一機件者，依接觸的方式可分為：

| 滾動傳動 | 兩機件在接觸點之切線速度相同，亦即切線速度之大小相等，方向相同。如：摩擦輪、凸輪與滾子從動件、齒輪之節圓、皮帶輪、滾珠軸承。 |
|---|---|
| 滑動傳動 | 兩機件在接觸點之切線速度不相同。如：滑塊與導路、凸輪與尖狀從動件。 |

**(二)間接接觸傳動：**

| 剛體中間聯接物 | 可傳送推力、拉力。如蒸氣機之連桿。 |
|---|---|
| 撓性中間聯接物 | 只能傳送拉力，不能傳送推力。如皮帶、繩索、鏈條。 |
| 流體中間聯接物 | 只能傳送推力，不能傳送拉力。如油壓機之油、水壓機之水。 |

# 9-3　運動對及運動鏈

## 一、運動對

(一) **自由度：** 定義運動對中一個成運動對元件與另一個成運動對元件之相對位置所需的獨立坐標數，一個不受拘束的成運動對元件，可有三個移動自由度與三個轉動自由度，共六個自由度，它與另一個成運動對元件連成運動對後，因受拘束而損失一個或多個自由度，因此，一個運動對最多只能有五個自由度，最少也得有一個自由度。

(二) **運動對：** 凡兩機件因軸心較遠或無足夠空間進行直接接觸，而藉中間連接物以傳達運動者，依聯接物的不同可分為：

1. **低對：** 兩機件以面接觸者，由於接觸面大其應力較小，又分為三種

| 種類 | 說明 | 圖示 |
|---|---|---|
| 滑動對 | 所屬兩個成運動對元件間的相對運動，是對於滑行面的滑動，它具有一個自由度，是直線運動與面接觸，如汽缸和活塞、活塊與導路間之運動。 | 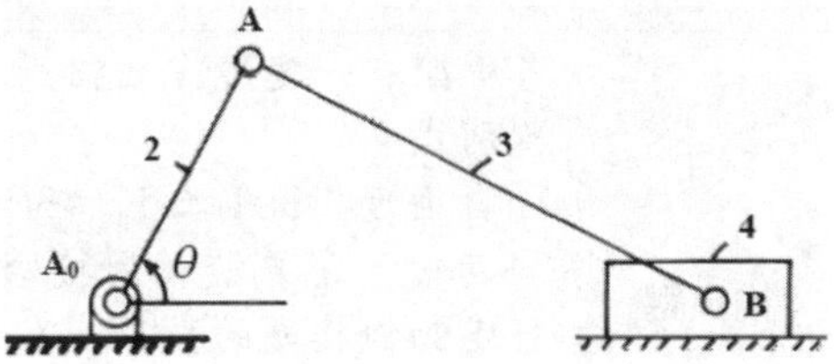 |
| 螺旋對 | 所屬兩個成運動對元件間的相對運動，同時作直線及旋轉運動，它具有一個自由度，是圓弧運動與面接觸，螺栓與螺帽間的運動。 | 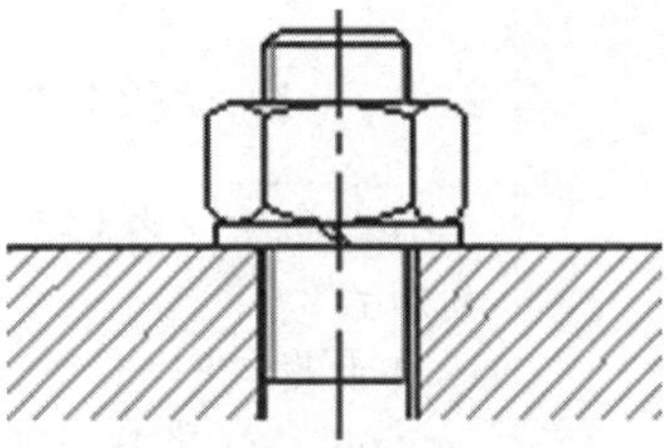 |
| 旋轉對 | 所屬兩個成運動對元件間的相對運動，是對於旋轉軸作旋轉運動，它具有一個自由度，是圓弧運動與面接觸，如滑動軸承和軸頸。 | 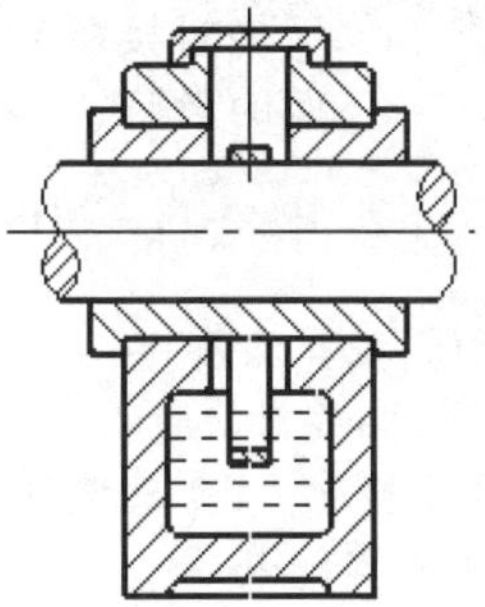 |

2. **高對：** 兩機件以點或線接觸者，其作用力集中如摩擦輪、齒輪、滾動軸承、平版凸輪與從動件。

## 二、運動鏈

由許多連桿 (Link) 組合而成之封閉連鎖系統稱為運動鏈,在機構設計的過程中,為了能有系統的進行構造分析與合成,機構更常將進一步簡化為運動鏈,依其運動性質之不同,可分為三種:

| 種類 | 說明 |
|---|---|
| 固定鏈 | 又稱為呆鏈,各桿間無相對運動。<br>判別式:<br>1. 自由度:$F<1 \Rightarrow F_p=3(N-1)-2(J_R+J_P+J_O)-(J_A+J_G)<1$<br>　其中,$J_R$ 為旋轉對接頭的數目,$J_P$ 為滑動對接頭的數目,$J_O$ 為滾動對接頭的數目,$J_A$ 為凸輪對接頭的數目,而 $J_G$ 為齒輪對接頭的數目。<br>2. $P > \dfrac{3}{2}N-2$(P:對偶數) |
| 拘束鏈 | 各桿間有一定規律之相對運動。<br>判別式:<br>1. 自由度:$F=1 \Rightarrow F_p=3(N-1)-2(J_R+J_P+J_O)-(J_A+J_G)=1$<br>　其中,$J_R$ 為旋轉對接頭的數目,$J_P$ 為滑動對接頭的數目,$J_O$ 為滾動對接頭的數目,$J_A$ 為凸輪對接頭的數目,而 $J_G$ 為齒輪對接頭的數目。<br>2. $P = \dfrac{3}{2}N-2$(P:對偶數) |
| 無拘束鏈 | 凡連桿組中,各桿間無一定規律之相對運動者。<br>判別式:<br>1. 自由度:$F>1 \Rightarrow F_p=3(N-1)-2(J_R+J_P+J_O)-(J_A+J_G)>1$<br>　其中,$J_R$ 為旋轉對接頭的數目,$J_P$ 為滑動對接頭的數目,$J_O$ 為滾動對接頭的數目,$J_A$ 為凸輪對接頭的數目,而 $J_G$ 為齒輪對接頭的數目。<br>2. $P < \dfrac{3}{2}N-2$(P:對偶數) |

其對偶數(P)之算法為:
1. 所有連接點要計算。
2. 兩機件連接 P=1,三機件連接 P=2 予以類推。
連桿數(N)之算法為:
1. 所有固定面算一件。
2. 連桿滑塊有幾件算幾件。

## 三、符號

機構學中不考慮機件之受力,則機件之粗細、大小、厚薄與運動情形無關,
故機構中之機件可用一條細線代表,其各代表符號說明如下:

| 符號 | 定義 |
|---|---|
| | 為固定軸。 |
| | 一連桿在固定軸上旋轉(稱為曲柄)或擺動(稱為搖桿)。 |
| | 為樞軸。 |
| | 兩機件在樞軸上相接,樞軸本身在運動,A、B桿可作旋轉或擺動。 |
| | A、B、C 三連桿可繞樞軸作旋轉或擺動,樞軸本身亦在運動。 |
| | B桿於A桿之中央以銷連接,B桿作旋轉或擺動。 |
| | 四連桿結合成剛體,彼此無相對運動。 |
| | 為一固定面。 |
| | 滑塊A於導路B(或平面B)上作相對直線滑動。 |

# ▼9-4　各國之標準代號

## 一、產品元件標準化

(一)現今之機械製造，生產者與消費者間已建立一種共同之規範，而此規範
　　即為產品元件標準化。

(二)產品元件標準化之優點：

1. 具有互換性，更換方便。
2. 可大量生產，提高產品精度及降低成本。
3. 規格明確，避免紛爭。
4. 促進國際化。

## 二、各國工業標準代號

| 標準名稱 | 符號 | 標準名稱 | 符號 |
|---|---|---|---|
| 國際標準組織 | ISO | 美國機械工程學會 | ASME |
| 中國國家標準 | CNS | 美國國家標準 | ANS |
| 日本工業規格 | JIS | 德國工業標準 | DIN |
| 美國鋼鐵協會 | AISI | 英國國家標準 | BS |

範例 **9-1**

此機構為何種運動鏈？

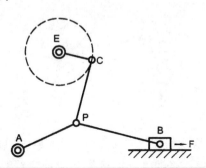

**解** 如圖所示可知 N＝6、P＝7

$$P = \frac{3}{2}N - 2 = 7$$

故為拘束鏈。

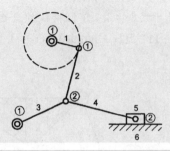

範例 **9-2**

試求下圖機構的自由度。

(1)

(2)

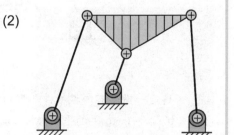

(3)

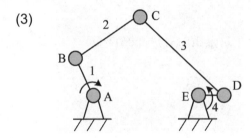

解 (1)

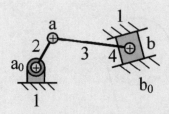

這是一個具有四根機件（桿 1、2、3、4）與四個接頭（接頭 $a_0$、$b_0$、a、b）的平面機構，接頭 $a_0$、a 以及 b 皆為旋轉對，故 $J_R=3$；接頭 $b_0$ 為滑動對，故 $J_P=1$。這個機構的自由度為：
$$F_P=3(N-1)-2(J_R+J_P+J_O)-(J_A+J_G)=3(4-1)-2(3+1)=1$$
(2)

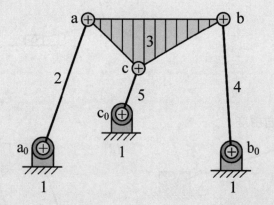

這是一個具有四根機件（桿 1、2、3、4、5）與六個接頭（接頭 a、$a_0$、b、$b_0$、c、$c_0$）的平面機構，接頭皆為旋轉對，這個機構的自由度為：
$$F_P=3(N-1)-2(J_R+J_P+J_O)-(J_A+J_G)=3(5-1)-2\times(6)=0$$
固定鏈
(3) $F_P=3(N-1)-2(J_R+J_P+J_O)-(J_A+J_G)=3(5-1)-2\times(5)=2$

**範例9-3**

如圖一所示之平面機構，以車體 1 為固定桿，指出該機構的用途，並計算該機構的機件數目、各種運動對的數目及其自由度。【102 鐵四】

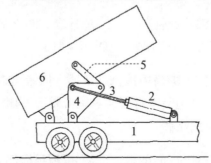

**解** 自由度：$F_p = 3(N - 1) - 2(J_R + J_P + J_O) - (J_A + J_G)$

其中，$J_R$ 為旋轉對接頭的數目，$J_P$ 為滑動對接頭的數目，$J_O$ 為滾動對接頭的數目，$J_A$ 為凸輪對接頭的數目，而 $J_G$ 為齒輪對接頭的數目。

本題共 6 個機件、旋轉對接頭 6 個、滑動對接頭 1 個

$F_p = 3(N6 - 1) - 2(7) = 1$

一個自由度

# ⟨精選試題⟩

## 一、選擇題型

( )  **1** 滾柱軸承內部的滾柱與內環（或外環）間之接觸方式為　(A)滑動對　(B)高對　(C)轉對　(D)螺旋對。

( )  **2** 下列有關機件、機構與機械之敘述，何者錯誤？　(A)機構為機件之集合體　(B)機械為機構之集合體　(C)軸承為一種固定機件　(D)機件必定為剛體。

( )  **3** 由腳踏車上拆下了的前輪：　(A)可稱為機件　(B)可稱為機構　(C)可稱為機械　(D)不可稱為機件、機構或機械。

( )  **4** 螺旋對可同時具有旋轉及直線之相對運動，故其自由度為　(A)5　(B)4　(C)3　(D)2　(E)1。【台電】

( )  **5** 下列何種機件無法於機構中傳達運動與動力？　(A)齒輪　(B)凸輪　(C)導螺桿　(D)軸承。

( )  **6** 若 A、B 表不同機械元件，則下列各運動對之運動方式，何者屬「高對」者？

(A)
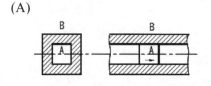

(B)
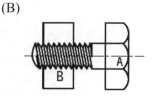

(C)
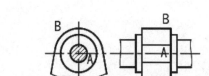

(D)
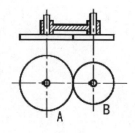

（　　）　**7** 下列何者屬於機構？　(A)呆鏈　(B)結構體　(C)拘束運動鏈
(D)無拘束運動鏈。

（　　）　**8** 如圖所示之連桿組中，連桿數為
N，對偶數為 P，則 N 與 P 分別為多
少？　(A)N＝7，P＝7　(B)N＝7，P
＝8　(C)N＝8，P＝7　(D)N＝8，P
＝8。

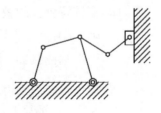

（　　）　**9** 機構的機械利益高者代表此機構：　(A)省力　(B)省時　(C)費
力　(D)省能源。

（　　）　**10** 有關低對與高對的敘述，下列何者不正確？　(A)滑動對為低對
(B)凸輪對為低對　(C)迴轉對為低對　(D)齒輪對為高對。

（　　）　**11** 常用於 CNC 工具機之滾珠螺紋（ball thread），其滾珠與螺紋槽間
之接觸方式為：　(A)迴轉對　(B)高對　(C)低對　(D)滑動對。

（　　）　**12** 用於桌上型個人電腦之機械式滑鼠，其滾球與桌面之運動對
為：　(A)低對　(B)高對　(C)迴轉對　(D)球面對。

（　　）　**13** 設有一連桿機構之組合，若其共有 16 個對偶（配連）數，則
該機構應有多少個機件數？　(A)8 個　(B)10 個　(C)12 個
(D)14 個。

（　　）　**14** 右圖所示之運動鏈為：　(A)拘束鏈　(B)呆
鏈　(C)無拘束鏈　(D)固定鏈。

（　　）　**15** 內燃機引擎中，其活塞與汽缸間之相對運
動，屬於下列何種運動對型式？　(A)滑動對　(B)球面對　(C)
螺旋對　(D)迴轉對。【103 桃捷】

（　　）　**16** 一質點繞固定點做等速圓周運動時，此點投影在直徑上的往復
直線運動稱為什麼運動？　(A)等速度運動　(B)等加速度運動
(C)簡諧運動　(D)靜止運動。【103 桃捷】

( 　 ) **17** 機件的種類中，下列何者屬於導引或限制機件運動之「固定機件」？　(A)螺栓　(B)彈簧　(C)機架導槽　(D)齒輪。【103 桃捷】

( 　 ) **18** 關於運動對的敘述，何者屬於「高對」？　(A)活塞與汽缸之運動　(B)軸與滑動軸承之運動　(C)螺桿與螺帽之運動　(D)凸輪與從動件接觸。【103 桃捷】

( 　 ) **19** 火車在鐵軌上行駛，其車輪與鐵軌間屬於何種運動對？　(A)低對　(B)高對　(C)滑動對　(D)迴轉對。【103 桃捷】

---

### 解答與解析

**1 (B)**。以點或線接觸者為高對，滾柱軸承為線接觸，故為高對。

**2 (D)**。機件可為剛體或是撓性體。

**3 (D)**。前輪尚包括多種機件，但又無法自行作約束運動，故其不能稱為機件、機構或機械。

**4 (E)**。螺旋對雖可同時進行旋轉及直線運動，但直線運動受拘束，如果不進行旋轉，則不能自由做直線運動，所以自由度為 1。

**5 (D)**

**6 (D)**。以點或線接觸者為高對，故選(D)。

**7 (C)**。能產生預期的相對運動或限制運動，才能稱之為機構。

**8 (B)**

**9 (A)**。機械利益$=\dfrac{\text{從動件之輸出力}}{\text{主動件之輸入力}}$，若機械利益愈大表示愈省力。

**10 (B)**。凸輪以點或線接觸，視為高對，故選(B)。

**11 (B)**。若$P>\dfrac{3}{2}N-2 \Rightarrow$為固定鏈，若$P<\dfrac{3}{2}N-2 \Rightarrow$為無拘束運動鏈。

**12 (B)**

**13 (C)**。$P=\dfrac{3}{2}N-2$　$16=\dfrac{3}{2}N-2$　$N=12$

**14 (A)**。連桿總數 N＝6、對偶總數 P＝7 $\Rightarrow$ P＝$\frac{3}{2}$N－2，故為拘束運動鏈。

**15 (A)**。

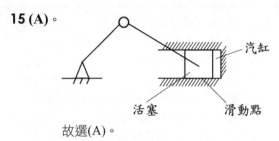

故選(A)。

**16 (C)**。

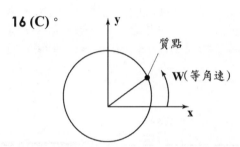

質點若作等速圓周運動，則投影在直徑上為簡諧運動（S.H.M.）。

**17 (C)　18 (D)　　19 (B)**


## 二、問答題型

1. 在機械偶的低對中包括有滑動對、迴轉對、螺旋對及球面對等，試在車輛各部分機構中舉例說明上述四種低對？並分別說明其運動性質。【郵政升資考】

**解** (1) 滑動對：所屬兩個成運動對元件間的相對運動，是對於滑行面的滑動，它具有一個自由度，是直線運動與面接觸，如活塞在引擎內的活動。

(2) 迴轉對：所屬兩個成運動對元件間的相對運動，是對於旋轉軸的轉動，它具有一個自由度，是圓弧運動與面接觸，傳動軸對軸承旋轉。

(3) 螺旋對：所屬兩個成運動對元件間的相對運動，是對於旋轉軸的轉動，它具有一個自由度，是圓弧運動與面接觸，轉向機構的螺旋。

(4) 球面對：可作 3 軸的運動，用在汽車的懸掛系統的球狀連接處。

**2. 請分別說明機件、機構及機械的定義？試在汽車引擎中，舉實例說明機件、機構及機械？並比較三者之特性。【郵政升資考】**

解 (1) A. 機件：就是機械上之單一零件，為組成機構所必須具備的要件，它們的大小、形狀、功能通常多不相同，又稱「機械元件」。

B. 機構：將若干機件連結組合，以特定的接頭與方式組合形成限制，在其中一個或數個機件的運動，強迫其它機件產生確可產生預期的相對運動或拘束運動，但不作功，此種組合稱為機構。

C. 機械：按照其工作目的，由一個或數個機構組合而成，藉由控制裝置及供給能量產生有效的機械功或轉換機械能，讓人所用者。

(2) 汽車引擎中，如活塞和曲柄為機件；活塞和曲柄等構成一機構，曲柄軸、軸承、引擎底座等也構成一機構。凸輪軸，凸輪，閥門，氣缸頭座作也構成一機構。上述三機構結合，則構成引擎，引擎為機械。

# 三、計算題型

**1. 試以公式法判斷下圖之連桿組為何種運動鏈？**

(1) 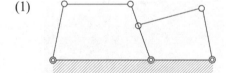　(2) 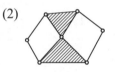　(3)

解 (1)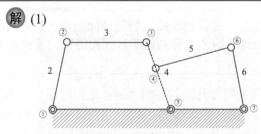

$N=6$，$P=7$，$\frac{3}{2}N-2=7$

因為 $P=\frac{3}{2}N-2$，所以為拘束鏈。

(2)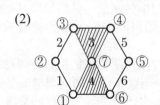

$N=6$，$P=7$，$\frac{3}{2}N-2=\frac{3}{2}\times6-2=7=P$ 為拘束鏈

(3)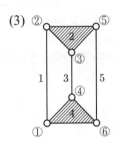

$$N=5，P=6，\frac{3}{2}N-2=\frac{3}{2}\times5-2=5.5<P \text{ 為呆鏈}$$

---

**2.** 試分析下列連桿組的自由度：【關務四等】

(1) 四連桿組　　　　(2) 曲柄滑件組　　　　(3) 六連桿組

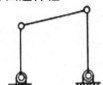 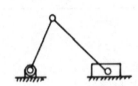 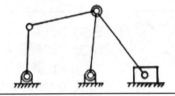

**解** $F_p=3(N-1)-2(J_R+J_P+J_O)-(J_A+J_G)$

其中，$J_R$ 為旋轉對接頭的數目，$J_P$ 為滑動對接頭的數目，$J_O$ 為滾動對接頭的數目，$J_A$ 為凸輪對接頭的數目，而 $J_G$ 為齒輪對接頭的數目。

(1) 機件數目：$N=4$

　旋轉對接頭數目：$J_R=4$

　則自由度 $F_P=3(N-1)-2J_R=1$

(2) 機件數目：$N=4$

　旋轉對接頭數目：$J_R=3$，滑行對接頭數目：$J_P=1$

　則自由度 $F_P=3(N-1)-2(J_R+J_P)=1$

(3) 機件數目：$N=6$

　旋轉對接頭數目：$J_R=6$，滑行對接頭數目：$J_P=1$

　則自由度 $F_P=3(N-1)-2(J_R+J_P)=1$

3. 圖所示分別為(a)飛機前起落架收放機構及(b)挖土機機構之機構簡圖。圖上接頭(Joint)符號：R 為迴轉對(Revolute pair)、P 為滑動對(Prismatic pair)，試計算各機構之自由度(Degree of freedom)。圖(b)中虛線部分為履帶及駕駛座，假設為固定。【108 鐵員】

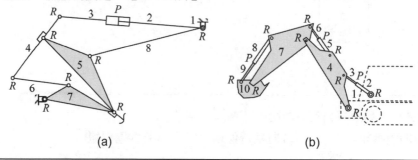

(a)　　　　　　　　　　　(b)

**解** (1) 機件數 N = 8
　　對偶數：迴轉對 R = 9
　　　　　　　滑動對 P = 1
　　自由度 D.O.F. = 3(8 −1) − 2 × 10 = 1
　　(2) 機件數 N = 10
　　對偶數：迴轉對 R = 9
　　　　　　　滑動對 P = 3
　　自由度 D.O.F. = 3(10 −1) − 2 × (9 + 3) = 3

4. 如圖所示之機構，請指出機構之機件與各類運動對的數目，並計算其自由度。
【104 普考】

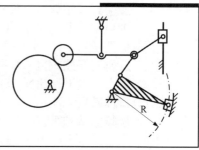

**解** 機件數＝10 件
　　1. 全為低對
　　　運動對＝13
　　　D.O.F.＝3(10−1)−2×13＝1
　　2. 若有一高對
　　　D.O.F.＝3(10−1)−2×12−1＝2

**5. 計算下列圖示(a)與(b)所示之凸輪機構與連桿滑塊機構的自由度。【109 關四】**

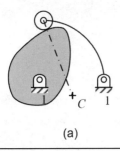

(a)

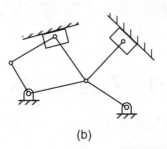

(b)

**解** 圖(a)

機件數 N = 4
旋轉對 P = 3
高對 $P_J$ = 1
D.O.F.= $3(N-1) - 2 \times P - J_P$
= $3(4-1) - 2 \times 3 - 1 = 2$

圖(b)

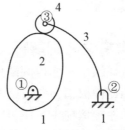

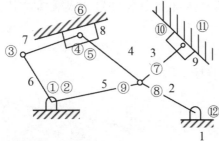

機件數 N = 9
旋轉對及滑動對 P = 12
D.O.F. = $3(9-1) - 2 \times 12 = 0$

# 第十章 機構學─連桿機構

## ▼10-1 四連桿機構

機構設計的過程中，為了能有系統的進行構造分析與合成，機構更常將進一步簡化為運動鏈，機構之組成至少需要 4 根連桿構成之運動鏈，才能成為相對自由度為 1 之拘束鏈。

### 一、四連桿機構之名詞解釋
(一)**浮桿**：在連桿組中，連桿兩端無固定中心而只有銷接活動中心者。
(二)**曲柄**：在四連桿機構中，可繞固定中心作完全迴轉者。
(三)**搖桿**：在四連桿機構中，僅可繞固定中心作擺動者。
(四)**機架**：地面或固定架均是，兩固定中心的連線即是，或稱為固定。

### 二、四連桿機構的組成
平面四桿機構的基本形式如圖 10.1 所示，包含機架、連架桿和連接桿。

(一)**機架**：機構中固定不動的構件（如圖中 AD）。
(二)**連架桿**：與機架相聯的構件（如圖中 AB、CD），相對機架可作 360°轉動的連架桿稱為曲柄，相對機架只能在小於 360°範圍內作擺動的連架桿稱為搖桿。
(三)**連接桿（浮桿）**：不與機架相聯的構件（如圖中 BC）。

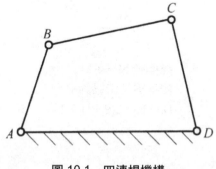

圖 10.1　四連桿機構

### 三、四連桿機構的功能

由連續運轉變成另一種連續迴轉，其轉速可能固定或變動。

(一)由連續運轉變成擺動或往復運動（或相反的方向），其速度可固定或可變。

(二)由擺動方式變成另一種擺動型態，或由往復變成另一種往復運動，其速度及方向或固定或可變。

## ▼10-2　四連桿機構的基本形式

### 一、曲柄搖桿機構

(一)**曲柄搖桿機構之組成：**如圖 10.2 所示，繞固定中心旋轉之一連桿能作 360 度之完全迴轉（曲柄），而另一連桿僅作搖擺運動（搖桿）之四連桿組，稱爲曲柄搖桿機構，作用是將曲柄的整周回轉轉變爲搖桿的往復擺動，如攪拌機、人騎腳踏車、縫紉機腳踏驅動機構，其中當曲柄與浮桿成一直線，主動桿傳達的動力無法使曲柄繞心軸繼續迴轉，此等位置稱之爲死點位置（$B_1$ 點及 $B_2$ 點）。

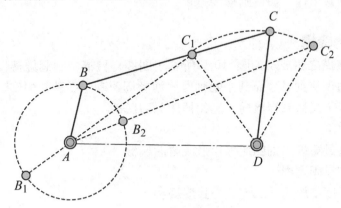

圖 10.2　曲柄搖桿機構

**(二)組成條件：**
1. 固定桿爲最短桿之**對偶桿**，則四連桿組形成曲柄搖桿機構。
2. 以最短桿作爲曲柄。
3. 最長桿長度小於另外三支連桿長度總和。
  (1) $\overline{AB} + \overline{BC} + \overline{CD} > \overline{AD}$
  (2) $\overline{AB} + \overline{AD} + \overline{CD} > \overline{BC}$
4. 最長桿與最短桿長度相加小於另外兩支連桿之長度總和。
  (1) $\overline{AB} + \overline{BC} < \overline{CD} + \overline{AD}$
  (2) $\overline{AB} + \overline{AD} < \overline{CD} + \overline{BC}$

**(三)曲柄搖桿機構之死點：**
1. 死點之定義：連桿機構中當連桿與從動曲柄（或搖桿）共線，此時之位置稱連桿機構之死點。
2. 曲柄搖桿機構會有二個死點位置，可利用飛輪，以其慣性衝過死點位置。

**(四)傳動角：**
1. 定義：四連桿機構中連桿與搖桿間之夾角。
2. 範圍：通常傳動角之範圍爲 45°至 135°，最佳角度爲 90°，超過此範圍時傳動會卡住，使傳動變困難。

# 二、雙曲柄機構

**(一)雙曲柄機構之組成：**如圖 10.3 所示，四連桿機構中兩個旋轉桿皆能作完全之迴轉運動者，而其主動軸作等速圓周運動，從動軸則作變角速圓周運動者，又稱牽桿機構，例如插床急回機構。

**(二)組成條件：**
1. 固定桿爲最短桿，則四連桿組形成雙曲柄機構。
2. 最短桿作爲固定桿。
3. 最長桿長度小於另外三支連桿長度總和。

4. 最短桿加上任一桿之長度小於其他兩桿的長度和。

(1) $\overline{AD} + \overline{CD} > \overline{AB} + \overline{BC}$

(2) $\overline{BC} + \overline{AD} > \overline{CD} + \overline{AB}$

(3) $\overline{AB} + \overline{AD} < \overline{CD} + \overline{BC}$

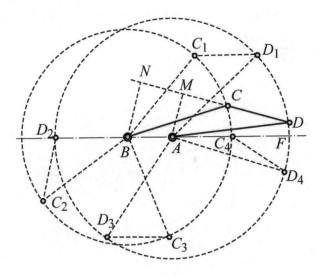

圖 10.3　雙曲柄機構

## 三、雙搖桿機構

**(一)雙搖桿機構之組成：** 如圖 10.4 所示，四連桿機構中兩個旋轉桿皆只能作搖擺運動而無法做完全之迴轉運動者謂之，如汽車前輪轉向機構、電扇搖擺機構、自動摺布機。

**(二)組成條件：**

1. 固定桿為最短之對邊桿，則四連桿組形成雙搖桿機構。
2. 最長桿長度小於另外三支連桿長度總和。
3. 以最短桿作為浮桿。
4. 連心線之固定桿與固定桿之對偶桿相加大於另外二支連桿的長度總和。
   (1) $\overline{AB} + \overline{BC} < \overline{CD} + \overline{AD}$
   (2) $\overline{AB} + \overline{AD} < \overline{CD} + \overline{BC}$

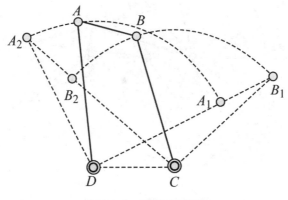

圖 10.4　雙搖桿機構

觀念說明

1.

| | | |
|---|---|---|
| 曲柄搖桿機構 | 固定桿為最短桿之**對偶桿**。 | 最短桿<br>固定桿為最短桿之對偶桿 |
| 雙曲柄機構 | 固定桿為最短桿 | 固定桿為最短桿 |
| 雙搖桿機構 | 固定桿為最短之對邊桿。 | 固定桿為最短桿之對邊桿 |

2. 葛士浩條件(Grashof law)：對於一個四連桿運動鏈，令最短桿的桿長為 a，最長桿的桿長為 b，其餘兩桿的桿長為 c 和 d。若桿長的關係滿足下式：$a+b \leqq c+d$（最短桿與最長桿長度之和小於或等於其餘兩桿長度之和），則至少有一桿能做 360°的旋轉，此即為**葛士浩定理**，滿足此關係式的運動鏈稱為**葛士浩運動鏈**（或機構）；若不滿足則稱為**非葛士浩運動鏈**（或機構），亦即無任何桿件可做 360°的旋轉，即成為搖桿機構。
3. 10-1 所述曲柄搖桿機構、雙曲柄機構、雙搖桿機構的組成條件都是依據葛士浩條件所演化而來的。

# 10-3　單滑動之四連桿機構

## 一、曲柄滑塊機構

平面四連桿組，其運動對皆爲旋轉對；若運動鏈中含有滑動對，滑塊可在圓弧導槽或直線導槽內滑動，如圖 10.5 所示爲一連桿式衝床的機構簡圖，曲柄（桿 2）爲輸入，模具則附在滑塊（桿 4）上，當桿 2 與桿 3 幾近共線位置（即極限位置或肘節位置）時，可產生極大的機械利益將胚料沖壓成形，形成具滑件的四連桿機構。

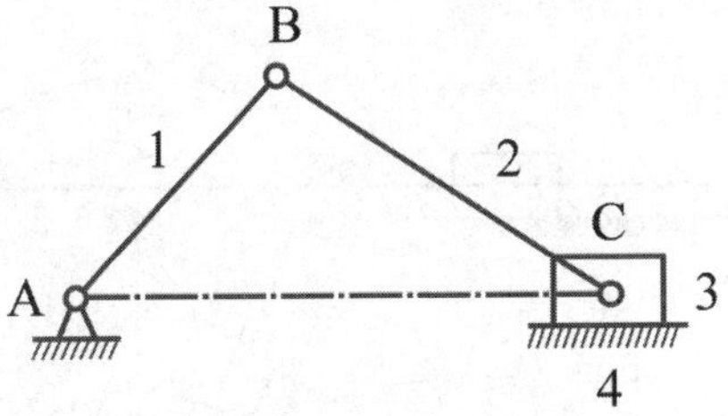


**圖 10.5　曲柄滑塊機構**

## 二、急回機構（牛頭鉋床機構）

**(一)惠式急回機構：**當曲柄（桿 2）以等角速度作完整的逆時針方向旋轉運動時，滑件（桿 6）的衝程 D’→D”爲工作衝程，而 D”→D’爲返回衝程，時間比爲 $\frac{\theta_2}{\theta_1}$ 。

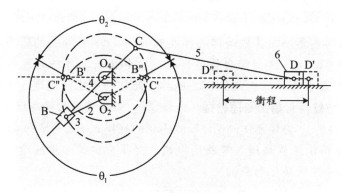

**圖 10.6 惠式急回機構**

**(二)搖臂急回機構（牛頭鉋床）：** 當曲柄（桿 2）以等角速度作完整的逆時
針方向旋轉運動時，滑件（桿 6）的衝程 S 為工作衝程。

1. 其時間比 $= \dfrac{\text{切削時間}}{\text{回程時間}} = \dfrac{\text{切削時曲柄旋轉角}}{\text{回程時曲柄旋轉角}} = \dfrac{\beta}{\alpha}$

2. 切削時間 $= T(\text{全部時間}) \times \dfrac{\beta}{360°}$

3. 回程時間 $= T（\text{全部時間}）\times \dfrac{\alpha}{360°}$

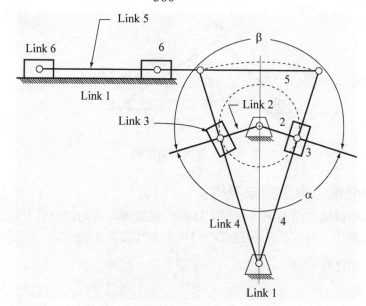

**圖 10.7 搖臂急回機構（牛頭鉋床）**

## 範例 10-1

已知四連桿運動鏈的連桿桿長 $\overline{AB}$ =80mm、$\overline{BC}$ =50mm、$\overline{CD}$ =30mm 與 $\overline{AD}$ =70mm，請指出以連桿 $\overline{AB}$、$\overline{BC}$、$\overline{CD}$ 與 $\overline{AD}$ 為機架所分別得到之機構的運動型態。【107 地四】

**解** (1) 以 $\overline{AB}$ 為機架，$\overline{CD}$ 為浮桿：其構成雙搖桿機構，搖桿為 $\overline{BC}$ 與 $\overline{AD}$。

(2) 以 $\overline{BC}$ 為機架，$\overline{AD}$ 為浮桿：

其構成為曲柄搖桿機構，曲柄為 $\overline{CD}$，搖桿為 $\overline{AB}$。

(3) 以 $\overline{CD}$ 為機架，$\overline{AB}$ 為浮桿：

$\overline{AB}+\overline{CD}<\overline{BC}+\overline{AD}$；$\overline{BC}+\overline{CD}<\overline{AB}+\overline{AD}$；$\overline{AD}+\overline{CD}<\overline{AB}+\overline{BC}$

其構成雙曲柄機構，曲柄為 $\overline{BC}$ 與 $\overline{AD}$。

(4) 以 $\overline{AD}$ 為機架，$\overline{BC}$ 為浮桿：

其構成為曲柄搖桿機構，曲柄為 $\overline{CD}$，搖桿為 $\overline{AB}$。

## 範例 10-2

如圖所示為曲柄搖臂機構，以滑塊 6 為輸出件，請問它常應用於何種工具機？又已知曲柄 AC 長為 15 cm，曲柄之轉速為 2 rpm，且滑塊 6 之工作行程時間為 20 sec，試求固定樞軸 A 與 B 的中心距離。【104 普考】

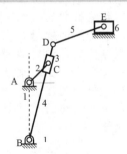

**解** 曲柄轉速 2r.p.m

⇒ 轉一圈 30 秒

$\dfrac{\theta_1}{\theta_2}=\dfrac{20}{10}$——(1)

$\theta_1+\theta_2=360°$——(2)

$\theta_1=240°\quad\theta_2=120°$

故 $\alpha=30°$

$\dfrac{15}{\overline{AB}}=\sin30°$

$\overline{AB}=30(cm)$

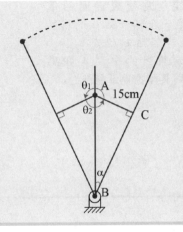

# ▼10-4 其它之四連桿機構

## 一、雙滑塊機構

| 雙滑塊機構 | 圖示 |
|---|---|
| 1.**蘇格蘭軛**：相當於連接桿為無限長的滑件曲柄機構，輸入桿（桿 2）以等角速度旋轉時，滑件（桿 4）作簡諧運動，此機構用於模擬簡諧振動的試驗機中，亦用來驅動蒸汽泵與壓縮機等。 | 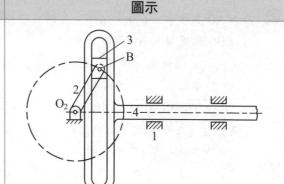 |
| 2.**歐丹聯結器**：用來做平行但不共線軸間的傳動，其互相嵌合滑動的鍵槽為直線形，各桿件間作相對的滑動，故輸入軸（桿 2）、輸出軸（桿 4）、中間的浮盤（桿 3）的角速度均相同，作等角速度運動。 | 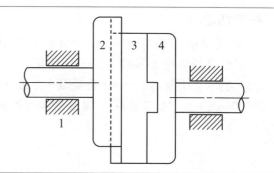 |
| 3.**橢圓規**：為繪製橢圓的儀器，桿 3 上任一點 c 的路徑為橢圓；若點 c 位於 a 和 b 兩個旋轉對的中間（即點 c'），則其路徑為正圓。 | 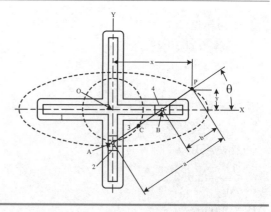 |

## 二、平行運動機構

平行運動機構大部分是由一對邊長相等之平行四邊形運動鏈為基本單元所組成的機構，當其中一點產生特定的路徑時，另一點會產生相似的路徑。

| 平行運動機構 | | 圖示 |
|---|---|---|
| 萬能製圖儀 | 常見的平行四邊形機構，如圖所示，由 $a_0abb_0$ 和 cdef 二個平行四邊形連桿組構成。若將桿 $a_0b_0$ 固定在繪圖板上，則推動桿 7 時，其上的直尺就作平行運動，以繪製平行線。 | |
| 縮放儀 | 在平行四邊形運動鏈的任何桿（或延長桿）上，任取一點（不論是否為接頭）作為固定軸樞，並由此點作任意一直線與其它桿相交，所得之交點將作一定比例關係的相似運動，如此所得的機構稱為縮放儀，常用於圖形之放大與縮小的複製工作，亦應用於鋼筆刻名機。 | |

## 三、肘節機構

使用於需要在短距離內產生極大力量的場合，例如肘節夾鉗、碎石機、衝壓機，以及鉚釘機等，當機構在死點位置時，其中某些桿件相對於機架具有瞬時靜止的特性，若選擇這些靜止桿為輸入桿，而以死點機構的輸入桿為輸出桿，則輸出桿將產生極大的力量。

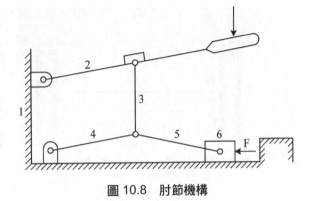

圖 10.8　肘節機構

## 四、非平行相等曲柄機構

### (一)非平行相等曲柄機構

對邊長不平行但相等之四邊形所組成的機構，兩曲柄相等且連心線 AD 大於浮桿 BC 者，其特性為兩曲柄的轉角不等，應用於汽車轉向機構，因為汽車轉彎時，其兩前輪的軸線與後輪的延長線交於一點，只有兩曲柄的轉角不等才能達成此功能。

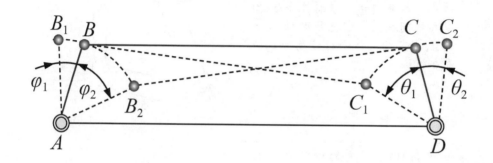

### (二)應用－汽車轉向機構

1. 汽車直行及向右轉彎

    如圖所示，為汽車轉向機構（其中 BC＜AD）。汽車大都是利用前軸來轉向，在前軸右端有右輪轉動軸 AB，在左端有左輪轉動軸 DC，分別用鋼銷 A 與 D 與前軸相連，在汽車轉向時，左右輪轉軸必須同時轉動。

    汽車要向右轉時，如圖右前輪軸所轉的角度較左前輪軸所轉的角度為大；當汽車向左轉時，左前輪軸所轉的角度較右前輪軸所轉的角度為大；當汽車直行時，左前輪軸與右前輪軸之角度相等，兩車輪平行。

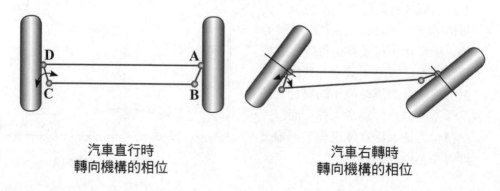

汽車直行時　　　　　　　　汽車右轉時
轉向機構的相位　　　　　　轉向機構的相位

2. 汽車向左轉

　　如圖所示，汽車向左轉時，左前輪軸線、由前輪軸線與後輪大軸中心線，三者交於 Q 點時，是汽車轉向時輪子最理想的位置。因為此時四個輪子均以 Q 點為圓心繞圈子，所以輪子與地面之間的滑動摩擦可減至最少，降低輪胎的磨耗。轉彎時，如果三者不交於 Q 點，則偏離後輪大軸中心線較近者，易造成車胎異常磨耗(單邊磨損)。偏離較遠者，汽車高速轉彎時較易失控翻車。偏離越遠異常磨耗越大也越不安全。

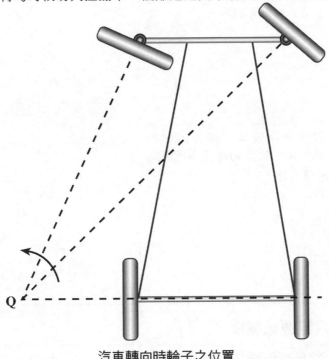

汽車轉向時輪子之位置

# ▼10-5　近似直線運動機構

## 一、絕對直線運動機構

| 絕對直線運動機構 | | 圖示 |
|---|---|---|
| 皮氏直線運動機構 | 為一個八桿十接頭的連桿組，點 c 在通過點 c 和與固定軸框 $a_0b_0$ 垂直的線上做正確直線運動。 | 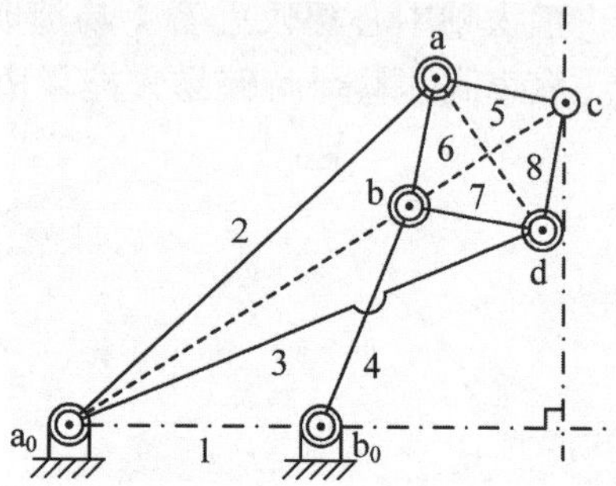 |
| 司羅氏直線運動機構 | 為一滑件曲柄機構，桿長比例為 $a_0a = ab = ac$，點 c 的路徑為通過點 $a_0$ 的正確直線。 | 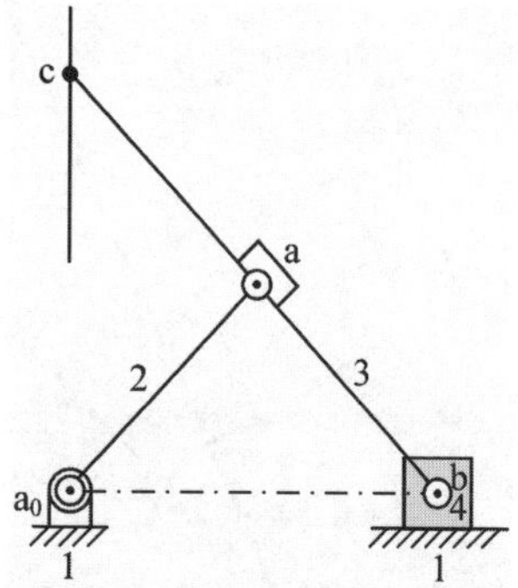 |

## 二、近似直線運動機構

| 絕對直線運動機構 | | 圖示 |
|---|---|---|
| 瓦特直線運動機構 | 平面四連桿組，點 P 的路徑為近似 8 字形，其中有兩段近似直線且 $\dfrac{BP}{PC} = \dfrac{CD}{AB}$。英國人 Watt 於 1782 年用於雙作用蒸汽的引擎中；桿 2、桿 3，以及搖桿 4 限制點 P 的路徑，而點 P 則連接蒸汽引擎汽缸的活塞桿。 | 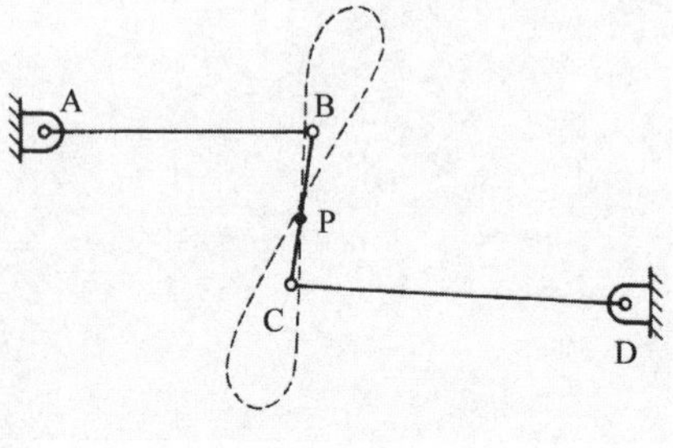 |

| | | |
|---|---|---|
| 修正型司羅氏直線運動機構 | 俗稱蚱蜢機構，以搖桿（桿 CD）取代司羅氏直線運動機構機構的滑件，搖桿愈長，點 P 的路徑愈接近直線，最早係作為引擎機構，以使一極短之曲柄能產生大的衝程。 | 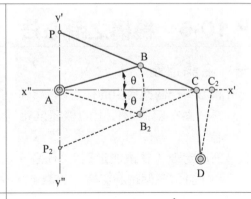 |
| 饒氏直線運動機構 | 是一個平面四連桿組，點 c 的路徑中有一段為與 $a_0b_0$ 重合的近似直線，當增大此機構之高與寬的比例時，其直線運動部分的正確性亦相對提高，其條件為 $a_0a = b_0b = ac = bc$、$a_0c = b_0c = ab$。 | 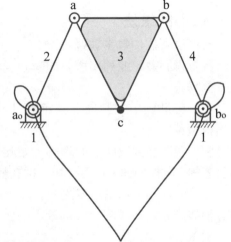 |
| 蔡氏直線運動機構 | 為一個平面四連桿組，點 P 的路徑中有一段為近似直線。 | 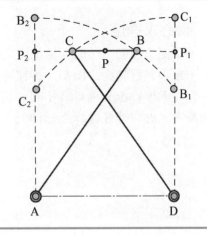 |

# ▼10-6 機構之瞬心法

## 一、名詞定義

(一)**瞬心**：一個機構中的任意兩個機件在任一時刻皆有一個共同點，且這個共同點在兩個機件上的線速度相同，則這個共同點稱為此二機件的瞬心。

(二)**三心定理（甘迺迪定理）**：任意三個機件做相對平面運動時，有三個瞬心，且這三個瞬心必在一直線上。

## 二、瞬心的求法

(一)機件以阿拉伯數字編號。

(二)計算瞬心數，並列出所有的瞬心，具有 N 根機件的機構，有 $N(N-1)/2$ 個瞬心。

(三)畫一輔助圓，在圓周上標示點 1、點 2、點 3、...、點 N，代表有 N 根機件。

(四)利用觀察法找出明顯的瞬心，如旋轉對、滑行對、滾動對、凸輪對等。

(五)若桿 i 與桿 j 的瞬心為已知，則在輔助圓上的點 i 與點 j 間畫一實線，其它未知瞬心則以虛線畫之。

(六)根據三心定理並配合輔助圓上的已知實線，決定未知瞬心（即虛線）的位置。

## 三、瞬心求速度

在同一平面上運動時，同一機構中之兩連桿由於具有某種方式之連結（如旋轉結）或因其他轉動之限制，會在特定瞬間或較長的時間內具有一共同點，且該點在兩連桿上分別具有相同的速度，兩連桿所存在之共同點位置，可能在連桿上，亦可能在連桿之延伸面上，該點因具有相同速度。

## 範例 **10-3**

有一個四連桿組，如圖所示，試求此機構在這個位置的瞬心位置。

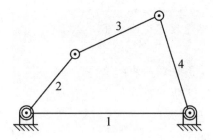

解

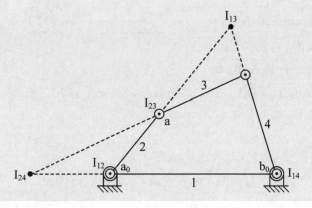

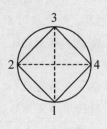

## 範例 **10-4**

四連桿機構 $A_0ABB_0$ 中，$A_0B_0 = 10cm$，$A_0A = 10cm$，$AB = 5cm$，$B_0B = 8.66cm$，$A_0A$ 與 $A_0B_0$ 夾角為 60°，桿 2 轉速 $\omega_2 = 10$ rad/s 逆時針方向。(1)試問桿 3 的那一點速度為零。(2)求桿 3 之角速度 $\omega_3$ 與方向。(3)求桿 4 之角速度 $\omega_4$ 與方向。【關務】

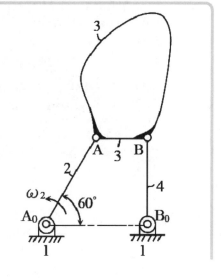

解 本題用瞬心法作圖，找出瞬時中心，
瞬時中心為桿 3 速度為 $O$ 點，並可利
用瞬時中心求出 $B$ 點速度，進而求出
桿 4 轉速，

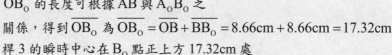

(1) 找出瞬時中心，桿 3 的瞬時中心為
兩線延伸的交點處 O 點，如圖：
先看看 $\overline{BB_O}$ 與 $\overline{A_OA}$ 之夾角，
$\overline{BB_O}$ 的長度為 8.66cm，而斜邊
$\overline{A_OA}$ 對應的垂直高度為
$\overline{A_OA}\sin 60° =$ 8.66cm，兩者長度相
等，所以 $\overline{BB_O}$ 與 $\overline{A_OB_O}$ 為互相垂直
$\overline{OB_O}$ 的長度可根據 $\overline{AB}$ 與 $\overline{A_OB_O}$ 之
關係，得到 $\overline{OB_O}$ 為 $\overline{OB_O} = \overline{OB} + \overline{BB_O} = 8.66cm + 8.66cm = 17.32cm$
桿 3 的瞬時中心在 $B_O$ 點正上方 17.32cm 處

(2) 桿 3 之角速度 $\omega_3$
瞬時中心定出後，可算出桿 3 之角速度 $\omega_3$
根據 $\overline{AB}$ 與 $\overline{A_OB_O}$ 之關係，得到 $\overline{OA}$ 的長度為 $\overline{OA} = \overline{AA_O} = 10cm$

$$\omega_3 = \frac{V_A}{\overline{OA}} = \frac{\omega_2(CCW) \times \overline{AA_O}}{\overline{OA}} = 10 rad/s(CW)$$

CW 為對 O 點進行順時方向旋轉(注意方向計算)

(3) 桿 4 之角速度 $\omega_4$
瞬時中心定出後，可算出桿 4 之角速度 $\omega_4$
根據 $\overline{AB}$ 與 $\overline{A_OB_O}$ 之關係，得到 $\overline{OB}$ 的長度為 $\overline{OB} = \overline{BB_O} = 8.66cm$

$$\omega_4 = \frac{V_B}{\overline{BB_O}} = \frac{\omega_3(CW) \times \overline{OB}}{\overline{BB_O}} = 10 rad/s(CCW)$$

CCW 為對 $B_O$ 點進行逆時方向旋轉（注意方向計算）

**範例 10-5**

無偏置（Zero offset）曲柄滑件機構中，$A_0A = 10$ cm，$AB = 20$ cm，桿 2 之角速度 $\omega_2 = 10$ rad/s 逆時針方向，當 $A_0A \perp A_0B$ 時：

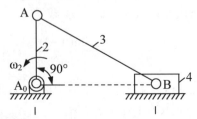

(一) 試求桿 3 之角速度 $\omega_3$。

(二) 試求滑件 4 的速度 $V_4$ 和方向。【普考】

**解** (一) 當 $A_0A \perp A_0B$ 時 A 點速度為水平向左，且滑塊 4 作水平運動，所以桿 3 上 A、B 兩點速度方向皆向左，故桿 3 僅作水平運動 $\omega_3 = 0$。

(二) 利用剛體運動公式：

$$\vec{V}_A = \vec{V}_{A_0} + \vec{\omega}_2 \times \vec{r}_{AA_0} = 10\vec{k} \times 10\vec{j} = -100\vec{i}$$

$$\vec{V}_B = \vec{V}_A + \vec{\omega}_3 \times \vec{r}_{BA} = -100\vec{i} + \vec{\omega}_3 \times (20\vec{i} - 10\vec{j})$$

因 $\omega_3 = 0$

所以 $\vec{V}_B = \vec{V}_A = -100\vec{i}$ (cm/s)

# ⋖精選試題⋗

## 一、選擇題型

( )　**1** 一機構由 $n$ 個機件組成，其瞬心總數為

(A)$\dfrac{2(n-1)}{n}$　(B)$\dfrac{n(n-1)}{2}$　(C)$\dfrac{2n(n-1)}{n}$　(D)$\dfrac{n(n+1)}{2}$。

( )　**2** 在機件在共同瞬心之速度　(A)大小相等，方向相反　(B)大小與方向均相同　(C)大小不相等，方向相反　(D)大小與方向均不相同。

( )　**3** 四連桿機構中，有固定中心的連桿，並可以作完全迴轉，稱之為　(A)曲柄　(B)搖桿　(C)連接桿　(D)旋轉桿。

( )　**4** 以下何者可用來引導機件作直線運動？　(A)棘輪　(B)萬向接頭　(C)四連桿機構　(D)日內瓦機構。【普考】

( )　**5** 一無偏置量之曲柄滑塊機構，若其滑塊衝程為 28 公分，則其曲柄之長度為多少？　(A)7 公分　(B)14 公分　(C)28 公分　(D)56 公分。【普考】

( )　**6** 以下何種四連桿連桿機構沒有死點？　(A)雙曲柄機構　(B)曲柄滑塊機構　(C)曲柄搖桿機構　(D)雙滑塊機。【普考】

( )　**7** 汽車轉向機構是利用下列何種機構：　(A)曲柄搖桿　(B)雙搖桿　(C)相等曲柄　(D)肘節。【普考】

( )　**8** 下列何者為平行等曲柄機構的應用？　(A)火車頭之牽動機構　(B)鉚釘機　(C)腳踏車　(D)汽車轉向連桿組。

( )　**9** 下列何者非曲柄搖桿機構的應用？　(A)攪拌機　(B)內燃機引擎之連桿裝置　(C)縫紉機　(D)摺布機。

( )　**10** 下列何者非肘節機構的應用？　(A)手夾鉗　(B)碎石機　(C)萬能繪圖機　(D)手剪鐵板機。

( )　**11** 急回機構平常使用在：　(A)在作功時快速進行　(B)在作功時慢速進行　(C)在不作功時機械利益高　(D)在不作功時速度較慢。【普考】

( ) **12** 關於圖中比例運動機構的敘述何者錯誤？
(A)BC//AD　(B)P、T、D 三點需共線
(C)PB 與 BA 需等長　(D)常使用於縮放繪
圖器。【普考】

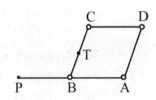

( ) **13** 萬能製圖機的四連桿組機構，是下列哪一個機構的應用？　(A)
曲柄搖桿機構　(B)雙搖桿機構　(C)雙曲柄機構　(D)平行曲柄
機構。【中油】

( ) **14** 在四連桿組中，能做 360° 迴轉之桿稱為：　(A)曲柄　(B)滑塊
(C)浮動桿　(D)搖桿。

( ) **15** 用以連接曲柄或搖桿而傳達相互間運動之連桿，稱為　(A)曲柄
(B)搖桿　(C)連接桿　(D)浮桿。

( ) **16** 如圖為一曲柄滑塊機構，且
曲柄 2 長為 L，角速率為
$\omega$，以下敘述何者正確？
(A)滑塊 4 之衝程為 L　(B)
為三連桿機構　(C)滑塊 4
之速率最慢為零　(D)滑塊
C 之速率最快為 $L\omega^2$。

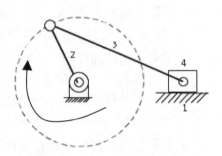

( ) **17** 如圖所示之曲柄搖桿機構，下列各條件中哪一個是錯誤的？
(A)$\overline{AB}+\overline{BC}-\overline{CD}<\overline{AD}$　(B)$\overline{AB}+\overline{AD}+\overline{CD}>\overline{BC}$
(C)$\overline{AD}-\overline{AB}+\overline{CD}<\overline{BC}$　(D)$\overline{BC}-\overline{AB}+\overline{CD}>\overline{AD}$。

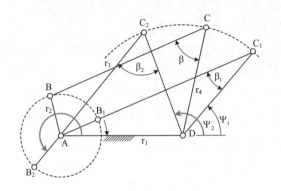

( 　 ) **18** 四連桿機構中，能繞固定軸作完全迴轉運動的連桿，如何稱呼？　(A)搖桿　(B)曲柄　(C)連接桿　(D)機架。【中油】

( 　 ) **19** 四連桿機構中，可以作完全迴轉，並有固定中心的連桿稱為　(A)搖桿　(B)連接桿　(C)固定桿　(D)浮桿　(E)曲柄。【台電】

( 　 ) **20** 四連桿機構中，如圖示，AB＝14 吋，BC ＝17.5 吋，CD＝17.5 吋，若 N＝60rpm， 則 B 點的速度為多少吋/秒？　(A)10π (B)14π　(C)28π　(D)32π　(E)36π。【台電】

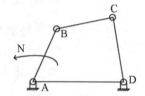

( 　 ) **21** 碎石機是應用何種機構製成？　(A)肘節機構　(B)滑槽連桿機構 (C)惠氏速返機構　(D)直線運動機構　(E)日內瓦機構。

( 　 ) **22** 若曲柄滑塊系統，其滑塊衝程為 50mm，則曲柄長度為：　(A)5mm (B)100mm　(C)50mm　(D)50cm　(E)25mm。【台電】

( 　 ) **23** 四連桿裝置中，能繞固定軸擺動者，稱為　(A)曲柄　(B)搖桿 (C)連接桿　(D)旋轉桿。

( 　 ) **24** 一組四連桿組 A、B、C、D，其中 A 為曲柄，B 為聯心線，C 為連桿，D 為搖桿，若欲此四連桿組成為曲柄搖桿機構時，下列各條件中哪一個是錯誤的？　(A)A＋C＜B＋D　(B)B－D＜C －A　(C)B－C＜A－D　(D)A＋B＜C＋D。

( 　 ) **25** 下列何種機構能在短距離內傳遞最大作用力？　(A)雙滑塊連桿機構　(B)惠氏速返機構　(C)相等曲柄機構　(D)肘節機構。

( 　 ) **26** 如圖所示之曲柄單滑塊機構，若桿 AB 為曲柄且 $\overline{AB}$＝15cm，$\overline{BC}$＝65cm， 則滑塊 C 之衝程為若干？　(A)10 (B)20　(C)30　(D)70　cm。

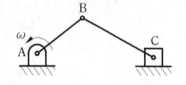

( 　 ) **27** 一柴油引擎中，利用往復滑塊曲柄機構推動活塞進行作動，已知曲柄長度 15cm，連桿長度 60cm，則衝程長度　(A)20cm (B)30cm　(C)40cm　(D)10cm。

( 　 ) **28** 承上題滑塊的最大衝程為　(A)20　(B)30　(C)60　(D)80　cm。

( 　 ) **29** 承上題滑塊的最大速度為　(A)20π　(B)30π　(C)60π　(D)80π cm。

( ) **30** 如右圖所示之曲柄單滑塊機
構，若 AB 的長度為 16cm，BC
的長度為 60cm，則滑塊 C 之衝
程為若干？

(A)16cm　(B)60cm
(C)32cm　(D)120cm。【103 北捷】

( ) **31** 牛頭鉋床之急回機構，去程為切削行程，速度慢；回程時不切
削，速度快，請問此為何種機構之應用？　(A)肘節機構　(B)等
腰連桿機構　(C)迴轉滑塊曲柄機構　(D)雙搖桿機構。【103　桃
捷】

( ) **32** 一曲軸式衝床為往復滑塊曲柄機構之應用，假設其曲柄旋轉半
徑為 20cm，連桿長 50cm，則此衝床之衝程長度為多少？
(A)20cm　(B)40cm　(C)50cm　(D)100cm。【103 桃捷】

---

### 解答與解析

**1 (B)**　**2 (B)**　**3 (A)**

**4 (C)**。棘輪與日內瓦機構的目的皆為產生間歇運動，萬向接頭用於用於兩軸
中心線成交叉而需相互傳動的場合，只有四連桿機構可導引機件作直線
運動，如曲柄滑塊機構。所以答案為(C)。

**5 (B)**。滑件曲柄機構的行程為曲柄長度的 2 倍。所以答案為(B)。

**6 (A)**。雙曲柄機構沒有死點。所以答案為(A)。

**7 (C)**。因為汽車轉彎時，其兩前輪的軸線與後輪的延長線交於一點，只有
兩曲柄的轉角不等才能達成此功能。而平行等曲柄機構的特性為兩
曲柄的轉角不等。所以答案為(C)。

**8 (A)**。平行等曲柄機構的應用：火車頭之牽動機構、萬能繪圖機、工具箱
之平行絞鏈。

**9 (D)**　**10 (C)**

**11 (B)**。急回機構平常使用在工具機如牛頭刨床，其功能為慢速作功，不作功時快速退回。所以答案為(B)。

**12 (C)**。比例運動機構是由平行四邊形機構演變而來，其機構有 2 點的運動軌跡互相成比例。雕刻機與縮放繪圖器為其應用實例。比例運動機構的條件為，描點 P，畫點 T，固定軸 D，三點恆在同一線上。
特性：描點影像的大小／畫點的大小＝描點到固定軸之距／畫點到固定軸之距。所以答案為(C)。

**13 (D)**。比例運動機構是由平行四邊形機構演變而來。所以答案為(D)。

**14 (A)    15 (D)    16 (C)**

**17 (C)**。$\overline{AB}+\overline{BC}<\overline{AD}+\overline{CD}$　$\therefore \overline{AD}-\overline{AB}+\overline{CD}>\overline{BC}$　故(C)是錯誤的。

**18 (B)**。能對固定軸作完全迴旋運動為曲柄。所以答案為(B)。

**19 (E)**。能對固定軸作完全迴旋運動為曲柄。所以答案為(E)。

**20 (C)**。$V_B = \omega \times \overline{AB} = 60\text{rpm} \times 14\text{in} = \dfrac{(2\pi \cdot 60) \times 14}{60} = 28\pi$。所以答案為(C)。

**21 (A)**

**22 (E)**。滑塊衝程為曲柄長度的 2 倍，所以曲柄長度＝25mm。所以答案為(E)。

**23 (B)    24 (D)    25 (D)**

**26 (C)**。滑塊之行程為曲柄之兩倍，$L = 2\overline{AB} = 2 \times 15 = 30\text{cm}$

**27 (B)**。衝程長度＝2×曲柄長度＝2×15＝30cm

**28 (C)**。滑塊之行程為曲柄之兩倍，$L = 2\overline{AB} = 2 \times 30 = 60\text{cm}$

**29 (C)**。$V_{max} = r \cdot \omega = 30 \times \dfrac{2\pi \times 60}{60} = 60\pi \,(\text{cm／sec})$

**30 (C)**。$16 \times 2 = 23\text{cm}$

**31 (C)**

**32 (B)**。衝程＝2 倍曲柄長＝2×20＝40(cm)。

## 二、問答題型

1. 四連桿組 ABCD 中，AB＝2cm，
BC＝3cm，CD＝AD＝4cm，分別
以下列各桿作固定桿，則形成何種
機構？(1)AB 桿；(2)BC 桿；(3)AD
桿；(4)CD 桿。【升資】

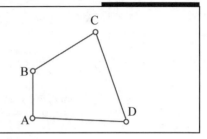

解 (1) 雙曲柄機構：固定桿爲最短桿。
(2) 曲柄搖桿機構：固定桿爲最短桿之對偶桿。
(3) 曲柄搖桿機構：固定桿爲最短桿之對偶桿。
(4) 雙搖桿機構：固定桿爲最短桿之對邊桿。

2. (1)請說明曲柄滑塊機構為何是一反向運動機構。(2)可藉主動件來回往復或
搖擺運動，來推動另一具有鋸齒形輪子作單向旋轉的間歇迴轉運動裝置，
稱為何種機構？【普考】

解 (1)曲柄滑塊機構：在圖所示曲柄搖桿機構中，當曲柄 1 轉動時，搖桿
3 上 C 點的軌跡是圓弧，且當搖桿長度愈長時，曲線愈平直，當搖
桿爲無限長時，將曲線成爲一條直線，這時可把搖桿做成滑塊，這
種機構稱爲曲柄滑塊機構。

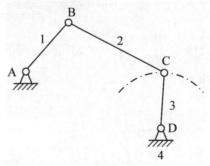

當搖桿做成滑塊成爲曲柄滑塊機構時，如圖所示若桿 1<桿 2，桿 1
只能繞固定軸 A 相對於機架 4 做旋轉，則滑塊連續運轉而成爲往
復運動或反向運動，因此稱曲柄滑塊機構爲一反向運動機構。

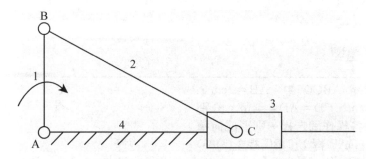

(2) 沿一輪的周緣製成適當的形狀齒型或柱銷並藉另一機件的往復運動，以產生間歇性的單向圓周運動者，均稱為棘輪機構。

---

3. **試以簡圖說明司羅氏直線機構**（Scott-Russell's straight line mechanism）**與瓦特氏直線機構**（Watt's straight line mechanism）**之差異，並分別註明各機構內桿長之比例。**

**解** (1) 司羅氏直線機構：AC＝BC＝CP，P 點可做精確的直線運動。

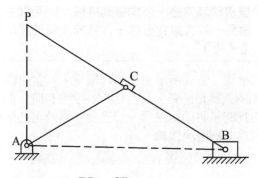

(2) 瓦特氏直線機構：$\dfrac{BP}{PC} = \dfrac{CD}{AB}$，P 點可沿著有部分路徑近乎直線的 8 字形軌跡運動。

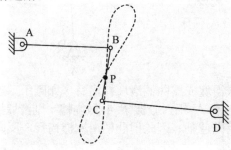

**4. 平行運動機構之原理為何？並舉兩例說明平行運動機構之裝置。【關四】**

解　平行運動機構大部分是由一對邊長相等之平行四邊形運動鏈為基本單元所組成的機構，兩曲柄轉向相同，角速度亦相等，當其中一點產生特定的路徑時，另一點會產生相似的路徑。

| 平行運動機構 | 圖示 |
| --- | --- |
| 1. 萬能製圖儀：常見的平行四邊形機構，如圖所示，由 $a_0abb_0$ 和 $cdef$ 二個平行四邊形連桿構成。若將桿 $a_0b_0$ 固定在繪圖板上，則推動桿 7 時，其上的直尺就作平行運動，以繪製平行線。 | 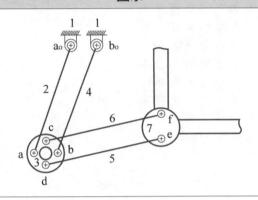 |
| 2. 縮放儀：在平行四邊形 $abcd$ 運動鏈的任何桿(或延長桿)上，任取一點(不論是否為接頭)作為固定軸樞，o 為桿 2 上的固定點、為固定軸樞，通過點 o 畫一射線分別交桿 3、桿 4 及桿 5 於點 S、點 P 及點 T，由幾何關係可證明，S、P 及 T 三點所畫出的圖形恆成正比，所得之交點將作一定比例關係的相似運動，如此所得的機構稱為縮放儀，常用於圖形之放大與縮小的複製工作，亦應用於鋼筆刻名機。 | 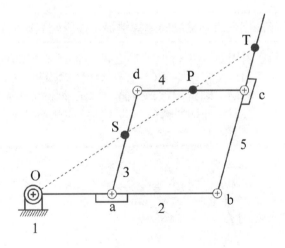 |

| 平行運動機構 | 圖示 |
|---|---|
| 3. 勞勃佛天平機構及火車頭之牽引機構：由一對邊長相等之平行四邊形運動鏈為基本單元所組成的機構，當其中一點產生特定的路徑時，另一點會產生相似的路徑。 | 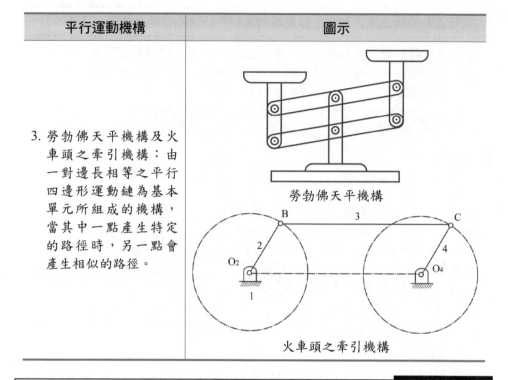勞勃佛天平機構<br><br>火車頭之牽引機構 |

**5. 請繪出汽車前輪轉向連桿機構，並說明其組成條件及特性？【101 普考】**

解 對邊長不平行但相等之四邊形所組成的機構，兩曲柄相等且連心線 AD 大於浮桿 BC 者，其特性為兩曲柄的轉角不等，應用於汽車轉向機構，因為汽車轉彎時，其兩前輪的軸線與後輪的延長線交於一點，只有兩曲柄的轉角不等才能達成此功能。

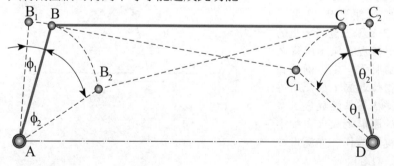

6. 何謂瞬心（Instant center）？試計算說明平面 1 個自由度的六連桿機構會有幾個瞬心？圖(a)為波士頓搖椅（Boston rocker），圖(b)為單軸搖椅，試說明兩者的功能有何差異。原因為何？

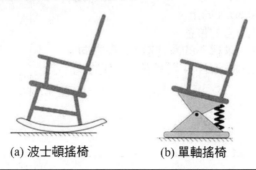

(a) 波士頓搖椅　　　　　(b) 單軸搖椅

解 (一) 一個機構中的任意兩個機件在任一時刻皆有一個共同點，且這個共同點在兩個機件上的線速度相同，則這個共同點稱為此二機件的瞬心

(二) 瞬心數目 $= \dfrac{N(N-1)}{2} = \dfrac{6 \times 5}{2} = 15$

(三) 就機構運動而言，兩者機構運動時，每一點與某一特定平面的距離恆為一定，均為平面機構

　(a) 波士頓搖椅
　　搖椅與機架為滾動對，若為純滾動時，搖椅的自由度為 1，搖椅繞與機架接觸之圓弧面曲率中心來回作搖擺運動，且搖擺的角度若在 5 度以內，可視為簡諧運動，優點為機構設計簡單，材料較單軸搖椅節省，易於移動椅子的位置，且可以搖擺的角度大於單軸搖椅。

　(b) 單軸搖椅
　　搖椅與機架若為固定時，搖椅的自由度為 1，搖椅繞銷接點中心來回作搖擺運動，零件組成較多，椅子因為彈簧的緣故，可以很快的回復到穩定平衡位置，在靜力平衡的情況底下，較波士頓搖椅穩固。

## 三、計算題型

1. 如圖所示之雙滑件機構中，AB＝20 cm，滑件
   2 速度 $V_2 = 100$ cm/s 向上。
   (1) 試標出所有瞬心的位置。
   (2) 利用瞬心法，求桿 3 的角速度 $\omega 3$ 與方向。
   (3) 利用瞬心法，求滑件 4 的速度 $V_4$ 與方向。
   【普考】

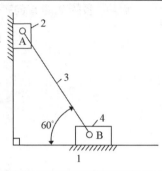

**解** 滑件 2 只能作上下運動，滑件 4 只
能作左右運動，如圖：
作垂直 2 滑件速度方向之直線，相
交得到 O 點為瞬時中心，如圖：s
目前已知求桿 3A 端的速度為 100
cm/s 向上，A 點對 O 點的角速度為

$$\omega = \frac{V_2}{OA} = \frac{100 cm/s}{20 cm \cdot \sin 30°} = 10 rad/s(CW)$$

CW 為對 O 點進行順時方向旋轉，
滑件 4 的速度

$$V_4 = \omega \times \overline{OB} = 10 rad/s(CW) \times 10\sqrt{3} = 173.2 cm/s 向左$$

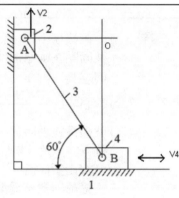

2. 有一個四連桿組 $A_0ABB_0$，連桿 $\overline{A_0B_0}$ 為機架，且已知三根連桿之桿長為
   $\overline{A_0B_0} = 30$ cm、$\overline{A_0A} = 10$ cm 與 $\overline{B_0B} = 28$ cm。若該四連桿組為曲柄搖桿機
   構，試求連桿 $\overline{AB}$ 的長度範圍，並指出何者為曲柄。【109 關四】

   **解** (1) 如果能成為曲柄搖桿機構，則機構必須滿足最長桿與最短桿長度之
   和小於或等於其它兩桿長度之和，且 AB 為最短桿，則機構必須滿
   足

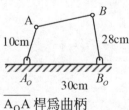

$\overline{A_0A}$ 桿為曲柄

(2) 假設 $\overline{A_O B_O}$ 為最長桿

$10 + 30 \leq 28 + \overline{AB}$

$12 \leq \overline{AB}$

假設 $\overline{AB}$ 為最長桿

$10 + \overline{AB} \leq 30 + 28$

$\overline{AB} \leq 48$

故 $12 \leq \overline{AB} \leq 48$ (cm)

---

**3.** 欲設計一牽桿機構，已知固定桿長 2cm，兩根曲柄分別為 3cm 與 4cm，試求耦桿（連接桿）的長度範圍。【地方特考】

**解** 如圖所示如果能成為雙曲柄機構，則應滿足

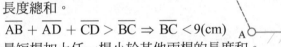

A. 若 BC 為最長桿成為雙曲柄機構則

(A) $4(\text{cm}) < \overline{BC}$

(B) 最長桿長度小於另外三支連桿長度總和。

$\overline{AB} + \overline{AD} + \overline{CD} > \overline{BC} \Rightarrow \overline{BC} < 9(\text{cm})$

(C) 最短桿加上任一桿小於其他兩桿的長度和。

a. $\overline{AB} + \overline{AD} < \overline{CD} + \overline{BC} \Rightarrow 1(\text{cm}) < \overline{BC}$

b. $\overline{BC} + \overline{AD} < \overline{AB} + \overline{CD} \Rightarrow 5(\text{cm}) > \overline{BC}$

c. $\overline{CD} + \overline{AD} < \overline{AB} + \overline{BC} \Rightarrow 3(\text{cm}) < \overline{BC}$

故取 $4(\text{cm}) < \overline{BC} < 5(\text{cm})$

B. 若 CD 為最長桿成為雙曲柄機構則

(A) $4(\text{cm}) > \overline{BC}$

(B) 最長桿長度小於另外三支連桿長度總和。

$\overline{AB} + \overline{AD} + \overline{BC} > \overline{CD} \Rightarrow \overline{BC} > -1(\text{cm})$

(C) 最短桿加上任一桿小於其他兩桿的長度和。

a. $\overline{AB} + \overline{AD} < \overline{CD} + \overline{BC} \Rightarrow 1(\text{cm}) < \overline{BC}$

b. $\overline{BC} + \overline{AD} < \overline{AB} + \overline{CD} \Rightarrow 5(\text{cm}) > \overline{BC}$

c. $\overline{CD} + \overline{AD} < \overline{AB} + \overline{BC} \Rightarrow 3(\text{cm}) < \overline{BC}$

故取 $3(\text{cm}) < \overline{BC} < 5(\text{cm})$

C. 將以上兩種情況進行分析綜合後，$\overline{BC}$ 的值應在以下範圍內選取，

即 $3(\text{cm}) < \overline{BC} < 5(\text{cm})$

**4.** 如圖所示為一曲柄滑塊機構，$\overline{AB}$=40cm，
$\overline{BC}$=65cm，AB 桿以 60rpm 逆時針方向迴轉：
(1)求 C 最接近 A 的距離為？
(2)滑塊的最大衝程？
(3)滑塊的最大速度？

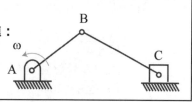

**解** (1)C 最接近 A 的距離為 $\overline{BC} - \overline{AB} = 65 - 40 = 25$cm

(2)滑塊之行程為曲柄之兩倍 $\Rightarrow L = 2\overline{AB} = 2 \times 40 = 80$cm

(3) $V_{max} = r \times \omega = 40 \times \dfrac{2\pi \times 60}{60} = 80\pi(cm / sec)$

**5.** 曲柄式牛頭鉋床之曲柄長 13cm，聯心線 26cm，
若往復一次需時 12 秒，則：
(1)去程時間為幾秒？
(2)回程行程為幾秒？

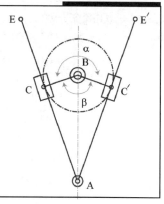

**解** 由圖可知

$\angle CAB=30°$ $\therefore \angle CAB = 60°$

即$\beta = 120°$ $\alpha = 240°$

(1)故切削行程 $= \dfrac{240}{360} \times 12 = 8(sec)$

(2)故回程 $= \dfrac{120}{360} \times 12 = 4(sec)$

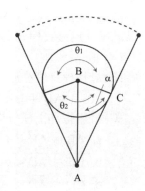

6. 如圖所示之鉋床運動機構，AB＝25cm，BC 的長度可調整，齒輪係以等角速度迴轉。如果鉋削行程時間與回復行程時間之比為 2：1，試求 AB 的長度？

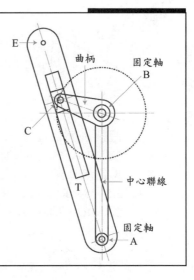

**解** $\theta_1 + \theta_2 = 360°$ ------(a)，$\dfrac{\theta_1}{\theta_2} = \dfrac{2}{1}$ -------(b)

由(a)(b)得 $\theta_2 = 2\alpha = 120°$ ，則 $\theta_1 = 240°$

連心線 AB＝25cm。故 BC=12.5(cm)

7. 圖所示為一個四連桿組(Four-bar linkage)之機構簡圖，其中接頭 A、B 為活動軸樞，$A_O$、$B_O$ 為固定軸樞，桿件長度分別為 $R_2$=2.5、$R_3$=5.0、$R_4$=4.6（單位：cm）。若此四連桿組為一曲柄搖桿機構(Crank rocker mechanism)，且桿 2 為主動桿(Driving link)：

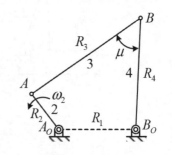

(1) 試以葛氏定則(Grashof law)求固定桿長 $R_1$ 的範圍。

(2) 傳力角 $\mu$ 為四連桿組之重要傳動指標，若 $R_1$=3.5、$R_2$=2.5、$R_3$=5.0、$R_4$=4.6（單位：cm），試求出最大傳力角($\mu_{max}$)及最小傳力角($\mu_{min}$)。【108 鐵員】

(1)

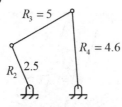

曲柄搖桿機構

假設 $R_1$ 為最長桿

$2.5 + R_1 < 5 + 4.6 \Rightarrow R_1 < 7.1$

$R_3$ 為最長桿

$2.5 + 5 < R_1 + 4.6 \Rightarrow R_1 > 2.9$

$2.9 < R_1 < 7.1$

(2)

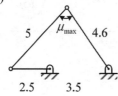

$(2.5 + 3.5)^2 = 5^2 + 4.6^2 - 2 \times 5 \times 4.6 \times \cos\mu_{max}$

$\mu_{max} = 77.23$

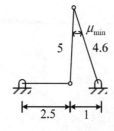

$1^2 = 5^2 + 4.6^2 - 2 \times 5 \times 4.6 \cos\mu_{min}$

$\Rightarrow \mu_{min} = 10.97°$

8. 如圖所示之四連桿機構，為一 Scott-Russell mechanism，當 OM 桿順時針方向旋轉時，M 點是 pin 連接，A 點為一滑塊，可沿著水平軸向右移動，移動距離為 a，P 點將沿著垂直軸方向向下移動、朝向 O 點移動，移動距離為 b，OM = PM = MA = l，OA 與 PA 之夾角為 θ，A 點與 P 點之座標分別為(x$_a$, 0)與(0, y$_p$)，設 x$_a$ = 10 cm，a = 0.1 cm，θ= 15 度。

  (一) 請使用 x$_a$ 與 y$_p$，計算 b 與 a 的關係式。

  (二) 當角度 $\theta$= 15 度時，可獲得(b/a)值為何？【104 地特四等】

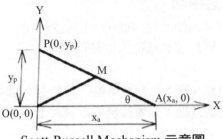

Scott-Russell Mechanism 示意圖

**解** (一) x$_a$=10cm

  x$_a$tanθ=y$_p$

  $\overline{PA} = \sqrt{(x_a)^2 + (y_p)^2}$

  $= \sqrt{(x_a + a)^2 + (y_p - b)^2}$

  $= (x_a)^2 + (y_p)^2$

  $= (x_a + a)^2 + (y_p + b)^2$

  $= x_a^2 + 2ax_a + a^2 + y_p^2 - 2by_p + b^2$

  $\Rightarrow 2ax_a + a^2 = 2by_p - b^2$

(二) θ = 15°時，a=0.1cm，x$_a$=10cm，

  y$_p$=x$_a$tanθ=2.68(cm)，

  $2 \times 0.1 \times 10 + 0.1^2 = 2b \times 2.68 - b^2$

  $\Rightarrow$b=4.96(cm)不合 or b=0.405(cm)

  b=0.405(cm)

  故 $\dfrac{b}{a}$ = 4.05

# 第十一章　機構學─間歇運動機構

◎依據出題頻率區分，屬：**C** 頻率低

## ◤11-1　旋轉產生間歇運動機構

### 一、間歇運動機構之種類

當一機構之原動件做等速運動，而其從動件則有時靜止、有時運動，此種機構稱為間歇運動機構，間歇運動機構因原動件運動方式之不同，可以分為兩大類：

**(一)由旋轉運動產生間歇運動：**如間歇齒輪、日內瓦、機構及凸輪。

**(二)由擺動運動產生間歇運動：**如棘輪機構及擒縱器。

### 二、間歇齒輪機構

在一對嚙合齒輪中，其原動齒輪之圓周上僅部分有齒，因此從動齒輪（全齒或部分有齒），將以間歇迴轉方式運動，此種機構稱為間歇齒輪機構。

| 種類 | | 圖示 |
|---|---|---|
| 間歇正齒輪機構 | 是由普通齒輪機構轉化而成的一種間歇運動機構，它與普通齒輪的不同之處是輪齒不佈滿整個圓周，主動輪上只有一個或幾個輪齒，並根據運動時間與停歇時間的要求，在從動輪上有與主動輪輪齒相嚙合的齒間，兩輪輪緣上各有鎖止弧，在從動輪停歇期間，用來防止從動輪遊動，並起定位作用。但由於齒輪傳動為定傳 | 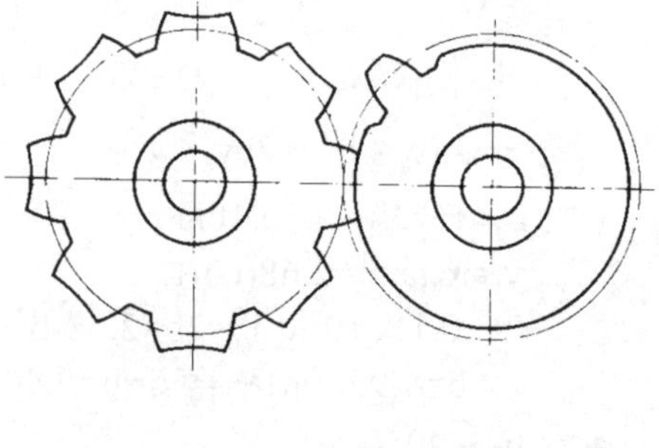 |

| 種類 | 圖示 |
|---|---|
| | 動比運動，所以從動輪從靜止到轉動或從轉動到靜止時，間歇期間之急促停止或開動，會有陡震現象，衝擊較大，所以一般只用於低速或輕載場合。 |
| 間歇斜齒輪 | 運動期間是等速運動，但間歇期間之急促停止或開動，會有陡震現象，故不適於高速運動機構。 |

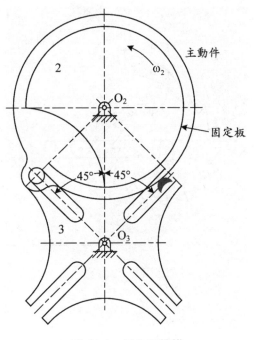

## 三、日內瓦機構

由槽輪 3、帶有圓柱銷的撥盤 2 和機架組成，當撥盤 2 作勻速轉動時，驅使槽輪 3 作間歇運動，當圓柱銷進入槽輪槽時，撥盤上的圓柱銷將帶動槽輪轉動，撥盤轉過一定角度後，圓柱銷將從槽中退出，為了保證圓柱銷下一次能正確地進入槽內，必須採用鎖止弧將槽輪鎖住不動，直到下一個圓柱銷進入槽後才放開，這時槽輪又可隨撥盤一起轉動，即進入下一個運動迴圈，產生某一機件之間歇迴轉運動之機構，稱之為日內瓦機構。常用於電影放映機或工具機的分度裝置。

圖 11.1　日內瓦機構

## ▼11-2　擺轉產生間歇運動機構

### 一、棘輪機構

棘輪機構主要由棘輪、主動棘爪、止回棘爪和機架組成，當主動擺桿逆時針擺動時，擺桿上鉸接的主動棘爪插入棘輪的齒內，推動棘輪同向轉動一定角度，當主動擺杆順時針擺動時，止回棘爪阻止棘輪反向轉動，此時主動棘爪在棘輪的齒背上滑回原位，棘輪靜止不動，此機構將主動件的往復擺動轉換為從動棘輪的單向間歇轉稱之為棘輪機構。

| 單爪棘輪 | 多爪棘輪 |
|---|---|
| 當搖桿 4 擺動時，棘爪 3 插入棘輪 2 的齒內推動棘輪轉過某一角度，往復迴圈，止回爪 5 防止棘輪反轉，通常藉自身重量或彈簧使之與棘輪齒接觸。 | 在搖桿上有二個或二個以上之驅動爪者，可以減少無效回擺角度，使棘輪之運動變為比較細密，如自行車之飛輪，工廠所使用之套筒扳手、照相機之捲片軸等均利用多爪棘輪將軸羈留於任一位置。 |
| 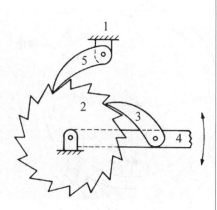 | 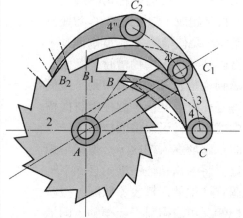 |

| 雙動棘輪 | 可逆棘輪 |
|---|---|
| 雙動棘輪係由搖桿上之二驅動爪交替間歇推動棘輪，原動件往復擺動都能使棘輪沿同一方向間歇轉動，沒有單爪棘輪之無效時間，故可產生近似連續之旋轉輸出運動驅，動棘爪可製成直的或帶鉤的形式。 | 利用驅動爪的可換位特性，使爪在左側時棘輪逆時針轉動，在右側時順時針轉動，以適合於某些機器在一定的距離或時間內，需改變進料或輸送的方向，故又稱回動爪棘輪，常用於牛頭鉋床之自動進給機構及套筒扳手上。 |
| 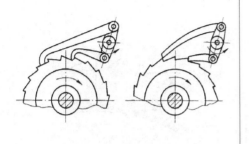 | 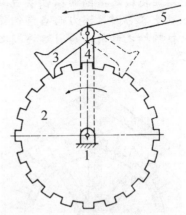 |
| **無聲棘輪** | **起重棘輪** |
| 不用驅動爪而藉摩擦力來傳動，常用於套筒扳手及鑽床。 | 將棘輪以棘齒條取代而做直線之間歇運動，常應用於棘齒輪千斤頂。 |
| 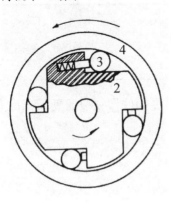 | 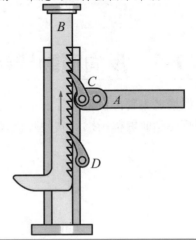 |

## 二、擒縱器機構

擒縱器是利用一個搖擺件有節奏的阻止與縱脫一個有齒之縱脫輪,使其產生等時性之間歇旋轉運動之機構。常應用於鐘錶上,直接帶動指針使能正確指出時間。

| 錨形擒縱器 | 筒形擒縱器 |
|---|---|
| 利用兩個托板之擺動而擒住縱脫輪。其缺點是容易因摩擦力而略為倒轉,有反推棘輪之作用,易引起週期之不正確。 | 可藉發條之能量,而不停擺動,使縱脫輪做間歇性單方向旋轉。常使用於手錶上。 |
| 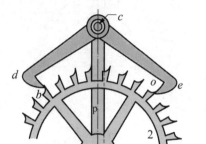 |  |

# ◤11-3　反向運動機構

當一機構之主動件作定向等速迴轉運動時,其從動件作往復運動或正反方向之迴轉運動此機構稱為反向運動機構。

## 一、由迴轉運動產生之往復運動機構

| 種類 | 圖示 |
|---|---|
| 間歇小齒輪反向運動機構 | 以間歇齒輪和從動件上下齒條嚙合產生左右運動如圖,從動件至最左或最右輪齒脫離時,乃令從動件有確定的靜止裝置,否則再嚙合時,由於二齒間進入點不對,輪齒會被擠壓而斷裂。 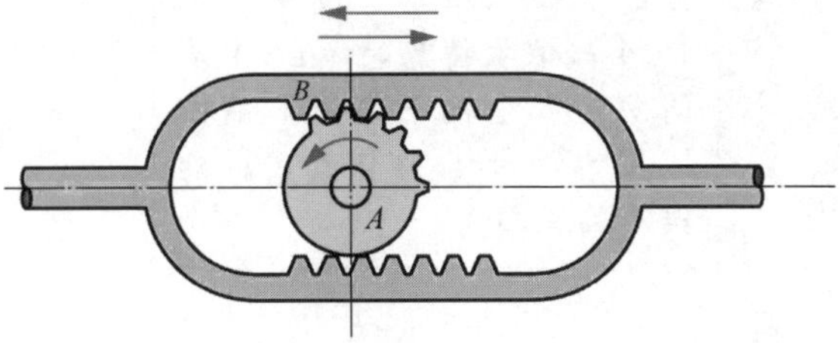 |
| 齒輪與齒條之反向運動機構 | 利用間歇齒輪與從動件的齒條嚙合,從動件被提升至無齒部分,即藉本身的重量或彈力,使其回復到原來的位置。 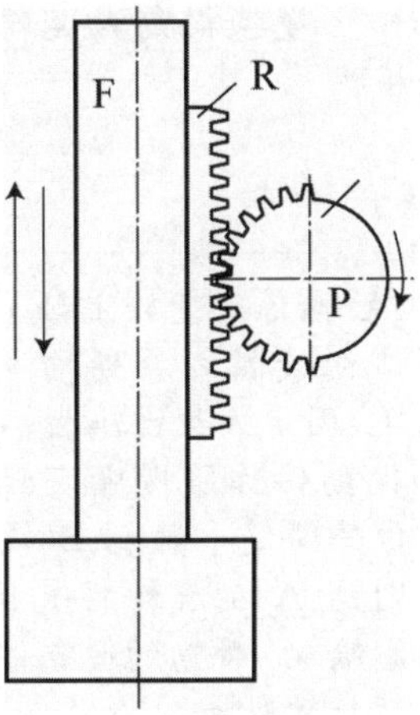 |
| 凸輪之反向運動機構 | 利用板形凸輪轉動時,以凸出面來推動鎖固定的從動件之一端 R,另一端 N 即產生反向運動,凸輪作用消失後藉彈力拉回原處,如圖所示。 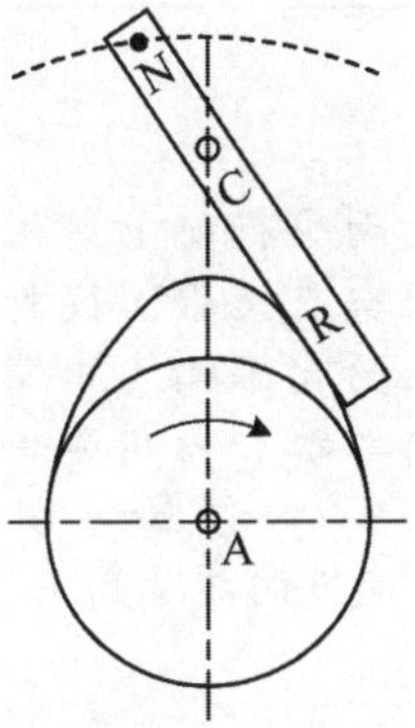 |

## 二、變更從動軸迴轉方向之機構

| 種　類 | 圖　示 |
|---|---|
| 齒輪系之反向運動機構 | 利用游輪插入而達到反向之目的，如圖所示。圖中 1、3、4 輪依次傳動時，1、4 輪同向，當手柄下壓時，輪由 1、2、3、4 順序傳動，1 輪與 4 輪反向。 | 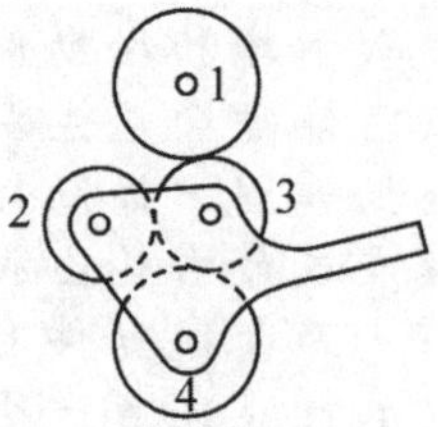 |
| 斜齒輪與離合器的反向運動機構 | 利用離合器在二軸直交的斜齒輪中，變換從動軸迴轉方向的機構。 | 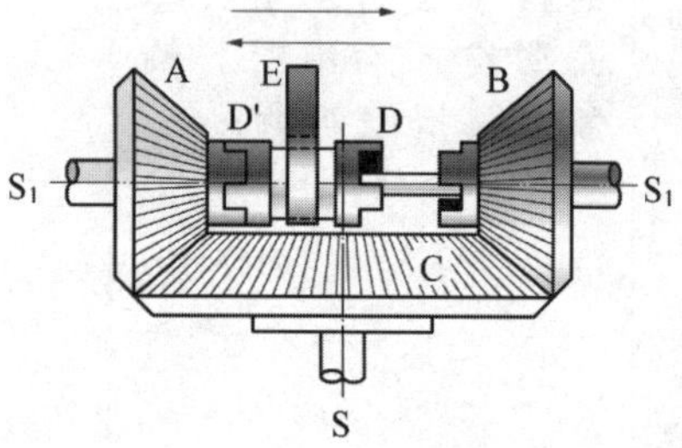 |
| 周轉輪系之反向運動機構 | 圖中 A 輪係定裝於主軸，順時針方向旋轉之原動輪，內齒輪 C 固定，故由小齒輪 B 帶動從動件作緩慢順時針轉動，但若固定小齒輪 B 之軸心，則輪 A 的旋轉將使由環形內齒輪 C 帶動的從動件，作反時針轉動。 | 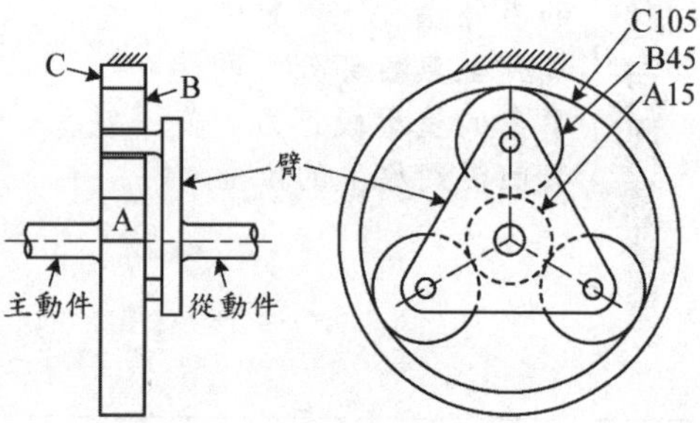 |
| 離合器與開口帶及交叉帶之反向運動機構 | 原動之兩平行軸上裝同徑的開口帶與交叉帶，從動軸裝同徑之游動帶輪，中間以方栓槽軸之離合器相連，利用撥桿左、右移動，即可得正、反兩方向之運動。 | 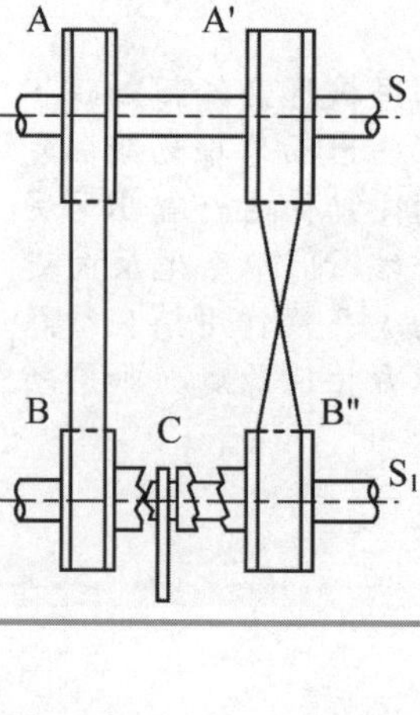 |

## ◁ 精選試題 ▷

### 一、選擇題型

( 　 ) 1 如圖所示之機構為： (A)反向運動機構 (B)同向運動機構 (C)急回運動機構 (D)變速運動機構。【普考】

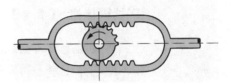

( 　 ) 2 對於日內瓦輪的敘述，下列何者錯誤？ (A)從動輪必有四個溝槽 (B)主動輪常以定速度旋轉 (C)高速運動時，要考慮慣性作用 (D)主動輪每轉一圈，從動輪轉動不足一圈。【普考】

( 　 ) 3 若搖桿不論前進或後退，皆可帶動棘輪仍沿同一方向旋轉，稱為 (A)可逆棘輪 (B)無聲棘輪 (C)多爪棘輪 (D)雙動棘輪。

( 　 ) 4 自行車向前踏時可前進，向後踩則不後退主要是後輪係應用何種機構傳動 (A)擒縱輪 (B)棘輪 (C)凸輪 (D)間歇齒輪。

( 　 ) 5 有一個具有不完整齒數的齒輪，欲產生間歇運動，於此間歇齒輪機構中，不完整齒數的齒輪一般都為 (A)從動輪 (B)主動輪 (C)惰輪 (D)固定件。

( 　 ) 6 以下何者較少用於反向運動機構？ (A)斜齒輪及離合器 (B)棘輪 (C)萬向接頭 (D)擒縱器。【普考】

( 　 ) 7 手錶內常使用何種間歇運動機構之擒縱器 (A)精密計時擒縱器 (B)錨形擒縱器 (C)圓柱形擒縱器 (D)不擺擒縱器。

( 　 ) 8 當一機構之主動件作定向等速迴轉運動時，其從動件作往復運動或正反方向之迴轉運動，此機構稱為 (A)反向運動機構 (B)等速直線運動機構 (C)間歇旋轉運動機構 (D)間斷離合逆轉機構。

( 　 ) 9 以下何者較少用於反向運動機構？ (A)斜齒輪及離合器 (B)汽車變向輪系 (C)萬向接頭 (D)曲柄與滑塊傳動機構。

( ) **10** 汽車手剎車拉桿常使用以下何種裝置？ (A)棘輪 (B)凸輪 (C)齒輪 (D)摩擦輪。

( ) **11** 日內瓦機構是種： (A)直線機構 (B)凸輪機構 (C)間歇機構 (D)擒縱機構。【普考】

( ) **12** 一個轉動輪上具有齒或銷子，可藉由一個原動臂的往復搖擺運動，使它產生單一轉向的間歇迴轉運動者稱為 (A)凸輪 (B)間歇齒輪 (C)擒縱器 (D)棘輪機構。

( ) **13** 棘輪機構中，止動爪之功用為 (A)增強棘齒的強度 (B)減少無效之擺動時間 (C)減少棘輪噪音 (D)防止棘輪逆轉。

( ) **14** 下列何種方法可使棘輪及棘爪保持接觸？ (A)馬達動力 (B)彈簧力 (C)螺絲鎖緊 (D)搖擺力。【普考】

( ) **15** 那一種不屬於間歇運動機構？ (A)棘輪機構 (B)日內瓦機構 (C)擒縱器 (D)惰輪機構。【普考】

( ) **16** 當一機構之主動件，以等速的方式作連續性迴轉或搖擺運動，其從動件有時運動，有時停止，則此機構稱為 (A)往復直線運動機構 (B)反向運動機構 (C)間歇旋轉運動機構 (D)間斷離合逆轉機構。

( ) **17** 下列哪一種機構不能作間歇運動？ (A)日內瓦機構 (B)萬向接頭 (C)凸輪機構 (D)擒縱器。

( ) **18** 下列何者非為由迴轉運動所產生的間歇運動： (A)凸輪機構 (B)日內瓦機構 (C)間歇齒輪機構 (D)棘輪。

( ) **19** 日內瓦機構是種： (A)直線機構 (B)凸輪機構 (C)間歇機構 (D)擒縱機構。

( ) **20** 由一連續運動機件直接使另一機件作間歇迴轉運動之機構為： (A)日內瓦機構 (B)比例運動機構 (C)連桿機構 (D)棘輪機構。

(　　) **21** 對於日內瓦輪的敘述，下列何者錯誤？　(A)從動輪必有四個溝槽　(B)主動輪常以定速度旋轉　(C)高速運動時，要考慮慣性作用　(D)主動輪每轉一圈，從動輪轉動不足一圈。

(　　) **22** 一日內瓦（Geneva）機構於運轉時，之從動件槽數為 4，原動輪每迴轉一周，則從動輪轉動　(A)1　(B)$\frac{1}{3}$　(C)$\frac{1}{4}$　(D)$\frac{1}{2}$　周。

(　　) **23** 一間歇正齒輪的原動輪有 2 齒，從動輪有 32 齒，則原動輪迴轉 8 圈，從動輪應迴轉　(A)1　(B)$\frac{1}{3}$　(C)$\frac{1}{4}$　(D)$\frac{1}{2}$　圈。

(　　) **24** 下列何種機構容易因摩擦力而略為倒轉，有反推棘輪之作用，易引起週期之不正確？　(A)不擺擒縱器　(B)錨形擒縱器　(C)圓柱形擒縱器　(D)精密時計擒縱器。

(　　) **25** 機械鐘錶內之指針能指出正確時間，是利用何種間歇運動機構？　(A)日內瓦機構　(B)擒縱器　(C)凸輪　(D)雙動棘輪。

(　　) **26** 下列何者較少用於反向運動機構？　(A)曲柄與滑塊傳動機構　(B)汽車變向輪系　(C)斜齒輪與離合器之機構　(D)歐丹聯結器。

(　　) **27** 如圖所示之機構，以下敘述何者錯誤？
(A)常用於機器上之進刀機構
(B)是一種間歇運動機構
(C)主動軸為 C 軸
(D)是一種反向運動機構。【普考】

(　　) **28** 牛頭鉋床工作台的進料押送，即需於一定距離或時間內改變其進料方向，係利用何種棘輪，可使其由左至右，也可由右至左　(A)無聲棘輪　(B)可逆棘輪　(C)單爪棘輪　(D)雙動棘輪。

(　　) **29** 龍門鉋床工作台自動進刀機構是應用　(A)擒縱機構　(B)棘輪機構　(C)反向運動機構　(D)間歇旋轉運動機構。

(  ) **30** 一間歇齒輪機構,其中齒輪 A 為 20 齒而齒輪 B 為 2 齒,則齒輪 A 轉一圈時齒輪 B 轉多少圈? (A)5 (B)0.2 (C)0.1 (D)10。

(  ) **31** 如右圖所示之機構,原動件(小齒輪)等速旋轉,則從動件運動方式可為
(A)不會動
(B)往復運動
(C)直線運動後停止不動
(D)上下搖擺運動。【103 北捷】

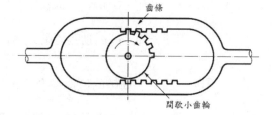

齒條

間歇小齒輪

(  ) **32** 下列何者屬於間歇運動機構?
(A)正齒輪
(B)曲柄滑塊機構
(C)日內瓦運動機構
(D)圓盤與滾子傳動機構。

(  ) **33** 腳踏車向前踩時可前進,向後採時卻不會後退,可應用哪種裝置? (A)凸輪 (B)棘輪 (C)擒縱器 (D)日內瓦機構。

## 解答與解析

**1 (A)**。該機構為小齒輪之反向運動機構。所以答案為(A)。

**2 (A)**。根據日內瓦輪特性,如果日內瓦輪從動輪有 N 個槽,則驅動輪每轉一圈,從動輪將轉 360/N°。所以其不限於只有 4 個溝槽。所以答案為(A)。

**3 (D)** **4 (B)** **5 (B)**

**6 (C)**。萬向接頭常用在常用於兩軸中心線成交叉而需相互傳動的場合。所以答案為(C)。

**7 (C)**　　**8 (A)**　　**9 (C)**

**10 (A)**。因為棘輪有單向鎖住的作用。所以答案為(A)。

**11 (C)**。日內瓦機構為當驅動輪旋轉時，從動輪進行間歇運動。

**12 (D)**　　**13 (D)**

**14 (B)**。馬達動力與搖擺力可能把棘爪推離棘輪，螺絲鎖緊會造成棘爪不能
　　　　運動。所以答案為(B)。

**15 (D)**　　**16 (C)**　　**17 (B)**

**18 (D)**。間歇運動機構可分為二類：
　　　　(1) 由搖擺運動所產生的間歇運動：A.棘輪機構，B.擒縱器機構。
　　　　(2) 由迴轉運動所產生的間歇運動：A.凸輪機構，B.日內瓦機構，C.間
　　　　　　歇齒輪機構。

**19 (C)**　　**20 (A)**　　**21 (A)**

**22 (C)**。最常用的日內瓦機構為四槽者，故原動輪轉一圈，從動輪轉 $\frac{1}{4}$ 周。

**23 (D)**　　**24 (B)**　　**25 (B)**　　**26 (D)**

**27 (D)**。此圖為棘輪機構，是一種間歇運動機構，b 為主動臂，所以 C 為主
　　　　動軸。而方向運動機構的定義為：當一個機構的驅動件進行定向的
　　　　等速旋轉運動，其從動件作往復運動，或正，反方向的旋轉運動，
　　　　所以該機構不合此定義。所以答案為(D)。

**28 (B)**　　**29 (C)**　　**30 (D)**　　**31 (B)**

**32 (C)**。日內瓦機構→間歇運動

**33 (B)**

## 二、問答題型

**1.** 無聲棘輪是利用何種原理產生推力以轉動棘輪？和棘爪棘輪相比，為何其聲音較低？【普考】

**解** (1) 無聲棘輪沒有輪齒與棘爪，主要是利用摩擦力來進行起動與止動，所以又稱摩擦棘輪。

(2) 棘爪棘輪利用輪齒與棘爪進行間歇運動，所以棘爪會間歇對輪齒作敲動，造成噪音，而無聲棘輪無輪齒與棘爪，則無此噪音源。

**2.** 何謂間歇運動機構？間歇運動機構中常用者有棘輪機構。請繪圖說明其各部位之名稱及其運動方式。【普考】

**解** 輪機構主要由棘輪、主動棘爪、止回棘爪和機架組成，當主動擺桿逆時針擺動時，擺桿上鉸接的主動棘爪插入棘輪的齒內，推動棘輪同向轉動一定角度，當主動擺杆順時針擺動時，止回棘爪阻止棘輪反向轉動，此時主動棘爪在棘輪的齒背上滑回原位，棘輪靜止不動，如圖所示當搖桿 4 擺動時，棘爪 3 插入棘輪 2 的齒內推動棘輪轉過某一角度，往復迴圈，止回爪 5 防止棘輪反轉，通常藉自身重量或彈簧使之與棘輪齒接觸。

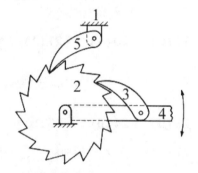

3. (一) 何謂間歇反向運動機構？

(二) 請畫出一可由旋轉運動產生間歇往復直線運動之間歇反向凸輪機構。【普考】

 (一)當一機構之主動件作定向等速迴轉運動時，其從動件作往復運動或正反方向之迴轉運動，此機構稱為反向運動機構。

(二)利用板形凸輪轉動時，以凸出面來推動銷固定的從動件之一端 R，另一端 N 即產生反向運動，凸輪作用消失後藉彈力拉回原處，如圖所示。

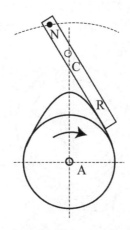

4. (一)一間歇正齒輪機構，主動輪有 4 齒，從動輪有 20 齒，請問主動輪上兩齒間的夾角應為多少度？當主動輪迴轉 360 度時，從動輪會轉幾度？(二)日內瓦機構中，從動輪上有 6 個徑向槽，主動輪具有單個插銷（single pin），若要從動輪轉一周，主動輪需轉幾周？【101 地四】

解 (一) $\dfrac{360°}{4} = 90°$（主動輪上夾角）

$\dfrac{360°}{-20} \times 4 = 72°$（從動輪轉的角度）

(二) 從動輪轉 1 周，主動輪需轉 6 周。

---

**5. 列出四種間歇運動機構，並說明其原理。【107 關四】**

解 當一機構之原動件做等速運動，而其從動件則有時靜止、有時運動，此種機構稱爲間歇運動機構，間歇運動機構因原動件運動方式之不同，可以分爲兩大類：

(1) 由旋轉運動產生間歇運動：如間歇齒輪、日內瓦機構及凸輪。

(2) 由擺動運動產生間歇運動：如棘輪機構及擒縱器。

(1) 日內瓦機構

　　由槽輪 2、帶有圓柱銷的撥盤 3 和機架組成，當撥盤 3 作勻速轉動時，驅使槽輪 2 作間歇運動，當圓柱銷進入槽輪槽時，撥盤上的圓柱銷將帶動槽輪轉動。

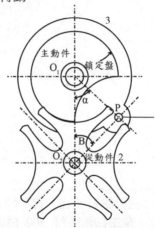

(2) 棘輪機構

　　當搖桿 4 擺動時，棘爪 3 插入棘輪 2 的齒內推動棘輪轉過某一角度，往復迴圈，止回爪 5 防止棘輪反轉，通常藉自身重量或彈簧使之與棘輪齒接觸，缺點爲無效的擺動角度太大，浪費運轉時間，用於釣桿的捲線器及絞盤。

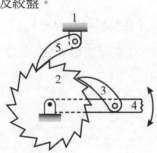

(3) 擒縱器

利用兩個托板之擺動而擒住縱脫輪。其缺點是容易因摩擦力而略為倒轉，有反推棘輪之作用，易引起週期之不正確。

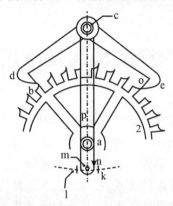

(4) 間歇小齒輪反向運動機構

以間歇齒輪和從動件上下齒嚙合產生左右運動如圖，從動件至最左或最右輪齒脫離時，乃令從動件有確定的靜止裝置，否則再嚙合時，由於二齒間進入點不對，輪齒會被擠壓而斷裂。

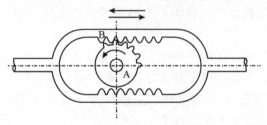

# 第十二章 機構學—凸輪機構

◎依據出題頻率區分，屬：**C** 頻率低

## ▼12-1 凸輪機構的種類及應用

### 一、凸輪機構的定義

(一) **凸輪機構**：凸輪機構由凸輪、從動件和機架三部分組成，結構簡單，是一種不規則形狀的機件，一般為等速旋轉的輸入件，經由直接接觸傳遞運動到從動件，使從動件按預期的規律運動，只要設計出適當的凸輪輪廓曲線，就可以使從動件實現任何預期的運動規律。

(二) **從動件**：為凸輪所驅動的被動件，一般為產生不等速、不連續、不規則運動的輸出件，以旋轉對或滑行對(P)和機架附隨。

(三) **機架**：則是用來支持凸輪與從動件的機件。

(四) **基圓**：基圓是以凸輪軸為中心，相切於凸輪輪廓曲線的最小圓。

(五) **起始圓或參考圓**：由凸輪中心至節曲線構成之最小圓，亦即從動件中心之節圓。

(六) **軌跡點**：為從動件上的一個理論點，用於產生節曲線，尖狀型從動件的軌跡點為其刀尖點，滾子型從動件的軌跡點為滾子中心點。

(七) **節曲線（理論曲線）**：若凸輪固定而機架不固定，則從動件相對於凸輪運動一周之軌跡點的動路即為節曲線。

(八) **凸輪輪廓曲線（工作曲線）**：若凸輪固定而機架不固定，則從動件相對於凸輪運動一周其與凸輪接觸點的動路為凸輪輪廓曲線，尖狀型從動件的凸輪輪廓曲線與節曲線重合，滾子型從動件之凸輪輪廓曲線與節曲線的距離為滾子半徑。

(九) **壓力角**：

　1. 節曲線上任一點之法線與從動件瞬時運動方向間的夾角，**會隨接觸點位置的不同而有所改變**稱為壓力角，壓力角在凸輪設計上甚為重要，因為它代表凸輪外形之陡峭程度，凸輪機構傳動效率的一種簡單指標，壓力角愈大表示從動件磨耗側壓力愈大，在運動時的傳動效率愈差，因此凸輪機構的壓力角愈小愈好。

2. 壓力角使用範圍：

 (1)凸輪轉速在 100rpm 以下時，壓力角不宜超過 45°。

 (2)凸輪在高速迴轉或重負荷下，壓力角不宜超過 30°。

3. 減少壓力角的方法：

 (1)增加基圓直徑（升距及作用角不變）。

 (2)減低從動件之總升程（基圓及作用角不變）。

 (3)增加作用角或傾斜角（升距及基圓不變）。

 (4)改變從動件之偏置程度。

 (5)在一已知之從動件行程下，可以增加凸輪轉動之範圍。

 (6)改變從動件運動之型態：定速、定加速度、簡諧運動等。

(十)升角：從動件至最低位置上升至最高位置凸輪所轉的角度。

(十一)降角：從動件至最高位置下降至最低位置凸輪所轉的角度。

(十二)作用角：從動件至最低位置上升至最高位置，再從最高位置下降至最低位置凸輪所轉的角度（作用角＝升角＋降角）。

(十三)總升程（衝程或動程）：從動件移動或轉動之最大距離或角度。

(十四)傾斜角：凸輪輪緣與最大半徑所成的角度稱為傾斜角，傾斜角愈大，壓力角便愈小，故傾斜角宜大一點可減少側壓力。

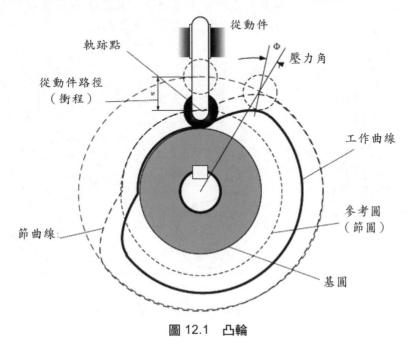

圖 12.1　凸輪

## 二、凸輪參數之比較

| 壓力角 | 基圓 | 傾斜角 | 從動件磨耗側壓力 | 傳動力 | 傳動速率 |
|---|---|---|---|---|---|
| 小 | 大 | 大 | 小 | 大 | 小 |

## 三、凸輪從動件的種類

| 尖狀型從動件 | 滾子型從動件 | 平板型從動件 |
|---|---|---|
| 從動件的尖端能夠與任意複雜的凸輪輪廓保持接觸，軌跡點為其刀尖點，輪廓曲線與節曲線重合，從而使從動件實現任意的運動規律。這種從動件結構最簡單，但尖端處易磨損，故只適用於速度較低和傳力不大的場合。 | 為減小摩擦磨損，在從動件端部安裝一個滾輪，軌跡點為滾子中心點，凸輪輪廓曲線與節曲線的距離為滾子半徑，把從動件與凸輪之間的滑動摩擦變成滾動摩擦，因此摩擦磨損較小，可用來傳遞較大的動力，故這種形式的從動件應用很廣。 | 從動件與凸輪輪廓之間為線接觸，接觸處易形成油膜，潤滑狀況好。此外，在不計摩擦時，凸輪對從動件的作用力始終垂直於從動件的平底，受力平穩，傳動效率高，常用於高速場合。缺點是與之配合的凸輪輪廓必須全部為外凸形狀。 |

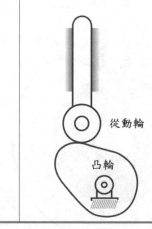

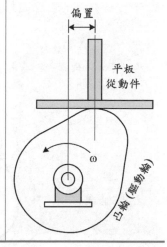

## 四、凸輪機構的種類

**(一)平面凸輪：**從動件各點的運動軌跡與凸輪周緣曲線位於同一平面或互相
　　平行的平面上。

| 平板凸輪 |
|---|
| 又稱板形凸輪，當其迴轉時，可使從動件作往復運動或擺動運動。<br><br>(a)梢型　　(b)滾子型　　(c)平板型<br><br>(d)磨擦型　　(e)偏置型　　(f)擺動型 |

| 平移凸輪 | 反凸輪（倒置凸輪） |
|---|---|
| 當平板凸輪之半徑無限大時，凸輪左右直線運動使從動件作上下運動。 | 以有凸槽之凸輪為從動件，為回轉運動轉換為往復運動之基本機構，輸出滑塊以簡諧運動來平移，通常使用在必須產生以曲柄角度為正弦運動使用。<br>滑塊位移＝驅動軸半徑×$(1-\cos\theta)$<br>$\theta$＝主驅動軸與滑槽之夾角 |
| 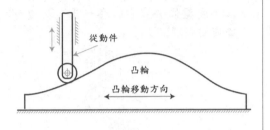 | 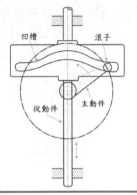 |

(二)**立體凸輪**：從動件各點的運動軌跡與凸輪周緣曲線不在同一平面或互相
平行的平面上。

| 圓柱形凸輪 |
| --- |
| 從動件運動方向與凸輪軸相平行，可看成是移動凸輪繞在圓柱體上演化而成，凸輪與從動件之間的相對運動為空間運動，是一種空間凸輪機構，使從動件作往復運動，亦屬於確動凸輪。 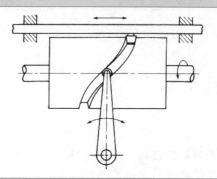 |

| 圓錐型凸輪 | 球型凸輪 |
| --- | --- |
| 從動件運動方向與凸輪軸成一定角度，亦屬於確動凸輪。 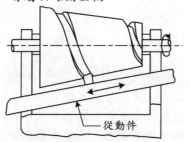 | 在球面上刻有溝槽，使從動件在某一角度內發生搖擺運動。 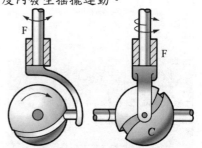 |
| 端面凸輪 | 斜盤凸輪 |
| 圓柱一端有特殊形狀，當圓柱迴轉時，從動件上下往復運動。 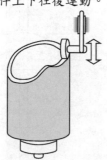 | 為端面凸輪的一種，又稱為斜面凸輪，圓盤傾斜裝在旋轉軸上，從動件係作簡諧運動。 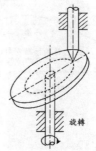 |

**(三)確動凸輪：**藉由特殊的凸輪外形使從動件受到拘束，不藉重力、彈簧之力或其他任何外力的作用，而使從動件在凸輪迴轉時能時時保持連續接觸面回到原來位置之凸輪，稱之為確動凸輪。

| 面凸輪 | 等徑凸輪 |
|---|---|
| 板之正面具有凸輪輪廓曲線溝槽，從動輪子嵌入槽內。<br>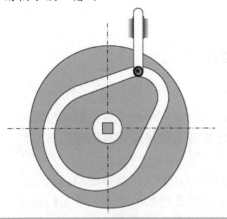 | 從動件上有兩個滾子，各在凸輪的上下與凸輪周緣同時接觸，此種凸輪的特性為經過凸輪軸任意方向的直線與凸輪周緣相交的兩點距離恆為一定，可允許凸輪廓線有內凹部分。<br>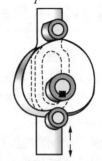 |
| **等寬凸輪** | **主凸輪與回凸輪** |
| 凸輪同時和從動件上的兩個平行平面互相接觸而傳達運動，且凸輪之工作曲線上各對平行切線間之距離皆相等，故稱為等寬凸輪。此種凸輪只適用於凸輪廓線全部外凸的場合，只可在前半轉180度內設計其運動狀況。<br>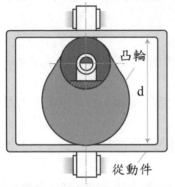 | 於同一軸上設有兩個凸輪，而從動件亦備有兩個滾子，分別各相接觸而運動者，此即為主凸輪與回凸輪，或稱雙凸輪。主凸輪與滾子接觸，可使從動件上升；回凸輪則與滾子接觸，可使從動件下降。<br>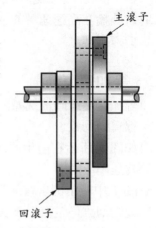 |

## 五、凸輪機構與連桿機構比較

| 優點 | 凸輪機構具有容易進行多點位置合成、容易獲得動平衡,以及可佔有較小空間等。 |
|------|--------------------------------------------------------|
| 缺點 | 凸輪機構具有動態效應對製造誤差敏感、製造成本高,以及表面磨耗問題等。 |

# ▶12-2　凸輪從動件的運動方式

## 一、等速運動

(一)若從動子之運動為等速運動,如圖 12.2(a)之 a、b、c 中在相對單位時間內應有相等位移量,亦即由衝程開始之初至衝程結束,其期間均為等速運動。

(二)圖 c 所示加速度除了在從動件最高點時為正無窮大,最低點時為負無窮大外,其他均為零,當加速度為正時,將增大凸輪的壓力,使凸輪廓線嚴重磨損;當加速度為負時,會造成力封閉型凸輪機構的從動件與凸輪廓線暫時脫離接觸,並加大力封閉彈簧的負荷,此現像稱之為陡震或急跳。

(三)圖解中在衝程開始與結束時(從動件之最高、最低點),速度曲線不連續,從動件運動起始和終止位置速度較大變化之處會產生較大的作用力。

(四)當凸輪在高速運轉的情況下,此種力更加明顯,因此此運動模式適合於低速迴轉。

## 二、等加速運動

(一)等加速度運動情況如圖 12.2(b)之 d、e、f 所示,其中圖 d 位移線圖之曲線為拋物線。

(二)如圖 e 所示在前半部運動中,速度以平均速率增加;而在下半部則以均勻速率下降。

(三)圖 f 中所示則是在前半部運動期間加速度是定值而且是正數;在下半部運動則雖仍定值但為負數。

(四)在行程中點,加速度會突然變化產生急跳,適合中、低速高速迴轉。

## 三、簡諧運動

(一)一個凸輪機構具有如圖 g 之型式者對從動子而言會造成簡諧運動。

(二)速度圖如圖 h 顯示一種平滑的動作，於中點時速度爲最大。

(三)加速度如圖 i，在開始位置爲最大，而在中間點爲零，而至最後位置爲負最大值。

(四)若位移線圖爲正弦曲線，則速度圖爲餘弦曲線，加速度圖爲正弦曲線。

## 四、修正（變形）等速運動

(一)由於等速運動之從動件在最高點時及最低點時會造成急跳現像，將兩端點改成等加速度運動或是簡諧運動，使從動件在最高點時及最低點時的加速度不會無窮大。

(二)此運動模式適合於低速迴轉。

## 五、位移曲線分析

參考圖 12.2，可發現，不同的速度，加速度情況下，可得不同的位移曲線，在設計上，位移曲線的參考有一次曲線、二次曲線、到五次曲線等，在本章只介紹一次曲線與二次曲線。

(一)一次曲線的位移曲線：如圖 12.2(a)，其爲等速度曲線，其位移曲線的式子如下：

$\theta = 0 \sim 2\pi$

$S = h\left(\dfrac{\theta}{2\pi}\right)$，其中 S 爲從動件上昇距離。

(二)二次曲線的位移曲線：如圖 12.2(b)，其爲等加速度曲線，從 $\theta = 0 \sim \pi$ 時爲正等加速度運動，從 $\theta = \pi \sim 2\pi$ 時爲負加速度運動，其位移曲線的式子如下：

$\theta = 0 \sim \pi$

$S = 2h\left(\dfrac{\theta}{2\pi}\right)^2$

$\theta = \pi \sim 2\pi$

$S = h\left(1 - 2\left(1 - \dfrac{\theta}{2\pi}\right)^2\right)$，其中 S 爲從動件上昇距離。

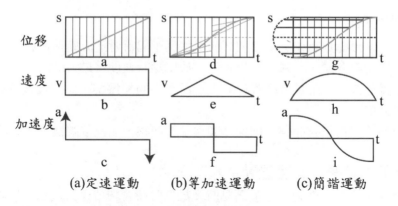

(a)定速運動　　(b)等加速運動　　(c)簡諧運動

圖 12.2　凸輪從動件之運動方式

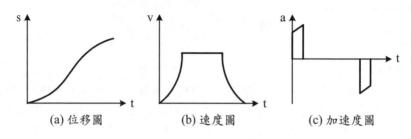

(a) 位移圖　　　　(b) 速度圖　　　　(c) 加速度圖

圖 12.3　修正等速度

**範例12-1**

右圖為一平板型從動件凸輪機構。

若凸輪最小半徑為 $R_1$，最大半徑為 $R_2$，

作用角為 180 度，請問：

(一) 從動件總升程為何？

(二) 基圓直徑為何？

(三) 最大及最小壓力角為何？

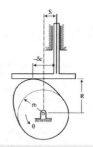

**解** (一)總升程＝最大半徑－最小半徑＝$R_1$－$R_2$

(二)基圓直徑 $D_b = 2R_1$

(三)壓力角：凸輪及從動件接觸點公法線與從動件運動方向的夾角 $\phi$。

本題為平板凸輪，所以凸輪及從動件的接觸點公法線必為垂直方向，且與

從動件運動方向平行。

故 $\phi_{max} = \phi_{min} = 0$

**範例12-2**

有一如圖作圖法所產生之板形凸輪，基圓直徑為
30 mm，總升距（total lift）為 20 mm，若凸輪以
等速度旋轉，試分別繪出此凸輪從動件的速度、加
速度隨凸輪轉動角度的變化圖；當凸輪轉速為 240
rpm，試求從動件之最大速度與加速度。

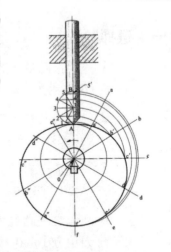

**解** $V_{max} = \dfrac{\pi \times 0.02 \times 25.13}{2\pi} = 0.2513\left(\dfrac{m}{s}\right)$

$\alpha_{max} = \dfrac{\pi^2 (0.02) \times (25.13)^2}{2 \times (\pi)^2} = 6.32 \dfrac{m}{s^2}$ 。

## ❖精選試題❖

### 一、選擇題型

( 　 ) **1** 一平板凸輪，若其外緣曲線固定則會改變的角度為　(A)導程角　(B)作用角　(C)壓力角　(D)漸近角。

( 　 ) **2** 一偏心凸輪，當凸輪軸以等速旋轉時，其從動件作　(A)等速運動　(B)修正等速運動　(C)簡諧運動　(D)等加速運動。

( 　 ) **3** 一偏心凸輪之偏心距為 10cm，則從動件之行程為多少 cm？　(A)20　(B)10　(C)5　(D)40。

( 　 ) **4** 凸輪之基圓愈大，下列敘述何者錯誤？　(A)側壓力愈大　(B)壓力角愈小　(C)傳動速度愈慢　(D)傳動效率愈佳。

( 　 ) **5** 一凸輪從動件之位移線圖為斜直線，則從動件之運動為：　(A)簡諧運動　(B)等速運動　(C)等加速運動　(D)變加速運動。【中油】

( 　 ) **6** 下列何者不屬於確動凸輪？　(A)等徑凸輪　(B)端面凸輪　(C)等寬凸輪　(D)主凸輪與回凸輪。

( 　 ) **7** 下列有關凸輪從動件之敘述，何者錯誤？　(A)反凸輪的從動件為具有凹槽之凸輪　(B)滾子從動件對凸輪的磨損較小　(C)平板從動件與凸輪之間主要是滑動接觸　(D)尖端從動件適於高速傳動。

( 　 ) **8** 如果知道某凸輪的最大半徑為 $L_1$，最小半徑為 $L_2$，則從動件的運動振幅是　(A)$\dfrac{L_2}{L_1}$　(B)$L_1 - L_2$　(C)$L_1 + L_2$　(D)與 $L_1$、$L_2$ 無關。

( 　 ) **9** 一凸輪機構之從動件為尖端或滾子時，從動與件凸輪軸心距之最短距離為半徑所畫之圓為　(A)基圓　(B)節圓　(C)外徑圓　(D)正確曲線。

( 　 ) **10** 若凸輪總升程不變的情況下，下列敘述何者正確？　(A)基圓越大，壓力角越大　(B)基圓越小，摩擦損失越小　(C)基圓越小，傳動效率越大　(D)基圓越大，傳動速度越慢。

( 　 ) **11** 設計凸輪時要以下列何者為基礎？　(A)節圓　(B)根圓　(C)基圓　(D)頂圓。

(　　) **12** 凸輪從動件的位移爲 S，時間爲 t，其位移與時間的關係爲 S＝2t，則表示凸輪從動件的運動方式爲：　(A)等速運動　(B)等加速運動　(C)簡諧運動　(D)擺線運動。

(　　) **13** 偏心凸輪之偏心距爲 100mm 時，則其從動件之總升距爲多少 mm？　(A)100　(B)150　(C)200　(D)250。

(　　) **14** 工作中之平板凸輪，其從動件維持靜止不動期間，所相對應的凸輪輪廓曲線爲：　(A)圓形　(B)漸開線形　(C)橢圓形　(D)擺線形。

(　　) **15** 有一平板凸輪，已知其最大半徑爲 80 mm，最小半徑爲 50 mm，則其從動件之總升距爲多少 mm？　(A)30　(B)50　(C)60　(D)80。

(　　) **16** 凸輪從動件速度圖爲斜直線時，凸輪從動件係作何種運動？　(A)等加速度運動　(B)等速運動　(C)簡諧運動　(D)保持靜止。

(　　) **17** 從動件作等加速之凸輪，其每一單位時間之位移成　(A)等比級數　(B)等差級數　(C)比例中項　(D)變異數。

(　　) **18** 從動件作何種運動時，凸輪之位移曲線圖爲一正弦曲線　(A)等速運動　(B)修正等速運動　(C)簡諧運動　(D)等加速度運動。

(　　) **19** 凸輪之從動件作簡諧運動時，下列何者正確？　(A)在行程的中心點加速度最大　(B)在行程兩端的速度最大　(C)在行程的中心點速度最大　(D)在行程的兩端點會產生急跳。

(　　) **20** 控制內燃機之進氣閥與排氣閥開關動作之凸輪機構爲：　(A)平移凸輪　(B)圓柱形凸輪　(C)平板凸輪　(D)球形凸輪。

(　　) **21** 從動件的運動方向與凸輪軸心平行時，最適合採用下列何種凸輪？　(A)圓柱形凸輪　(B)圓錐形凸輪　(C)偏心凸輪　(D)三角凸輪。

(　　) **22** 一板形凸輪（板凸輪）以等角速度從 0° 旋轉到 180° 時，驅動其從動件以簡諧運動方式，由最低位置垂直上升到最高位置。下列敘述何者正確？　(A)板形凸輪旋轉到 45° 時，從動件有最大速度　(B)板形凸輪旋轉到 90° 時，從動件有最大速度　(C)板形凸輪旋轉到 135° 時，從動件有最大速度　(D)板形凸輪旋轉到 180° 時，從動件有最大速度。

（　　）**23** 如圖所示為凸輪之位移線圖，縱座
標表示從動件之位移，橫座標表示
時間函數，則該凸輪從動件之運動
為　(A)等速下降→靜止→等速上升
(B)等減速上升→靜止→等加速下降
(C)靜止→等速上升→等速下降
(D)等速上升→靜止→等速下降。

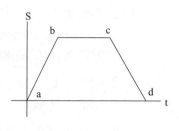

（　　）**24** 有一偏心距為 10cm 之對稱偏心板狀凸輪，其凸輪以每秒完成一
次升降逆時針迴轉，從動件之平均速率為　(A)10 cm／sec
(B)15 cm／sec　(C)20 cm／sec　(D)40 cm／sec。

（　　）**25** 有一偏心距為 15cm 之對稱偏心板狀凸輪，其凸輪以每秒完成一
次升降逆時針迴轉，從動件之最大速度為　(A)10π　(B)15π
(C)20π　(D)30π。

（　　）**26** 如圖所示為某凸輪之速度圖，線段
abcd 表示凸輪運動時從動件移動之
速度，從動件於 ab 段作　(A)等速
運動　(B)簡諧運動　(C)等加速運動
(D)搖擺運動。

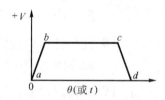

（　　）**27** 如圖所示縱座標表示從動件之速
度，為某凸輪之速度圖，下列何
者錯誤？　(A) $ab$ 段從動件作等
加速運動　(B) $bc$ 段從動件作等速
運動　(C) $cd$ 段從動件作等減速
運動　(D) $bc$ 段從動件靜止不動。

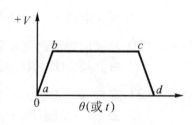

（　　）**28** 如圖所示，縱座標表示從動件之位
移，橫座標表示凸輪以等角速率轉
動之角度，線段 abcd 表示凸輪運動
時從動件移動之軌跡，則下列敘述
何者為錯誤？　(A)在 ab 段從動件
為靜止不動　(B)在 bc 段從動件為等速運動　(C)在 cd 段從動件
為等減速運動　(D)在一循環中從動件平穩無振動發生。

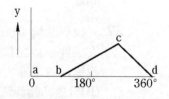

（　）**29** 下列有關凸輪從動件之敘述，何者錯誤？　(A)平板從動件與凸輪之間主要是滑動接觸　(B)滾子從動件對凸輪的磨損較小　(C)反凸輪的從動件為具有凹槽之凸輪　(D)凸輪之基圓愈大時，則壓力角愈大。

（　）**30** 下列敘述何者錯誤？　(A)傾斜角與壓力角成正比　(B)傾斜角愈大，壓力角愈小　(C)傾斜角愈大，側壓力愈小　(D)凸輪周緣與最大半徑所成之夾角為傾斜角。

（　）**31** 假設作用於尖端從動件之力量為 F，壓力角為 θ，則從動件與導路間的側壓力為　(A)Ftan θ　(B)Fcos θ　(C)Fsin θ　(D)Fsec θ。

（　）**32** 平板凸輪做等角速度圓周運動時，帶動其從動件作上下直線運動，若欲使從動件維持靜止不動期間，所相對應之凸輪輪廓曲線為：　(A)雙曲線　(B)正弦曲線　(C)圓形　(D)拋物線。【103 桃捷】

（　）**33** 下列敘述何者錯誤？　(A)凸輪之基圓愈小，其作用角愈大　(B)凸輪之基圓愈小，其傾斜角愈大　(C)四連桿機構中，「比例縮放運動機構」為「平行曲柄機構」之應用　(D)四連桿機構中，若從動曲柄與浮桿成一直線時，曲柄將無法繞其軸心旋轉，此位置稱為死點。【103 桃捷】

（　）**34** 關於凸輪之敘述，下列何者錯誤？　(A)凸輪的基圓較大，則側壓力亦較小　(B)平板凸輪常用於汽車引擎控制氣閥啟閉開關　(C)凸輪的從動件位移圖為拋物線圖形，則為簡諧運動　(D)凸輪之壓力角，為凸輪和從動件相接觸點之公法線與從動件軸線間之夾角。【103 桃捷】

---

**解答與解析**

**1 (C)**。凸輪之壓力角會隨接觸點位置的不同而有所改變。

**2 (C)**。偏心凸輪之從動件的運動形態為簡諧運動。

**3 (A)**

**4 (A)**。凸輪之基圓愈大時,則壓力角愈小,側壓力愈小,傳動速度愈慢,傳動效率愈佳。

**5 (B)**　**6 (B)**

**7 (D)**。尖端從動件與凸輪為點接觸,故不適合高速傳動。

**8 (B)**。凸輪從動件的總升程為最大半徑與最小半徑之差。

**9 (A)**　**10 (D)**　**11 (C)**

**12 (A)**。S 與 t 成正比,故為等速運動。

**13 (C)**。總升程＝2×100＝200(mm)

**14 (A)**

**15 (A)**。總升程＝最大半徑－最小半徑＝80－50＝30(mm)

**16 (A)**　**17 (B)**

**18 (C)**。凸輪從動件作簡諧運動時,其位移圖是正弦或餘弦函數曲線。

**19 (C)**　**20 (C)**　**21 (A)**　**22 (B)**　**23 (D)**

**24 (C)**。每秒完成一次升降 $\Rightarrow V=\dfrac{20}{1}=20(cm／sec)$

**25 (D)**。每秒完成一次升降＝60rpm $\Rightarrow \omega=\dfrac{2\pi\times60}{60}=2\pi(rad／sec)$

$$V_{max}=r\cdot\omega=15\cdot2\pi=30\pi(cm／sec)$$

**26 (C)**　**27 (D)**　**28 (C)**　**29 (D)**

**30 (A)**。凸輪周緣與最大半徑所成之夾角為傾斜角,傾斜角與壓力角成反比,而側壓力愈小,壓力角應愈小,故傾斜角宜較大。

**31 (C)**

**32 (C)**。

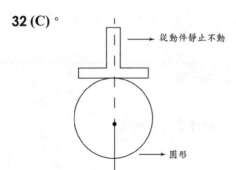

**33 (B)**。　(B)基圓愈小，傾斜角愈大。

**34 (C)**。　(C)簡諧運動 ⇒ 位移與加速度成正比且方向相反，故位移圖為正弦
或餘弦函數。

# 二、問答題型

**1. 請說明凸輪系中壓力角之大小對從動件之受力有何影響。並列舉三種減少
壓力角的常用方法？【關務四等】**

解　(1)節曲線上任一點之法線與從動件瞬時運動方向間的夾角，會隨接觸
點位置的不同而有所改變稱爲壓力角，壓力角在凸輪設計上甚爲重
要，因爲它代表凸輪外形之陡峭程度，凸輪機構傳動效率的一種簡
單指標，壓力角愈大表示從動件磨耗側壓力愈大，在運動時的傳動
效率愈差，因此凸輪機構的壓力角愈小愈好。
(2)減少壓力角的方法：
A.增加基圓直徑（升距及作用角不變）。
B.減低從動件之總升程（基圓及作用角不變）。
C.增加作用角或傾斜角（升距及基圓不變）。
D.改變從動件之偏置程度。

**2. 凸輪機構有哪些特點？它應用在什麼場合比較適宜？【地方四等】**

解　(1)凸輪的特點就是利用簡單的裝置進行複雜的運動，凸輪藉由本身轉
動或移動時，可使從動件作等速、不等速或不連續之往復或搖擺運
動。

(2)需要進行複雜的運動，但構造必需簡單，佔空間小如內燃機、工作母機等。

---

**3.** 如圖所示之凸輪系統，A 為從動件，B 為凸輪

    (1)試說明壓力角 θ 如何決定？

    (2)若不計摩擦，且 R 為凸輪作用於從動件之力，則推動從動件之有效力為多少？【地方四等】

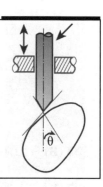

---

**解** (1)如圖，壓力角 θ 為從動件與凸輪接觸的正向方向與從動件運動方向的夾角。

    (2)在不計摩擦力的影響力的情況下，推動從動件的有效力為
$$f = R\cos\theta \text{ 。}$$

---

**4.** 若凸輪設計不當會產生陡震，茲以等速運動條件為例，說明相關位移、速度及加速度的變化。【地方四等】

**解** 等速度運動是指從動件經過相同的時間，其位移相同。因此等速度運動之位移對時間的關係為直線。在圖(a)的位移圖表示從動件以等速由上升至 D 從動件停留不動，在以等速由 D 下降至 E。在理論上，這種運動會在、C、E 處產生無限大的加速度，導致衝擊負荷，因此盡量避免使用此種運動。

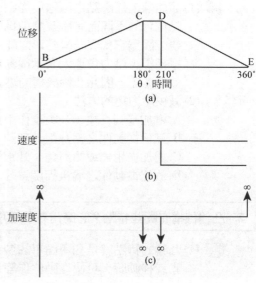

**5.** 右圖為一滾子型凸輪。
　(1) 請將此圖畫在答案卷上，並標示出壓力角（$\phi$）及
　　　基圓半徑（$R_b$）。
　(2) 在不改變從動件位移曲線下，若將凸輪基圓半徑增
　　　加，壓力角會增加還是減少？
　(3) 若希望凸輪推動從動件之作用力增大，壓力角度增
　　　加還是減少。【原住民特考】

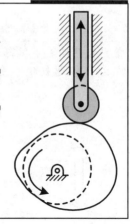

**解** (1) 參考 12-1 圖 12.1。

　　(2) 基圓半徑增加，則會造成壓力角的減少。

　　(3) 凸輪推動從動件之作用力增加，則壓力角會減少。

**6.** 平面凸輪中有三種常見類型：
　(一)請畫圖說明平移凸輪（又稱滑動凸輪）。
　(二)請畫圖說明平板凸輪（plate cam）。
　(三)請畫圖說明反凸輪（inverse cam）。【地四】

**解** 平移凸輪：從動件各點的運動軌跡與凸輪周緣曲線位於同一平面或互
　　　相平行的平面上。

| 平移凸輪 |
| --- |

又稱板形凸輪，當其迴轉時，可使
從動件做往復運動或擺動運動。

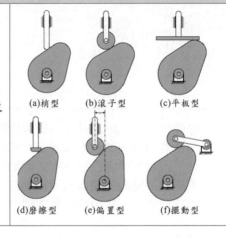

(a)楕型　　(b)滾子型　　(c)平板型

(d)磨擦型　　(e)偏置型　　(f)擺動型

| 平板凸輪 | 反凸輪（倒置凸輪） |
|---|---|
| 當平板凸輪之半徑無限大時，凸輪左右直線運動使從動件做上下運動。<br><br>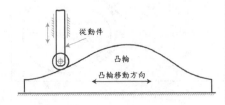 | 以有凸槽之凸輪為從動件，為回轉運動轉換為往復運動之基本機構，輸出滑塊以簡諧運動來平移，通常使用在必須產生以曲柄角度為正弦運動使用。<br>滑塊位移＝驅動軸半徑×$(1-\cos\theta)$<br>$\theta$＝主驅動軸與滑槽之夾角<br><br>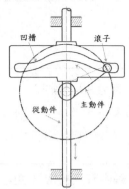 |

7. 如圖二所示之盤形凸輪機構，請繪簡圖標示出該位置的壓力角（Pressure angle），說明壓力角過大所產生的缺點，並提出二種減小壓力角的方法。【102 鐵四】

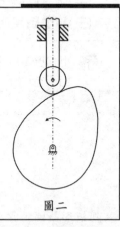

圖二

**解** 1. 節曲線上任一點之法線與從動件瞬時運動方向間的夾角，會隨接觸點位置的不同而有所改變稱為壓力角，壓力角在凸輪設計上甚為重要，因為它代表凸輪外形之陡峭程度，凸輪機構傳動效率的一種簡單指標，壓力角愈大表示從動件磨耗側壓力愈大，在運動時的傳動效率愈差，因此凸輪機構的壓力角愈小愈好。

2. 壓力角使用範圍：
  (1) 凸輪轉速在 100rpm 以下時，壓力角不宜超過 45°。
  (2) 凸輪在高速迴轉或重負荷下，壓力角不宜超過 30°。
3. 減少壓力角的方法
  (1) 增加基圓直徑（升距及作用角不變）。
  (2) 減低從動件之總升程（基圓及作用角不變）。
  (3) 增加作用角或傾斜角（升距及基圓不變）。
  (4) 改變從動件之偏置程度。

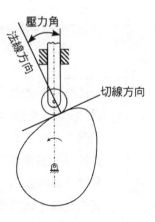

# 三、計算題型

1. 如圖所示之凸輪，h 為凸輪旋轉一週時，從動件上升之高度，R 為基圓半徑，凸輪上任一點 A 與旋轉中心 O 之距離為 R'，試求 R'和 $\theta$, R, h 之關係。【普考】

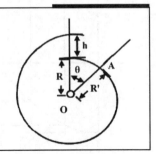

**解** 由於本題未指定位移曲線的特性為何，所以一次曲線的位移曲線與二次曲線的位移曲線來表示，可得如下：

一次曲線的位移曲線

$\theta = 0 \sim 2\pi$

$R' = S + R = h\left(\dfrac{\theta}{2\pi}\right) + R$

二次曲線的位移曲線

$\theta = 0 \sim \pi$

$R' = S + R = 2h\left(\dfrac{\theta}{2\pi}\right)^2 + R$

$$\theta = \pi \sim 2\pi$$

$$R' = S + R = h\left(1 - 2\left(1 - \frac{\theta}{2\pi}\right)^2\right) + R$$

**2.** 一凸輪以等速度驅動其從動件,並使該從動件具有下述之運動:(一)凸輪
轉動 90°,從動件以等加速度運動上升 0.75in;接著 90°從動件以等減速度
上升 0.75in;(二)凸輪轉動 30°,從動件則靜止不動;(三)凸輪轉動 60°,從
動件以等加速度下降 0.75in;接著 60°從動件以等減速度下降 0.75in;(四)
最後凸輪轉動 30°從動件則靜止不動。

試繪凸輪系統的位移曲線圖。

若凸輪轉速為 300rpm,求從動件上升過程及下降過程最大速度及加速度。
【退除役官兵】

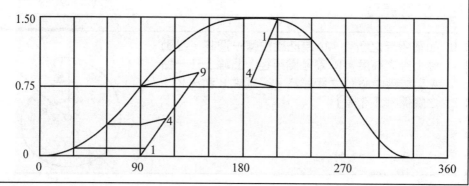

**解** $\omega = \frac{300}{60}(2\pi) = 31.42\text{rad/s}$

Rise:$V_{max}$ is at $\theta = 90° = 90(\frac{\pi}{180}) = 1.571\text{rad}$

$\beta = 180° = 3.141\text{rad}$;$h = 1.50\text{in} = 0.125\text{ft}$

$V = \frac{4h\omega\theta}{\beta^2}$

$V_{max} = \frac{4(0.125)(31.42)1.571}{(3.141)^2} = 2.50\text{ft/s}$

$A = \frac{4h\omega^2}{\beta^2} = \frac{4(0.125)(31.42)^2}{(3.141)^2}$

$= 50\text{ft/s}^2$

Fall：$V_{max}$ is at $\theta = 60° = 60(\dfrac{\pi}{180}) = 1.047rad$

$\beta = 120° = 120(\dfrac{\pi}{180}) = 2.094rad$

$V = \dfrac{4h\omega\theta}{\beta^2}$

$V_{max} = \dfrac{4(0.125)(31.42)1.047}{(2.094)^2} = 3.73ft/s$

$A = \dfrac{4h\omega^2}{\beta^2} = \dfrac{4(0.125)(31.42)^2}{(2.094)^2} = 113ft/s^2$

# 第十三章 近年試題及解析

## ▌110 年 台電新進僱用人員

### 一、填充題

1. 若地球的重力加速度為月球的 6 倍，一質點具有質量 m 與速度 v，則此質點在地球上與月球上的動能比值為＿＿＿＿＿。

   **解** 1
   
   $T = \dfrac{1}{2}mv^2$ 若質量與速度相同，動能亦相同。

2. 如圖所示之液壓機構，其中 A 活塞面積為 $100mm^2$，B 活塞面積為 $400mm^2$，根據帕斯卡原理（Pascal's law），當 A 向下施力 10N 時，則此 B 活塞能舉重＿＿＿＿＿N。

   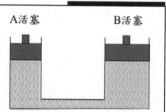

   **解** 40
   
   $\dfrac{10}{100} = \dfrac{F_B}{400} \Rightarrow F_B = 40$（N）

3. 如圖所示，A 為一長度 10cm 直徑 5cm 的實心鐵柱，B 為一長度 10cm 直徑 5cm 且厚度 0.01cm 的薄殼空心鐵管，若 A 與 B 同時自靜止狀態下，於一 45°且長 1m 的斜坡頂部釋放後向下滾落，在考慮純滾動之情況下，則＿＿＿＿＿抵達斜坡底部。（請以同時、A 較快、B 較快表示）

   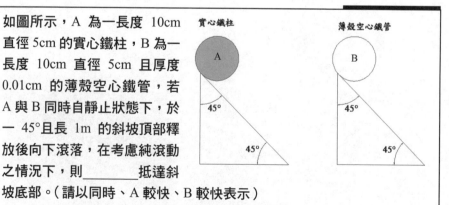

解 **A 較快**

實心鐵柱 $I_A = \dfrac{1}{2}mR^2$，鐵管 $I_B = mR^2$，質量慣性矩 $I_A < I_B$

故 A 較快。

---

4. 一個四行程引擎在 1 秒可完成 30 次工作循環下，其活塞驅動的曲軸轉速為_____rpm。

解 **3600（r.p.m）**

$30 \times 2 = 60$（r.p.s）$= 3600$（r.p.m）

---

5. 一理想氣體在容積 $2m^3$ 與溫度 $27°C$ 條件下，壓力為 20kPa。請問當容積不變，溫度提高至 $327°C$ 時，壓力則變為_____kPa。

解 **40**

$\dfrac{20}{P} = \dfrac{273+27}{273+327} \Rightarrow P = 40$（kpa）

---

6. 一延展性材料的降伏應力為 10MPa，安全係數為 2，則此材料的容許應力為_____MPa。

解 **5**

$n = \dfrac{\sigma_y}{\sigma} \Rightarrow 2 = \dfrac{10}{\sigma} \Rightarrow \sigma = 5$（MPa）

---

7. 脆性材料如粉筆、混凝土受扭轉負載而破壞，其所受之破壞應力為_____。（請以張應力、壓應力、剪應力表示）

解 **張應力**

脆性材料忍受張應力能力很差，故扭轉後材料會於最大張應力面破壞。

---

8. 迴轉機械中，止推軸承的作用主要是用以承受_____向的負荷。（請以徑、軸、切線表示）

解 **軸**

止推軸承主要承受軸向負載。

9. 一批相同滾動軸承，其額定壽命 $L_{10}$，是指在相同測試條件下，有
_____%的軸承不出現疲勞破壞時的總轉數，或給定轉速下的工作
小時數。

解 **90**

$L_{10}$為 90%信賴水準下軸承不出現疲勞破壞時的總圈數。

10. 應用光學平鏡（optical plate）量測塊規的真平度，得到
如圖所示之平行且等間距的 6 條干涉條紋，若使用的光
源為單色光且波長為 $\lambda$，則塊規的真平度為_____。
（請以 $\lambda$ 表示）

解 **0$\lambda$**

光學平板係利用光學干涉原理檢驗真平度，若為平行等間距干涉
⇒ 工件真平度偏差 0。

11. 車床橫向進刀刻度盤每小格的切削深度為 0.02mm，若要將工件的直
徑從 39.60mm 車削成 38.00mm，車刀還需進刀_____小格。

解 **40**

$39.6 - 38 = 1.6$（mm），$\dfrac{1.6}{2 \times 0.02} = 40$

12. 欲以尾座偏置法車削全長 300mm，錐度部分長 100mm 之工件，錐度
為 1/10，尾座偏置量為_____mm。

解 **15**

錐度 $T = \dfrac{1}{10}$，偏置量 $= \dfrac{T \times L}{2} = \dfrac{\dfrac{1}{10} \times 300}{2} = 15$

13. 二個平皮帶傳動輪 A 及 B 相距 750mm，A 輪直徑為 120mm，B 輪直
徑為 150mm，若 A 輪轉速 150rpm 經由皮帶傳至 B 輪時，轉速僅有
96rpm，不考慮皮帶厚度，則滑動率為_____%。

**解 20**

$$\eta \times \frac{120}{150} = \frac{96}{150} \ , \ \eta = \frac{96}{120} \ ,$$

$$故損失 = 1 - \frac{96}{120} = 0.2 = 20\%$$

---

14. 一銲條規格為 E6028，其中「60」所代表的意義為_____60kg/mm² 。

**解 抗拉強度**

60：抗拉強度 60（kg / mm² ）

---

15. 兩正齒輪內切，若中心距為 100mm，周節為 6.28mm，兩輪轉速比為 3，則大齒輪的齒數為_____齒。（ $\pi = 3.14$ ）

**解 150**

$$100 = \frac{1}{2} \times \frac{6.28}{3.14}(T_{大} - T_{小}) \cdots\cdots(1) \ , \ \frac{T_{大}}{T_{小}} = 3 \cdots\cdots(2)$$

由(1)(2)　$T_{大} = 150$ ，$T_{小} = 50$

---

16. 如圖所示，在光滑無摩擦之桶中，置入 2 球，若大球半徑為 100mm、重 270N，小球半徑為 30mm、重 10N，若將桶傾斜 30°放置，2 球接觸點（C 點）之作用力為_____N 。

（ $\sin 30° = \frac{1}{2}$ ，$\cos 30° = \frac{\sqrt{3}}{2}$ ）

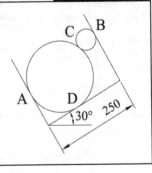

**解 $13\sqrt{3}$**

取大球之 F.B.D

由整體之 F.B.D

$$N_D = (270 + 10)\cos 30° = 140\sqrt{3}$$

由大球之 F.B.D

$$\sum F_y = 0 \Rightarrow 140\sqrt{3} = 270 \times \cos 30° + N_C \times \frac{5}{13}$$

$$\Rightarrow N_C = 13\sqrt{3}$$

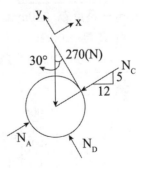

17. 如圖所示，有一均勻長桿長度為 $\ell$，重量為 w，斜靠於光滑牆壁上，與地面摩擦係數 $\mu = 0.2$，欲保持長桿不滑動，$\theta$ 角之正切值至少需為_____。

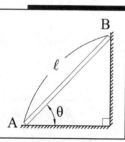

解 **2.5**

$\sum F_y = 0 \Rightarrow N_A = W$

$\sum F_x = 0 \Rightarrow N_B = 0.2W$

$\sum M_A = 0$

$W \times \dfrac{\ell}{2} \cos\theta = 0.2W \times \ell \sin\theta \Rightarrow \tan\theta = 2.5$

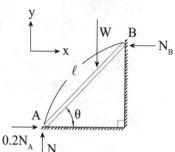

18. 如圖所示，有一物體在光滑斜面上自靜止狀態滑下，重力加速度為 g，則物體速度

V = _____。（以 g、$\ell$ 表示：$\sin 30° = \dfrac{1}{2}$，

$\cos 30° = \dfrac{\sqrt{3}}{2}$）

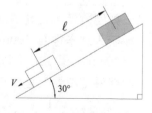

解 $\sqrt{g\ell}$

$V^2 = 2 \times (g \sin 30°)\ell \Rightarrow V = \sqrt{g\ell}$

19. 有一長度為 200mm，直徑為 20mm 的圓形桿件，受軸向拉力後，長度變為 200.2mm，直徑變為 19.995mm，則此圓桿的蒲松氏比（Possion's Ratio）為_____。

解 **0.25**

$\nu = \left| \dfrac{\varepsilon_t}{\varepsilon_\ell} \right| = \left| \dfrac{\frac{0.005}{20}}{\frac{0.2}{200}} \right| = 0.25$

20. 如圖所示之懸臂樑，以 A 端為起點，樑內任意位置 x 的彎矩方程式 M(x) = _____ 。（彎矩以樑彎曲後凹口向上為正）

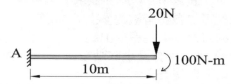

**解** **20x − 300**

$\sum M_C = 0$ ， $M(x) = 20x - 300$

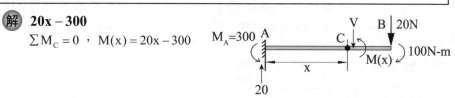

## 二、問答與計算題

一、俗話說：「一根筷子容易折斷，三根筷子不容易折斷」，若有 4 支材質相同且半徑皆為 r 的圓桿，將其分組為 1 支與 3 支，排列方式如圖所示，則 3 支圓桿對 x 軸慣性矩是 1 支圓桿對 x 軸慣性矩的幾倍。

1 支圓桿　　　　3 支圓桿

**解** (一) 1 支圓桿　　$(I_x)_1 = \dfrac{\pi}{4} r^4$

(二) 3 支圓桿

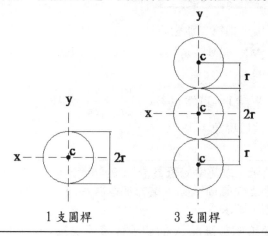

$$(I_x)_3 = \frac{\pi}{4} r^4 + [\frac{\pi}{4} r^4 + \pi r^2 \times (2r)^2] \times 2 = \frac{35}{4} \pi r^4$$

$$\frac{(I_x)_3}{(I_x)_1} = 35$$

二、如圖所示，有一質量彈簧系統，其彈簧常
　　數分別為 $K_1 = 6N/m$、$K_2 = 6N/m$、
　　$K_3 = 7N/m$，質量 $M = 10kg$，試求：
　　(一) 系統的等效彈簧常數為多少 N/m？
　　(二) 系統的自然頻率為多少 Hz？
　　　　（$\pi = 3.14$，計算至小數點後第 2
　　　　位，以下四捨五入）
　　(三) 當一反覆性外力施於質量 M，其頻率與系統自然頻率相同
　　　　時，會發生振動變大的現象，則此現象稱為何？

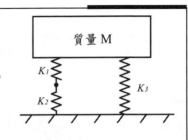

解　(一) $\dfrac{1}{6} + \dfrac{1}{6} = \dfrac{1}{k'} \Rightarrow k' = 3$，等效 $k = 3 + 7 = 10$（N/m）

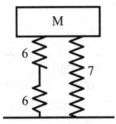

　　(二) 由牛頓第二運動定律

　　　　$\boxed{M}\ = \boxed{M}\downarrow m\ddot{x} \Rightarrow m\ddot{x} + kx = 0 \Rightarrow 10\ddot{x} + 10x = 0$
　　　　$\uparrow kx$

　　　　$W_n = 1$，自然頻率 $f = \dfrac{W_n}{2\pi} = \dfrac{1}{2\pi} = 0.16$

　　(三) 共振現象

三、如圖所示，以繩索繫著質量 r 的物體，以半徑 r 於
　　鉛直面上作圓周運動，重力加速度為 g，欲維持圓
　　周運動，試求：
　　(一) 請證明最高點 A 的切線速度至少為 $\sqrt{rg}$。
　　(二) 請證明水平點 B 的繩索張力至少為 3mg。
　　(三) 請證明最低點 C 的繩索張力至少為 6mg。

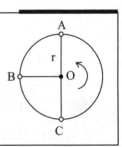

解　(一) 由牛頓第二運動定律

　　　　$A\downarrow mg = \circlearrowright m\dfrac{V_A^2}{r} \Rightarrow mg = m\dfrac{V_A^2}{r} \Rightarrow V_A = \sqrt{rg}$

(二) $V_A^2 = V_B^2 - 2gr \Rightarrow V_B^2 = 3gr$

由牛頓第二運動定律

$$\begin{array}{c} mg \\ \downarrow \\ \bigcirc \rightarrow T \end{array} = \begin{array}{c} mdr \\ \downarrow \\ \bigcirc \rightarrow m\dfrac{V_B^2}{r} \end{array} \Rightarrow T = m\dfrac{V_B^2}{r} = 3mg$$

(三) $V_A^2 = V_C^2 - 2g(2r) \Rightarrow V_C^2 = 5gr$

由牛頓第二運動定律

$$\begin{array}{c} \uparrow T \\ \bigcirc \\ \downarrow mg \end{array} = \begin{array}{c} \uparrow \\ \bigcirc m\dfrac{V_C^2}{r} \end{array} \Rightarrow T - mg = m\dfrac{V_C^2}{r} \Rightarrow T = 6mg$$

---

四、如圖所示，物體受 $\sigma_x = 100\,\text{MPa}$ 及 $\sigma_y = 20\,\text{MPa}$ 的
應力作用，於 $\theta = 60°$ 時，試求：
(一) 圖中 $\theta = 60°$ 斜面之應力 $\sigma_\theta$ 及 $\tau_\theta$ 各為多少
MPa？
(二) 圖中 $\theta = 60°$ 斜面之互餘應力 $\sigma_\theta{}'$ 及 $\tau_\theta{}'$ 各為多
少 MPa？
(三) 請畫出莫爾圓（Mohr's circle），並分別標示
$\sigma_x$、$\sigma_y$、$\sigma_\theta$、$\tau_\theta$、$\sigma_\theta{}'$ 及 $\tau_\theta{}'$。

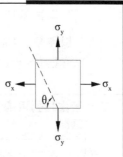

解 (一) $\sigma_\theta = \dfrac{\sigma_x + \sigma_y}{2} + \dfrac{\sigma_x - \sigma_y}{2}\cos(60°) = 80$

$\tau_\theta = -\dfrac{\sigma_x - \sigma_y}{2}\sin(60°) = -20\sqrt{3}$

(二) $100 + 20 = \sigma_\theta{}' + 80 \Rightarrow \sigma_\theta{}' = 40$

$\tau_\theta{}' = 20\sqrt{3}$

(三) $R = \dfrac{100 - 20}{2} = 40$

圓心 $(60, 0)$

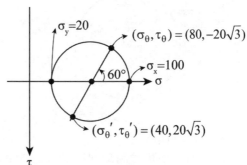

## 110 年　關務特考四等

---

**一、具有外徑為 25mm 及螺旋節距為 5mm 的方螺紋動力螺桿，試求螺紋深度、螺紋寬度、平均直徑、根部直徑及導程。**

解　螺紋深度 $= \dfrac{P}{2} = 2.5\,(mm)$

螺紋寬度 $= \dfrac{P}{2} = 2.5\,(mm)$

平均直徑 $D = D_0 - \dfrac{P}{2} = 25 - 2.5 = 22.5\,(mm)$

根徑 $D_i = D_0 - P = 20\,(mm)$

導程 $L = P = 5\,(mm)$

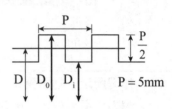

---

**二、若齒輪對可導入使用內齒輪，請試述使用此內齒輪的運動特徵、優點與限制。**

解　(一) 運動特徵：大者稱為大齒輪，小者稱為小齒輪。

1.轉向相同。

2.連心距 $C = \dfrac{1}{2}(D_A - D_B)$

3.二軸平行。

4.$\dfrac{N_B}{N_A} = \dfrac{T_A}{T_B}$（轉速比）

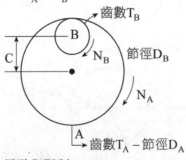

(二) 優點與限制
1.可使用於高減速比之行星齒輪系
2.速比正確，內齒輪製造較不易。
3.缺點噪音較大。

三、若為串接兩旋轉軸，需使用撓性聯軸器，請試述其選用考量及目的。

解 剛性聯結器：主動軸與從動軸聯結時，軸和軸之間不容許有軸向偏差或角度偏差，用於連結同心軸且低速迴轉的兩軸。

| 聯結器 | 說明 |
|---|---|
| 筒形聯結器 | 主動與從動軸端裝上套筒，再用錐形銷固定，當扭矩過大時，錐形銷被剪斷，從動軸即停止運轉，以避免損傷機器。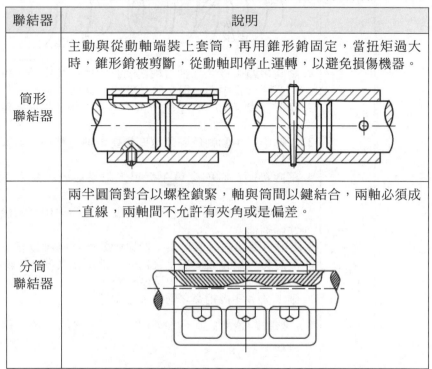 |
| 分筒聯結器 | 兩半圓筒對合以螺栓鎖緊，軸與筒間以鍵結合，兩軸必須成一直線，兩軸間不允許有夾角或是偏差。 |

撓性聯結器：主動軸與從動軸聯結時，兩軸中心線不在同一直線上，軸和軸之間容許有軸向偏差或角度偏差，可防止振動的產生。

| 聯結器 | 說明 |
|---|---|
| 歐丹聯結器 | 1. 橢圓機構的變形，亦即兩等邊連桿組之應用，由三部份組成，在兩軸端各裝置一個凸緣，且在凸緣之接觸面上各切一凹槽，而中間部份則爲兩面成互相垂直之凸緣，傳動時，凸緣與凹槽可滑動；常用於互相平行但不在同一中心線上的兩軸，且軸心距離相差不大，兩軸的角速度又需絕對相等的情況下使用之。<br>2. 連接二旋轉軸時，用於二軸的中心線不在一直線上而可有小距離偏差，連接兩相平行軸最佳的撓性聯結器。 |

| 聯結器 | 說明 |
|---|---|
| | |
| 萬向接頭 | 1. 萬向接頭可以允許動力軸之間有角度與高度差，可用於不相互平行且中心線相交於一點的主動軸與從動軸上。<br>2. 兩個互成直角的 U 型塊所組成，並由相等長度的臂交叉連接。<br>3. 二軸中，主動軸作等角速度旋轉，則從動軸作非等角速度旋轉。<br>4. 萬向接頭二軸的交角在 5° 以內效果最佳，最大不宜超過 30°。<br>5. 可將兩個軸心線相交且夾一角度，連接兩相交軸最佳的撓性聯結器。<br>6. 使用一對萬向接頭是為了使原動軸與從動軸以相等之角速度旋轉，以達成同步化之目的，常用於汽車之傳動軸上。<br>7. 欲使主動軸與從動軸角速度一致，須於二軸間另設一中間軸，並令連接相交之兩軸夾角相等。<br>8. 從動軸角速度之比介於 $\cos\theta \sim \dfrac{1}{\cos\theta}$ 之間，角度愈小，速度變化愈小。<br> |

四、 如下圖所示為一閉合式空間機構，C、P、R 及 S 分別表示圓柱接頭、滑動接頭、旋轉接頭及球面接頭。請試述此機構的連桿總數、各個接頭的自由度及試算此機構的自由度（DF）。

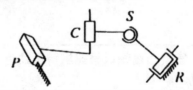

解 C： 圓柱接頭（Cylindrical pair）
所屬兩個成運動對元件間的相對運動，是對於旋轉軸的轉動和平行於此軸之移動組合，它具有二個自由度，是曲線運動與面接觸。

P： 滑動接頭（Prismatic pair, sliding pair）
所屬兩個成運動對元件間的相對運動，是對於滑行面的滑動，它具有一個自由度，是直線運動與面接觸。

R： 旋轉接頭（Revolute pair, turning pair）
所屬兩個成運動對元件間的相對運動，是對於旋轉軸的轉動，它具有一個自由度，是圓弧運動與面接觸。

S： 球面對（Spherical pair）
所屬兩個成運動對元件間的相對運動，是對於球心的轉動，它具有三個自由度，是球面運動與面接觸。

桿件數 $= 4$
$DF = 6 \times (4-1) - 2 \times 5 - 4 - 3 = 1$

# ▰111 年 台電新進僱用人員

## 一、填充題

1. 一偏心凸輪,當其凸輪軸以等速旋轉運動時,可以看到其從動件做 _____運動。

**解** 簡諧

偏心凸輪從動件做簡諧運動。

2. 當一個齒輪的漸開線齒面,與另一個齒輪在基圓內部之非漸開線齒腹相接觸時,發生齒尖切入齒腹的現象,稱為_____。

**解** 干涉

漸開線齒輪齒冠切入齒腹使齒輪產生過切,會使運轉卡住,稱爲干涉。

3. 鋼鐵組織成分包含糙斑鐵、麻田散鐵、肥粒鐵及雪明碳鐵等,其強度與硬度最低者為_____。

**解** 肥粒鐵

雪明碳鐵 > 麻田散鐵 > 糙斑鐵 > 肥粒鐵。

4. 欲銑製 60 齒,模數為 3 的公制正齒輪,在車床上車出的胚料直徑應為_____mm。

**解** 186

$D = 3 \times 60 = 180$,齒冠圓 $D_a = 180 + 6 = 186$

5. 惠氏螺紋之螺栓,若公稱尺寸為 $W\frac{3}{4} - 10$,則其螺紋外徑為_____。

**解** $\frac{3}{4}$ 英吋

$W \underset{\underset{\longrightarrow \text{外徑}}{}}{\frac{3}{4}} -10$

6. 孔軸配合中，若軸徑為 $30^{-0.03}_{-0.06}$ mm 與孔徑為 $30^{+0.05}_{+0.02}$ mm 配合，則其配合之裕度為_____mm。

　解 **0.05**

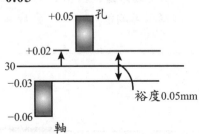

7. 公制斜銷之錐度為_____。

　解 **1:50**

公制斜銷 1：50
公制斜鍵 1：100

8. 水壓機的大活塞直徑為 300mm，小活塞直徑為 30mm，若欲使大活塞舉起 3 公噸的重物，應在小活塞施力_____kgf。

　解 **30**

$$\frac{3000}{\frac{\pi}{4} \times (300)^2} = \frac{F}{\frac{\pi}{4} \times (30)^2} \quad , \quad F = 30 \text{（kgf）}$$

9. 有一組皮帶傳動機構，A 輪為原動輪，轉速為 726rpm，直徑為 20cm，B 輪直徑為 60cm，皮帶厚度為 0.5cm，若不計滑動，則 B 輪轉速為_____rpm。

　解 **246**

$$\frac{N_B}{N_A} = \frac{D_A + t}{D_B + t} \Rightarrow \frac{N_B}{726} = \frac{20.5}{60.5} \quad , \quad N_B = 246$$

10. 一對相等的五級塔輪，主動輪轉速為 120rpm，從動輪最低轉速為 20rpm，其從動輪最高轉速與最低轉速之比值為_____。

**解** 36

$$N \times 20 = 120^2 \Rightarrow N = 720 \, , \, \frac{720}{20} = 36$$

---

11. 有一台腳踏車，輪胎直徑為 60cm，其前後方鏈輪齒數分別為 60 齒及 20 齒，當騎士踩腳踏板 10 圈後，腳踏車可前進＿＿＿＿公尺。（圓周率 = 3.14）

**解** **56.52**

$$\frac{60}{20} \times 10 = 30 \text{圈} \, , \, \pi \times 0.6 \times 30 = 56.52 \, \text{（m）}$$

---

12. 有一外接圓柱摩擦輪，已知兩軸之距離為 120cm，主動軸之轉速為 100rpm，從動軸之轉速為 20rpm，則兩輪直徑相差＿＿＿＿cm。

**解** **160**

$$\frac{100}{20} = \frac{D}{d} \, \cdots\cdots (1)$$
$$D + d = 120 \times 2 \, \cdots\cdots (2)$$
由(1)(2)，$d = 40$，$D = 200$，$200 - 40 = 160$

---

13. 一實心圓軸直徑為 3cm，長為 1.5m，若施加一扭矩 2500kgf-cm，若材料之剛性係數為 $1 \times 10^6 \text{kg} / \text{cm}^2$，試問此扭矩對實心圓軸產生之扭轉角為＿＿＿＿度。（計算至小數點後第 2 位，以下四捨五入，圓周率 = 3.14）

**解** **2.70**

$$\phi = \frac{TL}{GJ} = \frac{2500 \times 150}{10^6 \times \frac{\pi}{32} \times (3)^4} = 0.04718 \, \text{（rad）} = 2.70$$

---

14. 有一鋼板長為 240mm，寬為 100mm，厚度為 30mm，假設其破壞剪應力為 $300\text{kg} / \text{cm}^2$，若想要將鋼板對半剪斷，所需的最小剪力為＿＿＿＿kg。

**解** **9000**

$$\frac{V}{10 \times 3} = 300 \Rightarrow V = 9000 \, \text{（kg）}$$

15. 如圖所示之平面應力元素，其最大剪應力為＿＿＿＿＿ kg／cm² 。

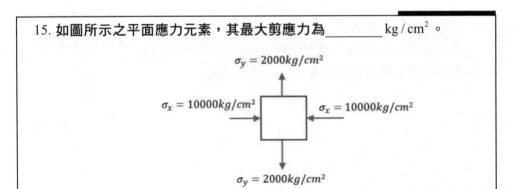

解 **6000**

$$\tau_{max} = \frac{2000+10000}{2} = 6000 \quad (\text{kg}/\text{cm}^2)$$

16. 如圖所示之 T 型面積，其形心至底邊 AB 之距離 $\overline{Y}$ 為＿＿＿＿＿ cm。

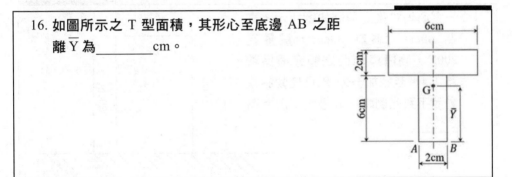

解 **5**

$$(6\times2+6\times2)\times\overline{y} = 6\times2\times3+6\times2\times7$$
$$\Rightarrow \overline{y} = 5$$

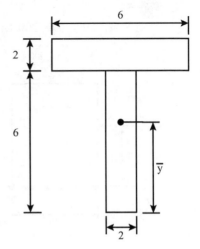

17. 如圖所示之彈簧組合，K 代表彈簧常數，
$K_1 = 40N / mm$ ， $K_2 = 40N / mm$ ， $K_3 = 80N / mm$ ，
則組合後之總彈簧常數為＿＿＿＿ N / mm 。

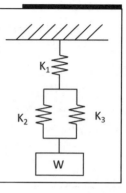

解 **30**

$$\frac{1}{k} = \frac{1}{40+80} + \frac{1}{40} \Rightarrow k = 30$$

18. 一實心均質長方型體如圖所示，寬
為 40cm，高為 80cm，重量為
200N，物體與地面之靜摩擦係數
為 0.4，若施加一力 P 可使物體移
動而不致傾倒時，其最大高度 h 為
＿＿＿＿cm。

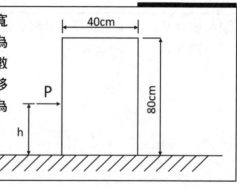

解 **50**

$$\sum M_A = 0 ， \quad 0.4 \times 200 \times h = 200 \times 20 \Rightarrow h = 50$$

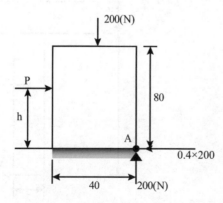

19. 某物體以第三角法繪出主要視圖，已知其俯視圖、前視圖分別如圖(A)、圖(B)所示，請徒手繪出其右側視圖_____。

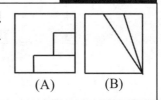
(A)　　　　(B)

解

20. 如圖所示，以精度 0.05mm 的游標卡尺來量測某一工件時，其主尺與副尺刻線在「＊」位置對齊，則游標卡尺正確讀值應為_____mm。

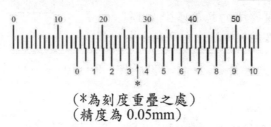

（＊為刻度重疊之處）
（精度為 0.05mm）

解 **14.35**
$14 + 7 \times 0.05 = 14.35$ （mm）

## 二、問答與計算題

一、如圖所示，在中央（L/2）處承受集中負荷 P＝2880N 的簡支樑，樑長度 L＝6m，其橫截面係寬度為 b，高度為 h 的矩形，已知 h＝4b，若欲安全承受此集中負荷作用，且樑的容許彎曲應力為 60MPa，不計簡支樑本身重量，試求此矩形橫截面積的最小尺寸為何？

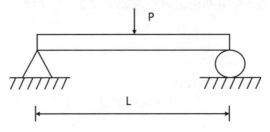

解 $M = \dfrac{PL}{4} = \dfrac{2880 \times 6}{4} = 4320$ （N-m）

$\sigma = \dfrac{My}{I} \Rightarrow 60 = \dfrac{4320 \times 10^3 \times 26}{\dfrac{1}{12} \times b \times (4b)^3} \Rightarrow b = 30$ （mm）

---

二、一鋼帶制動器如圖所示，若制動鼓以角速度 $\omega$ 順時針方向旋轉，已知其直徑 D = 20cm ， a = 18cm ， L = 100cm ，鋼帶緊邊張力 $F_1$ 對鬆邊張力 $F_2$ 之比值 $\dfrac{F_1}{F_2} = 3$ ，鋼帶對制動鼓的制動扭矩 T = 1000 kgf-cm ，試求：

(一) 緊邊張力 $F_1$ 為多少 kgf？

(二) 作用於桿端之力 P 為多少 kgf？

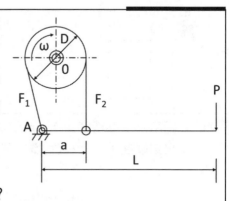

解 （一）$T = (F_1 - F_2) \times r \Rightarrow 1000 = (F_1 - F_2) \times 10 \cdots\cdots(1)$

$\dfrac{F_1}{F_2} = 3 \cdots\cdots(2)$

由(1)(2)， $F_1 = 150$ （kg）， $F_2 = 50$ （kg）

（二）$\sum M_A = 0$ ， $P \times 100 = F_2 \times a \Rightarrow P = 9$ （kgf）

---

三、一制動器如圖所示，其鼓輪直徑為 40cm，制動力 P 施加在 A 點，旋轉接頭 B 為支撐點，假設制動塊 C 與鼓輪 D 間之摩擦係數為 0.2，鼓輪承載之扭矩為 200kgf-cm，試求：

(一) 制動塊 C 作用於鼓輪之正向力為多少 kgf？

(二) 欲使鼓輪停止之最小制動力 P 為多少 kgf？

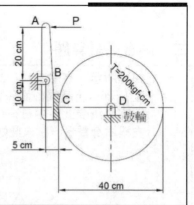

解 （一）取鼓輪之 F.B.D.

$200 = 0.2 \times N \times 20 \Rightarrow N = 50kgf$

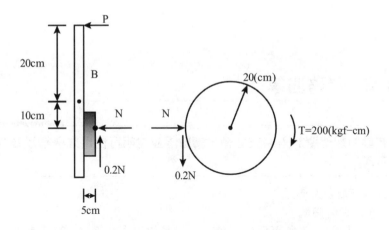

(二) $\sum M_B = 0$，$P \times 20 = N \times 10 - 0.2N \times 5 \Rightarrow P = 22.5$（kgf）

---

四、如圖所示，一直徑 8cm 之鋼圓軸，連結齒輪使之旋轉，並以寬度 2cm，高度 H，長 10cm 的平鍵連結，使齒輪以 60rpm 的轉速均勻地傳遞動力，若平鍵的允許剪應力為 6MPa，允許壓應力為 8MPa，試求：

(一) 軸所能承受的最大扭矩為多少 N-m？
(二) 所需之鍵高(H)最少應為多少 mm？
(三) 軸所傳遞的功率為多少公制馬力？

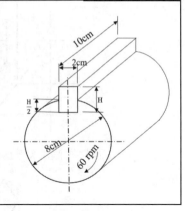

**解** (一) $\tau = 6 = \dfrac{F}{20 \times 100} \Rightarrow F = 12000$（N）

$T = 12000 \times 0.04 = 480$（N-m）

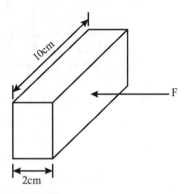

(二) $\sigma = 8 = \dfrac{12000}{\dfrac{H}{2} \times 100} \Rightarrow H = 30$（mm）

(三) P（kW）$= \dfrac{480 \times 60}{9550} = 3.016$（kW）

$= 4.1$（PS）

## ◢111 年　關務四等

---

**一、若有動力需傳遞於兩相交之軸，請繪圖並說明可使用之機構以及其傳遞方式。**

解 兩相交軸動力傳遞

(一) 直齒斜齒輪

二軸中心夾角可為任意角，一般最常用之角度為 90°且速比如圖

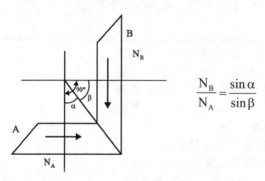

$$\frac{N_B}{N_A} = \frac{\sin\alpha}{\sin\beta}$$

(二) 冠狀齒輪：兩軸心必大於 90°，常用於四輪傳動車的差速器

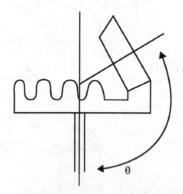

(三) 撓性聯軸器－萬象接頭

常用於二軸中心成一夾角，為二相交軸最佳撓性聯軸器，主動軸等速運轉，從動軸變速運轉，交角 5°內最佳，若要主動及從動同步，則可加中間軸

二、一公制螺紋標稱直徑 14mm，兩相鄰螺紋在軸向上距離為 2mm，請以螺紋標示法表示其規格，並比較該螺紋與 5/8in-14UNRF 螺栓的直徑差異及節距差異。若前述兩規格螺紋以同一材料分別製成螺栓元件，何者能承受較大之軸向張力負載？請說明理由。

**解** (一)公制螺紋表示法

M14×2

(二)

直徑 $\dfrac{5}{8}$×25.4=15.875(mm)

節距 $P=\dfrac{1}{14}$×25.4=1.814(mm)

(三) 英制螺紋直徑較粗，能承受較大之軸向負載

---

三、試說明若要設計一機台有 0.01mm 之進給解析度，以螺距為 1mm 之雙線導螺桿，需配合步進角多少之步進馬達才能達到？

**解** $\dfrac{螺距}{最小單位移動距離}=\dfrac{1\times 2}{0.01}=200$

步進角 $=\dfrac{360}{200}=1.8°$

---

四、請說明滾動軸承的主要結構，以及何謂基本額定壽命。某一型錄載明滾珠軸承之基本額定壽命為一百萬轉，使用上需要可承受徑向負載 1500N，每分鐘 2000 轉，壽命 6000 小時，可靠度 90% 之滾珠軸承，請計算並說明需選擇該型錄中基本額定動負荷值為多大之軸承。

**解** (一)結構

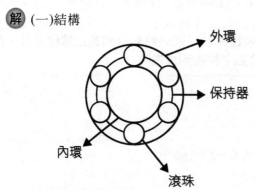

(二)基本額定壽命：
一批相同的軸承，在相同條件下運轉，90%的軸承沒有損壞之轉速
或一定轉速下的工作小時速

(三) $\dfrac{10000000}{2000 \times 6000 \times 60} = \left(\dfrac{1500}{C}\right)^3$

$\Rightarrow C = 13444.21(N)$

# ◤112 年 台電新進僱用人員

## 一、填充題

1. 鏈條與鏈輪之接觸點與軸中心之距離隨時在改變,故切線速度亦隨時
變動,因此使得傳動速率不穩定,產生噪音衝擊,此時鏈條傳動之現
象稱為_____作用。

   解 弦線

   弦線運動會造成鏈條在高速時產生振動及噪音。

2. 若騎乘腳踏車可視為一連桿機構,其中踏板迴轉可視為此機構中之曲
柄,則大腿的運動方式可視為_____。

   解 搖桿

3. 三角皮帶又稱 V 型皮帶,其斷面呈_____(請填入形狀),用於有
槽的帶輪上。

   解 梯形　

4. 有一長軸直徑為 150mm,裝置 20×20×200mm 之鍵使其連結於此長軸上,
若軸受到 30N-m 之扭轉力矩,則鍵上所受之剪應力為_____MPa。

   解 **0.1**

   $$30 = F \times \frac{0.15}{2} \Rightarrow F = 400 (\text{N})$$

   $$\tau = \frac{400}{20 \times 200} = 0.1 (\text{MPa})$$

   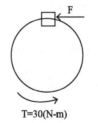

   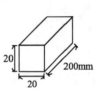

5. 兩彈簧串聯組合，彈簧常數分別為 2N/mm 與 4N/mm，受到一作用力為 16N，則系統總伸長量為_____mm。

解 12

$$\frac{1}{k}=\frac{1}{2}+\frac{1}{4} \Rightarrow k=\frac{4}{3}$$

$$\delta=\frac{F}{k}=\frac{16}{\frac{4}{3}}=12(mm)$$

6. 有一直徑為 1m 的主動皮帶輪，轉速為 600rpm，傳達功率 6280W 到從動輪，使得從動輪產生 300rpm 的轉速，若測得皮帶鬆邊張力為 150N，則皮帶緊邊的張力應為_____N。( π=3.14 )

解 350

$$6250=T\times\frac{300\times2\pi}{60} \Rightarrow T=200(N\text{-}m)$$

$$\frac{300}{600}=\frac{1}{D} \Rightarrow D=2$$

$$T=200=(F_1-150)\times1 \Rightarrow F_1=350(N)$$

7. 如圖所示，其形心位置座標為_____。

解 $(\frac{5}{6}a, \frac{5}{6}a)$

$$2a\times2a\times a=a\times a\times1.5a+(2a\times2a-a\times a)\times\bar{x}$$

$$\bar{x}=\frac{5}{6}a，同理 \bar{y}=\frac{5}{6}a$$

8. 如圖之分厘卡（又稱測微器），其主尺精度為 0.5mm；外套筒一圓周劃分成 50 等分，當外套筒旋轉一圈時，其測頭移動一個主尺精度。此外，在外套筒 9 格相等距離之襯筒設有 10 等分之水平刻劃；則本分厘卡目前之讀數為 mm。（圖中‧代表刻度重疊之處）

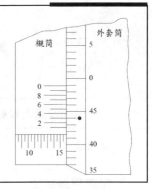

**解** 15.913

$$15.5 + \frac{41}{50} \times 0.5 + 0.03 = 15.913$$

9. 如圖所示之液壓系統，當於桿子頂端施力 40N，以推動管直徑 2cm 之活塞 A 時，則管直徑 4cm 之活塞 B 可以傳遞力量 $F_B$ 為 N。

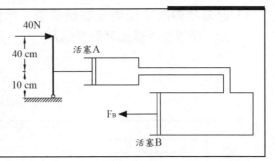

**解** 800

$$40 \times 50 F_A \times 10 \Rightarrow F_A = 200$$

$$\frac{200}{\frac{\pi}{4} \times 2^2} = \frac{F_B}{\frac{\pi}{4} \times 4^2} \Rightarrow F_B = 800(N)$$

10. 如圖所示之滑車組，若不計摩擦影響，則其機械利益為＿＿＿＿。

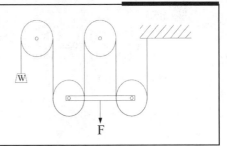

$$4W=F$$

$$M=\frac{W}{F}=\frac{1}{4}$$

---

11. 有一單列深溝滾珠軸承，其內徑為 15mm，則此軸承編號為 63_____。

解 **0.2**

---

12. 四連桿機構中，若浮桿（連桿）為最短桿，則此四連桿機構必定為_____機構。

解 **雙搖桿**

---

13. 已知物體的前視圖及右側視圖，如圖所示，請以徒手繪出其俯視圖為_____。

解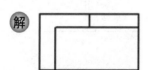

---

14. 有二個皮帶輪，主動輪的直徑為 250mm，從動輪的直徑為 510mm，皮帶厚度為 10mm，滑動損失為 5%，若主動輪的轉速為 1800rpm，則從動輪的轉速為_____rpm。

解 **855**

$$\frac{N_B}{N_A}=\frac{(D_A+t)}{(D_B+t)}\times n \Rightarrow \frac{N_B}{1800}=\frac{250+10}{510+10}\times(1-0.05)$$

$$N_B=855(r.p.m)$$

15. 有一正方形桿之斷面積為 $250mm^2$，長度為 2m，彈性係數為 200GPa。若此正方形桿承受 100kN 之軸向拉力，則此桿之軸向伸長量為_____mm。

解 **4**

$$\delta=\frac{PL}{EA}=\frac{100\times10^3\times2\times10^3}{200\times10^3\times250}=4(mm)$$

16. 有一外徑為 5mm 的實心圓軸 A 與一外徑為 10mm 的空心圓軸 B，兩者的截面積、長度及材質皆相同，當兩者承受相同扭矩時，兩者產生的最大剪應力 $\tau_A$：$\tau_B$ 的比值為_____。

解 **3.5**

$$\frac{\pi}{4}\times5^2=\frac{\pi}{4}\times(10^2-d^2)\Rightarrow d^2=75$$

$$\tau_A=\frac{16\times T}{\pi\times5^3}=\frac{16T}{\pi\times125}$$

$$\tau_B=\frac{T\times5}{\frac{\pi}{32}(10^4-d^4)}=\frac{32T}{875\pi}\Rightarrow\frac{\tau_A}{\tau_B}=3.5$$

17. 有一工件長度 L=150mm，每分鐘進給量 f=0.15mm/rev，轉速 n=500rpm，車削外徑為 55mm，切深 t=5mm，則切削之平均速度為_____ m/min。（$\pi$=3.14）

解 **78.5**

$$V_{avg}=\frac{\pi(\frac{55+45}{2})\times500}{1000}=78.5(m/min)$$

18. 齒條與小齒輪之嚙合傳動組合中，當小齒輪轉動 1/2 圈時，齒條移動了 15.7cm，若小齒輪的齒數為 25 齒，則小齒輪之模數 M 為_____mm。（$\pi$=3.14）

解 **4**

$r \times \pi = 15.7 \Rightarrow r = 5(cm)$

$M = \dfrac{D}{T} = \dfrac{50 \times 2}{25} = 4$

---

19. 彈簧的材料中，孟鈉（蒙納）合金是由_____兩種成分組成，能耐溫並應用於食品工業中。

解 銅線

---

20. 在棘輪機構中，靠機件摩擦力來傳達動力的稱為_____棘輪，又稱為摩擦棘輪。

解 無聲

---

## 二、問答與計算題

一、如圖所示之外伸樑（Overhanging beam）結構，A 點為鉸支承（Hinge），B 點為滾支承（Roller），受到 2 點作用力於樑上，不計樑本身重量，請回答下列問題：
(一) 試求A、B 點所受之反力。
(二) 繪製剪力圖，於圖中標示出剪力值。
(三) 繪製彎矩圖，於圖中標示出彎矩值。

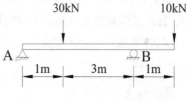

解 先求支承反力

$\Sigma M_A = 0$

$R_B \times 4 = 30 \times 1 + 10 \times 5 \Rightarrow R_B = 20(kN)$

$R_A = 20(kN)$

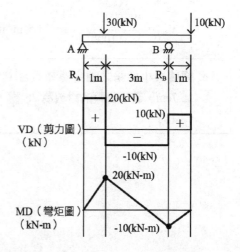

二、如圖所示，由一旋臂 A 與
　　B、C、D、E 四個齒輪所構建
　　而成一輪系值為 8 之周轉輪
　　系，其中 C、D、E 輪之齒數分
　　別為 50、80、20 齒，B 輪齒軸
　　為固定，且 C、D 齒輪為同軸，
　　若首輪 B 依順時針方向迴轉轉
　　速為 6rpm，D 輪迴轉轉速為逆時針 9rpm 方向，請回答下列問題：
　　(一) 齒輪 B 的齒數為何？
　　(二) 旋臂 A 的轉速及方向為何？
　　(三) 齒輪 E 的轉速及方向為何？

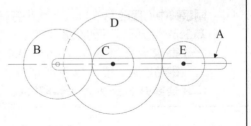

解 (一) $T_C$=50(齒)、$T_D$=80(齒)、$T_E$=20(齒)

　　$N_B$=6(r.p.m.)↻ 、$N_D$=9(r.p.m.)↻

　　$e_{B→E}=8=\dfrac{T_B}{T_c}\times\dfrac{T_D}{T_E}=\dfrac{T_B}{50}\times\dfrac{80}{20}\Rightarrow T_B$=100(齒)

　　(二) ↻ $e_{B→D}=\dfrac{-9-N_A}{6-N_A}=-\dfrac{100}{50}\Rightarrow N_A$=1(r.p.m.)↻

　　(三) ↻ $e_{B→E}=8=\dfrac{N_E-1}{6-1}\Rightarrow N_E$=41(r.p.m.)↻

---

三、有一內直徑為 4m 的薄壁圓筒容器，其內部壓力最大為 2.5MPa，若其內壁
　　材料之降伏應力為 375MPa，安全因數為 3，請回答下列問題：
　　(一) 容許應力為多少（單位請以 MPa 表示）？
　　(二) 內壁厚度至少須為多少才不會破裂（單位請以 m 表示）？

解 (一) $3=\dfrac{375}{\sigma_a}\Rightarrow\sigma_a$=125(MPa)

　　(二) $\sigma_n=\dfrac{Pr}{t}\Rightarrow125=\dfrac{2.5\times2000}{t}\Rightarrow t$=40(mm)

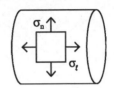

四、兩鏈輪中心距離為 300cm，大小鏈輪的齒數各為 60 齒與 36 齒，鏈節長度
為 3cm，請回答下列問題：
（一）鏈條全長為多少（sin3°=0.05，sin5°=0.08，$\pi$=3.14，計算至小
數點後第 2 位，以下四捨五入）？
（二）鏈條共有多少節（請取整數）？

解 （一）$D=\dfrac{3}{\sin(\frac{180}{60})}=\dfrac{3}{0.05}$ ⇒D=60(cm)

$D=\dfrac{3}{\sin(\frac{180}{36})}=\dfrac{3}{0.08}$ ⇒d=37.5(cm)

$L=\dfrac{\pi}{2}(D+d)+2C+\dfrac{(D-d)^2}{4C}=753.57$

（二）$n=\dfrac{L}{3}=252(節)$

## ▛112 年 關務四等

---

一、(一) 試說明凸輪製造過程中,凸輪的過切（Undercutting）現象;若需要,可輔以簡圖說明。如何消除過切現象?

(二) 試說明齒輪製造過程中,何謂齒輪的過切?若要執行過切,其目的主要為何?過切有何缺點?

---

解 (一) 當凸輪輪廓上某些點的曲率大小不適當時,凸輪之從動件無法在其應有的動路上傳動,此即產生過切現象,過切的現象可由加大凸輪機圓直徑、減小滾輪直徑,或更改運動曲線來消除。

(二) 齒輪演生時,若齒條變成切割工具或滾齒刀,則將切除齒腹部份,此稱為過切（Undercutting）現象。

過切雖可避免干涉,但由於強度減弱讓工作齒面的完整性破壞,使得齒隙、噪音、振動增加,壽命減少。

---

二、(一) 一電動馬達其輸入功率為 2.5kW 時,中間透過一齒輪減速機,減速機之機械效率為 0.9,最後能以 0.2m/sec 之速度吊起 1000kgf 之物體,則此電動馬達的機械效率為何?（設重力加速度為 $9.8\text{m/sec}^2$）

(二) 若將此電動馬達與齒輪減速機以同樣動力驅動一轉動物件,且測得作用在該轉動物件之扭矩為 200N·m,則該物件之轉速為何?（假設除馬達與減速機之能量損失外,沒有其他能量之損失）

---

解 (一) $P_{in}=2.5(\text{kW})$

$$\eta=\frac{1000\times9.8\times0.2\times10^{-3}}{2.5}=0.784$$

$$\eta_1\times\eta_2=\eta\Rightarrow0.9\times\eta_2=0.784$$

$$\eta_2=0.87$$

(二) $0.784=\dfrac{200\times W\times10^{-3}}{2.5}\Rightarrow W=9.8(\text{rad/s})=93.58(\text{r.p.m})$

三、如圖所示為四根連桿，分別為桿 1、桿2、桿 3 及
　　桿4，其桿長為桿 1=10mm、桿 2=23mm、桿
　　3=27mm、桿4=21mm。

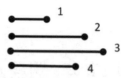

(一) 試問此連桿組能否組合成葛氏連桿組
　　　（Grashof linkage）？為什麼？
(二) 試以上述連桿組合一組四連桿機構，做為雙曲柄機構，並標
　　　示那一桿作為地桿（機架）、輸入桿及輸出桿。
(三) 若要組合一組雙搖桿機構，則應當如何安排？標示那一桿作為地
　　　桿、輸入桿及輸出桿。

解 (一) $r_1$=10(mm)　　　　　　$r_2$=23(mm)
　　　　$r_3$=27(mm)　　　　　　$r_4$=21(mm)
　　　最長+最短≤另二桿和
　　　10+27≤23+21 符合葛氏條件

(二) 雙曲柄機構⇒最短桿為固定桿

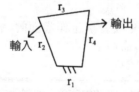

(三) 雙搖桿⇒最短桿 $r_1$ 為連接桿

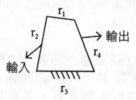

四、如圖所示為兩種滑輪系統，同樣
　　有 3 個滑輪。抗力 W 表示所欲
　　吊起物體之重量。假設滑輪無
　　摩擦，試問：
(一) 兩者的機械利益各為何？
(二) 若欲舉起相同的重物
　　　100N，兩種滑輪系統中
　　　之繩索，其最大受力繩
　　　索與最小受力繩索之差距
　　　各為多少？

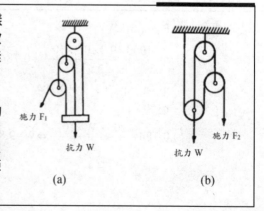

**解** $W=7F_1 \Rightarrow M=\dfrac{W}{F_1}=7$

$W=100 \Rightarrow F_1=\dfrac{100}{7}$

$4F_1-F_1=3F_1=\dfrac{300}{7}$ (N)

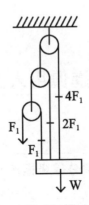

$W=4F_2 \Rightarrow M=\dfrac{W}{F_2}=4$

$W=100 \Rightarrow F_2=25$(N)

$2F_2-F_2=F_2=25$(N)

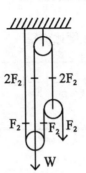

五、如圖所示為一組差動行星齒輪系。桿 2 為行星架（Arm）且為輸入桿，齒輪3 與齒輪1 為太陽齒且為外齒輪，兩者共軸。齒輪 1 為固定桿件，齒輪 3 作為輸出桿；齒輪 4a 與 4b 為行星齒，且為同一桿。假設齒輪 1、3、4a 及 4b 之齒數分別為 $N_1$、$N_3$、$N_{4a}$ 及 $N_{4b}$，桿 2 的轉速為 $\omega_2$，試以齒數及 $\omega_2$ 的參數表示，求輸出桿 3 之轉速 $\omega_3$ 為何？

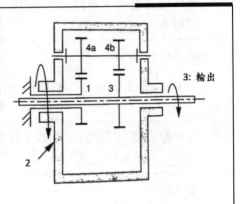

**解** $e_{1\to3}=\dfrac{W_3-W_2}{0-W_2}=\dfrac{N_1}{N_{4a}}\times\dfrac{N_{4b}}{N_3}$

$W_3 = W_2\left[1-\dfrac{N_1\times N_{4b}}{N_{4a}\times N_3}\right]$

# ▌113 年 台電新進僱用人員

## 一、填充題

1. 有一公制螺栓強度劃分等級標示為 8.8，代表該螺栓的抗拉強度為 800Mpa，降伏強度為_____MPa。

    **解** **640(MPa)**
    8.8⇒抗拉與降伏強度比值為 0.8

2. 有一英制螺栓規格標示為 $1\frac{3}{8}$-12UNF，代表該螺栓每英吋之螺紋數目為_____。

    **解** **12**
    12→每吋 12 牙

3. 兩內接正齒輪，齒數分別為 36 與 72，模數為 3mm，則兩齒輪之中心距離為_____mm。

    **解** **54**
    $C=\dfrac{1}{2}m(T_1+T_2)=\dfrac{1}{2}\times3\times(72-36)=54(mm)$

4. 有一壓力角為 20° 的正齒輪，齒數為 30，模數為 4mm，則節圓直徑為_____mm。

    **解** **120**
    $4=\dfrac{D}{T}\Rightarrow D=4\times30=120(mm)$

5. 有一直徑為 200mm 的水管，管內平均流速為 10m/s，則流量為每分鐘_____$m^3$。（π=3.14）

**解 18.84**

$$Q=VA=\frac{\pi}{4}\times(0.2)^2\times10\times60=18.84$$

6. 有一最大半徑為 300mm、最小半徑為 180mm 的平板凸輪，其從動件之總升距為_____mm。

**解 120**

R－r=300－180=120(mm)

7. 由於工作之成品尺寸在製造上無法與基本尺寸絕對相符，其允許之變異量稱為_____。

**解 公差**

公差為誤差之允許範圍

8. 有一質量為 3kg 的物體，以 $147m/s^2$ 之初速度垂直上拋，若重力加速度為 9.8m/s 且不計空氣阻力，則該物體達到最大高度所需要的時間為_____秒。

**解 15**

$V=V_0+at$
147=0+9.8t
t=15

9. 如圖所示之外徑測微器精度為 0.01mm，其讀值為_____mm。

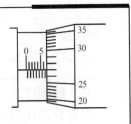

**解 6.77**

6.7+7×0.01=6.77(mm)

10. 如圖所示之滑輪組，若不計摩擦損失影響，欲拉起重量 為 180N 之物體 W 時，則 F 至少為_____N。

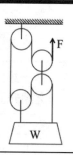

**解 60**

3F=180，F=60(N)

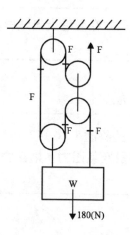

11. 有一鋸條規格標示為 300×12×0.64-24T，代表該鋸條每 25.4mm 的鋸齒 數目為_____。

**解 24**

24T：24 齒

12. 有一斷面積為 40mm² 的圓棒，其彈性係數為 250GPa，若受 4,000N 的 拉伸負荷作用，則軸向應變為_____。

**解 4×10⁻⁴**

$$\sigma=E\varepsilon\Rightarrow\varepsilon=\frac{\sigma}{E}=\frac{\frac{4000}{40}}{250\times10^3}=4\times10^{-4}$$

13. 有一直徑為 200mm 之軸，其上設有一 25×25×40mm 的方鍵，鍵上可允許之最大剪應力為 4N/mm²，則軸所能傳遞之最大扭矩為 _____N-m。

解 **400**

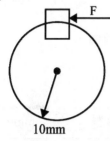

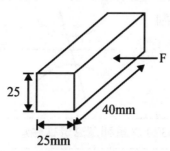

$$\tau = \frac{F}{25 \times 40} = 4 \Rightarrow F = 4000(N)$$

$$T = 4000 \times 0.01 = 400(N-m)$$

14. 如圖所示，其斜線部分形心位置 Y 方向之座標為 _____。（以分數表示）

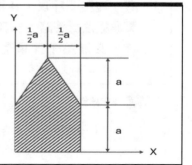

解 $\dfrac{7}{9}\mathbf{a}$

$$a \times a \times \frac{1}{2}a + \frac{1}{2} \times a \times a \times (a + \frac{a}{3}) = (a \times a + \frac{1}{2} a \times a)\,\overline{y}$$

$$\overline{y} = \frac{7}{9}a$$

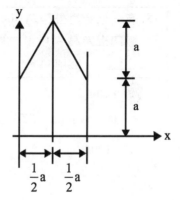

15. 有一液壓系統元件之圖面標示符號如圖，其中文名稱為_____。

**解** 可變節流閥

 —— 可變節流閥

16. 有一編號為 6320 之單列深溝滾珠軸承，其內徑為_____mm。

**解** **100**

　　20×5=100(mm)

17. 有一液壓千斤頂，其頂升物件之活塞直徑為 100mm，現以電動油壓泵通過油壓管路，對其施加 9,000psi 之液壓壓力，若不計其他機械損耗，該液壓千斤頂最大可頂升之重量為_____kg。（π=3.14，1psi=0.07kgf/cm²）

**解** **49455**

$$9000×0.07=\frac{F}{\frac{\pi}{4}×10^2} \Rightarrow F=49455$$

18. 有一來令片外徑為 30cm、內徑為 10cm 且均勻磨耗的圓盤離合器，若軸向推力為 400kgf，摩擦係數為 0.3，該離合器所能傳遞之扭力矩為_____kgf-cm。

**解** **1200**

$$T=0.3×400×(\frac{30+10}{2})×\frac{1}{2}$$
$$=1200(kg-cm)$$

19. 鎢電極惰性氣體電弧銲接之英文簡稱為_____。

 **TIG**

20. 圓孔與軸有 3 種配合，分別為餘隙配合、過渡配合及干涉配合。有一直徑標示為 $\phi\,24H8$ 的圓孔和一直徑標示為 $\phi\,24f8$ 的軸相配合，試問此為_____配合。

 餘隙

孔　H

軸　f

## 二、問答與計算題

一、如圖所示之樑，試求
(一) 支撐點 A 之反作用力 RA 及支撐點 B 之反作用力 RB。
(二) 請繪出剪力圖，並在剪力圖圖線轉折處標示剪力值。
(三) 請繪出彎矩圖，並在彎矩圖圖線轉折處標示彎矩值。

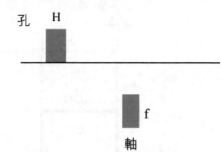
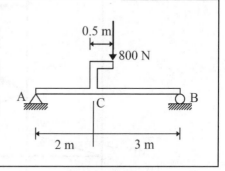

解 $\Sigma M_A=0$

$800 \times 2.5 = 5R_B \Rightarrow R_B = 400(N)$

$F_y = 0 \Rightarrow R_A = 400(N)$

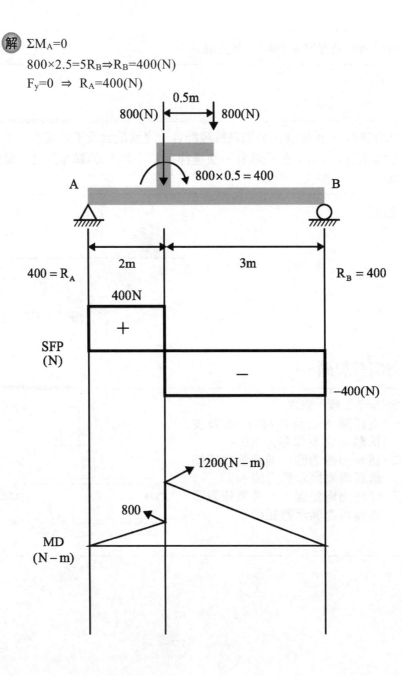

二、如圖所示之 I 形斷面，試求其對 x 軸之慣性矩 $I_x$。

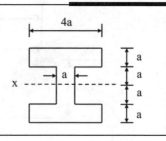

解 $I_x = \frac{1}{12} \times 4a \times (4a)^3 - \frac{1}{12} \times 3a \times (2a)^3 = \frac{58}{3} a^4$

三、如圖所示之制動器，制動鼓輪半徑為 40cm 且順時針旋轉，若制動塊與鼓輪之間的摩擦係數為 0.25 時，以 20kgf 之作用力加於槓桿上可使制動鼓輪停止不動，試求：
(一) 制動塊作用於鼓輪之正向力為多少 kgf？
(二) 鼓輪之制動力矩為多少 kgf-cm？
(三) 若鼓輪為逆時針旋轉時，制動力矩為多少 kgf-cm？

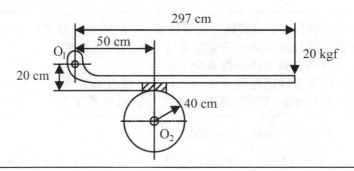

解 (一) $\Sigma M_a = 0$
　　$20 \times 297 = 0.25N \times 20 + N \times 50 \Rightarrow N = 108(kgf)$
(二) $T = 0.25 \times 108 \times 40 = 1080(kgf)$
(三) $20 \times 297 = 50N - 0.25N \times 20 \Rightarrow N = 132(kgf)$
　　$T = 0.25 \times 132 \times 40 = 1320(kg\text{-}cm)$

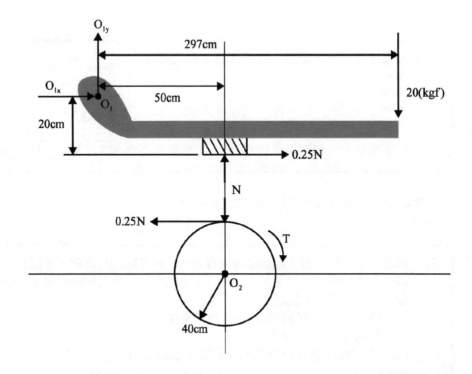

四、有一皮帶驅動之皮帶輪,皮帶輪直徑 D=30cm,轉速為 1,000rpm,皮帶緊邊拉力為 800N,皮帶鬆邊拉力為 200N,試求:
(一) 皮帶之有效拉力為多少 N?
(二) 皮帶之線速度為多少 m/min?(請以 π 表示)
(三) 皮帶傳動之功率為多少 W?(請以 π 表示)

**解** (一) 有效 $T_e = 800 - 200 = 600(N)$

(二) $1000 \times 2\pi \times \dfrac{0.3}{2} = 300\pi \left( \text{m} / \text{min} \right)$

(三) $P(w) = 600 \times 0.15 \times \dfrac{1000 \times 2\pi}{60} = 3000\pi(W)$

# 113 年 關務四等

一、如圖所示，三個彈簧常數均為 k 的螺圈彈簧水平直線串連相接，且固定於 A、D 兩端點，若於接點 B 沿+x 方向施加 F=18N 的水平作用力會使 B 點產生 3mm 的水平位移量，試回答下列問題：
(一) 單一彈簧之彈簧常數 k 值為何？
(二) 串接彈簧 A、D 兩端的反作用力各為多少 N？

解 (一) $\frac{1}{K'}=\frac{1}{K}+\frac{1}{K}\Rightarrow K'=\frac{K}{2}$

等效 $\overline{K}=K+K'=\frac{3}{2}K$

$F=\overline{K}\delta\Rightarrow 18=\frac{3}{2}K\times 3\Rightarrow K=4\left(N\!\!\Big/\!\!_{mm}\right)$

(二) $R_D=18\times\frac{K'}{K+K'}=18\times\frac{4}{4+2}=12(N)$

$R_A=18\times\frac{K}{K+K'}=6(N)$

二、如圖(a)所示，為兩定滑輪及兩動滑輪構成之滑車組，圖(b)所示為惠斯頓差動滑車（Weston Differential Pulley Block），其中 F 為外加施力，W 為欲吊起重物之重量，試回答下列問題：
(一) 若不計滑車質量及摩擦損失，圖(a)滑車組之機械利益為多少？
(二) 若欲使圖(b)差動滑車具有圖(a)滑車組相同之機械利益，則 A 輪與 B 輪之輪徑比值 $D_A/D_B$ 應為多少？
(三) 如圖(b)之差動滑車之施力 F=10N 可以吊起 W=81N 之重物，則該滑車之機械效率為多少？

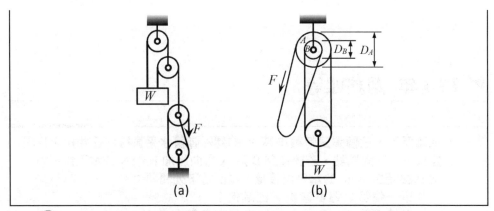

(a)　　　(b)

解 (一) W=6F+3F=9F

機械利益 $M=\dfrac{W}{F}=9$

(二) 惠斯頓滑車

$M=\dfrac{2D_A}{(D_A-D_B)}=9$

$\Rightarrow 9D_B=7D_A \Rightarrow \dfrac{D_A}{D_B}=\dfrac{9}{7}$

(三) $\dfrac{W}{F}=\dfrac{2D_A}{(D_A-D_B)}\times\eta \Rightarrow \eta=\dfrac{\frac{81}{10}}{9}=0.9=90\%$

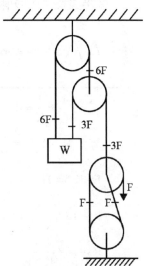

三、(一) 試述一對漸開線齒輪嚙合傳動產生
　　 干涉現象的原因為何？
　(二) 試提出避免上述干涉現象的 3 種方法。

解 (一) 干涉是當一個齒輪之漸開線齒面與另一齒輪在基圓內部之非漸開
　　 線齒腹相接觸時所造成之現象，此時齒輪會有過切，鎖緊等情形
　　 導致齒輪有磨損或運轉不順。
　(二) 1.縮短齒冠圓，製成短齒。
　　 2.將干涉之齒腹部份干涉處切除。
　　 3.增長中心距加大壓力角。

四、 如圖所示,一平面四連桿組,已知其中三支桿件之長度分別為 310、420 及 750mm,試回答下列問題:

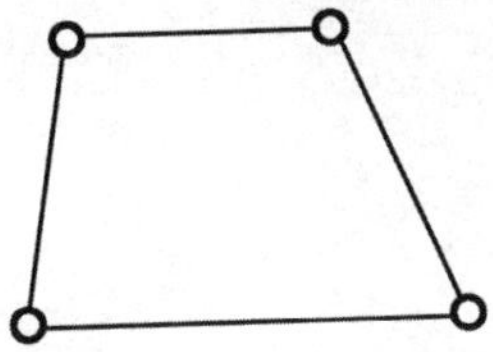

(一) 若該四連桿組至少有一桿可做 360° 旋轉運動,則第四支連桿之長度範圍為何?

(二) 若該四連桿組為曲柄搖桿機構,則曲柄桿之桿長為多少 mm?

(三) 若該四連桿組為雙曲柄機構,則固定桿之桿長為多少 mm?

解 (一) 1.若 750mm 為最長桿,S 為最短桿

750+S<310+420⇒S<−30⇒非葛式機構

2.若 310mm 為最短桿,750mm 為最長桿

310+750<420+L⇒640<L

若 310mm 為最短桿,L 為最長桿

310+L<420+750⇒L<860

故 640(mm)<L<860(mm)

(二) 曲柄桿為最短桿,桿長=310(mm)

(三) 固定桿為最短桿=310(mm)

一試就中，升任各大

# 國民營企業機構

## 高分必備，推薦用書

| 2B251121 | 捷運法規及常識(含捷運系統概述)<br>👑 榮登博客來暢銷榜 | 白崑成 | 560元 |
|---|---|---|---|
| 2B321141 | 人力資源管理(含概要) 👑 榮登博客來、金石堂暢銷榜 | 陳月娥、周毓敏 | 690元 |
| 2B351131 | 行銷學(適用行銷管理、行銷管理學)<br>👑 榮登金石堂暢銷榜 | 陳金城 | 590元 |
| 2B421121 | 流體力學（機械）‧工程力學（材料）精要解析<br>👑 榮登金石堂暢銷榜 | 邱寬厚 | 650元 |
| 2B491141 | 基本電學致勝攻略 👑 榮登金石堂暢銷榜 | 陳新 | 750元 |
| 2B501141 | 工程力學(含應用力學、材料力學)<br>👑 榮登金石堂暢銷榜 | 祝裕 | 近期出版 |
| 2B581141 | 機械設計(含概要) 👑 榮登金石堂暢銷榜 | 祝裕 | 近期出版 |
| 2B661141 | 機械原理(含概要與大意)奪分寶典 | 祝裕 | 630元 |
| 2B671101 | 機械製造學(含概要、大意) | 張千易、陳正棋 | 570元 |
| 2B691131 | 電工機械(電機機械)致勝攻略 | 鄭祥瑞 | 590元 |
| 2B701141 | 一書搞定機械力學概要 | 祝裕 | 590元 |
| 2B741091 | 機械原理(含概要、大意)實力養成 | 周家輔 | 570元 |
| 2B751131 | 會計學(包含國際會計準則IFRS)<br>👑 榮登金石堂暢銷榜 | 歐欣亞、陳智音 | 590元 |
| 2B831081 | 企業管理(適用管理概論) | 陳金城 | 610元 |
| 2B841141 | 政府採購法10日速成👑 榮登博客來、金石堂暢銷榜 | 王俊英 | 690元 |
| 2B851141 | 8堂政府採購法必修課：法規+實務一本go！<br>👑 榮登博客來、金石堂暢銷榜 | 李昀 | 530元 |
| 2B871091 | 企業概論與管理學 | 陳金城 | 610元 |
| 2B881141 | 法學緒論大全(包括法律常識) | 成宜 | 650元 |
| 2B911131 | 普通物理實力養成 👑 榮登金石堂暢銷榜 | 曾禹童 | 650元 |
| 2B921141 | 普通化學實力養成 👑 榮登金石堂暢銷榜 | 陳名 | 550元 |
| 2B951131 | 企業管理(適用管理概論)滿分必殺絕技<br>👑 榮登金石堂暢銷榜 | 楊均 | 630元 |

以上定價，以正式出版書籍封底之標價為準

**歡迎至千華網路書店選購**
服務電話 (02)2228-9070

千華網路書店

**更多網路書店及實體書店**

博客來網路書店　PChome 24hr書店　三民網路書店
MOMO 購物網　金石堂網路書店　誠品網路書店

查詢實體書店

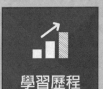

# 學習方法 系列

如何有效率地準備並順利上榜，學習方法正是關鍵！

## 榮登新書快銷榜
### 連三金榜 黃禕

- 翻轉思考 破解道聽塗説
- 適合的最好 調整習慣來應考
- 一定學得會 萬用邏輯訓練

三次上榜的國考達人經驗分享！
運用邏輯記憶訓練，教你背得有效率！
記得快也記得牢，從方法變成心法！

作者線上分享

網路書店

作者在投入國考的初期也曾遭遇過書中所提到類似的問題，因此在第一次上榜後積極投入記憶術的研究，並自創一套完整且適用於國考的記憶術架構，此後憑藉這套記憶術架構，在不被看好的情況下先後考取司法特考監所管理員及移民特考三等，印證這套記憶術的實用性。期待透過此書，能幫助同樣面臨記憶困擾的國考生早日金榜題名。

## 最強校長 謝龍卿

榮登博客來暢銷榜

經驗分享＋考題破解
帶你讀懂考題的know-how!

作者線上分享

open your mind！
讓大腦全面啟動，做你的防彈少年！

108課綱是什麼？考題怎麼出？試要怎麼考？書中針對學測、統測、分科測驗做統整與歸納。並包括大學入學管道介紹、課內外學習資源應用、專題研究技巧、自主學習方法，以及學習歷程檔案製作等。書籍內容編寫的目的主要是幫助中學階段後期的學生與家長，涵蓋普高、技高、綜高與單高。也非常適合國中學生超前學習、五專學生自修之用，或是學校老師與社會賢達了解中學階段學習內容與政策變化的參考。

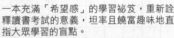

國家圖書館出版品預行編目(CIP)資料

機械原理(含概要與大意)奪分寶典/祝裕編著. -- 第十
版. -- 新北市 ： 千華數位文化股份有限公司,
2025.03
面 ; 公分
國民營事業
ISBN 978-626-427-022-9 (平裝)

1.CST: 機械工程

446                                              114002294

## [國民營事業] 機械原理(含概要與大意)奪分寶典

編 著 者：祝 裕

發 行 人：廖 雪 鳳
登 記 證：行政院新聞局局版台業字第 3388 號
出 版 者：千華數位文化股份有限公司
地址：新北市中和區中山路三段 136 巷 10 弄 17 號
電話：(02)2228-9070　傳真：(02)2228-9076
客服信箱：chienhua@chienhua.com.tw

法律顧問：永然聯合法律事務所
編輯經理：甯開遠
主　　編：甯開遠
執行編輯：廖信凱
校　　對：千華資深編輯群
設計主任：陳春花
編排設計：蕭韻秀

出版日期：2025 年 2 月 25 日　　第十版／第一刷

千華官網
／購書　　千華蝦皮

本書如有勘誤或其他補充資料，
將刊於千華官網，歡迎前往下載。

# 稅捐稽徵（含租稅概要與大意）落分寶典

出版日期：2025 年 2 月 25 日　　　第十版／第一刷

本書如有缺頁、破損、裝訂錯誤，請寄回本公司更換。
版權所有‧翻印必究

國家圖書館出版品預行編目資料

擬制民事司法書類:民事案例研究／吳光陸
編著. —初版.—臺北市:五南, 2003 [民92]
面; 公分.
ISBN 978-957-11-3388-1(平裝)
1.訴訟文書 2.民事訴訟法－中國－案例
586.34                               92014672

1S77

# 擬制民事司法書類－民事案例研

作　　者－吳光陸(57)

發 行 人－楊榮川

總 編 輯－王翠華

主　　編－劉靜芬

責任編輯－李奇蓁

出 版 者－五南圖書出版股份有限公司

地　　址:106台北市大安區和平東路二段339號4樓

電　　話:(02)2705-5066　傳　　真:(02)2706-6100

網　　址:http://www.wunan.com.tw

電子郵件:wunan@wunan.com.tw

劃撥帳號:01068953

戶　　名:五南圖書出版股份有限公司

台中市駐區辦公室/台中市中區中山路6號

電　　話:(04)2223-0891　傳　　真:(04)2223-3549

高雄市駐區辦公室/高雄市新興區中山一路290號

電　　話:(07)2358-702　傳　　真:(07)2350-236

法律顧問　林勝安律師事務所　林勝安律師

出版日期　2003年 9 月初版一刷
　　　　　2013年10月初版四刷

定　　價　新臺幣800元